JE EST UN AUTRE

DU MÊME AUTEUR

AUX MÊMES ÉDITIONS

Le Pacte autobiographique
1975

Moi aussi
1986

CHEZ D'AUTRES ÉDITEURS

L'Autobiographie en France
A. Colin, 1971

Exercices d'ambiguïté
Lectures de « Si le grain ne meurt »
Lettres Modernes, 1974

Lire Leiris. Autobiographie en langage
Klincksieck, 1975

en collaboration
Calicot. Xavier-Édouard Lejeune
enquête de Michel et Philippe Lejeune
Éd. Montalba (diffusion *Payot*), 1984

PHILIPPE LEJEUNE

JE EST UN AUTRE

L'AUTOBIOGRAPHIE DE LA LITTÉRATURE AUX MÉDIAS

ÉDITIONS DU SEUIL
27, rue Jacob, Paris-VIe

CE LIVRE
EST PUBLIÉ DANS LA COLLECTION
POÉTIQUE
DIRIGÉE PAR GÉRARD GENETTE
ET TZVETAN TODOROV

ISBN 2-02-005464-7

Avant-propos

Je est un autre.

La formule de Rimbaud, quel que soit le sens qu'on lui donne, jette le trouble dans l'esprit de chacun, par l'apparent dérèglement de l'énonciation qu'elle produit. Non pas banalement : je suis un autre. Ni, « incorrectement », je est un autre. Mais Je est un autre. Quel Je? Et un autre que *qui?*

S'il ne s'agissait que d'exprimer l'inspiration du *vates* — le cuivre qui s'éveille clairon, la formule n'aurait pas eu un tel succès. L'inspiration est chose rare. Moins rare l'angoisse qui nous prend devant notre propre identité, notre nom, ce « je » que *je* fais mien (et qui *me* fait *moi*) dès que je le prononce, et qui me tire provisoirement du n'importe quoi. Par là s'explique l'écho extraordinaire de cette phrase : elle refait brusquement de la première personne un pur signifiant (Je), et enfonce un coin dans le mythe du sujet plein. A prendre littéralement et dans tous les sens.

Aussi l'ai-je prise à ma manière. Non pour parler de l'énonciation poétique, ni même de l'énonciation romanesque. Mais pour porter le soupçon au cœur même de l'énonciation autobiographique, là où la première personne se veut pleine et légitime.

J'ai donc tenté, dans ces sept « variations » sur un thème de Rimbaud, de défaire la cohérence et l'unité apparentes des « je » autobiographiques les plus divers. De déplier, déchiffrer, désarticuler. De remettre en scène les instances qui s'expriment à travers le « je » le plus lisse : montrer les coulisses de la première personne — quel que soit le théâtre sur lequel elle se donne en spectacle : écriture littéraire, radio, cinéma, littérature au magnétophone.

Le trajet accompli au cours de ce travail est bien représenté par l'écart qui sépare la première variation de la septième. Dans le récit d'enfance de Jules Vallès, *un* joue du fait qu'il est *deux*. Dans « l'autobiographie de ceux qui n'écrivent pas », *deux* font comme s'ils n'étaient qu'*un*.

Les deux premières études analysent des « figures d'énonciation » assez compliquées (récit d'enfance ironique, autobiographie à la troisième personne), — mais on reste à l'intérieur d'un espace assumé par un « sujet » (et un auteur) unique. A partir de la troisième variation *(Victor Hugo raconté par un témoin de sa vie)*, le soupçon se déplace de la notion de personne vers celle d'*auteur*. La question « Qui parle? » ne renvoie plus seulement aux méandres de la personnalité, mais aux « auteurs » multiples d'un même « je », en même temps qu'au jeu social par lequel les « sujets » se reproduisent.

Dans *le Pacte autobiographique*, auquel le présent volume fait suite, j'avais étudié des textes prestigieux de Rousseau, de Gide, de Sartre et de Leiris. Mais j'avais aussi montré les pièges que l'étude d'un genre littéraire tend au critique. Il risque de s'enfermer dans une définition artificielle, simplifiée et statique; de s'absorber dans l'analyse de quelques chefs-d'œuvre, choisis dans une même variété du genre, où il croira voir son « essence ». Aussi ai-je ici pris tous mes exemples, à partir de la troisième variation, en dehors de l'écriture littéraire classique, pour explorer des formes variées d'expression (auto)biographique dans les médias les plus différents.

J'ai essayé d'aborder l'étude de la *biographie*, l'histoire du genre de l'*interview*, celle des *entretiens radiophoniques*, d'envisager les problèmes du *film biographique*, d'enquêter longuement enfin sur le *document vécu*, l'*histoire orale* et le *récit de vie ethnographique*. Car c'est sous ces différentes formes que, de toutes parts, le « vécu » nous arrive aujourd'hui.

Ici bien sûr, Je est un autre : il a toujours deux auteurs. Mais surtout : la forme et la fonction du « je » varient considérablement d'un genre à un autre, selon la nature des médias et selon les situations de communication qu'ils construisent, et les rapports sociaux qu'ils produisent. Entre le narrateur des *Mots* et l'image audiovisuelle de Sartre dans le film *Sartre par lui-même*, il y a un abîme. Aussi verra-t-on poindre à l'horizon de ces études une question : dans quel sens l'évolution des médias est-elle en train de métamorphoser la manière dont chacun se vit comme sujet et vit ses relations avec les autres sujets? Les *Essais* de Montaigne sont fils de l'imprimerie : qu'engendrera l'ère du magnétoscope? A cette question je ne prétends point répondre. Par une constante référence à l'*écriture*, je me place plutôt comme l'observateur, et le témoin, d'une ère de transition. J'analyse le genre des entretiens radiophoniques, mais il s'agit d'entretiens d'écrivains; le récit de vie au magnétophone, mais sous sa forme écrite. De la lisière de l'ère Gutenberg, je regarde le choc en retour des médias audiovisuels sur l'écriture. Dernière limite à franchir, celle qui sépare la page de l'écran de télévision : à l'horizon de ce livre, une suite, qui ne saurait être que l'analyse du « télé-vécu ». Tout le problème est de savoir si Je, même « autre », sera encore une catégorie pertinente. Si Je, tel que je l'ai étudié, n'a pas partie liée avec l'écriture.

Courant à travers ces variations, on découvrira un leitmotiv, qui s'épanouit dans les deux dernières : celui du « vécu » et de la biographie. Si Je est un autre, ce n'est pas seulement parce que son énonciation cache des instances multiples : c'est que tout récit de vie n'est qu'une reprise ou une transformation de *formes de vie* préexistantes. C'est une évidence : mais cette évidence engendre un effet de *transparence*. C'est si « naturel » qu'il n'y a rien à en dire. La biographie semble être une forme *a priori* de notre perception du monde, et se dérobe à l'analyse. Or il s'agit bien sûr d'une forme culturelle, historiquement variable, idéologiquement déterminée. Écrites ou audiovisuelles, ces formes de vies s'échangent, et nous *informent*. Il ne faut pas dire « je pense », mais « on me pense », proposait Rimbaud. On me vit. Manières de penser à soi, modèles venus d'autrui. Circulation de la gloire, exemples proposés, destinées remises au goût du jour. Accumulation (et élaboration par tri) des différentes « mémoires collectives ». Consommation inverse, mais liée, de la notoriété, et des vies obscures. C'est la forme de cette circulation de vies, autant que la forme des vies elles-mêmes, que j'ai voulu saisir, pour contribuer quelque peu à l'histoire de *l'espace biographique*, dont le développement de l'autobiographie moderne n'est qu'un aspect. Cette histoire pourrait s'inspirer de la manière dont Pierre Francastel a analysé, dans *Peinture et Société* (1951) les métamorphoses de l'espace pictural. Fonctions et formes de la perspective biographique ne sont pas images de la vie « réelle », mais des constructions qui révèlent la civilisation qui les produit, qui, par leur moyen, *se reproduit* — et fait de chacun des « autres » que nous sommes un « je » bien déterminé.

Décembre 1978.

Le récit d'enfance ironique : Vallès

« *J'ai six ans, et le derrière tout pelé.* »

Qui parle? Est-ce la voix d'un enfant, celle d'un adulte? d'un adulte mimant la voix d'un enfant? et transformant un bon mot en mot d'enfant? Cette voix est celle d'Ernest Pitou, narrateur et héros du *Testament d'un blagueur* (1869). La force de ce début tient, autant qu'au jeu de mots, à l'indécision où Vallès nous laisse sur l'origine de l'énonciation. En écrivant cette phrase, il accomplit une petite révolution : il trouve enfin le procédé qui va lui permettre de dire son enfance, procédé qu'il perfectionnera quelques années plus tard en composant *l'Enfant* (1879); et il donne une solution (parmi d'autres possibles) à l'un des problèmes fondamentaux d'un genre qui se développe pendant cette seconde moitié du XIXe siècle, le récit d'enfance [1].

Dans le récit autobiographique classique, c'est la voix du narrateur adulte qui domine et organise le texte : s'il met en scène la perspective de l'enfant, il ne lui laisse guère la parole. C'est là bien naturel : l'enfance n'apparaît qu'à travers la mémoire de l'adulte. On parle d'elle, on la fait éventuellement un peu parler, mais elle ne parle pas directement. Pour reconstituer la parole de l'enfant, et éventuellement lui déléguer la fonction de narration, il faut abandonner le code de la vraisemblance (du « naturel ») autobiographique, et entrer dans l'espace de la fiction. Alors il ne s'agira plus de se souvenir, mais de fabriquer une voix enfantine, cela en fonction des effets qu'une telle voix peut produire sur un lecteur plutôt que dans une perspective de fidélité à une énonciation enfantine qui, de toute façon, n'a jamais existé sous cette forme.

1. Vallès n'a composé aucun récit d'enfance strictement autobiographique; il a donné successivement de son enfance trois versions romancées : en 1861, la « Lettre de Junius »; en 1869, *le Testament d'un blagueur;* en 1879, *l'Enfant*. On trouvera les deux premiers textes dans la récente édition des *Œuvres* de Vallès par Roger Bellet (Gallimard, Bibliothèque de la Pléiade, 1975, t. I). Le texte de *l'Enfant* sera cité d'après l'édition Garnier-Flammarion, 1968.

Ce choix décisif, Vallès ne l'a pas fait tout de suite : dans la « Lettre de Junius » (1861), dans les chroniques de *la Rue* (1866), il a exhalé sa rancœur contre une éducation tyrannique et sa nostalgie de la campagne de la manière la plus traditionnelle, en adulte qui rumine de bons et de mauvais souvenirs. C'est seulement en 1869, à la faveur d'une pochade satirique qu'on lui commande, qu'il met la sourdine au discours de l'adulte, et s'essaie à construire une nouvelle voix narrative. Deux artifices de présentation lui permettent de reléguer à l'arrière-plan le discours du narrateur. Ernest Pitou est mort, et c'est son exécuteur testamentaire qui présente ses Mémoires à sa place; et dans les Mémoires eux-mêmes, le narrateur a déposé ses souvenirs « par tranches et miettes », en mimant la présentation d'un journal. Le terrain est libre pour que s'installe une autre voix [1].

La voix de qui? Un enfant peut-il dire vraiment : « J'ai six ans, et le derrière tout pelé »? Il suffit de remettre la phrase aux temps historiques pour se convaincre que la responsabilité en incombe plutôt à un narrateur adulte : « J'avais six ans, et le derrière tout pelé. » En réalité, l'effet produit par Vallès tient au mélange des deux voix. La phrase a l'air de commencer comme une énonciation enfantine parfaitement vraisemblable : « J'ai six ans », et se continue par un raccourci stylistique (la mise en facteur commun assez imprévue du verbe « avoir ») qui, lui, connote plutôt l'énonciation d'un adulte, mais que, sur notre lancée, nous pourrons d'abord ressentir comme un mot d'enfant. L'indécision a été rendue possible par l'emploi du présent de narration, qui nous a donné l'illusion d'une énonciation directe. Ce mélange insidieux des deux voix produit sur le lecteur un effet troublant et suggestif, effet que ne produit pas la transcription au passé que j'en ai donnée (où l'on rit du jeu de mot, mais « entre adultes »), et que ne produirait pas non plus une narration au présent, mais « à la troisième personne », ce qui donnerait, à la manière de *Poil de Carotte :* « Ernest a six ans, et le derrière tout pelé. »

L'analyse sommaire de cette petite phrase montre la complexité des problèmes posés par ce nouveau type de narration. Elle suggère aussi une méthode d'étude : faire varier les facteurs pour distinguer quel facteur, ou quelle combinaison de facteurs, est responsable de l'effet

1. Dans une version plus étendue de cette étude (publiée dans les Actes du *Colloque Jules Vallès (1975)*, Presses de l'Université de Lyon, 1976, p. 51-74) j'ai présenté le projet « autobiographique » de Vallès et le problème du pacte. Il ne sera ici question que de la voix narrative. Sur les techniques de Vallès, voir Jacques Dubois, *Romanciers français de l'instantané au XIX*e *siècle*, Bruxelles, 1963, et M. Jutrin, « Le sens du monologue intérieur dans *l'Enfant* de Jules Vallès », *Revue des langues vivantes*, 1972, nº 5, p. 467-476.

produit. Ce qui suppose qu'on s'appuie sur une analyse théorique de l'ensemble du système. Mon propos est de construire ici une telle analyse, une sorte d'étude de « poétique appliquée » qui puisse servir de référence et d'instrument de travail pour la lecture de Vallès, et de point de départ pour une réflexion sur le genre du récit d'enfance.

Mon analyse, si l'on excepte sa première section (« éclipse du narrateur »), portera à la fois sur *le Testament d'un blagueur* et sur *l'Enfant*. Je montrerai ensuite comment, avec *l'Enfant*, Vallès a réintroduit l'ombre d'un narrateur classique dans ce système, et les effets qu'il en a tirés.

J'emprunterai mes exemples à *l'Enfant*. Mais l'emploi des exemples est délicat : souvent l'élément que l'on veut illustrer est associé à d'autres dans la phrase choisie; et l'effet produit par la phrase dépend toujours de son contexte. Aussi ai-je préféré faire d'abord entendre à mon lecteur la voix narrative de l'*Enfant* en lui donnant à lire un extrait de quelque longueur. Je ne commenterai pas cet extrait : je le lui propose plutôt comme un échantillon sur lequel il pourra s'exercer lui-même à vérifier, ou à rectifier, mon analyse. Ce texte, extrait du chapitre VI, présente à peu près tous les problèmes que j'étudierai (sauf celui de la « narration au second degré »); de plus, sur le plan thématique, il donne une image assez complète du livre.

> J'entre jusqu'au genou dans les sillons, à la saison du labourage; je me roule dans l'herbe au moment où l'on fait les foins, je piaule comme les cailles qui s'envolent, je fais des culbutes comme les petits qui tombent des nids quand la charrue passe.
> Oh! quels bons moments j'ai eus dans une prairie, sur le bord d'un ruisseau bordé de fleurs jaunes dont la queue tremblait dans l'eau, avec des cailloux blancs dans le fond, et qui emportait les bouquets de feuilles et les branches de sureau doré que je jetais dans le courant!...
> Ma mère n'aime pas que je reste ainsi, muet, la bouche béante à regarder couler l'eau.
> Elle a raison, je perds mon temps.
> « Au lieu d'apporter ta grammaire latine pour apprendre tes leçons! »
> Puis, faisant l'émue, affichant la sollicitude :
> « Si c'est permis, tout taché de vert, des talons pleins de boue... On t'en achètera des souliers neufs pour les arranger comme cela! Allons, repars à la maison, et tu ne sortiras pas ce soir! »
> Je sais bien que les souliers s'abîment dans les champs et qu'il faut mettre des sabots, mais ma mère ne veut pas! ma mère me fait donner de l'éducation, elle ne veut pas que je sois un campagnard comme elle!
> Ma mère veut que son Jacques soit un *Monsieur*.

Lui a-t-elle fait des redingotes avec olives, acheté un tuyau de poêle, mis des sous-pieds, pour qu'il retombe dans le fumier, retourne à l'écurie mettre des sabots!
Ah oui! je préférerais des sabots! j'aime encore mieux l'odeur de Florimond le laboureur que celle de M. Sother, le professeur de huitième; j'aime mieux faire des paquets de foin que lire ma grammaire, et rôder dans l'étable que traîner dans l'étude.
Je ne me plais qu'à nouer des gerbes, à soulever des pierres, à lier des fagots, à porter du bois!
Je suis peut-être né pour être domestique!
C'est affreux! oui, je suis né pour être domestique! je le vois! je le sens!!!
Mon Dieu! Faites que ma mère n'en sache rien!
J'accepterais d'être Pierrouni le petit vacher, et d'aller, une branche à la main, une pomme verte aux dents, conduire les bêtes dans le pâturage, près des mûres, pas loin du verger.
Il y a des églantiers rouges dans les buissons, et là-haut un point barbu, qui est un nid, il y a des bêtes du bon Dieu, comme de petits haricots qui volent, et dans les fleurs, des mouches vertes qui ont l'air saoules.
On laisse Pierrouni se dépoitrailler, quand il a chaud, et se dépeigner quand il en a envie.
On n'est pas toujours à lui dire :
« Laisse tes mains tranquilles, qu'est-ce que tu as donc fait à ta cravate? — Tiens-toi droit. — Est-ce que tu es bossu? — Il est bossu! — Boutonne ton gilet. — Retrousse ton pantalon. — Qu'est-ce que tu as fait de l'olive? L'olive là, à gauche, la plus verte! — Ah! cet enfant me fera mourir de chagrin! »

MÉTHODE

J'ai choisi de descendre un à un tous les degrés qui mènent de la voix du narrateur à celle du « personnage ». Ce dépliement progressif est un procédé de présentation commode, mais il a naturellement ses limites.

D'abord, parce que la démarche analytique a l'air d'aller en sens inverse de la pratique de Vallès. Là où je distingue, Vallès s'emploie systématiquement à confondre. Ce que je vais séparer comme les marches d'un escalier est en fait une pente continue et réversible. Vallès exploite toutes les situations où les oppositions constitutives du récit classique sont apparemment neutralisées, pour créer un perpétuel « fondu-enchaîné » ou une « surimpression » entre les deux voix. D'autre part, la voix narrative change presque à chaque phrase ou à chaque paragraphe : non seulement le texte devient imprévisible, mais la vitesse normale de lecture fait qu'une sorte de rémanence se produit. Le texte va plus vite que le lecteur : à peine celui-ci a-t-il identifié la « voix » d'une phrase que la phrase suivante l'oblige à « accommoder » différemment. Par inertie, les différentes positions de la voix narrative finissent par se superposer dans sa conscience.

Ces effets de transition ou de confusion sont si subtils que des lecteurs différents pourront d'abord ne pas s'accorder sur l'interprétation d'un même passage, ou plutôt sur son « attribution » : le lecteur a souvent tendance à réduire l'ambiguïté au lieu de l'analyser, il désire savoir clairement « lequel des deux parle », alors que « voir clair », dans ce cas, c'est plutôt analyser par quels procédés, dans quelle proportion et selon quelle hiérarchie, et en vue de quel effet, les deux voix sont confondues. L'analyse spectrale de l'énonciation permettra peut-être de comprendre comment sont produits les différents tons du récit.

Surtout, je vais procéder à une analyse dont la ligne principale sera fatalement simple : mais je serai sans cesse obligé de *recombiner* les procédés employés pour rendre compte des effets produits par Vallès. Son art, en effet, ne tient pas à l'emploi systématique de tel ou tel procédé, comme le présent de narration ou le « monologue intérieur », mais à l'articulation systématique de quatre éléments dont chacun, pris séparément, a des effets assez limités et fort traditionnels, mais qui contiennent en germe des possibilités inexploitées que leur association avec les autres éléments va révéler. Ces quatre éléments sont :

— l'emploi du récit « à la première personne », où le même pronom « je » désigne le narrateur adulte et le personnage, le sujet de l'énonciation et celui de l'énoncé[1];

— l'emploi du « présent de narration », figure qui introduit une perturbation apparente dans la distinction entre histoire et discours, et entre antériorité et simultanéité;

— le style indirect libre, qui organise l'intégration (et éventuellement la confusion) de deux énonciations différentes;

— l'emploi dans un récit écrit de traits propres à l'oralité, et le mélange des niveaux de langage.

C'est l'emploi *intensif* et *combiné* des trois derniers éléments dans un récit autodiégétique qui a permis à Vallès de créer des effets si surprenants et si modernes. Pour m'en assurer, j'ai procédé à une rapide comparaison avec d'autres récits d'enfance, ceux que l'on

1. Récit « autodiégétique » selon la terminologie de Gérard Genette, que j'utiliserai dans cette étude (« Discours du récit », in *Figures III*, Seuil, 1972).

trouve au début de romans contemporains comme l'*Histoire d'un homme du peuple* (1865) d'Erckmann-Chatrian, les *Mémoires d'un orphelin* (1865) de Xavier Marmier ou *le Petit Chose* (1868) d'Alphonse Daudet : le présent de narration, le style indirect libre, les traits propres à l'oralité y sont employés de manière discrète et ponctuelle, et ne sont jamais associés entre eux. Aussi tous ces récits font-ils entendre sans ambiguïté aucune une voix dominante, celle du narrateur, et produisent-ils, au mieux, le type de relief propre au récit autobiographique classique.

C'est justement l'éclipse du narrateur, telle qu'elle est pratiquée dans *le Testament d'un blagueur*, qui va permettre à Vallès de jouer sur la combinaison des éléments présentés ci-dessus.

L'ÉCLIPSE DU NARRATEUR

Dans les romans en forme de mémoires, il est ordinaire que le narrateur soit discret sur sa situation actuelle et sur sa personnalité : il sert surtout d'alibi à une narration paradoxale, à la fois rétrospective en ce qui concerne la voix et contemporaine en ce qui concerne la perspective. La plupart des fictions autodiégétiques classiques opèrent ainsi un filtrage dans les fonctions du narrateur autobiographique, selon des dosages qui peuvent varier. S'il interdit toute anticipation à son narrateur, l'auteur en arrive à une forme de tricherie : ainsi dans *Sans Famille*, où Hector Malot combine la voix rétrospective avec une forme de suspense qu'elle rend, sinon impossible, du moins peu vraisemblable [1]. Mais quel que soit le dosage et sa fonction, le narrateur autodiégétique du roman personnel exerce ouvertement à des degrés divers ses fonctions de narrateur, et en particulier sa fonction de narration [2].

Dans *le Testament d'un blagueur*, Vallès procède, lui, à une sorte d'éclipse du narrateur rétrospectif. Il ne le supprime pas, mais s'arrange pour que la plupart de ses traces soient à moitié effacées;

1. L'incipit de *Sans Famille* (1878), « Je suis un enfant trouvé », est fort habile. D'une part, c'est une « paralipse », c'est-à-dire un mensonge par omission, puisque si le héros Rémi était bien un enfant trouvé, le narrateur, lui, doit fort bien savoir qu'il est Rémi Milligan, un enfant perdu, trouvé, puis *retrouvé*; mais il doit cacher au lecteur toute la suite de son histoire, sous peine de détruire le suspense de son « roman familial ». D'autre part, cette affirmation non située peut donner au lecteur l'illusion que c'est un enfant qui est le narrateur du livre.

2. Sur les différentes fonctions du narrateur, cf. G. Genette, *op. cit.*, p. 261-263. Pour le discours autobiographique, voir la description que j'en ai donnée dans *l'Autobiographie en France*, A. Colin, 1971, p. 73-80.

leur perception est rendue difficile, elle est brouillée par l'interférence d'une autre source d'énonciation : discours ou récit semblant venir du personnage. Au début du texte, un « éditeur » usurpait la fonction du narrateur pour présenter à sa place son testament. Dans le testament lui-même :

— le narrateur s'abstient de toute référence à la situation d'énonciation et de tout discours adressé au narrataire : il semble renoncer à la fonction de communication ;

— la structure discontinue du texte fait qu'il a l'air aussi de s'abstenir d'exercer la fonction de régie : il l'exerce pourtant, et cela par le jeu des sous-titres, qui sont ininterprétables dans l'hypothèse d'une narration venant du personnage. Dans *l'Enfant*, le découpage en chapitres, les titres et les sous-titres, et les blancs qui séparent les groupes de paragraphes, fonctionneront de la même manière comme signes du narrateur;

— il exerce fort peu la fonction d'attestation, et s'il ne se prive guère de la fonction de commentaire, celui-ci n'est pas immédiatement saisissable, pour deux raisons. D'abord parce qu'il passe souvent par le biais d'une énonciation ironique. Ensuite parce que l'emploi des temps dans le récit masque la présence du commentaire, comme il masque l'exercice même de la narration : cela est dû surtout à l'usage extensif du présent de narration.

LE PRÉSENT DE NARRATION

Le présent de narration, ou présent historique, est une très classique *figure* narrative : elle fonctionne par rapport à un contexte dans lequel le narrateur emploie normalement l'un des deux systèmes qui sont à sa disposition pour raconter une histoire passée : celui du discours, centré sur le présent, où cette histoire viendra au passé composé et à l'imparfait; et celui de l'histoire, où elle viendra au passé simple et à l'imparfait. La figure du présent de narration consiste en une ellipse momentanée de toute marque de temps, que ces marques soient celles qui opposent l'histoire au discours, celles qui opposent dans le système du discours le moment de l'énonciation à celui de l'énoncé, ou celles qui, dans chaque système, sont utilisées pour la mise en relief (l'opposition du passé simple ou composé avec l'imparfait). Ce degré zéro du temps produit des effets différents selon le contexte où il est employé. Le plus souvent il est utilisé pour créer localement un effet de mise en relief, dans le cadre d'un récit à anecdotes. Les signes marquant le rapport du narrateur à l'histoire manquent soudain, si bien que l'histoire semble « crever » l'écran diégétique, refouler son narrateur pour venir sur le devant de la scène. Bien sûr, il s'agit là d'une figure, d'une « manière de parler » dont nous ne sommes pas dupes : tout se passe *comme si* l'histoire devenait contemporaine de sa narration (effet n° 1).

Peut-on employer cette figure sur longue distance? Dans le récit classique, cela ne se voit guère : sur longue distance, en effet, on perd de vue le contexte, et l'effet de mise en relief externe s'évanouit; d'autre part le présent de narration exclut toute mise en relief interne. Il en résulterait donc platitude et monotonie. Même dans l'écriture du reportage telle que Vallès la pratique dans ses articles de journaux, le présent de narration reste pris dans un système contrastif et brisé [1].

Pourtant la principale innovation apportée au récit d'enfance dans *le Testament d'un blagueur* semble être l'emploi extensif du présent de narration. S'il échappe à la monotonie, c'est qu'il est associé à d'autres procédés, et qu'il est utilisé comme un moyen de transition et de confusion. La couleur générale que donne le présent fonctionne comme une sorte de glaçage de surface qui recouvre en réalité deux sources d'énonciation différentes, et brouille en apparence la hiérarchie des niveaux du texte. Ainsi dans ce passage de *l'Enfant*, où les formes identiques du présent recouvrent tantôt des présents de narration, tantôt un style direct libre rapportant les pensées de l'enfant :

> [...] Je sanglote, j'étouffe : ma mère reparaît et me pousse dans le cabinet où je couche, où j'ai peur tous les soirs.
> Je puis avoir cinq ans et me crois un parricide.
> Ce n'est pas ma faute pourtant!
> Est-ce que j'ai forcé mon père à faire ce chariot? Est-ce que je n'aurais pas mieux aimé saigner, moi, et qu'il n'eût point mal?
> Oui — et je m'égratigne les mains pour avoir mal aussi.
> C'est que maman aime tant mon père! Voilà pourquoi elle s'est emportée.
> On me fait apprendre à lire dans un livre où il y a écrit, en grosses lettres, qu'il faut obéir à ses père et mère : ma mère a bien fait de me battre [2].

Quand le présent de narration est, comme ici, associé à l'emploi de

1. Cf. par exemple la manière dont Vallès utilise le présent de narration dans son reportage sur la mine (*Œuvres*, Bibliothèque de la Pléiade, t. I, p. 907-916).
2. *L'Enfant*, chap. I, p. 46-47. On pourra mesurer l'originalité et l'efficacité de ce « fondu » en voyant comment A. Daudet a traité une scène analogue (débat de conscience d'un enfant) dans *Le Petit Chose* (éd. Nelson, 1950, chap. III, p. 35-36).

la première personne, à la pratique d'une narration segmentée qui mime le discours oral [1], au choix d'une perspective qui est souvent celle de l'enfant, et à l'emploi du style indirect libre, il se produit un effet de retour inverse de l'effet nº 1, effet dont nous nous défendrons plus difficilement que du premier : c'est que tout se passe *comme si* l'énonciation devenait contemporaine de l'histoire, et qu'elle était donc le fait du personnage (effet nº 2).

On conçoit par exemple qu'en dépit de la présence de signes du narrateur, le lecteur puisse hésiter pour savoir qui raconte l'épisode suivant :

> Le Fer-à-cheval...
> J'y vais avec ma cousine Henriette.
> C'est pour voir Pierre André, le sellier du faubourg, qu'elle y vient.
> Il est de Farreyrolles comme elle et elle doit lui donner des nouvelles de sa famille, des nouvelles intimes et que je ne puis pas connaître; car ils s'écartent pour se les confier et elle les lui dit à l'oreille.
> Je le vois là-bas qui se penche; et leurs joues se touchent.
> Quand Henriette revient, elle est songeuse et ne parle pas [2].

Nous sommes d'autant plus tentés d'effectuer ce glissement de la voix du narrateur à celle du personnage que celle-ci se trouve constamment intégrée au récit par le biais du style indirect libre.

LE STYLE INDIRECT LIBRE

Le style indirect libre est lui aussi une *figure* narrative, fondée en partie sur des phénomènes d'ellipse. Sa fonction est d'intégrer un discours rapporté à l'intérieur du discours qui le rapporte en réalisant une sorte de « fondu » à la faveur duquel les deux énonciations vont

1. Comme l'a montré Jean Peytard (« Oral et scriptural : deux ordres de situations et de descriptions linguistiques », *Langue française*, 1970, nº 6), il ne faut pas confondre le problème des « niveaux de langue » (registres enfantins ou adultes, familiers ou littéraires, etc.) avec celui de la réalisation écrite ou orale des énoncés. D'une part, Vallès mélange des « niveaux de langue » différents. D'autre part, il présente sa narration écrite sous une forme qui suggère sa réalisation orale. Il mélange la présentation traditionnelle par paragraphes qui forment un bloc, avec une disposition plus rompue et aérée qui évoque le rythme, les silences, les ellipses et les reprises d'une parole. Il y a une sorte de « verset » vallésien, correspondant à une scansion orale, au souffle et aux effets d'une narration parlée. Ce caractère ambigu du rythme de la narration contribue à l'incertitude sur l'origine de l'énonciation.

2. *L'Enfant*, chap. VIII, p. 101.

se superposer. Au style direct, l'énoncé rapporté serait cité dans son texte réel, sans transformation, mais il serait nettement séparé du discours qui le rapporte par des guillemets ou des tirets, aucune confusion n'étant possible. Au style indirect libre, l'énoncé rapporté est intégré au discours du narrateur par ellipse de tout procédé introductif : il est accordé, pour la personne et le temps, avec le discours qui le rapporte, mais il garde sa syntaxe et son vocabulaire [1]. Ainsi est obtenu un chevauchement des deux énonciations : on entend une voix qui parle à l'intérieur d'une autre. Cette voix n'est pas citée, elle est en quelque sorte *mimée*.

Dans le récit classique, la figure du style indirect libre est employée de manière ponctuelle, le temps d'une phrase, d'un paragraphe; l'énonciation seconde ne surgit que fugitivement à travers l'énonciation première. C'est un procédé d'économie, qui peut servir simplement au « fondu » de la narration, ou être employé en vue d'effets pathétiques ou ironiques. L'économie peut être source d'ambiguïté : si l'énonciation seconde ne se distingue pas stylistiquement de la première, le lecteur peut se demander si le narrateur mime les réflexions d'un personnage ou s'il expose les siennes.

L'incertitude augmentera si d'autres procédés sont combinés avec le style indirect libre : dans le récit autodiégétique, le narrateur et le personnage sont tous les deux « je », et toute distinction liée à la marque de la personne disparaît. Selon le contexte, on peut hésiter pour savoir s'il y a ou non style indirect libre, et prendre parfois pour une énonciation venant du seul narrateur ce qui est la transposition des pensées du personnage. Comment lire la dernière phrase du chapitre XVI de *l'Enfant* : « Mon père m'avait menti »? Information sur le père donnée par le narrateur au lecteur, accompagnée d'un jugement sévère de l'adulte? Bien évidemment l'information principale porte non sur le mensonge du père, mais sur la découverte scandalisée qu'en fit l'enfant : il s'agit donc d'une transposition elliptique en style indirect libre de « mon père m'a menti ».

Si, de plus, dans un récit autodiégétique, le narrateur emploie systématiquement le présent de narration, toute distinction liée à la marque du temps va disparaître, et l'on hésitera encore plus pour savoir s'il y a style indirect libre, mais en penchant cette fois dans l'autre sens, pour attribuer au personnage l'entière responsabilité de l'énonciation. En effet, dans un discours indirect libre situé dans

1. Sur le style indirect libre, voir Marguerite Lips, *Le Style indirect libre*, Payot, 1926, et l'état actuel de la question dressé par Gérard Strauch dans « De quelques interprétations récentes du style indirect libre », *Recherches anglaises et américaines*, VIII, 1974, p. 40-73.

une narration autodiégétique faite au présent de narration, toute distinction de temps et de personne devenant impossible, il n'y a plus, sur ce plan, de différence entre un discours indirect libre rapportant un énoncé du personnage principal, et cet énoncé lui-même. On se trouve donc devant un discours rapporté en *style direct libre*[1]. Et si ce discours se développe sur quelque longueur, la tentation sera grande de parler d'un « monologue intérieur » du personnage. Dans *le Testament d'un blagueur* et dans *l'Enfant*, Vallès s'est souvent servi de ce procédé : on croit entendre « en direct » les réflexions que l'enfant faisait *in petto*.

> [...] Les bonbons, je m'en moque, si on m'en donne un par an comme une exemption, quand j'aurai été sage. Je les aime quand j'en ai trop[2].

S'agit-il vraiment d'un monologue intérieur? Certainement non. Ce qui définit le monologue intérieur, c'est son autonomie : comme au théâtre, le discours du personnage doit être présenté indépendamment de toute autre énonciation[3]. Ici, au contraire, l'énonciation reste *double* : le lecteur ne peut jamais oublier vraiment que ce « monologue », s'il est intérieur, est d'abord intérieur à la voix du narrateur, qu'il fait partie d'un système de ventriloquie. Ce n'est pas un enfant qui parle, mais un adulte qui se fait une voix d'enfant. Le discours qui semble venir du personnage est en fait un discours mimé, autour duquel et dans lequel flotte la présence diffuse et insidieuse du narrateur : on reste dans le domaine du « comme si ».

Apparemment absent, le narrateur se manifeste à la fois de manière contextuelle et stylistique. Contextuelle : même quand il est assez développé, ce « monologue » reste pris dans une narration qui, elle, suppose le narrateur adulte; il est d'ailleurs rare que le « monologue » se déroule de manière continue : de brefs fragments de monologue alternent avec des passages narratifs, et ils sont pris dans un va-et-vient entre les deux voix, avec des « mues » de voix, des cassures et des contrastes qui empêchent d'oublier le narrateur adulte. Stylistique :

1. Dans le *style direct libre*, il n'y a pas de verbe introductif ni de signe (guillemets, tiret) distinguant le discours rapporté du discours qui le rapporte. Sur le style direct libre, et la manière dont il complète le système des « styles » direct et indirect, voir Derek Bickerton, « Modes of Interior Monologue : a formal definition », *Modern Language Quaterly*, 1967, p. 233, et Gérard Strauch, art. cité (cf. p. 19, note 1).
2. *L'Enfant*, chap. VII, p. 94
3. Sur ce problème, voir la mise au point de Gérard Genette dans *Figures III*, p. 194.

dans le style indirect libre, la syntaxe et le vocabulaire du discours mimé sont en principe intégralement respectés : mais le narrateur peut aussi *mélanger* les traits caractéristiques du langage de l'enfant avec d'autres qui ne sauraient être attribués qu'à l'adulte. On trouvera ainsi mêlés au discours enfantin, des informations qui n'ont de sens que dans le cadre d'une communication entre un narrateur et un lecteur; l'emploi de tours syntaxiques propres à la langue écrite et au registre littéraire; des exagérations où se lit clairement l'intention de produire tel ou tel effet; l'emploi d'un vocabulaire aux connotations ironiques ou pathétiques s'inscrivant dans la stratégie du narrateur adulte.

Cette duplicité de l'énonciation est particulièrement évidente dans le récit d'enfance, parce que les deux sources d'émission sont relativement éloignées l'une de l'autre : la perspective, les jugements de valeur et les attitudes de l'enfant dont on parle et du narrateur adulte sont différents. Vallès se sert de cet écart pour réaliser des effets ironiques ou pathétiques, en jouant sur le contraste entre la candeur, l'ignorance ou la résignation de l'enfant, et la révolte, les insinuations ou les ironies de l'adulte qui s'adresse, par-dessus la tête de l'enfant (et à travers son « discours ») à un lecteur qui ne doit pas être dupe [1].

Dans la Trilogie, plus le récit autobiographique de Jacques Ving-

1. Chez Vallès, le « monologue » ou le « journal intime » du personnage restent toujours intégrés à la narration du narrateur premier, même si c'est par un lien peu visible. Mais il suffirait qu'on donne leur autonomie à ce discours et à cette narration de l'enfant pour obtenir un autre type de récit, dont Vallès est indirectement le précurseur : le roman d'enfance dont la narration est censée être faite par l'enfant lui-même. Deux solutions sont alors possibles : l'écriture d'un journal entraînant une narration « simultanée » (exemples : Colette, *Claudine à l'école*, 1900; ou dans le cadre de la littérature pour enfants, Colette Vivier, *La Maison des Petits Bonheurs*, 1939), ou l'émission d'une narration rétrospective, faite à un moment déterminé (ex. : Émile Ajar, *La Vie devant soi*, 1975) ou indéterminé (ex. : Christiane Rochefort, *Les Petits Enfants du siècle*, 1961). Même dans ces cas la duplicité de l'énonciation reste patente, et aucun de ces textes ne peut se lire comme un journal tenu ou un récit fait par un enfant ou un adolescent. Sur le plan contextuel, la présence de l'adulte qui tire les ficelles s'est déplacée : ce n'est plus un narrateur rétrospectif inclus dans le texte, mais l'auteur. Le pacte romanesque nous interdit de croire à la simplicité de l'énonciation. Et ce d'autant plus que les marques stylistiques d'un autre énonciateur sont visibles : beaucoup d'effets pathétiques ou ironiques sont produits à l'insu du personnage candide dont le discours est fabriqué par un adulte pour d'autres adultes. La chose est moins accentuée dans les « journaux » fictifs qui tentent de se plier aux lois de la vraisemblance du langage enfantin et de l'écriture intime; elle est très visible dans les narrations rétrospectives où l'auteur peut fabriquer une voix en mélangeant violemment le registre adulte et le registre enfantin, la langue littéraire et la langue populaire, comme c'est le cas chez Christiane Rochefort et Émile Ajar.

tras progresse, plus le personnage mûrit et rejoint progressivement les positions présumées du narrateur. L'écart des deux sources diminue, et le lecteur pourrait être tenté de croire que quand on arrive à l'*Insurgé*, les deux sources coïncident, et que l'on peut traiter le monologue du personnage comme un discours direct renvoyant à une seule source d'énonciation. Il n'en est rien : même si les effets produits changent, structurellement le monologue reste pris dans une énonciation double qui nous donne jusqu'au bout l'impression d'une voix fabriquée qui se mime elle-même.

L'insertion du style indirect libre dans la narration au premier degré rappelle au lecteur la présence de l'adulte. Mais la narration est-elle toujours au premier degré? Le style indirect libre peut très bien servir lui-même de support et d'alibi à une narration au second degré, qui se trouvera ainsi mélangée à la narration au premier degré, et instaurera une incertitude permanente sur l'origine du récit.

LA NARRATION AU SECOND DEGRÉ

Parmi les pensées du personnage que le narrateur rapporte au style indirect libre au présent, il peut se trouver des pensées « rétrospectives », le personnage se rappelant et rapportant ce qui lui est arrivé la veille, « l'autre jour », récemment, ou ce qui lui arrive constamment à l'époque où il se trouve : pour peu que ces évocations soient suivies, le personnage va se trouver localement transformé en une sorte de narrateur au second degré :

> On nous a donné l'autre jour comme sujet — « Thémistocle haranguant les Grecs ». Je n'ai rien trouvé, rien, rien [1]!

Le personnage se voit confier provisoirement la narration de sa propre histoire : délégation artificieuse puisqu'il nous est impossible de savoir pourquoi et à qui l'enfant raconte. Le narrateur n'a pas besoin de justifier le procédé, et il sait bien qu'en dernier ressort c'est à lui qu'on attribuera la responsabilité de cette narration mimée, qui fait

1. *L'Enfant*, chap. xx, p. 242. Dans *Le Testament d'un blagueur*, des effets très compliqués sont produits dans le cadre de cette narration seconde. Non seulement l'enfant peut raconter ce qui lui est arrivé « récemment », mais à la fin de l'œuvre, le héros devenu adolescent jette un coup d'œil global sur tout son passé et se comporte alors en autobiographe dans une longue séquence aux temps historiques (passé simple/imparfait), à l'intérieur de laquelle il utilise, par souci de relief ou de variété, ... le présent de narration! (*Œuvres*, Bibliothèque de la Pléiade, t. I, p. 1128-1131).

partie du jeu du style indirect libre au présent. Mais à première vue le lecteur peut s'y tromper : il a sous les yeux non seulement pensées ou discours du personnage, mais une narration qui rend inutile celle du narrateur, qui semble se substituer à elle plutôt qu'elle ne la relaie. On surprendra même le personnage-narrateur au second degré employant des expressions modalisantes (« je crois ») ou des fragments de discours autobiographique qui n'auraient de sens (de vraisemblance) que s'il racontait réellement à quelqu'un :

> Mais lui, lui-même! (oh! je vends un secret de famille!) j'ai vu que ses exercices à lui, pour l'agrégation, étaient faits aussi de pièces et de morceaux. *(Ibid.)*

A partir du moment où le personnage remplit une fonction de narration, il a à sa disposition la même palette de temps qu'un narrateur au premier degré — à cette différence près que sa situation (fictive) l'amène à employer beaucoup plus souvent les temps du discours (le passé composé et le présent avec toutes ses valeurs). Comment le lecteur pourra-t-il distinguer, devant telle phrase ou tel paragraphe au présent, s'il s'agit d'un présent de narration du narrateur au premier degré, ou d'un présent du narrateur au second degré, que les lois de concordance du style indirect libre au présent de narration laissent subsister tel quel? Il faudra qu'il se décide d'après d'autres signes, l'allure de la narration, la syntaxe, la perspective : encore ces signes seront-ils souvent eux-mêmes soit indifférents (permettant l'une *ou* l'autre lecture) soit contradictoires (imposant à la fois l'une *et* l'autre lecture).

Si cette narration seconde immédiatement rétrospective se généralise, on aura l'impression de lire une sorte de journal intime, le narrateur second se déplaçant parallèlement à l'histoire[1]. Mais ce n'est qu'une impression : car ce narrateur second n'écrit pas (on écrit pour lui) et il ne parle pas non plus vraiment (à qui, quand parlerait-il?). Sa narration est intégrée dans la narration au premier degré qui commande sa lecture, et qui est seule capable d'assurer

1. Cette technique sera surtout employée de manière suivie dans *Le Bachelier* et dans *L'Insurgé*, où la narration *semble* souvent prise en charge par le personnage lui-même peu de temps après les événements. Mais il s'agit là d'une *figure*, d'un « comme si », cette prise en charge étant mimée par un narrateur irrepérable dans l'histoire (il ne fait jamais état de la connaissance qu'il doit avoir de la suite de l'histoire, ni de la manière dont il se situe dans cette suite), mais textuellement nécessaire à supposer. Le texte de *L'Insurgé*, en particulier, est tendu entre la perspective du personnage contemporain des événements, qui a souvent l'air de raconter, et celle du narrateur qui écrit après la Commune et à la lumière de sa défaite.

son unité et sa cohérence. Toutes les remarques que je faisais sur les signes contextuels et stylistiques du narrateur premier dans le style indirect libre s'appliquent également à cette narration au second degré, que l'on pourrait légitimement appeler une *narration indirecte libre*.

LA VOIX DU PERSONNAGE

Enfin au bas de cette échelle, il faut placer la voix du personnage, telle qu'elle apparaît « en direct », c'est-à-dire dans les passages de dialogue. Mais la symétrie que j'établis ainsi est assez artificielle : la voix du personnage dans les dialogues n'a pas le même statut, n'est pas perçue de la même manière, que celle qui s'exprime par le style indirect libre. Quand l'on fait l'inventaire des discours de l'enfant qui sont cités en direct dans *l'Enfant*, on voit que leur quantité est insignifiante : les dialogues rapportés par le narrateur sont presque tous des dialogues *entendus* dont les voix dominantes sont celles de la mère, du père, d'autres adultes, au milieu desquelles la voix de l'enfant se fait entendre sporadiquement et faiblement : questions ou remarques candides, amorces de protestations vite étouffées. Ces bribes ténues de langage très élémentaire qui émergent dans les conversations citées contrastent en quantité et en accent avec le développement sophistiqué de la « sous-conversation » au style indirect libre qui représente ce que l'enfant pense sans pouvoir le dire, en même temps que s'y reflètent les jugements de valeur de l'adulte. Étouffée autrefois, la voix du narrateur-personnage déborde aujourd'hui dans une sous-conversation narquoise par laquelle il se venge de l'oppression, et se rachète de la soumission qui fut la sienne.

Le dépliement analytique auquel je viens de me livrer ne correspond pas à l'expérience immédiate du lecteur, qui est placé devant une énonciation constamment instable et ambiguë. J'ai, au cours de l'analyse, signalé comment glissements et confusions étaient réalisés : il me reste à évoquer deux procédés plus généraux par lesquels l'incertitude sur l'origine de l'énonciation est produite.

L'ÉNONCIATION IRONIQUE

Un énoncé ironique est un énoncé par lequel on dit autre chose que ce que l'on pense en faisant comprendre qu'on pense autre chose que ce qu'on dit. Il fonctionne comme une subversion du discours de l'autre : on emprunte à l'adversaire la littéralité de ses énoncés, mais en introduisant un décalage de contexte, de style ou de ton, qui les rende virtuellement absurdes, odieux ou ridicules, et qui exprime implicitement le désaccord total de l'énonciateur. L'ironie est une arme dangereuse et délicate : dangereuse, parce qu'elle vole à l'autre son langage, elle lui « brûle » son discours, qu'il ne pourra plus réemployer ensuite avec la même efficacité; et, en même temps, l'assaillant est hors d'atteinte, puisqu'il ne fait que répéter ce que dit l'autre, et qu'il peut, ironiquement, plaider l'innocence. Il s'agit d'amener l'adversaire à « se suicider avec sa propre langue ». Arme délicate aussi, parce que sa subtilité, l'extrême économie du procédé, font que si le lecteur est inattentif ou peu habitué au déchiffrement des figures de rhétorique, il prendra la soumission feinte au discours de l'autre pour une soumission réelle. Quand on parle, l'intonation élimine ces erreurs : par écrit, la confusion se produit plus facilement; elle ne pourrait être évitée que par des soulignements typographiques (on pourrait inventer des caractères ironiques, comme il y a des caractères italiques) qui, explicitant la distanciation, la rendraient moins efficace.

Les principales cibles du narrateur sont les pratiques et l'idéologie de la famille et de l'école. Parfois, le narrateur attaque directement, par exemple en reprenant à son propre compte le discours de la mère et en le retournant contre l'enfant : Ainsi, quand se confectionne la redingote destinée à la distribution des prix :

> Non, Jacques, elle n'est pas prête. Ta mère est fière de toi; ta mère t'aime et veut te le prouver.
> Te figures-tu qu'elle te laissera entrer dans ta redingote, sans ajouter un grain de beauté, une mouche, un pompon, un rien sur le revers, dans le dos, au bout des manches! tu ne connais pas ta mère, Jacques [1]!

Mais le plus souvent, le jeu se joue non à deux, mais à trois : la critique ironique passe par le biais du mime d'une énonciation enfantine. Il se produit alors une interférence entre le fonctionnement de l'énonciation ironique et celui du style indirect libre [2]. Comment

1. *L'Enfant*, chap. v, p. 77.
2. Sur le plan théorique, on peut se demander si une telle interférence est accidentelle, comme le soutenait Charles Bally (« Antiphrase et style indirect libre », in *A Grammatical Miscellany offered to Otto Jespersen*, London, George Allen and Unwin, 1930, p. 331-340), ou si au contraire elle n'est pas consubstantielle à l'usage de la « mention ». (Voir l'étude de Dan Sperber et Deirdre Wilson, « Les ironies comme mentions », *Poétique*, n° 36, novembre 1978, p. 399-412.)

les deux sens du discours ironique vont-ils se répartir dans l'étagement du discours indirect libre? L'enfant passe son temps à reprendre le discours de la mère ou celui de l'école (qui fonctionnent ainsi comme discours du surmoi), et le narrateur reprend et mime ce discours de l'enfant. D'où un certain nombre d'énoncés bien évidemment inacceptables, du type : « ma mère a bien fait de me battre », « je suis sans doute un mauvais fils », « sommes-nous une famille de crétins? », etc.

L'interprétation de cette ironie est délicate. Une première solution consisterait à attribuer au personnage le sens littéral de l'énoncé, et à l'adulte narrateur la distanciation ironique : dans ce cas, l'enfant aliéné intérioriserait et reprendrait à son compte le discours du surmoi qui le condamne, et le narrateur en formulant et en explicitant cette acceptation la rendrait intolérable au lecteur. Et il est de fait que le discours du surmoi doit continuer à compter pour l'enfant dont on nous parle, à peser lourd sur ses réactions même intimes. Mais il est absolument impossible que sa relation à ce surmoi prenne la forme de l'acceptation candide et totale suggérée par l'énoncé ironique : trop d'autres signes dans le contexte nous montrent un enfant divisé et de plus en plus lucide. La seconde solution consisterait alors à attribuer à l'enfant à la fois le sens littéral et la distanciation ironique : l'enfant lucide se vengerait du surmoi par une reprise ironique de son discours, et le narrateur adulte se contenterait de nous transmettre cette réaction. Il est de fait que bien souvent l'enfant est représenté au bord de la révolte, de la dérobade ou de la transgression. Mais il paraît assez improbable que cette révolte ait pu s'exprimer par les énoncés ironiques que nous lisons : d'abord parce que les processus ironiques utilisés sont compliqués et culturellement marqués; d'autre part, cette ironie suppose un tiers en fonction duquel elle est agencée : ce tiers existe au niveau du narrateur (c'est le lecteur) et non au niveau du « monologue intérieur » d'un enfant. Si bien que chacune des deux solutions a une ombre de vraisemblance, mais se révèle à la réflexion inacceptable. Et nous ne pouvons pas non plus attribuer l'ensemble du processus au narrateur (quoique, bien sûr, ce soit la seule solution juste), puisque tout cela nous parvient à travers la voix d'un enfant. Cette hésitation dans laquelle nous sommes retenus, nous pouvons naturellement l'envisager comme un reflet de l'incertitude et des contradictions de l'enfant coincé entre la soumission et la révolte, porte-à-faux peu glorieux dont le narrateur adulte se rachèterait en le transformant, à son niveau, en processus ironique [1].

1. Dans *Poil de Carotte* (1894), Jules Renard a donné une solution différente au problème de l'énonciation ironique triangulaire. L'emploi du récit « à la troi-

Cette analyse devrait être nuancée : l'équilibre de la candeur et de la lucidité évolue tout au long de *l'Enfant*, et les supputations sur « la vraisemblance » de telle ou telle attitude varieront selon les passages et les contextes. Mais elle a une autre limite : c'est qu'elle suppose que tout le texte doit être lu comme un roman réaliste. Or il n'est pas sûr que tel soit bien le contrat proposé par l'auteur, ni que telle soit l'esthétique du texte.

VRAISEMBLANCE ET COHÉRENCE

La lecture de l'énonciation est rendue délicate par l'incertitude ou plutôt la variation constante du contrat de lecture. Le récit de *l'Enfant* s'inscrit à la fois dans deux horizons d'attente différents : d'une part le roman autobiographique réaliste, où un narrateur se souvient et cherche à recomposer aussi fidèlement que possible le vécu enfantin; d'autre part la farce, la pochade satirique dans la tradition des fabliaux du Moyen Age ou de la comédie moliéresque, où les personnages ne sont plus que les moyens d'une démonstration et sont conçus en fonction d'un effet à produire. L'éventuelle candeur de l'enfant prendra une valeur différente selon le passage : tantôt le lecteur pourra se poser la question de la vraisemblance, et supputer l'équilibre de la candeur et de la lucidité, tantôt il se trouvera clairement devant une fausse naïveté, le personnage enfantin devenant le simple support d'une démonstration ironique à la Pascal ou à la Voltaire [1], ou une marionnette de farce à la Molière [2]. Reconnaissant le code de ces genres, le lecteur rira en mettant entre parenthèses toute supputation sur le réalisme de la scène.

Mais cette formulation est trop simple : elle implique que le texte de *l'Enfant* pourrait se répartir en zones tranchées de réalisme et de farce. Or il s'agit au mieux d'une prédominance passagère de l'un ou de l'autre : en réalité les deux attitudes sont constamment associées, les scènes plutôt réalistes étant souvent cassées par des effets ironiques ou des amorces de farces, et les scènes de farce s'appuyant

---

sième personne » au présent fait que le lecteur se pose moins de questions sur le degré de conscience ou l'attitude de l'enfant puisqu'il n'est pas apparemment responsable de l'énonciation.

1. Ainsi la démonstration ironique de « Mes humanités » (chap. XX, p. 241-243), dont la mécanique fait penser à celle employée par Pascal dans *les Provinciales*.

2. Ainsi les scènes de « bonnes manières » qui font penser à Molière : le repas avec M. Laurier (chap. XVI, p. 180-182), et la révérence (chap. XVIII, p. 223).

subtilement sur des points de départ réalistes, sur l'utilisation de réactions vraisemblables et du langage propre à l'enfant. Par ce jeu de mélange entre des attentes et des attitudes de lecture différentes (et même contradictoires), Vallès compose un texte « vacillant » et imprévisible qui maintient le lecteur au plus haut degré d'attention et d'émotion : l'impression de « vécu » que donne le texte provient de là. Elle tient moins à l'évocation réaliste d'une parole enfantine, qu'à ce jeu de voix, à ces procédés de fusion, d'hésitation et de décalage entre la parole d'un enfant et celle d'un adulte.

DU « TESTAMENT D'UN BLAGUEUR » À « L'ENFANT »

Au cours de ce dépliement théorique, j'ai analysé ce que *le Testament* et *L'Enfant* avaient en commun. Mais ils présentent aussi des différences.

Si la narration du *Testament d'un blagueur* est révolutionnaire par rapport à celle de la « Lettre de Junius », elle garde une certaine raideur due à l'utilisation systématique de ces nouveaux procédés : le texte se présentant d'emblée comme une satire, il n'y a guère d'hésitation sur le type de lecture à pratiquer; l'emploi très large du présent de narration produit un effet de monotonie, un manque de relief; enfin la « voix » mimée de l'enfant l'emporte trop sans doute sur la voix implicite de l'adulte. Monotonie et monocordie : à ces reproches, il faudrait en ajouter d'autres touchant la composition. Naturellement, c'est par rapport à *l'Enfant* que ces caractéristiques du *Testament* apparaissent comme des insuffisances : aussi peut-il paraître injuste de marquer les limites d'un texte malgré tout pétulant et très nouveau, d'autant plus que quelques exceptions et fausses notes (traces de discours autobiographiques, discordances de temps) indiquent la voie dans laquelle Vallès s'engagera en 1876.

Dans *l'Enfant*, la narration est assumée explicitement par un narrateur fictif rétrospectif, Jacques Vingtras. Dès la première phrase apparaît le discours du narrateur autobiographique qui avait été éliminé dans *le Testament*, modification d'autant plus spectaculaire que c'est justement l'anecdote initiale du *Testament* qui est reprise :

> *Testament :* J'ai six ans, et le derrière tout pelé.
> Ma mère dit qu'il ne faut pas gâter les enfants, et elle me fouette tous les matins...
> *L'Enfant :* Ai-je été nourri par ma mère? Est-ce une paysanne qui m'a donné son lait? Je n'en sais rien. Quel que soit le sein que j'ai

mordu, je ne me rappelle pas une caresse du temps où j'étais tout petit; je n'ai pas été dorloté, tapoté, baisoté; j'ai été beaucoup fouetté.
Ma mère dit qu'il ne faut pas gâter les enfants, et elle me fouette tous les matins...

Vallès réintroduit dans une narration qui, pour l'essentiel, reste conforme au système du *Testament*, les procédés classiques que cette narration semblait justement exclure : l'emploi du discours autobiographique et l'utilisation des temps historiques. Ce retour du narrateur classique dans un texte qui fonctionne par éclipse du narrateur, loin d'être une régression, est au contraire le signe d'une nouvelle révolution : désormais Vallès transgresse systématiquement les oppositions constitutives du récit classique. La loi d'organisation du texte n'est plus la cohérence ni la vraisemblance, mais la recherche de l'intensité maximale par un jeu délibéré de rupture des attentes conventionnelles.

LE DISCOURS AUTOBIOGRAPHIQUE

La plupart des éléments du discours autobiographique classique peuvent être repérés dans *l'Enfant*. Mais ils ne fonctionnent pas du tout comme dans un texte autobiographique :

— ils sont en nombre assez réduit; la fréquence des interventions du narrateur autobiographique diminue régulièrement à mesure qu'on avance dans le livre, et devient pratiquement nulle vers la fin. La présence explicite de ce narrateur semble liée au récit de la petite enfance, elle s'estompe par la suite, la fonction de commentaire glissant vers le personnage dans la mesure où il devient responsable d'une narration seconde;

— ces éléments ne forment pas entre eux une chaîne cohérente et suivie; ce ne sont pas eux qui font tenir ensemble le récit comme c'est le cas dans l'autobiographie classique;

— ils n'aboutissent pas à constituer réellement le narrateur en un personnage, dont on pourrait saisir l'identité et la personnalité. Impossible de savoir qui est « Jacques Vingtras adulte », où il en est de sa vie. Cela est pour nous d'autant plus frappant qu'en lisant les lettres écrites par Vallès à Malot, nous avons une idée de ce qu'aurait pu être le discours d'un narrateur réellement autobiographique [1].

1. *Correspondance avec Hector Malot*, Éditeurs Français Réunis, 1968. On peut aussi comparer à ce point de vue *Le Bachelier* (1881), avec les *Souvenirs d'un*

Les éléments de discours autobiographique (principalement le discours attestant la force ou la tonalité du « souvenir ») sont utilisés en dehors des lois de perspective ordinaire, dans un récit qui a abandonné le souci de vraisemblance. Il s'agit surtout de faire entendre de temps en temps la voix de l'adulte pour rappeler son existence et imposer une lecture double des énoncés qui ont l'air de venir de l'enfant, d'engendrer le système d'oscillation et d'incertitude entre les deux voix. Les éléments du discours autobiographique sont disposés comme des taches de couleur (des timbres de voix) dans une sorte de montage ou de *collage*. On peut penser à certains montages cubistes où des fragments d'image construits selon les lois ordinaires de la perspective sont insérés dans une structure d'ensemble qui, elle, ne les respecte pas.

LE SYSTÈME DES TEMPS

Dans *l'Enfant*, de longues séquences sont racontées aux temps historiques (passé simple/imparfait), comme dans la « Lettre de Junius » et dans les chroniques. Est-ce un retour en arrière? Non : comme pour le discours autobiographique, on constate une importante déviation par rapport aux habitudes du récit classique. Les séquences racontées aux temps historiques sont en nombre relativement réduit si on les compare aux séquences au présent de narration ou à celles qui sont prises en charge par le narrateur au second degré. Ces séquences ne forment plus une chaîne cohérente et suivie, ce ne sont pas elles qui structurent le texte. A la limite on aurait même tendance à croire que les proportions et les hiérarchisations sont inverses de celles du récit classique : la « mise en relief » serait obtenue par le passage intermittent aux temps historiques dans un récit dont la note fondamentale serait le présent. Mais s'agit-il de « mise en relief », ou de son contraire la « mise à distance »? En réalité, on a l'impression que Vallès a décidé de ne tenir aucun compte des lois d'opposition qui fondent le système des temps dans le récit — comme s'il se vengeait des règles sacro-saintes de la « concordance des temps » exposées dans les grammaires latines. Sa narration est fondée sur une pratique délibérée de la *discordance*, l'oscillation permanente

---

étudiant pauvre (1884), texte autobiographique qui couvre la même période que le début du *Bachelier*. Quand il réémerge dans les *Souvenirs*, le narrateur autobiographique classique fait disparaître l'essentiel des effets ironiques et de la verve du *Bachelier*, qu'il remplace par un discours fort conventionnel.

entre trois régimes, celui du présent de narration (avec toutes les ambiguïtés et les transitions qu'il permet), celui de la narration rétrospective aux temps du discours (passé composé/imparfait) et celui de la narration aux temps historiques (passé simple/imparfait). On entre dans un régime d'*instabilité* et d'*imprévisibilité* : les changements de système, les « mues » perpétuelles peuvent certes, à chaque endroit, recevoir une ombre de justification (distanciation, changement de ton, etc.). Mais sur longue distance, on voit bien qu'elles obéissent à une loi générale de variation et de modulation entre des systèmes incompatibles.

L'Enfant ne peut se lire ni comme un journal ou monologue contemporain des événements, ni comme un récit rétrospectif, ni même comme un montage réaliste articulant de manière cohérente les deux perspectives. Vallès s'est construit une voix étrange qui défie toute vraisemblance, et dont la loi essentielle est la recherche de l'intensité. Cette intensité n'est pas celle qui viendrait d'un rendu fidèle du « vécu » enfantin, ou de la reproduction écrite d'un discours « oral »; elle est fondée sur la transgression continuelle des oppositions constitutives du récit écrit classique. Cette recherche de l'expressivité semble moins annoncer, comme on le dit parfois, le monologue intérieur (qui reste soumis à des lois de vraisemblance et de cohérence), que les pratiques de Céline dans *Voyage au bout de la nuit* et dans *Mort à crédit* : il s'agit d'obtenir un effet de variété et de relief maximum par un système d'oscillation entre le simultané et le rétrospectif, par un mixage de plusieurs systèmes de temps incompatibles, par un mélange constant du registre familier et du registre le plus littéraire, toutes transgressions qui rendent la narration saisissante en même temps qu'elles rendent *irrepérable* l'instance narratrice [1]. Les mélanges de voix entre le narrateur et le héros apparaissent moins comme l'articulation de deux instances chronologiquement différentes, que comme le résultat du travail intérieur à une voix qui mime, casse ses mimes, gouaille, fait la naïve, voix *fabriquée* qui ne rend plus aucun son « naturel » (c'est-à-dire vraisemblable), mais qui invente peut-être une nouvelle forme de naturel.

1. Sur la narration célinienne, voir Danielle Racelle-Latin, « Lisibilité et idéologie », *Littérature*, 1973, nº 12.

L'autobiographie à la troisième personne

> Le moi se dit *moi* ou *toi* ou *il*. Il y a les 3 personnes en moi. La Trinité. Celle qui tutoie le moi; celle qui le traite de *Lui*.
>
> Paul Valéry

Bertolt Brecht proposait aux comédiens de transposer leur rôle à la troisième personne et au passé. Il s'agissait d'exercices limités aux répétitions, et destinés à favoriser la distanciation. Les autobiographes, eux aussi, sont des comédiens. Et il arrive que certains d'entre eux se livrent à ce jeu pour de bon, devant leur public. Mais comme ils sont en même temps les auteurs du rôle qu'ils interprètent, le procédé a pour eux une fonction toute différente. Il leur sert à la fois à exprimer leurs problèmes d'identité et à séduire leurs lecteurs.

Ces jeux sophistiqués, et au demeurant peu fréquents, sont des sortes de *cas-limites* révélateurs : ils mettent en évidence ce qui est d'ordinaire implicite dans l'usage des « personnes ». Mon projet est d'étudier ici grâce à eux « l'usage des pronoms personnels dans l'autobiographie », comme dirait Michel Butor. De m'en servir comme d'exemples de « grammaire » pour éclairer la narration autobiographique avec tous les problèmes de pacte, de voix et de perspective qu'elle soulève [1].

Il s'agira toujours de textes autobiographiques modernes. La troisième personne, certes, a été utilisée jadis dans des mémoires historiques comme ceux de César, dans des autobiographies religieuses (où l'auteur se nommait « le serviteur de Dieu »), ou dans des mémoires aristocratiques du XVIIe siècle, comme ceux du président

1. Cette étude fait suite aux indications que je donnais sur l'autobiographie « à la troisième personne » dans *Le Pacte autobiographique*, Éditions du Seuil, 1975, p. 15-19. J'emploierai ici la même terminologie, et, pour la poétique du récit, me référerai au vocabulaire proposé par Gérard Genette dans « Discours du récit », *Figures III*, Éd. du Seuil, 1972.

J'emploie ici « autobiographie » au sens large, qu'il s'agisse d'un récit rétrospectif ou d'un journal. Sur l'emploi des pronoms personnels dans le journal intime, voir Béatrice Didier, *Le Journal intime*, PUF, 1976, p. 147-158.

de Thou. Elle s'emploie encore aujourd'hui dans des genres voisins, des genres brefs, très fortement codés, et liés aux stratégies de l'édition, comme la préface, le prière d'insérer, ou la notice biographique rédigée par l'auteur. J'y ferai parfois allusion. Mais j'ai choisi de rester à l'intérieur d'un ensemble cohérent : l'emploi des figures dépend toujours en dernier ressort du contrat de lecture et des « horizons d'attente » du genre.

Je présenterai successivement deux situations différentes : *l'autobiographie à la troisième personne*, qui peut apparaître comme la simple réalisation d'une figure d'énonciation; et *l'autobiographie à narrateur fictif*, qui repose sur un système plus compliqué.

1. PERSONNES ET PERSONNE

LA PÉDALE SOURDE

Si je me mets à ma table pour écrire cette étude, et que j'écrive : « Il se mit à sa table pour écrire... », le sens de cette phrase dépendra avant tout du contrat de lecture que je proposerai à mon lecteur. C'est ce contrat qui définira le genre (avec les attitudes de lecture qu'il implique) et qui établira, éventuellement, les relations d'identité qui commandent le déchiffrement des pronoms personnels et celui de l'énonciation. Il en serait de même si j'écrivais : « Je viens de me mettre à ma table pour écrire. » Ce contrat qui informe la lecture, c'est lui qui guide déjà l'écriture (même s'il peut arriver qu'entre l'écriture et la publication, je change le contrat). Je peux choisir par exemple : la fiction, dont la lecture est indépendante de ce que le lecteur sait de l'auteur; la fiction autobiographique, où le lecteur est convié à une lecture ambiguë; l'autobiographie, où lecture référentielle et attitude de communication se combinent. Je supposerai ici que j'écris et donne à lire ma phrase (mon texte) comme strictement autobiographique : la personne dont parle mon texte, c'est moi, l'auteur du texte, et ce qui en est dit est garanti fidèle, exact, à prendre au sens propre. Il se trouve simplement qu'au lieu de parler de moi à la première personne, j'en parle à la troisième. Ainsi Michel Leiris passant à la troisième personne pour établir un constat d'échec :

> Tristesse que n'atténuait pas l'idée que, toutes choses étant vaines, ce qu'il avait pu faire ou ne pas faire était sans importance, il se

disait que pas grand-chose de sa vie ne vaudrait d'être retenu (...) [1].

Loin de lire cela comme un simple énoncé concernant un personnage (ce qu'il ferait si c'était une page de roman), le lecteur perçoit le gommage de l'énonciation comme un fait d'énonciation. Le recours au système de l'histoire et à la « non-personne » qu'est la troisième personne fonctionne ici comme une *figure d'énonciation* à l'intérieur d'un texte qu'on continue à lire comme discours à la première personne. L'auteur parle de lui-même *comme si* c'était un autre qui en parlait, ou comme s'il parlait d'un autre. Ce *comme si* concerne uniquement l'énonciation : l'énoncé, lui, continue à être soumis aux règles strictes et propres du contrat autobiographique. Alors que si j'employais la même présentation grammaticale dans une fiction autobiographique, l'énoncé lui-même serait à prendre dans la perspective d'un pacte fantasmatique (« ceci a du sens par rapport à moi, mais n'est pas moi »).

Cette *figure* donne au texte relief et tension : on le ressent, je le ressens moi-même en l'écrivant, comme une ellipse contre-nature de l'énonciation. On s'attend sans cesse à ce que la consigne artificielle d'exclusion de la première personne se relâche, exactement comme, quand on lit un lipogramme, on guette le retour de la lettre interdite. Au moment même où j'écris, je modèle mes phrases par une sorte de décapage et de transposition du discours personnel : je m'écris en me faisant taire, ou, plus exactement, en me mettant la pédale sourde. Il suffirait que je relève le pied pour que les vibrations se rétablissent.

Il y a figure par rapport à un sens propre, qui est l'emploi de la « non-personne » pour parler de ce qui n'est ni l'émetteur ni le destinataire du discours. Mais cette figure ne doit pas être conçue comme une manière indirecte de parler de soi, qui serait à opposer au caractère « direct » de la première personne. Elle est une autre manière de réaliser, sous la forme d'un *dédoublement*, ce que la première personne réalise sous la forme d'une *confusion* : l'inéluctable dualité de la « personne » grammaticale. Dire « je » est plus habituel (donc plus « naturel ») que dire « il » quand on parle de soi, mais n'est pas plus simple.

LES INSTANCES DU « JE »

On serait presque tenté de dire que « je » est lui-même une ... figure. Ou du moins qu'il en a toute la complexité. Pour s'en rendre

1. Michel Leiris, *Frêle Bruit*, Gallimard, 1976, p. 287.

compte, il suffit de prendre la formule développée qu'en a proposée Benveniste : « *je* » est « l'individu qui énonce la présente instance de discours contenant l'instance linguistique *je* [1] ». Passer de cette formule à « je » suppose un double déplacement :

— en ce qui concerne l'énonciation, l'élément déictique (« la présente instance de discours ») glisse de l'énonciation à l'énonciateur. C'est ce que révèle aussi la formule habituelle des préfaces « à la troisième personne » : « celui qui écrit ces lignes » ;

— le sujet de l'énoncé (« l'individu ») est représenté par le sujet de l'énonciation. On fait comprendre que la personne dont on parle est « la même » que celle qui parle. Cette « identité » n'est à prendre au sens propre que dans un seul cas, celui des énoncés performatifs. Partout ailleurs, c'est une figure plus ou moins approximative, et la « non-personne » se trouve ainsi à la fois représentée et masquée par la personne.

En dépliant ainsi le pronom « je » (ou « tu »), on rencontre fatalement le problème de l'*identité*. Qui est cet « individu » dont parle Benveniste dans sa formule? Il est difficile de rester sur un plan de description strictement grammaticale : toute analyse un peu poussée du jeu des pronoms et des personnes dans l'énonciation en arrive à la nécessité vertigineuse de construire une théorie du sujet. « L'identité » est une *relation constante* entre l'un et le multiple. Linguistiquement, ce problème de l'identité apparaît à deux niveaux :

— au niveau lexical, il se trouve « résolu » par la classe des « noms propres », auxquels en dernier ressort les pronoms personnels renvoient. Le nom est le garant de l'unité de notre multiplicité : il fédère notre complexité dans l'instant et notre changement dans le temps. Le sujet de l'énonciation et celui de l'énoncé sont bien « le même », puisqu'ils portent le même nom! Nous voilà substantivés, unifiés. Le vertige ne reprendrait que si nous réalisions que nous ne sommes peut-être que... notre propre homonyme, ou que si nous prenions conscience de « l'arbitraire » du nom (qui ne se définirait alors que par l'intersection des énoncés où il figure)...

— au niveau de l'énonciation, le problème de l'identité se trouve souvent masqué par une tendance à substantiver les pronoms et à personnaliser les rôles dans une situation de « communication ». Il est très rassurant de concevoir l'énonciateur et le destinataire comme des personnes, qui se mettraient en communication l'une avec l'autre. Mais c'est jouer sur le double sens du mot personne. La répartition des rôles de l'énonciation telle que Benveniste la décrit n'est pas

1. Émile Benveniste, *Problèmes de linguistique générale*, Gallimard, 1966, p. 252.

seulement un système de règles sociales : elle est intérieure à toute utilisation du langage. Tout sujet parlant porte en lui le double clivage de l'émetteur et du destinataire, et de l'énonciation et de l'énoncé. Il repose fondamentalement sur une *coupure*. Ou plutôt il n'y « repose » pas (ce qui impliquerait une paradoxale stabilité), mais il fonctionne grâce à cette coupure. « L'individu est un dialogue », disait Valéry. La communication est donc un « dialogue de dialogues »; et toute la théorie de l'énonciation serait à reprendre en fonction de cette hypothèse que chaque « rôle » contient déjà l'ensemble des rôles, ce qui peut aller à l'infini...

De ces réflexions, on peut tirer l'idée que, quand un autobiographe nous parle de lui à la troisième personne ou *se* parle de lui à la seconde, c'est sans doute une figure par rapport aux usages admis, mais que cette figure organise un retour à une situation fondamentale, qui ne nous est tolérable que si nous imaginons qu'elle est figurée. En général, ces écartèlements, ces divisions, ces face-à-face sont à la fois exprimés et masqués par l'emploi d'un unique « je ».

La première personne, telle qu'elle est employée dans l'autobiographie, laisse souvent dans l'indécision l'identité du destinataire. Dialogue intérieur et communication littéraire se confondent. On s'en aperçoit lorsque l'autobiographie déplie l'énonciation en écrivant son texte « à la seconde personne [1] ». L'emploi de ce procédé met en évidence deux choses : d'une part la co-présence dans l'énon-

1. Le discours autobiographique « à la seconde personne » est une figure plus courante que celui « à la troisième personne ». Cette figure peut même se trouver parfois lexicalisée, comme cela se passe dans le midi de la France, où il arrive qu'on monologue à la seconde personne pour se morigéner ou s'encourager. Elle est également habituelle, sur courte distance, dans des examens de conscience ou des bilans : on instruit son propre procès, on parle à son moi comme si on était son surmoi. Voir par exemple la postface de *La Difficulté d'être* (1947) de Jean Cocteau, les méditations intimes auxquelles Régis Debray s'est livré en prison, *Journal d'un petit bourgeois entre deux feux et quatre murs* (1976), ou le journal de Pavese.

L'autobiographie à la seconde personne n'est pas un « genre », mais simplement une figure qui peut être utilisée de la manière la plus variée, selon que l'on emploie le « tu » (examen de conscience) ou le « vous » (qui mime le discours social du réquisitoire ou de l'adresse académique); selon l'extension donnée à la figure, et le type de rapports qu'elle entretient avec les autres sections du texte; selon que le « je » qui dit « tu » reste implicite ou émerge textuellement en manifestant un dédoublement ou en enclenchant un dialogue à plusieurs voix, etc.

Jorge Semprun, avec l'*Autobiographie de Federico Sanchez* (Seuil, 1978), a donné une démonstration éblouissante des possibilités de cette figure d'énonciation dans l'autobiographie, en multipliant jusqu'à la parodie les décalages et les dérapages qui empêchent le « tu » de devenir aussi massif qu'un « je » traditionnel, et maintiennent jusqu'à la fin l'écart et la tension.

ciation d'un « je » (devenu implicite), d'un « tu », et d'un « il » (caché sous le « tu »), renvoyant tous trois au même individu. D'autre part, le caractère double du destinataire : si je me parle en me disant « tu », je donne en même temps cette énonciation dépliée en spectacle à un tiers, l'éventuel auditeur ou lecteur [1] : celui-ci assiste à un discours qui lui est destiné, même s'il ne lui est plus adressé. L'énonciation s'est théâtralisée : elle n'a pu se déployer ainsi que parce qu'une rampe imaginaire lui garantit son unité et sa relation avec son ultime destinataire. Or cette théâtralisation existe déjà implicitement dans beaucoup de textes autobiographiques en « je » : le lecteur peut aussi bien croire que « je » lui parle directement, ou que « je » lui montre comment il *se* parle. En réalité, le destinataire est toujours plus ou moins double, mais selon le choix du pronom, l'un de ses aspects se trouve mis en avant et masque en partie l'autre.

Le « je » (comme le « tu ») masque d'autre part l'écart qui existe entre le sujet de l'énonciation et celui de l'énoncé. Cet écart peut être minime, lorsque le texte s'installe de manière cohérente dans le registre du discours. Il peut s'accroître jusqu'à devenir démesuré lorsqu'il y a narration. C'est le cas du texte autobiographique, qui repose sur une articulation et un va-et-vient permanent entre le discours et l'histoire. La dualité inhérente à la voix narrative se trouve correspondre à des écarts de perspective, entre le narrateur et le héros : écarts d'information, écarts d'appréciation, qui sont la source de tous les jeux de focalisation et de voix propres à ce type de récit (restrictions de champ au personnage ou intrusions du narrateur, mises en scène lyriques ou ironiques, etc.). Ces écarts ou ces tensions sont sinon réellement masqués, du moins compensés par l'emploi de la première personne qui propose un signifiant unique dont le niveau de fonctionnement (énonciation/énoncé) et la référence (au niveau de l'énoncé) changent sans cesse. Pour peu que le narrateur autobiographique emploie de manière combinée d'autres figures, comme le présent de narration et le style indirect libre, il pourra créer des jeux assez vertigineux de confrontation entre ce qu'il a été et ce qu'il est, sous couvert d'un « je » apparemment unique [2].

Naturellement nous ne sommes pas vraiment dupes de cette unité, pas plus que nous ne le sommes de l' « altérité » dans le cas de la narration autodiégétique à la troisième personne. Reste pourtant que la première personne est une figure en quelque sorte « lexicalisée »,

1. Éventuel auditeur ou lecteur qui peut aussi bien être... moi.
2. Voir par exemple, au chapitre précédent, l'analyse des effets que Vallès tire d'un « je » apparemment unique.

elle a pour elle l'usage, elle fonctionne selon une logique de l'évidence autoréférentielle qui masque en général à l'énonciateur et à l'auditeur sa complexité, son caractère figuré et indirect. L'emploi naïf et confiant de la première personne (« moi je ») est la règle, la réflexion critique est un phénomène secondaire qui se greffe sur cet emploi premier. Et cette réflexion critique est ardue, tant le « je » tend toujours à recomposer à nos yeux la fictive unité qu'il impose comme signifiant.

La première personne recèle donc toujours une troisième personne occultée, et, en ce sens, toute autobiographie est par définition indirecte. Mais dans les autobiographies « à la troisième personne » que je vais présenter, ce caractère indirect s'avoue, s'affiche de manière provocante : le procédé est ressenti comme artificiel parce qu'il brise l'effet illusoire de la première personne, qui est de faire prendre l'indirect pour du direct. Et aussi parce que l'explicitation de la troisième personne entraîne une occultation du narrateur véritable, qui passe dans l'implicite, ou se trouve remplacé par un narrateur figuré, ou même par un narrateur fictif.

Tout se passe comme si, dans l'autobiographie, aucune combinaison du système des personnes dans l'énonciation ne pouvait de manière satisfaisante « exprimer totalement » la personne. Ou plutôt, pour dire les choses moins naïvement, toutes les combinaisons imaginables révèlent plus ou moins clairement ce qui est le propre de la personne : la tension entre l'impossible unité et l'intolérable division, et la coupure fondamentale qui fait du sujet parlant un être de fuite.

2. FIGURES

D'UN CODE À L'AUTRE

Dans le cadre d'une autobiographie par définition « autodiégétique », l'emploi de la troisième personne induit un jeu de figures qui ne sont pas fondamentalement différentes de celles qui accompagnent l'emploi de la première. Quand, sous couvert de la première personne, on fait semblant de donner la parole à l'enfant qu'on était, tout en l'amenant à avoir l'air de prendre en charge le contenu d'une analyse sarcastique faite par l'adulte (mélange de la voix de l'enfant et de la perspective de l'adulte), on réalise une figure d'énonciation aussi compliquée et plus machiavélique que lorsqu'on se dissocie du personnage qu'on était (ou qu'on est) en faisant semblant d'en parler comme s'il était un autre. En réalité, on n'est jamais ni vraiment un autre, ni vraiment le même. Les figures de la troisième personne fournissent une gamme de solutions où c'est la distanciation qui est mise en avant, mais toujours pour exprimer une articulation (une tension) entre l'identité et la différence.

Ces figures sont ressenties comme obtenues par *transformation* d'énoncés « à la première personne ». Le plus souvent les *règles* de la transformation restent implicites. Mais il arrive que l'auteur les explicite en partie dans une sorte de contrat de lecture au second degré, inclus dans le texte autobiographique et précédant une section à la troisième personne. Ainsi dans l'*Autobiographie de jeunesse* de Daniel Guérin : après avoir raconté toute sa jeunesse « à la première personne », l'auteur ajoute un appendice intitulé « A la recherche de clés sexologiques » où il va résumer son propre récit *comme si* il était un médecin étudiant un cas. Voici le texte de ce contrat annexe greffé sur le premier :

> Le récit autobiographique terminé, je voudrais — bien que l'obsession charnelle n'en soit pas, et de loin, le thème unique — essayer d'esquisser un « bilan » de ses composantes sexuelles. Je vais procéder comme si j'étais un praticien auquel aurait été soumise la confession d'un de ses patients et qui essayerait de la décomposer afin d'en dégager les clés sexologiques. On parlera donc maintenant du dissident sexuel à la troisième personne [1].

Suit un résumé du livre où l'on parle du « patient », de « notre jeune homme », en adoptant systématiquement le présent employé dans le genre de l'analyse de cas ou du résumé biographique, mais sans rien changer à l'information et à l'interprétation déjà présentes dans le premier récit.

Chaque transformation s'inscrit ainsi dans le cadre du *passage figuré d'un genre à un autre*. Ce passage se réalise d'autant plus facilement que le genre de départ (l'autobiographie) et les genres d'arrivée (biographie, roman) ont déjà beaucoup de traits communs, et que tout au long de leur histoire ils se sont développés par greffes et échanges réciproques. L'autobiographie telle qu'on la pratique aujourd'hui doit beaucoup au modèle biographique, et sans doute aussi au roman, à la fois sous ses aspects les plus traditionnels et dans ses recherches les plus nouvelles. La plupart des jeux auxquels se livrent les autobiographes contemporains sont l'écho timide des

1. Daniel Guérin, *Autobiographie de jeunesse*, Pierre Belfond, 1972, p. 233.

recherches des romanciers modernes sur la voix narrative et la focalisation. Timidité justifiée : dans la fiction, on ne risque rien, on peut briser et recomposer l'identité, se permettre tous les points de vue, se donner tous les moyens. L'autobiographe, lui, se trouve affronté aux limites et aux contraintes d'une situation réelle et il ne peut ni renoncer à l'unité de son moi, ni sortir de ses limites. Il ne peut que faire semblant.

Quel type d'effet engendre ce glissement figuré à une présentation biographique ou romanesque de soi? Il serait tentant, mais finalement stérile, d'introduire ici une hypothèse psychologique qui ferait de l'emploi de ce procédé une « conduite » justiciable d'un diagnostic unique : les stratégies les plus diverses ont pu investir cette « figure », et ce serait tomber dans une forme de mythologie que de substantifier ainsi « la troisième personne [1] ». Ce procédé de distanciation est fort complexe : il met en jeu la transformation d'un ou de plusieurs paramètres de l'énonciation, et peut aboutir à des effets assez différents. Il faut donc distinguer les facteurs, et, pour chaque facteur, envisager les solutions possibles.

Les trois principaux facteurs sont : la référence de la troisième personne; les transpositions de voix, de perspective et de temps; enfin l'extension même de l'emploi de la figure et son éventuelle articulation avec l'usage « normal » de la première personne.

Référence.

Il existe trois manières de préciser que la troisième personne renvoie à l'auteur du texte :

a) Emploi d'une périphrase indiquant explicitement que la troisième personne remplira les fonctions de la première : « celui qui

1. Max Frisch a consacré plusieurs pages de son journal à explorer cette question de la fonction du « je » et du « il » dans l'autobiographie (*Journal 1966-1971*, Gallimard, 1976, p. 299-302) : on l'y voit hésiter entre la tentation du diagnostic simplificateur et l'analyse des situations textuelles complexes et variées où ces « je » et ces « il » apparaissent.

La série des pronoms personnels « je, tu, il » présente une sorte de tentation permanente pour la pensée « sauvage » (mythologique) qui sommeille en chacun de nous : grille de classement ou schéma d'opposition dont on se servira pour signifier (en ayant l'air de les justifier) les classements et les oppositions les plus variées. On trouve cette mythologie des pronoms personnels dans les textes poétiques, comme il est naturel (voir Michel Leiris, *Aurora*, Gallimard, coll. « L'Imaginaire », 1977, p. 39-40) mais aussi dans des textes théoriques (Tzvetan Todorov, *Introduction à la littérature fantastique*, Éd. du Seuil, coll. « Points », p. 163-164) ou dans des essais (*Roland Barthes* par Roland Barthes, Éd. du Seuil, 1975, p. 170-171).

écrit ces lignes » (formule rituelle des préfaces à la troisième personne), « celui qui vous parle » (figure employée localement dans un discours). Cette solution implique que la formule soit reprise périodiquement, pour éviter les confusions et référer, chaque fois qu'il le faut, le « il » à l'énonciation (nom de l'auteur, présence de l'orateur). Elle est très lourde et n'est pratiquée que dans des textes brefs et très codés comme la préface.

b) Emploi d'un « il » sans référence explicite. C'est alors le contexte qui impose l'identification du personnage dont il est parlé avec l'auteur, et qui fait comprendre qu'il s'agit d'une énonciation figurée. Ainsi dans les textes où est organisé un mélange systématique de la première et de la troisième personnes. Selon les cas, le mime peut renvoyer à la tradition du roman psychologique ou à celle de la biographie, qui sont d'ailleurs proches.

c) Emploi du nom propre lui-même. Ce procédé, en même temps qu'il dissipe toute ambiguïté, accentue le caractère figuré de l'énonciation (du moins dans notre civilisation, où l'usage n'est pas de parler de soi en se nommant sans cesse). Il peut correspondre à des intentions et des effets très divers : figure de majesté, emploi sérieux (ou humoristique) de la présentation biographique, imitation du roman psychologique, amorce de constitution d'un « double ». Le nom est susceptible de présentations renvoyant à des codes sociaux et à des genrés littéraires différents : prénom seul, prénom et nom, nom seul, ou précédé de « M. », pseudonyme littéraire au lieu du nom, nom précédé d'un titre, etc. On peut aussi se désigner par de simples initiales. Ou même employer un nom fictif, un de ces petits noms qu'on se donne à soi-même dans l'intimité, ou un nom qui vous pose déjà en personnage de roman, comme Gide qui, dans son journal, parle de lui-même en s'appelant « Fabrice », ou « X. » [1]. On est alors à la frontière de la fiction : mais il s'agit d'une « fiction fictive », si je puis dire, puisqu'elle est simplement mimée à l'intérieur d'un texte qui continue à se donner pour autobiographique.

Transpositions.

Les transpositions sont délicates à analyser : il faut d'abord, en se fiant à l'effet de lecture, restituer un texte virtuel à la première

1. André Gide, *Journal 1889-1939*, Gallimard, Bibliothèque de la Pléiade, 1948, p. 628-629 (journal d'août 1917) et p. 718-719. Voir aussi les trois fragments d'autoportraits attribués cette fois à des narrateurs fictifs, « Édouard » et « T. » (p. 775-780).

personne pour ensuite le comparer au texte à la troisième personne dont on l'a dérivé. Ce va-et-vient n'est pas toujours possible, dans la mesure où l'emploi figuré de la présentation à la troisième personne permet des changements de perspective, et l'instauration d'instances intermédiaires (comme c'est le cas dans les « fictions » que j'analyserai plus loin). Même lorsque le texte est « réversible », les types de transformation sont variés et leurs effets complexes.

Le cas le plus simple est celui d'un texte virtuel se présentant comme un autoportrait ou un journal intime, écrit dans le système du discours. L'auteur informe le lecteur qu'il a telle ou telle vue sur lui-même, élabore des descriptions de son comportement ou de son caractère. L'effet du passage du « je » à « il » dépendra de deux facteurs : le contenu des énoncés à la première personne, et le maintien aux temps du discours ou le passage aux temps de l'histoire.

Deux effets de distanciation différents sont obtenus selon que l'énoncé comporte ou non des effets d'énonciation. Transposer un « je crois que », « je me souviens de », ou bien d'autres expressions, à la troisième personne revient à transformer un effet d'énonciation en un simple énoncé rapporté, en une sorte de récit de paroles au style indirect libre assumé par un nouveau narrateur qui s'est interposé entre le premier et nous. L'autobiographe constate son propre discours au lieu de l'assumer directement, il se recule d'un cran, et, en réalité se dédouble en tant que narrateur. On a l'impression qu'il nous parle en quelque sorte en « traduction simultanée ». Même s'il n'ajoute pas un mot, il produit un effet d'assourdissement et de recul (effet dont les fonctions peuvent être très diverses : protection, auto-ironie, solennité). Si le texte virtuel ne comporte pas d'effet d'énonciation net (c'est-à-dire si le « je » remplit surtout la fonction d'un « il »), la transposition ne produit pas l'effet d'un dédoublement d'énonciateur, mais plus simplement d'un changement de position d'un énonciateur qui parle de lui-même *comme si* il était un autre. Dans un cas l'énonciation se dédouble, dans l'autre elle se distancie.

Ces effets peuvent être combinés et on glisse facilement de la citation du discours de l'intéressé au mime d'un discours biographique. Il y a d'ailleurs entre les deux une large zone de recouvrement, le texte autobiographique étant souvent déjà lui-même une traduction « à la première personne » du texte biographique conventionnel. D'un des côtés de la zone de recouvrement, Barthes avait bien montré que, *pour la focalisation*, certains éléments n'étaient pas transposables d'un récit à la troisième personne à un récit à la première : de l'autre côté, en sens inverse, *pour l'énonciation*, certains éléments ne sont transposables qu'au prix d'un changement total d'effet[1].

C'est seulement par de minutieuses explications de textes, où l'on traiterait comme des variables indépendantes l'énonciation, la perspective et le système des temps, que l'on pourrait établir la gamme des transpositions possibles. L'autobiographie à la troisième personne fournit un merveilleux terrain de recherche, puisque par définition (par *contrat*) elle impose au lecteur de faire, au moins implicitement, une opération de traduction, les procédés étant tous employés de manière figurée. Mieux : il arrive que les textes dont nous nous occupons se présentent eux-mêmes comme des textes *bilingues*, juxtaposant des énoncés au contenu analogue écrits tantôt à la première, tantôt à la troisième personne, si bien que le grammairien n'aurait même pas à restituer des textes « virtuels » pour faire des comparaisons. C'est le cas de *Frêle Bruit* de Michel Leiris[2], et surtout de *Roland Barthes* par Roland Barthes[3].

J'emprunterai à ce dernier trois exemples de transposition, le premier où il assourdit son propre discours tout en gardant tel quel un élément autoréférentiel de l'énonciation (« ici »), le second impliquant une focalisation interne si bien qu'on doit le ressentir comme la transposition d'un discours personnel, le troisième pouvant apparaître comme le mime du discours qu'un autre pourrait tenir sur lui ou sur ses textes :

> Écrivant tel texte, il éprouve un sentiment coupable de jargon, comme s'il ne pouvait sortir d'un discours fou à force d'être particulier : et si toute sa vie, en somme, *il s'était trompé de langage?* Cette panique le prend d'autant plus vivement ici (à U.) que, ne sortant pas le soir, il regarde beaucoup la télévision : sans cesse il lui est alors représenté (remontré) un langage courant, dont il est séparé (...).
>
> Il se souvient à peu près de l'ordre dans lequel il a écrit ces fragments; mais d'où venait cet ordre? Au fur et à mesure de quel classement, de quelle suite? Il ne s'en souvient plus (...).

1. Roland Barthes, « Introduction à l'analyse structurale des récits », *Communications*, n° 8, 1966, p. 20; sur la transposition inverse, voir par exemple Émile Benveniste, *op. cit.*, p. 263-266.

2. Michel Leiris, *op. cit.* Quatrième volume de la série autobiographique *La Règle du jeu*, *Frêle Bruit* comporte dans sa dernière partie une série de fragments « à la troisième personne » intercalés entre des fragments autobiographiques classiques (p. 287-288, 304, 307, 320-321, 380-381). On pourrait comparer en particulier deux fragments contigus sur le même thème, p. 304 et 305.

3. *Roland Barthes* par Roland Barthes, Éd. du Seuil, coll. « Écrivains de toujours », 1975.

> On dirait souvent qu'il voit la socialité d'une façon simpliste : comme un immense et perpétuel frottement de langages (discours, fictions, imaginaires, raisons, systèmes, sciences) et de désirs (pulsions, blessures, ressentiments, etc.). Que devient donc le « réel » dans cette philosophie [1]? (...)

Dans le cas d'un dédoublement d'énonciation, le narrateur, qui s'interpose entre le narrateur du texte virtuel et nous, reste une pure instance formelle (comme est un traducteur) : il ne se manifeste pas par un discours différent du discours rapporté et textuellement repérable. En revanche dès qu'il y a ce que j'appelle distanciation du narrateur, c'est-à-dire mime des formes du discours d'un autre sur soi, l'instance du narrateur peut prendre la consistance d'un rôle, s'exprimer par un discours suivi, où le clivage de l'énonciation correspond à un écart de perspective. Cet écart peut n'avoir rien de fictif et être simplement celui même qui existe entre un narrateur autobiographe âgé et la vie du personnage qu'il a été, écart sur lequel reposent la plupart des autobiographies à la première personne. C'est un peu ce qui arrive dans *The Education of Henry Adams* où le narrateur tient un abondant discours pédagogique et sarcastique pour présenter et commenter l'histoire de son héros (lui-même), sans employer la première personne ni pour assumer son discours, ni pour nommer son personnage.

Mais il peut arriver que l'instance du narrateur émerge sous la forme d'un discours explicitement personnel s'opposant au personnage contemporain rejeté dans la non-personne : le lecteur aura alors l'impression d'être en face d'un inquiétant dédoublement de personnalité, si la chose se présente de manière sérieuse; sinon, et c'est le cas le plus fréquent, d'un jeu délicat à mener sans sombrer dans le ridicule ou sans accentuer ce qu'on prétend justement éviter, le narcissisme. Gide s'en tire en faisant glisser le jeu vers la fiction lorsqu'il nous confie ses impressions sur son compagnon de voyage Fabrice (lui-même) :

> Encore qu'il soit trop silencieux, j'aime de voyager avec Fabrice. Il dit, et je l'en crois, qu'il se sent à quarante-huit ans infiniment plus jeune qu'il n'était à vingt. Il jouit de cette rare faculté de repartir à neuf à chaque tournant de sa vie et de rester fidèle à soi en ne ressemblant jamais à rien moins qu'à soi-même. (...)
>
> Une des particularités de l'esprit de Fabrice les plus déconcertantes pour le voisin (je veux dire : le compagnon, quel qu'il fût, de l'heure

1. *Ibid.*, p. 118, 151, 169.

présente) était de s'échapper sans cesse à lui-même. A soi-même? Non; je dis mal : mais d'échapper aux circonstances[1] (...).

Claude Roy, au début du dernier volume de son autobiographie, emploie un procédé analogue, mais sans recourir au nom fictif. La confrontation ainsi figurée est située dans le passé :

> Il y avait donc bientôt quarante ans que Claude Roy vivait avec Claude Roy.
> J'étais arrivé peu à peu à m'entendre presque avec lui. J'y avais mis le temps. Je connaissais maintenant ses manies, ses plaisirs, ses angoisses, ses caprices et lubies. J'en étais arrivé à le connaître comme s'il m'avait fait. Pas assez bien, heureusement, pour m'ennuyer déjà avec lui : il avait plus d'un détour dans son sac de peau, ce fourre-tout. Assez de ressource encore pour me prendre souvent au dépourvu (...).
> Ce qui continuait à m'intéresser chez cet *alter ego*, dont je ne savais plus très bien, à l'usage, s'il portait mon nom ou si je portais le sien, c'était aussi cette réserve d'indignation qu'il conservait encore à un âge où les hommes se sont en général refroidis, résignés et « rangés » (...).
> J'avais d'autres reproches à faire à Claude Roy. Moins graves. Souvent contradictoires. Par exemple, je lui en voulais d'être devenu d'une part un chat ironique échaudé, toujours pesant le pour des uns et le contre des autres, inactif à la fin par perplexité. Et d'être demeuré d'autre part sentimental, naïf en politique jusqu'à en être souvent jobard[2] (...).

Tous ces effets sont liés aussi à une autre variable : le système des temps. Si le texte virtuel est écrit aux temps du discours, on peut les conserver (comme fait Barthes dans les trois fragments cités ci-dessus), mais on peut aussi transposer aux temps de l'histoire. Une page de méditation intime portant sur le présent du narrateur se métamorphose alors en une page de roman psychologique classique (ou du moins, dans les cas que j'étudie, *fait semblant* de se métamorphoser). On joue à parler de soi comme si on était le héros d'une fiction, en changeant de « code ». Ainsi Gide-Fabrice :

> L'âme de Michel offrait à Fabrice des perspectives ravissantes mais encore encombrées, lui semblait-il, par les brumes du matin. Il fallait pour les dissiper les rayons d'un premier amour. C'est de cela,

1. André Gide, *op. cit.*, p. 628-629.
2. Claude Roy, *Somme toute*, Gallimard, 1976, p. 9-12.

non de l'amour même, que Fabrice sentait qu'il pourrait être jaloux. Il eût voulu suffire, tentait de se persuader qu'il aurait pu suffire; il se désolait à penser qu'il ne suffirait pas [1].

Ou Barthes :

> Il ne cherchait pas la relation exclusive (possession, jalousie, scènes); il ne cherchait pas non plus la relation généralisée, communautaire; ce qu'il voulait, c'était à chaque fois une relation privilégiée, marquée par une différence sensible, rendue à l'état d'une sorte d'inflexion affective absolument singulière, comme celle d'une voix au grain incomparable; et chose paradoxale, cette relation privilégiée, il ne voyait aucun obstacle à la multiplier : rien que des privilèges, en somme [2] (...).

On peut, à la faveur de cette transposition, introduire des décalages de perspective entre le narrateur supposé et le personnage, dont on dira alors : « il ne se rendait pas compte que [3]... », ce qui est difficilement traduisible à la première personne du présent, du moins littéralement.

Enfin il faudrait envisager les cas où le texte virtuel se trouve déjà aux temps historiques : le problème est alors de savoir s'il s'agit d'un pur récit, ou si un discours se mêle à l'histoire : on a vu plus haut des exemples des problèmes que posait le traitement différent appliqué au « je » narrateur et au « je » personnage.

Extension.

Ces effets dépendent d'un dernier facteur, l'extension de l'emploi de ces figures, c'est-à-dire la relation avec le contexte. Trois situations sont possibles :

a) Emploi systématique de la troisième personne. C'est le cas pour tous les textes où l'auteur se glisse simplement à la place d'un narrateur hétérodiégétique dans des genres bien codés comme les mémoires historiques, les préfaces, ou les notices biographiques [4].

1. André Gide, *op. cit.*, p. 629.
2. Roland Barthes, *op. cit.*, p. 69-70.
3. Michel Leiris, *op. cit.*, p. 380.
4. On demande souvent aux auteurs les éléments pour composer leur notice biographique. Ils peuvent répondre :

a) sous la forme d'un texte écrit « à la première personne » qui est une sorte d'esquisse autobiographique classique (ex. : l' « autobiographie » que Mallarmé rédigea à la demande de Verlaine);

b) sous la forme d'un texte écrit « à la troisième personne », où ils assument

Il n'y a alors qu'une figure grammaticale liée à des effets conventionnels peu susceptibles de variations personnelles : discrétion et solennité de la préface, objectivité du récit historique ou de la notice biographique. Mais dans le cadre d'un genre comme l'autobiographie, dont les conventions sont diamétralement opposées, l'emploi de la troisième personne produit au contraire un effet frappant : on lit le texte dans la perspective de la convention qu'il viole. Pour cela, il faut que le lecteur se souvienne de la convention. Si le texte est entièrement écrit à la troisième personne, il ne reste que le titre (ou une préface) pour imposer une lecture autobiographique. Et si ce texte est long, le lecteur risque de l'oublier. C'est ce qui explique qu'il y ait si peu d'autobiographies modernes écrites *entièrement* à la troisième personne. On ne peut guère citer que celle de Henry Adams *(The Education of Henry Adams, an Autobiography)* ou le récit de Norman Mailer, *Les Armées de la nuit* (1968). Dans le domaine français, il n'existe pas, semble-t-il, de tentative équivalente [1]. La troisième personne est presque toujours employée de manière contrastive et locale, dans des textes qui utilisent aussi la première personne. Ce contraste assure à la figure son efficacité. Il peut s'agir soit d'un emploi exceptionnel de la troisième personne, soit d'une alternance délibérée.

b) Emploi exceptionnel : on peut, le temps d'une phrase, se traiter de « Lui » pour se distancier. Stendhal, relisant son journal, écrit dans la marge : « Cet homme est à jeter par les fenêtres [2]. » Dans *les Mots*, Sartre répudie ainsi son passé : « On a fait des misères en

---

eux-mêmes la perspective et le style d'un biographe. Le problème est alors de savoir si la notice est publiée de manière anonyme ou si on laisse comprendre qu'elle est l'œuvre de l'intéressé (ex. : la longue biographie que Saint-John Perse a composée lui-même pour l'édition de ses *Œuvres* dans la Bibliothèque de la Pléiade, 1972).

Il arrive que certains auteurs écrivent leur notice « à la troisième personne » en mélangeant la présentation traditionnelle avec des effets de style et des jugements de valeur qui ne peuvent venir que d'eux. Ce mélange, s'il est mal dosé ou mal contrôlé, produit des effets étranges (ainsi la naïveté dans l'orgueil qui apparaît chez André Suarès, in *Ignorées du destinataire*, Gallimard, 1955, p. 137-39). S'il est bien dosé, il apparaît comme un jeu humoristique qui rend le lecteur complice : ainsi chez Stendhal, qui écrivait pour son propre plaisir des notices biographiques, ou même nécrologiques, sur lui-même (cf. *Œuvres*, Gallimard, Bibliothèque de la Pléiade, 1955, p. 1487-1490, 1490-1492 et 1495-1500), ou chez Alain (« Autobiographie », *La Table Ronde*, mai 1955, p. 77-82).

1. On peut penser pourtant à *Mes fils* (1874) de Victor Hugo.

2. Stendhal, *Œuvres intimes*, Gallimard, Bibliothèque de la Pléiade, 1955, p. 1045 (note de 1819 en marge de son journal de 1811).

1936, en 1945 au personnage qui portait mon nom : est-ce que ça me regarde? Je porte à son débit les affronts essuyés : cet imbécile ne savait même pas se faire respecter [1]. » Réactions d'humeur. La troisième personne peut être employée sur courte distance (quelques pages) pour des raisons de pudeur ou pour de rapides jeux de miroirs. Ainsi Claude Roy distanciant un épisode de sa vie amoureuse [2]. Ou Gide s'essayant, sur quelques feuillets de journal, à se présenter lui-même de biais comme s'il utilisait une glace à trois faces. Mais s'il désire raconter plus amplement, Gide, après un début à la troisième personne, *module* et revient à la première. Ainsi, dans ce passage, qui introduit un très long examen de conscience spirituel :

> Spiritualiste à un point qui n'est pas croyable, il n'a jamais été prier, ou pleurer, ou méditer sur la tombe de ses parents. Car cela remonte loin, cette insouciance de la matière qui fait qu'elle ne retient pas ses regards. C'est comme s'il n'y croyait pas. Je dis « il », mais ce « il » c'est moi. Aucun raisonnement là-dedans : c'est naïf, c'est spontané. Je n'en puis trouver meilleur exemple que celui-ci : lorsque, à Cuverville, j'assistai à la délivrance lugubre de ma belle-sœur [3] (...).

Épisodiques, ces emplois ne changent rien à la structure du texte ou de l'œuvre. Il n'en va pas de même pour certains emplois, à peine plus étendus, mais qui correspondent cette fois à un procédé de composition.

c) Emploi alterné de la troisième et de la première personne : un système d'oscillation et d'indécision permet d'échapper à ce que chacune des deux présentations a fatalement d'artificiel ou de partiel. Si « je » et « il » s'occultent réciproquement, le mieux n'est-il pas de les faire se démasquer l'un par l'autre en alternant systématiquement leur emploi? C'est ce projet que l'on trouverait derrière certains des textes d'où j'ai tiré mes exemples : il correspond visiblement aux angoisses contemporaines, et, parfois, à une réflexion sur des théories modernes de la personnalité. Mais la chose est plus facile à concevoir qu'à réaliser. Claude Roy et Michel Leiris emploient le procédé de manière relativement discrète, l'un pour ouvrir et clore son récit, l'autre pour en scander la dernière partie. Les deux seules œuvres qui aient, dans le domaine français, organisé de manière vertigineuse et systématique cette alternance sont *le Traître* (1958) d'André Gorz

1. J.-P. Sartre, *Les Mots* (1964), Gallimard, coll. « Folio », 1972, p. 201.
2. Claude Roy, *Nous*, Gallimard, 1972, p. 33-39.
3. Gide, *Journal 1939-1949. Souvenirs*, Gallimard, Bibliothèque de la Pléiade, 1955, p. 334-335 (15 mai 1949).

et *Roland Barthes* (1975) par Roland Barthes, l'un à l'ombre de Sartre, l'autre en marge de Lacan. Dans les deux cas, le texte ne supporte plus une lecture classique et rassurante, il est sans cesse brisé par des dérapages brutaux (chez Gorz), ou par un va-et-vient perpétuel rendu possible par la composition fragmentaire (chez Barthes). Ces cassures et ces miroitements, qui sont d'ailleurs théorisés à l'intérieur de chacun des deux textes, sont liés à l'expression impossible de l'identité, et aux contorsions, angoissées chez Gorz, euphoriques chez Barthes, de la lucidité.

ÉLASTICITÉ

Ces jeux ont naturellement leurs limites, inscrites dans les conditions de leur fonctionnement. Déployer avec ostentation la multiplicité des instances cachées d'ordinaire par le pronom « je » n'est possible que si l'identité continue à être postulée en dernier ressort par le contrat de lecture. Plus l'autobiographe fait le grand écart, plus il a besoin qu'à un autre niveau ce par rapport à quoi (à l'intérieur de quoi) il y a écart soit établi. On ne saurait échapper au problème de l'identité, mais seulement le déplacer, et le mettre en scène comme problème.

Cette mise en scène, lorsqu'elle s'appuie sur des procédés contraires aux conventions du genre, sera fatalement ressentie par le lecteur comme un artifice plaisant ou comme un jeu pathétique, comme un faire-semblant; elle lui révèle que justement l'autobiographe ne peut pas faire *pour de bon* ce qu'il joue à faire. Le dédoublement ne peut être que figuré (de même que l'unité ne peut être que mythique). Le lecteur rapportera tous les jeux d'énonciation à un énonciateur unique, tous les jeux de focalisation suggérant que l'autobiographe se voit comme un autre à une comédie intérieure jouée à huis clos, même si la scène mime l'intrusion d'un regard venant de la salle. Nous, nous sommes réellement dans la salle, et nous assistons aux jeux de ventriloquie, aux évolutions devant un miroir à trois faces, de quelqu'un, d'un autre qui reste enfermé dans son identité, même s'il en fait jouer toute l'élasticité...

L'autoportrait de Barthes a chance de rester un exemple canonique pour l'étude de ces problèmes. Barthes a cherché l'élasticité maximum, par crainte de rester piégé dans son « imaginaire ». Il écrit lui-même un livre de critique sur lui, dans une collection au statut ambigu : la règle du jeu veut que le critique reconstitue « Untel par lui-même », en procédant à un montage de textes [1]; mais cet autoportrait se trouve en situation de dépendance par rapport au discours du critique. Que se passera-t-il si l'auteur « lui-même » se glisse dans ce rôle de critique? C'est ce qu'a tenté Barthes : il relit ses propres œuvres le crayon à la main, s'observe, se réécrit, essaie d'échapper à la pesanteur du moi par de variations incessantes sur les pronoms personnels (il est tour à tour « je », « vous », « il », « R.B. »), théorise et critique cette pratique au fur et à mesure [2]. Il se distancie non seulement comme personnage mais comme narrateur (« tout ceci doit être considéré comme dit par un personnage de roman »), envahit le rôle du lecteur, et finit par écrire un compte rendu de son propre livre dans un journal qui s'est prêté au jeu [3]. Au bout du compte (et même s'il le prévoit et le dit par avance), il reste que ce jeu de fuite de son « imaginaire » se trouve simplement devenir à nos yeux la caractéristique essentielle de son imaginaire.

L'élasticité du moi a ses limites. Si le jeu n'était plus un jeu, la cohérence du moi serait brisée, les conditions de la communication et de l'écriture disparaîtraient. Peut-on vraiment parler de soi comme si on était un autre, se mettre à la fenêtre pour se regarder passer dans la rue? Ce sont ces mêmes problèmes que je vais retrouver en présentant des procédés plus sophistiqués, qui étaient en germe dans

1. La collection « Écrivains de toujours » présentait à l'origine des volumes intitulés « *Untel par lui-même*, images et textes présentés par X ». Puis la présentation a changé : X a été plus nettement donné comme l'auteur d'un livre, dont le titre était *Untel par lui-même*. Dans une troisième étape, « par lui-même » a été abandonné. Quand Barthes s'est mis à la place de X pour faire un Barthes dans la collection (où il avait déjà écrit un Michelet), le titre est devenu : *Roland Barthes* par Roland Barthes, avec un jeu typographique tel que le nom a l'air d'être encadré par lui-même et qu'on ne peut plus savoir si « par Roland Barthes » est une indication d'auteur ou si cela fait partie du titre.

Il s'agit donc d'un retour à la situation autobiographique dans le cadre d'une collection « biographique » qui elle-même prétendait à l'origine reconstituer l'autoportrait de l'auteur. On ne doit pas confondre cette situation avec celle, beaucoup plus répandue et plus simple, des collections qui d'emblée demandent à des auteurs de parler d'eux-mêmes et de leurs œuvres. Ainsi la collection « Les auteurs juges de leurs œuvres » (chez Wesmael-Charlier), où André Maurois publia en 1959 *Portrait d'un ami qui s'appelait moi* (autoportrait dont seul le titre est distancié). Ou la collection « Les sentiers de la création » (chez Skira).

2. Sur le jeu des pronoms personnels, Barthes s'est expliqué dans son *Roland Barthes*, p. 170-171 et dans une interview au *Magazine littéraire*, nº 97, février 1975, p. 32. Sur les problèmes théoriques que pose l'autoportrait, voir en particulier, dans *Roland Barthes*, « La coïncidence » (p. 60-61), « Le second degré et les autres » (p. 70-71), « L'imaginaire » (p. 109-110), « Le livre du Moi » (p. 123-124), « La récession » (p. 155-156).

3. *La Quinzaine littéraire*, nº 205, 1er-15 mars 1975.

certaines des situations que j'ai déjà analysées. Gide faisait semblant d'observer « Fabrice » : il pourrait aussi bien inventer un « Fabrice » qui observerait Gide. Proposer le récit d'un narrateur fictif sur soi pourra alors correspondre soit à un narcissisme triomphant qui affiche humoristiquement son identité, soit aux angoisses d'un paranoïaque qui cherche à la reconstruire.

3. FICTIONS FICTIVES

POINTS DE VUE

On ne saurait écrire une autobiographie sans élaborer et communiquer un point de vue sur soi. Ce point de vue pourra comporter des *écarts* entre la perspective du narrateur et celle du personnage; être complexe ou ambigu; intégrer, pour la récupérer ou la modifier, l'image qu'on croit que les autres se font de vous. Mais, si complexe ou retors soit-il, il portera en dernier ressort la marque de l'auteur. On ne saurait réellement sortir de soi; c'est-à-dire représenter, à égalité avec le sien, un point de vue différent du sien. L'articulation de deux points de vue réellement différents sur un même individu ne saurait se construire qu'en dehors d'un projet autobiographique :

— soit, pour l'auteur, dans le cadre d'un projet romanesque, mais c'est alors au prix de la réalité (l'omniscience et la « non-focalisation » ne sont possibles que dans la fiction);

— soit dans la réalité, mais c'est alors au prix de la situation autobiographique : le type élémentaire de ces « dialogues » de points de vue, c'est la correspondance entre deux personnes lue par un tiers, la confrontation de textes autobiographiques écrits par des personnes différentes, ou la collecte par un ethnographe des récits de vie de plusieurs personnes appartenant à une même famille ou à un même milieu [1]. C'est à partir de ce type de situation que les biographes peuvent adopter l'attitude de narrateurs omniscients.

Est-il possible d'aller contre ce qui semble être une fatalité inhérente à la position de l'autobiographe? On peut imaginer deux types de tentatives pour abolir cette limite. Mais il ne saurait s'agir que d'approximations ou de simulacres.

1. Voir ci-dessous, dans « L'autobiographie de ceux qui n'écrivent pas », « Individu et série », p. 307-312.

Approximations, du côté de la réalité : on peut envisager de prendre en charge dès le départ et d'organiser soi-même cette confrontation de témoignages qui ne s'établit en général qu'après coup et malgré les intéressés. Ce serait concevoir un « projet autobiographique commun ». Mais le seul fait que deux personnes se lancent dans une telle entreprise suppose des points de vue rapprochés, une complicité fondamentale et une sorte de « narcissisme collectif » : les textes qu'elles produiront refléteront en fait une différenciation interne d'un même point de vue. Au demeurant, il y en a fort peu d'exemples, et toujours dans des situations de symbiose fraternelle, conjugale ou amicale. Les frères Goncourt écrivent ensemble leur journal : ils disent « nous » et se comportent comme s'ils étaient une seule personne. Deux époux peuvent récapituler leur vie en échangeant une série de lettres (mais ils ne le font qu'à travers l'écran d'une fiction [1]). Deux vieux amis peuvent tenir parallèlement leur journal : mais le projet ne sera « commun » que pour l'un des deux : c'est ce qui s'est produit pour André Gide et la « Petite Dame ». A l'insu de Gide, celle-ci s'est mise à noter tout ce qu'elle observait de lui dans un journal, parallèle au sien, qu'elle tint de 1918 à 1951. Elle a réalisé ainsi un système de « biais » très gidien, celui-là même que Gide mimait en faisant le portrait de son compagnon de voyage Fabrice, le regard d'un *alter ego* critique, mais complice [2]. L'existence de points de vue réellement antagonistes exclut *a priori* la possibilité d'un projet commun d'autobiographies *croisées*.

Simulacres, du côté de la fiction : car si on cherche à faire entrer le point de vue d'autrui dans son autobiographie, ce ne pourra être que de manière imaginaire, en reconstituant autrui comme un personnage de roman; ces jeux ou ces fantasmes traduiront, aux yeux du lecteur, l'idée que l'autobiographe se fait de l'idée qu'autrui peut se faire de lui.

C'est sur la présentation de quelques-unes de ces « fictions fictives » que je terminerai cette étude. Il ne s'agit pas là de véritables fictions, c'est-à-dire de romans autobiographiques régis dans leur ensemble par un pacte romanesque. Le système général reste celui de l'auto-

1. Arlette et Robert Bréchon, *Les Noces d'Or*, Albin Michel, 1974. Anne et Nicolas, les héros de ce roman épistolaire, sont deux époux, comme les auteurs du livre. Tout donne à penser que le livre est très largement autobiographique, mais ce n'est pas à proprement parler une autobiographie.

2. Maria Van Rysselberghe, dite « la Petite Dame », a écrit pendant plus de trente ans ce qu'elle appelait des *Notes pour l'histoire authentique d'André Gide*. Ces notes ont été publiées sous le titre *Les Cahiers de la Petite Dame* (Gallimard, Cahiers André Gide n°s 4, 5, 6 et 7, 1973-1977).

biographie; c'est seulement au niveau d'une des instances du récit (le personnage du narrateur) que se greffe une sorte de jeu : l'autobiographe essaie de s'imaginer ce qui se passerait si c'était *un autre* qui racontait son histoire ou traçait son portrait. Il ne cherche pas à figurer, en mimant le discours qui se tient sur un autre, les écarts de sa perspective intérieure, mais à récupérer le discours que les autres sont susceptibles de tenir sur lui, pour leur imposer au bout du compte l'image de lui qui lui semble vraie.

Les textes construits selon ce système sont rares, et assez différents entre eux : la seule chose qu'ils aient en commun, c'est que l'emploi de cette figure concerne toujours l'ensemble de l'œuvre et détermine toute sa composition. Deux types se présentent : l'un emprunte les formes du récit de témoin, l'autre celles du dialogue.

TÉMOIN FICTIF

L'exemple canonique du premier type est l'*Autobiographie d'Alice Toklas* de Gertrude Stein [1]. Le jeu consiste à imaginer comment l'un de vos familiers pourrait raconter votre vie : on prend la plume à sa place, et on écrit son témoignage. Naturellement, ce n'est pas là une supercherie, le lecteur est averti de la règle du jeu : Gertrude Stein se donne d'emblée comme l'auteur de l'autobiographie de sa secrétaire; et c'est parce que le lecteur garde présent à l'esprit cette donnée du contrat qu'il peut savourer l'humour et la virtuosité de l'exercice. S'il avait tendance à l'oublier, les dernières phrases du livre le lui rappelleraient : Alice Toklas avoue que, comme elle n'a pas le temps d'écrire son autobiographie, Gertrude Stein lui a proposé de l'écrire à sa place. « C'est ce qu'elle a fait et que voici », conclut la narratrice. Il est vrai que l'indication initiale est ambiguë, d'autant plus qu'Alice Toklas n'était pas un personnage imaginaire, mais la très réelle compagne de G. Stein. Ce flottement fait partie du jeu de coquetterie propre à ce type de procédé.

Le jeu est double : à la fois romanesque et autobiographique. Du

1. L'*Autobiographie d'Alice Toklas* (1933) est une sorte de cas exemplaire. Elle combine les deux paradoxes symétriques : à la fois « autobiographie à la troisième personne », en ce qui concerne Gertrude Stein, et « biographie à la première personne » en ce qui concerne Alice Toklas. Le cas est d'autant plus exemplaire que nous pouvons aujourd'hui comparer ce texte avec les textes « virtuels » qu'il combine : par la suite, Gertrude Stein a continué son récit sous la forme d'une autobiographie classique à la première personne, *Everybody's Autobiography* (1938), et Alice Toklas a fini par écrire pour de bon elle-même ses souvenirs, *What is remembered by Alice Toklas* (1963).

côté romanesque, il s'agit de construire le personnage du témoin, de lui inventer une perspective, de lui forger un style, pour qu'il ait une cohérence suffisante pour soutenir l'ensemble de la narration; on s'amuse à créer sur soi la fraîcheur d'une perspective « autre ». A dire vrai, ce jeu peut paraître au lecteur assez condescendant : cet « autre » est votre subordonné, ne se définit que par rapport à vous, et vous lui attribuez une perspective candide et admirative sur vous. La construction de l'instance fictive du « témoin » n'est finalement que l'alibi d'une présentation de soi : ce détour par le témoin justifie les « restrictions de champ » (on n'est pas forcé de parler de ce qui échappe au regard d'un autre, on peut modeler sa figure sociale en laissant dans l'ombre tout le domaine intime) et il fournit un moyen humoristique de chanter vos propres louanges sans qu'on puisse vous accuser de naïveté dans l'orgueil. Au bout du compte, loin de correspondre à un dédoublement intérieur ou à une inquiétude sociale, ce type de jeu est un moyen astucieux pour réaliser une forme d'auto-hagiographie qui neutralise ou paralyse la critique. Le lecteur doit être séduit par la double lecture qui lui est proposée de l'énonciation du « témoin » comme instance fictive et comme relais autobiographique.

Tel est du moins le jeu pratiqué par G. Stein. Il est difficile de généraliser d'après un seul exemple. Il est bien évident que ce type de stratégie peut se réaliser dans d'autres contextes : la vertigineuse machinerie montée par Barthes remplit sans doute mieux cette fonction de protection. Évident aussi que la fiction du « témoin » pourrait être utilisée dans une perspective plus critique, mais qu'on soupçonnerait toujours de coquetterie.

Peut-on, après Gertrude Stein, réemployer ce procédé sans tomber dans le plagiat? C'est ce qu'a tenté de faire récemment Jean-Jacques Gautier dans *Cher Untel*[1]. Aline Moussart, secrétaire de l'écrivain « Untel », tient son journal; elle y trace peu à peu le portrait de l'écrivain tout en racontant son histoire à elle, et l'histoire de ses relations avec lui. Au terme de son journal, elle a l'idée de proposer à Untel de « publier le présent manuscrit sous son nom et de faire passer ce journal pour une fiction ». La tentative de Gautier diffère de celle de Gertrude Stein sur deux points essentiels. D'abord, Aline est en relation conflictuelle avec l'écrivain, elle est donc amenée à tracer de lui un portrait plus nuancé; et comme personnage de roman elle a plus d'existence personnelle qu'Alice Toklas, même si elle a moins de style. Surtout, l'ensemble du jeu n'est pas présenté comme

1. Jean-Jacques Gautier, *Cher Untel*, Plon, 1974.

une autobiographie, mais comme un roman. Il est vrai que le voile romanesque est ténu : Untel n'est pas Gautier, mais il a publié exactement les mêmes livres... Procédé classique de la fiction autobiographique, où l'on suggère une identité tout en laissant planer l'ombre d'un doute.

DIALOGUE FICTIF

Le second type est très différent : il ne s'agit plus de construire un point de vue sur soi, mais d'en *détruire* un. Le texte se présente comme une réponse à un discours qui a déjà été tenu, et qu'il faut récupérer pour le dissoudre. On va le mimer pour lui répondre. Pour cela, dans le cadre d'un texte autobiographique présenté comme tel, on reconstitue fictivement un *procès*, on campe et on fait dialoguer les rôles de l'accusation et de la défense; les choses tournent bien sûr à l'avantage de l'autobiographe qui fait triompher peu à peu sa véritable image.

C'est ce qu'a fait Rousseau dans les dialogues intitulés *Rousseau juge de Jean-Jacques* [1]. Le récit autobiographique des *Confessions* avait été composé pour répondre aux accusations lancées contre lui : mais Rousseau a l'impression de rester méconnu et persécuté par un complot insaisissable. Ces ennemis secrets gardent le silence, œuvrent dans l'ombre. Obsédé par cette accusation muette et indirecte, Rousseau veut essayer de lui redonner lui-même la parole, de l'amener au grand jour pour pouvoir enfin la réfuter et s'en débarrasser. Dans un prologue « Du sujet et de la forme de cet écrit », il explique sa stratégie : il nous propose le dialogue de deux personnages fictifs, l'un, nommé « Rousseau », qui admire les livres de Jean-Jacques Rousseau, ne connaît pas l'homme, mais a du mal à croire tout le mal que lui en dit le second personnage, nommé « le Français », qui lui, en sens inverse, n'a pas lu les livres de l'auteur. Leur dialogue met en évidence le malentendu, les fondements fragiles de ce procès. Pour en avoir le cœur net, « Rousseau » va rendre visite à Jean-Jacques tandis que « le Français » lit les œuvres de l'auteur. Cette double confrontation rétablit la vérité sur le caractère de Jean-Jacques et permet de comprendre de quel complot il est la victime.

L'auteur, dans le prologue, s'explique sur la forme choisie :

1. Jean-Jacques Rousseau, *Œuvres complètes*, Gallimard, Bibliothèque de la Pléiade, t. I, 1959, p. 657-992. Voir l'Introduction que Michel Foucault a écrite pour l'édition des *Dialogues* dans la « Bibliothèque de Cluny », A. Colin, 1962.

> La forme du dialogue m'ayant paru la plus propre à discuter le pour et le contre, je l'ai choisie pour cette raison. J'ai pris la liberté de reprendre dans ces entretiens mon nom de famille que le public a jugé à propos de m'ôter, et je me suis désigné en tiers à son exemple par celui de baptême auquel il lui a plu de me réduire [1].

C'est là un des plus anciens procédés de la littérature polémique : le dialogue fictif attribué à des personnages réels, ou attribué à des personnages fictifs, mais portant sur des personnes réelles. L'une des deux parties concernées s'arroge le droit de reconstituer le discours de l'autre pour l'intégrer dans une mise en scène dont elle a l'entière maîtrise. Depuis Platon, ce jeu a été fort pratiqué. On le retrouve sous des formes diverses dans *les Provinciales*, la *Critique de l'École des femmes*, ou les *Interviews imaginaires* de Gide. Dans le registre autobiographique, c'est un peu ce qu'a fait l'espagnol Torres Villarroel dans son *Correo del otro mundo* (1725), où il combine le procédé du « songe » et celui du dialogue pour régler leur compte à ses ennemis et construire sous différents regards une flatteuse image de lui-même [2].

Mais ce qu'a tenté Rousseau est plus compliqué. Le recours à ce procédé du dialogue est pour lui une solution de désespoir, et le jeu est parfaitement sérieux, si sérieux que les lecteurs peuvent être découragés par le manque total d'humour, l'insistance, les répétitions, et l'aspect paranoïaque de cette mise en scène. Ce sérieux rend les *Dialogues* exemplaires du point de vue qui m'intéresse : Rousseau a tenté pour de bon l'impossible, il a poussé aussi loin que possible ce que les autres font sans trop y croire. D'une part se mettre à l'intérieur des autres pour comprendre comment ils vous voient, d'autre part se mettre à l'extérieur de soi pour se voir comme si on était un autre. Dans les deux cas, le jeu est, au bout du compte, truqué. Mais c'est seulement au bout du compte, et non d'emblée; malgré Rousseau, et non intentionnellement. Rares sont les autobiographes qui ont joué ce jeu dans les deux sens (se mettre en autrui, se mettre hors de soi) avec une telle « élasticité », en tentant le grand écart total pour être à la fois les autres et un autre. Il vaut la peine de suivre Rousseau dans cette double « folie » :

— d'une part, il veut reconstituer le point de vue réel des autres sur lui. Il ne s'agit plus, comme dans la littérature polémique, de

1. *Œuvres complètes*, t. I, p. 663.
2. Sur les jeux autobiographiques de Torres Villarroel, voir l'étude de Guy Mercadier, *Torres Villarroel, masques et miroirs*, Atelier de Reproduction des Thèses, Université de Lille III, 1976.

s'amuser à caricaturer l'adversaire pour l'écraser : Rousseau cherche à construire un autre aussi ressemblant que possible, un autre auquel il puisse lui-même croire, qui ne soit pas une simple marionnette. Mais la manière dont il a constitué cet autre révèle justement qu'il lui est impossible de l'imaginer. On ne saurait pas avoir raison si on juge sévèrement Rousseau : donc ses adversaires ne peuvent être que des méchants ou des dupes. Autrui va donc se diviser en deux instances : l'une, irrécupérable — le groupe des « Messieurs » qui organisent le complot et mentent en connaissance de cause pour égarer le public. Avec eux, pas de dialogue possible. L'autre, récupérable, un Français qui est leur dupe mais qui est au fond un honnête homme, et qu'une maïeutique appropriée va ramener à la vérité, c'est-à-dire au point de vue que Jean-Jacques a sur lui-même. Trucage pathétique : ce Français est un faux « autre » construit sur mesure. Pour se le masquer, Rousseau lui attribue toutes les opinions des vrais autres, et s'arrange pour lui faire mener pendant trois cents pages une longue résistance à l'évidence, à laquelle il ne cédera que progressivement [1].

— d'autre part, puisqu'il fait l'effort de se mettre « à la place des autres », Rousseau serait en droit d'exiger la réciproque. Mais, impartial, il ne veut pas imposer son point de vue sur lui-même (c'est ce qu'il a déjà fait dans les *Confessions*). Il va donner une leçon d'objectivité. Au lieu de proposer son évidence intérieure, il montre comment il s'y prendrait pour connaître Jean-Jacques s'il était un autre. C'est le rôle fictif de ce « Rousseau », qui décide d'aller rendre visite à Jean-Jacques pour le sonder et se faire une opinion. Le passage le plus étonnant des *Dialogues* est le long récit de cette visite [2], « Rousseau » observant la conduite de Jean-Jacques tout en écoutant ses propos, et construisant peu à peu un portrait « objectif » que le lecteur ne peut naturellement lire que comme un autoportrait, même s'il s'exprime par la voix fictive d'un témoin homodiégétique. Le vertige atteint son comble lorsque « Rousseau » se met à citer un discours que lui aurait tenu Jean-Jacques [3] : ce discours direct (qui a échoué dans les *Confessions*) ne nous apparaît plus que comme au bout d'une lorgnette renversée, au fond d'une sorte d'entonnoir, cité par un « Rousseau » fictif, lui-même marionnette pédagogique de...

1. Dans « Le peigne cassé » (*Poétique*, n° 25, 1976), j'ai essayé de montrer comment les jeux de voix et de focalisation étaient utilisés dans les *Confessions* pour créer un « trucage » pathétique analogue dans sa fonction au système des personnages fictifs dans les *Dialogues*.
2. *Œuvres complètes*, t. I, p. 776-875.
3. *Ibid.*, p. 837-842.

Jean-Jacques Rousseau. On entend une voix étouffée qui lance un appel pathétique à la réponse d'un autre — un autre qui serait un *véritable* autre ...

*

Il se relut.

Était-il raisonnable d'étudier un phénomène si rare? A peine avait-il pu réunir quelques exemples tirés d'une douzaine de livres — alors que chaque année, des centaines d'autobiographies candidement écrites « à la première personne » inondent le marché. Mais ce corpus n'aurait été maigre que s'il avait voulu faire croire à l'existence d'un genre, l' « autobiographie à la troisième personne ». Or son propos était inverse. A ses yeux, l'analyse de ces cas-limites était simplement une sorte de coin à enfoncer pour faire éclater la cohérence, en partie imaginaire, que l'on prête aux « genres ». En dissociant les différents facteurs, on s'apercevait que l'effet produit ne venait que de leur combinaison et de leur hiérarchisation dans l'horizon d'attente du genre.

Et l'on pouvait, à partir de ce type de débrouillage, distinguer et formuler plus clairement des problèmes théoriques que le fonctionnement « normal » des genres tend à confondre ou à masquer. Problèmes multiples, divergents, lançant la recherche sur des voies fort différentes.

Pour les « personnes », il rêvait de continuer le travail entrepris par Valéry dans ses *Cahiers* [1]. Valéry lui semblait avoir eu l'art de se placer d'emblée au cœur du problème, à l'endroit où s'articulaient le sujet linguistique et le sujet psychologique, frayant la voie où depuis s'étaient engagés Lacan, Benveniste et bien d'autres. Il restait à en tirer les conséquences pour le récit autobiographique, aussi bien pour l'énonciation que pour la communication. Et peut-être en particulier pour une poétique de la réception (que deviennent « je », « tu », etc., pour moi qui écoute ou qui lis?). Question qui était liée, latéralement, à celle du contrat.

Tout au long de son étude, en effet, il avait analysé l'articulation des éléments du contrat autobiographique, mais une question restait

1. Paul Valéry, *Cahiers*, Gallimard, Bibliothèque de la Pléiade, 1973, t. I, section « Langage », p. 379-476. Le passage cité en exergue de cette étude se trouve p. 440.

pendante : quelle différence y a-t-il entre les figures et « fictions fictives » employées à l'intérieur d'un texte autobiographique, et le système du roman autobiographique? Y a-t-il de l'un à l'autre transition continue? Ne pourrait-il pas reprendre la question en comparant deux textes également vertigineux, le *Roland Barthes* par Roland Barthes, du côté autobiographique, et, du côté « romanesque », *la Mise à mort* (1965) d'Aragon, où les jeux de dédoublement et de miroirs débordent de l'univers de la fiction et envahissent le contrat de lecture lui-même?

Au demeurant, la marge entre fiction et autobiographie lui semblait plus mince que jamais. Là où l'analyse nécessairement distingue, la réalité présente souvent un spectre continu. Surtout aujourd'hui, quand tant de textes de fictions étaient d'emblée offerts aux lecteurs dans le cadre d'un espace autobiographique, et que les autobiographes les plus conscients ne pouvaient plus pratiquer le genre que sous la forme de la parodie et du jeu. Mais il arrivait qu'on lui demandât, comme si son rôle eût été de trancher, devant tel texte ambigu : « Et cela, est-ce que ça entre dans votre définition? » *Sa* définition, qui était celle du dictionnaire et de tout le monde, l'avait fait prendre pour Aristote, — à moins que ce ne fût pour La Palice. Elle avait été, et restait pour lui, le point de départ d'une recherche multiforme et ouverte, visant, sans trop de simplification, la clarté et la rigueur. Et non un dérisoire point d'arrivée.

Carrefour de problèmes, donc. Il hésita, choisit d'explorer une autre marge, fort mince, elle aussi, celle qui sépare biographie et autobiographie.

Il se remit à sa table pour écrire.

Biographie, témoignage, autobiographie : le cas de *Victor Hugo raconté*

Victor Hugo raconté par un témoin de sa vie (1863) est un livre encore aujourd'hui surprenant : non qu'il nous propose une piquante « énigme » d'histoire littéraire — on sait aujourd'hui que le livre a été écrit par la femme du poète —, mais parce qu'il se trouve en porte-à-faux sur plusieurs genres littéraires voisins. Rien n'est plus éclairant pour l'étude d'un système de genres que les œuvres qui transgressent des distinctions apparemment bien établies. Trois genres se trouvent ici mélangés : la biographie (à narration « hétérodiégétique »), le témoignage (à narration « homodiégétique ») et l'autobiographie (à narration « autodiégétique [1] »). Ou plutôt, ces deux derniers genres sont dissimulés sous le premier. Le livre, publié sous un anonymat transparent, se présente comme une biographie faite par un historien : mais tout laisse supposer que le personnage anonyme et indéterminé du Narrateur est une instance artificielle à travers laquelle s'expriment indirectement le témoignage d'un proche et l'autobiographie du modèle.

Pourquoi recourir au genre « objectif » de la biographie, pour livrer des témoignages dont l'intérêt serait d'être « subjectifs »? Comment est fabriquée cette instance contradictoire d'un « témoin» qui semble n'avoir rien vu, et qui se conduit comme un historien? Quelles distorsions subissent les récits homodiégétiques et autodiégétiques au cours de cet exercice de traduction? Quel en est le profit? Pour répondre à ces questions, sans doute faut-il d'abord poser le problème sur un plan plus général.

La biographie et l'autobiographie s'opposent sur le plan de la

1. J'emprunte ces termes à G. Genette, *Figures III*, Éd. du Seuil, 1972, p. 251-253. Dans le récit *hétérodiégétique*, le narrateur est absent de l'histoire qu'il raconte; dans le récit *homodiégétique*, il est présent comme personnage dans l'histoire qu'il raconte; s'il en est de plus le personnage principal, on parlera de récit *autodiégétique*. Ce classement des rôles ne doit pas être confondu avec les problèmes grammaticaux de personne.

voix narrative, mais peuvent fort bien se recouper sur celui de la perspective, et utiliser les mêmes schèmes rhétoriques et romanesques. L'autobiographie s'est en partie constituée en empruntant les modèles classiques de présentation de la vie d'un homme : si bien qu'un autobiographe qui se déguiserait en simple biographe ne ferait d'une certaine manière que revenir à l'une des sources du genre. Mais en même temps, il anticiperait ainsi sur une partie du travail qu'accomplit fatalement le lecteur d'autobiographie. Celui-ci vit sa relation au texte sur deux plans à la fois : sensible à la voix narrative, il a l'impression d'être en situation de communication avec l'auteur-narrateur et il intègre à l'image qu'il se fait de lui tout ce que révèle son énonciation. Mais en même temps, guidé par le récit, il reconstruit le modèle biographique qu'on lui suggère.

On peut d'ailleurs observer ce qu'est la lecture d'une autobiographie en regardant comment sont faites beaucoup de biographies d'écrivains, surtout dans les récits d'enfance, où le biographe doit fatalement puiser la plus grande partie de son information dans les déclarations de l'intéressé lui-même. Le biographe transpose « à la troisième personne » le récit de son modèle, en laissant perdre ce que révélait le discours autobiographique et en lui substituant son propre discours d'historien [1].

Parfois, l'auteur lui-même brûle les étapes, et donne directement au public sous une forme biographique l'image de lui qu'il a construite et qu'il veut imposer aux autres. S'il ne s'avoue pas l'auteur de cette biographie en la signant, il y a supercherie, que le lecteur découvrira, ou ne découvrira pas. S'il signe le texte, ce détour guidera notre lecture du texte, qui deviendra à nos yeux une autobiographie « indirecte » avec les effets compliqués ou vertigineux analysés dans le précédent chapitre.

Mais *Victor Hugo raconté*, malgré ce que sa présentation maladroite a pu faire croire à certains contemporains, n'est ni une supercherie, ni une autobiographie indirecte : car Victor Hugo n'en a pas écrit une seule ligne [2]. Dans l'autobiographie indirecte, la comédie se

1. On trouvera de nombreux exemples de ce genre de transposition dans les biographies de Gide par Jean Delay (*La Jeunesse d'André Gide*, Gallimard, 1956-1957, 2 vol.), ou de Sartre par Francis Jeanson (*Sartre dans sa vie*, Éd. du Seuil, 1974). Le biographe fait souvent alterner la citation avec la transposition.

2. Jean-Luc Mercié, dans la Présentation qu'il a faite de *Victor Hugo raconté* pour l'édition chronologique des *Œuvres complètes* dirigée par Jean Massin (Club français du livre, t. I, 1967), a rassemblé l'essentiel de ce que l'on sait aujourd'hui sur l'histoire du livre écrit par Mme Hugo. Pendant longtemps un doute a subsisté sur l' « auteur » du livre; seule la consultation du manuscrit a permis de réfuter définitivement la thèse de ceux qui croyaient que Victor Hugo était le principal

joue dans le cercle clos de l'écriture d'un individu. Ici, nous avons plutôt affaire à l'écriture d'un *groupe*. Si Hugo est complice du jeu, il n'en est ni l'instigateur, ni le responsable, ni le signataire. C'est le groupe Hugo qui se déguise en biographe pour proposer au public une image « officielle » du poète. On pense aux hagiographies qu'écrivait, dans les couvents, l'entourage d'une personne en odeur de sainteté.

Sans doute, sur le plan de l'art, cette situation est-elle assez décevante — dans la mesure où l'économie du système est exactement l'inverse de celle que réalise l'autobiographie à la troisième personne, ou l'autobiographie à narrateur fictif. Rousseau ou Gertrude Stein ont tenté d'intégrer le point de vue d'autrui dans un texte qui continue à se présenter comme une autobiographie. Il en résultait un effet assez saisissant de *relief* intérieur : exercice d'élasticité d'un moi central qui s'étire jusqu'à essayer d'englober ce qui est, par définition, hors de sa portée : le point de vue d'un autre. Dans *Victor Hugo raconté*, au contraire, il s'agit d'intégrer le point de vue de l'intéressé dans un projet biographique. L'effet d'*aplatissement* est inéluctable : le biographe perd en grande partie le bénéfice d'une position d'extériorité, et le récit autobiographique du modèle, estompé et assourdi, perd de sa saveur.

Mais pour être moins frappant, le système n'en est pas moins compliqué et constitue un « cas » idéal pour observer les phénomènes d'interférence entre la biographie et l'autobiographie. Cette interférence ne saurait bien sûr être étudiée que dans son contexte historique, en fonction des horizons d'attente de l'époque, et du projet de l'auteur. Dans la série de mises au point qui suit, je tenterai de déplier méticuleusement l'ensemble du système, en m'appuyant à la fois sur les renseignements que fournit l'histoire littéraire et sur l'analyse interne du texte. J'étudierai d'abord la délimitation du corpus à analyser, les horizons d'attente, le projet de l'auteur et les ambiguïtés du titre. Puis je situerai le texte par rapport aux trois genres qu'il traverse, la biographie, le témoignage, l'autobiographie. Qu'on n'attende donc point de révélations sur le Moi hugolien, mais plus modestement une exploration de la grammaire du récit biographique à cette époque.

Pour mener cette étude, j'avais le choix entre deux attitudes : analyser la présentation du texte publié en 1863 sans me soucier de ce

---

responsable. Voir là-dessus la polémique entre François Vanderem, Louis Barthou et Georges Blaizot dans le *Bulletin du bibliophile* (octobre et novembre 1933, juillet, août-septembre 1936).

qu'on pouvait savoir par ailleurs, ou envisager l'histoire réelle du texte avant sa publication, sans me soucier de la situation des lecteurs de 1863. J'ai fait l'un, puis l'autre. J'ai d'abord choisi la myopie d'une analyse textuelle et, une fois l'essentiel de cette étude rédigé, je suis allé consulter les manuscrits. Aussi observera-t-on des variations de perspective : tantôt je feins d'ignorer ce que je sais (me comportant comme si j'étais un lecteur de 1863) tantôt je sais ce que je devrais ignorer comme lecteur (et j'épouse alors la perspective d'Adèle). Ce jeu de va-et-vient entre le secret de l'auteur et l'embarras du lecteur m'a semblé la seule manière de saisir dans son ensemble le fonctionnement du texte.

LE CORPUS

Les chercheurs hugoliens ont à leur disposition, à la Bibliothèque nationale et à la Maison de Victor Hugo, un énorme dossier de textes préparatoires et de brouillons. Jusqu'à présent, on s'en est servi plutôt comme d'une carrière où l'on a puisé des matériaux biographiques inédits, sans l'envisager comme le manuscrit d'une œuvre, qui serait à étudier et éventuellement à éditer avec le même respect et le même soin qu'on met à éditer les manuscrits du poète.

Mais ces inédits ne constituent qu'une partie du corpus sur lequel on aura à réfléchir. Celui-ci comprend trois ensembles :

1. *L'avant-texte.* J'appellerai ainsi la documentation et les brouillons qui ont précédé le texte définitif. On peut y ajouter les lettres ou autres documents où il est question du projet [1]. Dans cet avant-texte, il y a lieu de distinguer trois couches : — la documentation préexistante au projet, rassemblée et éventuellement utilisée pour écrire le livre (tous les documents familiaux, les *Mémoires* du général Hugo, publiés en 1823, ceux, alors inédits, de Pierre Foucher, les carnets de Madame Hugo, les lettres écrites ou reçues par Victor Hugo, les *Mémoires* de Dumas, les œuvres de jeunesse de Victor, etc.); — la documentation suscitée dans le cadre du projet (autobiographie orale de Victor Hugo faite à la demande d'Adèle et notée par elle; textes autobiographiques d'Adèle elle-même, etc); — la rédaction du texte de *Victor Hugo raconté,* ébauches, brouillons, jusqu'aux épreuves du livre.

1. L'essentiel de ces textes est rassemblé dans la présentation de Jean-Luc Mercié (cf. p. 61, n. 2). Beaucoup plus tard, Victor Hugo lui-même précisa à Gustave Rivet quelle avait été la nature de sa participation (*Victor Hugo chez lui,* 1878, préface).

Il est important, sur le plan théorique, de distinguer la seconde couche de la troisième : nous ne devrons pas confondre l'*informateur* dont le témoignage est recueilli, avec le *rédacteur* de la narration, même s'il arrive, pour certaines sections, que ce soit la même personne.

2. *Le texte.* L'édition de 1863 chez Lacroix. Tous les éléments qui commandent la lecture du texte font partie du texte : titre, présentation du livre, nom de l'éditeur. Il faut y ajouter des éléments extérieurs au volume, mais provenant de la même source : le « prière d'insérer » ou « prospectus » diffusé en même temps que le volume, dont l'existence et le contenu peuvent être facilement établis par le recoupement des différentes annonces du livre dans la presse quotidienne; et les énormes placards publicitaires qui accompagnaient ces annonces [1]. L'information donnée par ce canal a été capitale : elle suppléait à un manque choquant d'information dans le volume lui-même (anonymat de l'auteur), et programmait les attentes et les attitudes de lecture (ce qu'aurait dû normalement faire une préface, ici absente). Il est vrai que le « prière d'insérer » est lui-même par définition anonyme (ou du moins n'engage que l'éditeur), et que, s'il suggère le nom de l'auteur, c'est sans le prononcer. Voici, à titre d'exemple, l'annonce du livre dans *le Temps* du 16 juin 1863 :

> La biographie de Victor Hugo que nous annoncions il y a quelques jours paraît demain chez les éditeurs des *Misérables*. Elle a pour titre : *Victor Hugo raconté par un témoin de sa vie*, et ce titre ne saurait être plus exact, car l'auteur a été mêlé à toute l'existence de notre grand poète; il l'a connu dans les Feuillantines et l'a suivi jusqu'à Guernesey; il nous donne Victor Hugo tout entier, sa jeunesse, ses commencements, ses lettres, les représentations si orageuses de ses drames, leurs répétitions, qui ne l'ont pas été moins, ses relations avec tous les hommes célèbres de ce siècle, etc. Elle dit sa vie intérieure comme sa vie politique, le fils, le mari, le père et l'ami, comme l'écrivain et l'orateur.

1. Pour les annonces, voir *Le Figaro*, 21 juin (annonce en quelques lignes les « pseudo-mémoires » de Victor Hugo); *Le Siècle*, 18 juin (donne l'essentiel du prière d'insérer); *Le Temps*, qui annonce trois fois le livre, le 9 juin (bref résumé du prière d'insérer), le 16 juin (texte cité), et le 17 juin (texte identique à celui du *Siècle*, et qui a chance d'être celui fourni par l'éditeur); *La Presse*, 17 juin (amplification assez ampoulée du prière d'insérer par H. Rouy); *Journal des débats*, 16 juin, présentation originale par Jules Janin.

Pour le *placard publicitaire*, voir *Le Temps*, 17 juin; *La Presse*, 19 juin; *Journal des débats*, 18 juin.

Enfin, plusieurs journaux publient des bonnes feuilles du livre : « Lucrèce Borgia » dans *Le Temps* du 16 juin; « Les Feuillantines » et « Une idylle à Bayonne » dans le *Journal des débats* du 16 juin; « Mariage » et « La représentation d'Hernani » dans *La Presse* des 17 et 18 juin.

> Les faits auxquels l'auteur n'a pas assisté personnellement lui ont été racontés par M. Victor Hugo lui-même, qui a bien voulu lui communiquer des documents et des lettres du plus haut intérêt. M. Victor Hugo a fait plus pour l'auteur. Il lui a donné des œuvres inédites, proses, vers, odes, élégies, contes, traductions de Virgile, récits de voyage, etc., et, ce qui suffirait à la fortune du livre, tout un drame, en trois actes et en deux intermèdes, *Inès de Castro*.
> Tous ces éléments font de l'ouvrage que nous annonçons et qui a, pour ainsi dire, toute la valeur d'une autobiographie, le complément indispensable des œuvres de Victor Hugo.
> Nous devons à l'obligeance des éditeurs le récit de la première représentation de *Lucrèce Borgia.*

On devine surtout que le journal doit « à l'obligeance des éditeurs » le canevas publicitaire ici exploité. Ce canevas, comme il est normal, tente de jouer sur toutes les attentes possibles :

— Il suggère à mots couverts le nom de l'auteur. Comme une annonce précédente le disait : « Quel est ce témoin? On prononce un nom respecté de tous » (*le Temps*, 9 juin 1863). Donc, la femme de Victor doit être soupçonnée. L'attente est celle du témoignage.

— Il promet une évocation complète de la vie du modèle, *tous* les aspects de la vie publique et privée. C'est l'attente de la biographie.

— Il certifie la part prise par Victor Hugo lui-même à l'élaboration du livre (il a ouvert ses archives, et sa mémoire, au rédacteur du livre). C'est l'attente de l'autobiographie.

— Enfin il intègre par avance les deux volumes aux *Œuvres complètes* du poète. C'est poser le problème de « l'espace autobiographique » hugolien.

Ces annonces font donc partie du « contrat de lecture » du texte.

3. *L'après-texte*. J'appellerai ainsi la réception immédiate du livre en 1863, telle qu'on peut l'appréhender à travers les articles critiques. On peut classer ces articles en trois groupes, en fonction de la position prise par rapport à Victor Hugo (c'est le facteur essentiel) et par rapport au livre (facteur secondaire) :

— favorables à Hugo et favorables au livre : par exemple George Sand, Jules Janin, Paul de Saint-Victor [1];

— favorables à Hugo mais nuancés sur le livre : par exemple Vapereau [2];

1. George Sand, *Questions d'art et de littérature*, 1878, p. 357-360 (article publié dans *La Presse* en août 1863); Jules Janin, dans le *Journal des débats* du 6 juillet 1863; Paul de Saint-Victor, dans *La Presse*, du 3 et du 12 août 1863.

2. Gustave Vapereau, *L'Année littéraire et dramatique*, 6e année (1863), Hachette, 1864, p. 264-267.

— hostiles à Hugo et sévères pour le livre : c'est le cas de Louis Veuillot et de Pontmartin [1].

Les critiques qui sont favorables au groupe Hugo ont tendance à encenser et à paraphraser le livre, en ajoutant quelquefois leur propre témoignage à celui du Témoin. Les articles réservés ou hostiles, même s'ils sont bornés et fielleux, mettent souvent le doigt sur les failles, les points faibles ou les aspects originaux du livre. C'est un peu ce qui se passe lors de toute réception critique : les éreintements sont plus instructifs que les éloges sur la situation du livre dans les « horizons d'attente » de l'époque.

La réception du livre permet de dessiner, à travers les attentes des premiers lecteurs, les problèmes qui durent se poser d'abord à l'auteur du livre. *Victor Hugo raconté* est au croisement de deux séries d'attentes : celles qui sont particulières au phénomène Hugo, celles qui correspondent à la curiosité biographique dont l'époque est dévorée.

HORIZONS D'ATTENTE : L'ESPACE HUGOLIEN

Un livre biographique sur Hugo venant du groupe Hugo s'inscrivait fatalement dans la perspective des œuvres complètes du poète. Deux problèmes se posaient, l'un fonctionnel, l'autre stylistique.

Dans l'œuvre du poète telle que les contemporains la connaissaient en 1863, il y avait une *case vide :* celle des mémoires ou de l'autobiographie. Cette case paraît d'autant plus vide que par ailleurs, dans sa poésie lyrique en particulier, des *Feuilles d'automne* aux *Contemplations*, Hugo a mis en scène ses souvenirs et son intimité : mais la règle du jeu, et du « je », n'y est pas la même que dans l'autobiographie [2]. *Les Contemplations* sont les « mémoires d'une âme », le poète s'y construit une voix à la fois personnelle et apocalyptique, se situant entre la foule et Dieu. Même si le recueil contient de multiples éléments autobiographiques (souvenirs d'enfance, apologie d'un révolutionnaire en littérature et en politique, drame familial et intime), il ne peut se lire comme une autobiographie. Il pouvait seulement inspirer aux curieux le désir d'un autre récit, prosaïque et littéral, écrit selon d'autres règles, celles de l'histoire.

Victor Hugo avait-il l'intention d'écrire un tel récit? Il ne semble

1. Louis Veuillot, « Les mémoires de Victor Hugo », *La Revue du monde catholique*, 1863, VI, p. 628-643; Pontmartin, *Dernières Semaines littéraires*, 1864, p. 265-290 (article du 11 juillet 1863).

2. Voir sur ce point l'étude fondamentale de Pierre Albouy, « Hugo ou le Je éclaté », *Romantisme*, 1971, n° 1-2.

pas. La case qui était vide en 1863 l'est encore aujourd'hui : *Victor Hugo raconté* est un ersatz qui devait avoir, aux yeux de Hugo, une fonction de compromis : diffuser une version « officielle » de sa légende tout en le préservant de devenir l'auteur d'une autobiographie. Loin d'être, comme l'a cru naïvement Louis Veuillot, une manière sournoise d'écrire ses mémoires, *Victor Hugo raconté* a plutôt été pour le poète un moyen élégant de s'en dispenser.

En 1852, il n'a pu accepter le projet d'Adèle, lui ouvrir tout grand sa mémoire, et cautionner discrètement sa tentative, que parce qu'il avait renoncé pour sa part à écrire un récit autobiographique classique, chronologique et totalisant, à la manière des *Mémoires d'outre-tombe*. S'il avait eu un tel projet, il n'aurait pas laissé Adèle occuper le terrain. L'aide qu'il lui a apportée montre qu'il considère ce type de récit comme tout à fait secondaire; ce sont les basses œuvres de sa gloire, qu'il délègue à un historiographe en lui communiquant ses archives, comme le faisaient jadis les rois.

Il se fait une plus haute idée de l'expression de son *moi*. Il renonce à l'autobiographie classique, parce qu'il croit qu'un récit historique de sa vie fait par lui-même ne pourrait que rétrécir et mutiler sa figure : celle-ci devra apparaître plutôt comme la résultante de tous les textes qu'il aura écrits. En un mot, il contourne l'autobiographie parce qu'il choisit *l'espace autobiographique*[1]. Imagine-t-on Dieu écrivant ses mémoires? Sa création témoigne pour lui. Aussi le poète se livrera-t-il à toutes sortes d'écritures autobiographiques partielles, directes ou indirectes : « je » poétique, « je » politique et engagé, « je » du témoin qui enregistre tout ce qu'il voit dans son journal (mais sans le publier); mais il se refusera à faire le total, parce qu'il *est* le total. Sa manière de faire le total, ce sera non pas de sculpter et de délimiter sa figure dans un récit *ne varietur*, mais au contraire de l'enrichir et de l'illimiter en organisant minutieusement la publication posthume de tous ses inédits et de toutes ses variantes[2].

Les quelques tentatives qu'il a faites du récit autobiographique en prose révèlent qu'il y était mal à l'aise : on l'y sent à l'étroit dans le pronom « je ». En 1875, dans le cadre de ses œuvres complètes, il écrit une série de préfaces pour les volumes d'*Actes et Paroles*, volumes qui sont en quelque sorte, sur le plan biographique, la suite de *Victor Hugo raconté*. La préface de *Avant l'exil*, intitulée « Le Droit et la loi », étaye la théorie politique par un rappel des souvenirs d'enfance

1. Cf. *Le Pacte autobiographique*, Éd. du Seuil, 1975, p. 41-43.
2. Cf. le testament littéraire de Victor Hugo (23 septembre 1875), in *Œuvres complètes*, édition chronologique, Club français du livre, 1970, t. XVI, p. 961.

(l'arrestation et l'exécution du général Lahorie). Ce texte saisissant, que j'analyserai plus loin, manifeste un véritable tohu-bohu grammatical, un va-et-vient entre différents emplois du « je », du « il » et du « nous », comme si Hugo se tournait et se retournait dans la grammaire pour arriver à se faire de la place [1].

Nous voyons mieux, aujourd'hui, la fonction de dérobade, parce que nous connaissons l'ensemble du massif hugolien; les contemporains, eux, y virent plutôt une manière enrobée de remplir cette case vide de l'autobiographie, de combler leur attente.

Destiné à compléter le massif des œuvres complètes, *Victor Hugo raconté* a posé à son auteur des problèmes stylistiques : cette biographie devait être écrite de manière à ne pas déparer l'ensemble, et à ne pas souffrir de la comparaison avec les textes du poète. Le fait que l'auteur utilise comme source le récit oral de Hugo, et qu'il cherche à en faire entendre l'écho, l'obligeait à s'inventer un ton et un style qui ne soient pas trop éloignés des siens, mais qui puissent aussi convenir aux autres sources du récit.

Quel que soit leur jugement sur la valeur du livre, tous les critiques sont sensibles à cet effort vers le style, qui était totalement étranger au genre de la biographie tel qu'il se pratiquait en France à l'époque. « Il y a là plus qu'une biographie, il y a un livre », écrivait H. Rouy. Certains reconnaissaient la manière du maître : « Ces confidences sur M. Victor Hugo ressemblent beaucoup par le ton et le style aux célèbres préfaces de plusieurs de ses œuvres. La mise en scène est celle à laquelle lui et ses disciples nous ont habitués » (Vapereau). D'autres y reconnaissent toutes les qualités (ou éventuellement tous les défauts) qu'il était convenu d'attribuer au style féminin : gaieté, goût, pudeur, discrète familiarité, ou perfidie, sécheresse (opposée au lyrisme du poète), etc. Tous ont sans doute raison, dans la mesure où il n'est pas sûr que l'auteur du livre ait totalement réussi à fondre en un style cohérent les différents récits qu'il utilise.

Mais il l'a essayé. Cette prétention au style, cet effort pour n'être pas indigne du « modèle », font partie de la fabrication du personnage du « Témoin ».

1. On trouve le même mélange étonnant dans *Mes fils* (1874), où Victor Hugo retrace rapidement sa vie pour y resituer celle de ses fils. Dans ce texte autobiographique, il emploie pour parler de lui-même le « il », le « nous » et finalement le « je ». Dans un fragment non utilisé dans le texte définitif, il reprenait d'ailleurs le thème développé dans la préface des *Contemplations :* « De qui est-ce que je viens de raconter la vie? La mienne, peut-être et un peu celle de tous. Est-il des yeux qui n'aient pleuré? » (*Œuvres complètes, op. cit.*, t. XV, 1970, p. 563).

HORIZONS D'ATTENTE : LA CURIOSITÉ BIOGRAPHIQUE

Conçu en 1852, réalisé de 1852 à 1863, *Victor Hugo raconté* doit être replacé dans l'histoire de « l'espace autobiographique » tel qu'il se constitue au XIXe siècle. Si la première moitié du siècle a été extrêmement féconde en mémoires historiques, portant principalement sur la Révolution et l'Empire, en revanche la production d'autobiographies d'écrivains a été assez mince. De 1815 à 1848, rares sont les auteurs de quelque notoriété qui ont *publié* le récit de leur vie personnelle. Les autobiographies de Constant et de Stendhal sont restées inédites jusqu'à la fin du siècle. Et pour la génération d'écrivains nés vers 1800, l'heure de l'autobiographie n'était pas encore venue. Pendant cette période, l'expression personnelle se développe sous d'autres formes : poésie lyrique, et roman « intime ». Ces confessions indirectes et voilées mettent la figure de l'auteur au centre de l'œuvre, et encouragent les attitudes de lectures « autobiographiques », d'autant plus que les lecteurs de l'époque ont tendance à ne pas voir grande différence entre l'expression indirecte et l'expression directe de soi. Le terrain est préparé pour la réception des autobiographies des plus célèbres écrivains romantiques, qui vont déferler de 1848 à 1855, d'abord sous forme de feuilletons, puis de volumes. Ces autobiographies prolixes, à la fois pudiques sur la vie privée et pour le reste assez satisfaites d'elles-mêmes, créent pour longtemps une sorte d'image de marque du genre. Coup sur coup on peut lire l'autobiographie de Chateaubriand (1848-1850), de Lamartine (1849-1850), de Dumas (1851-1853) et de George Sand (1854-1855), et cela, pour les trois derniers, de leur vivant. On s'attend donc à ce que la série continue, et que Victor Hugo fasse comme les autres :

> Nous sommes dans un temps de récits autobiographiques, de confessions, de mémoires d'outre-tombe anticipés, de confidences de la première ou de la vingtième année, d'histoires ou de romans de notre propre vie. Nous aimons à prendre d'avance nos précautions pour paraître devant la postérité sous le jour le plus favorable; nous choisissons notre pose et notre attitude pour l'éternité. Nous avons l'air de nous défier de ce que l'histoire dira de nous et nous lui dictons nous-mêmes son langage. C'est prudent, c'est habile peut-être, c'est satisfaisant pour notre amour-propre. Ce que les Chateaubriand, les Lamartine, les Guizot, les George Sand et tant d'autres ont fait si complaisamment pour eux-mêmes, M. Victor Hugo le fait-il à son

tour sous le nom d'un autre, ou a-t-il trouvé un *alter ego* pour le faire à sa place? Il importe peu[1] (...).

Hugo, ou alter Hugo? Si la fonction hagiographique reste la même, l'origine du texte n'est pas indifférente. Et le texte passe d'un genre littéraire à un autre. Malgré ses ambiguïtés, *Victor Hugo raconté* emprunte objectivement les formes mélangées de la biographie et du témoignage.

Là aussi il existe un horizon d'attente, une pratique codifiée, et une production en pleine expansion dans les années 1850-1860. La curiosité du public pour les figures célèbres de la vie intellectuelle ou artistique entraîne la prolifération d'une littérature biographique superficielle et médiocre sur les contemporains[2], et la publication de livres de témoignages dès qu'un écrivain de quelque notoriété meurt. On peut le voir sur le cas de Balzac (mort en 1850), de Lamennais (mort en 1854), ou de Béranger (mort en 1857), et prendre dans cette littérature « posthume » des exemples des différents modèles que Madame Hugo avait à sa disposition pour mettre en forme son « témoignage ».

Ces livres se répartissent en trois catégories :

Biographie pure. Le narrateur n'a pas connu le modèle — ou, du moins, fait comme s'il ne l'avait pas connu. Il travaille à partir de textes déjà publiés, de documents intimes mis à sa disposition par l'entourage du modèle, ou de témoignages qu'il a recueillis. Même si son information est clairsemée, il vise à donner une image complète de la vie et du caractère du modèle. La narration est complètement « hétérodiégétique[3] ».

Témoignage avec prétention à la biographie. Le narrateur a connu le modèle, et fournit son témoignage à l'intention des futurs biographes, mais en même temps, à l'aide des documents intimes qu'il possède (lettres du modèle, etc.), il cherche déjà à construire une première

1. Gustave Vapereau, in *L'Année littéraire et dramatique*, *op. cit.*, p. 265.

2. L'exemple le plus spectaculaire en est la série de biographies publiées par Eugène de Mirecourt, « Les contemporains ». Il s'agit de petites plaquettes plus que sommaires, compilation hâtive de renseignements biographiques et d'anecdotes, « avec un portrait et un autographe ». En quelques années, E. de Mirecourt en produisit *cent*... Victor Hugo fut, en 1854, le n° 2 de la série. Le texte, très favorable à Hugo, est composé à partir des éléments biographiques qu'on trouve dans ses recueils lyriques, d'anecdotes glanées dans les mémoires de Dumas, etc.

3. Voir par exemple Armand Lebailly, *Madame de Lamartine*, 1864, ou Jean-Marie Peigné, *Lamennais, sa vie intime à La Chênaie*, 1864. Ces livres font partie d'une collection de biographies et de témoignages publiés chez Bachelin-Deflorenne de 1864 à 1868.

version de cette biographie. Le meilleur exemple (et le plus proche de la situation où se trouvait Mme Hugo) est le livre de Laure Surville *Balzac, sa vie, ses œuvres, d'après sa correspondance* (1858).

Témoignage pur. Le narrateur a connu le modèle, et livre simplement son témoignage, sans prétendre le moins du monde reconstruire sa vie. C'est ce que fait par exemple Léon Gozlan dans son *Balzac en pantoufles* (1856).

A quelle catégorie appartient *Victor Hugo raconté*? Aux deux premières catégories à la fois, sans doute. Porte-à-faux étrange : ou bien on connaît le modèle, ou bien on ne le connaît pas. Mais prétendre qu'on le connaît tout en parlant de lui comme si on ne le connaissait pas est bizarre, ou maladroit. Plus étrange encore, l'anonymat. Toutes les biographies, et à plus forte raison, les témoignages, sont signés. Laure Surville va même jusqu'à souligner sa parenté avec Balzac, qui fait tout l'intérêt de son livre : « Madame Laure Surville (née de Balzac). »

Pour débrouiller, ou éclairer, cette situation paradoxale, le plus simple est d'analyser le titre du livre, et le projet qui lui a donné naissance.

LE TITRE

Le titre du livre organise un malentendu en jouant à la fois sur deux types d'attente. S'agit-il d'une biographie (vie... de Victor Hugo... racontée) ou d'un témoignage (par un témoin)? La réponse est sans doute donnée par les césures que la typographie des titres ou des publicités oblige à pratiquer dans cette longue formule [1]. Dans les placards publicitaires, une disjonction brutale est opérée entre

VICTOR HUGO RACONTÉ

en lettres énormes barrant toute la largeur du journal, et

PAR UN TÉMOIN DE SA VIE

1. La page de titre de la seconde édition (1863) étage le titre sur trois niveaux : VICTOR HUGO en très grosses lettres sur toute la largeur / RACONTÉ, en petites capitales / PAR UN TÉMOIN DE SA VIE, en un peu plus grandes lettres. La page de faux-titre porte seulement : VICTOR HUGO / RACONTE. Comme le dernier E ne porte pas d'accent sur la page de faux-titre, on peut lire aussi bien « Victor Hugo raconte » que « Victor Hugo raconté »...

indiqué en capitales beaucoup plus petites, et suivi d'autres indications sur le contenu du livre

AVEC DES ŒUVRES INÉDITES DE VICTOR HUGO,
ENTRE AUTRES UN DRAME

le nom du drame venant dessous en plus grosses capitales

INEZ DE CASTRO

La mention « par un témoin de sa vie » est placée tout à fait au second plan, avec d'autres éléments qui sont là à la fois pour motiver l'achat (il y a des textes de Victor Hugo dans le volume) et pour authentifier le récit (donc le récit est fait avec son aveu et sans doute contrôlé par lui).

« Par un témoin de sa vie » est ainsi rejeté en dehors du titre proprement dit, et fonctionne comme nom d'auteur. Cette disjonction est importante : si *l'auteur* du livre est un témoin de la vie de Hugo, il ne s'ensuit pas nécessairement que le livre soit un livre de témoignage. La qualification de l'auteur a pour fonction de garantir le sérieux d'une information de première main, et non de définir la méthode ou la voix narrative du livre. Il faut donc comprendre non pas qu'un témoin va nous dire ce qu'il a vu de Hugo, mais que l'auteur de cette biographie se trouve être par ailleurs un témoin de la vie de Hugo.

On pourra trouver ce *distinguo* un peu subtil. Il ne fait qu'exprimer en clair l'ambiguïté du titre, et s'appuie sur la distinction classique de l'*auteur* (personne socialement responsable qui produit un texte) et du *narrateur* (instance textuelle).

Responsable, cet auteur l'est sans doute ici médiocrement. Le propre d'un témoin n'est-il pas de « signer » sa déposition, quelle que soit la forme qu'il lui a donnée? Peut-on concevoir un témoignage anonyme? A la lecture des placards publicitaires, et à certains moments dans la lecture du livre lui-même, on éprouve l'impression étrange que c'est Victor Hugo qui garantit et cautionne son témoin, plutôt que l'inverse. Le témoin semble coincé entre un Victor Hugo objet du livre (titre gigantesque) et un Victor Hugo source du livre (ce qui se déduit de la communication de ses œuvres inédites) : le témoin serait une sorte de relais ou d'organe de transmission intérieur à l'organisme Hugo.

Mais cet anonymat n'en est pas vraiment un : les indiscrétions transparentes du prière d'insérer aiguillent le lecteur vers l'idée que le « témoin » est la femme du poète. Pourquoi ce détour? Il semble qu'on ait affaire à un système à double détente, dans lequel Madame Hugo reproduit la stratégie de son mari. Je restitue l'ensemble du système :

Victor Hugo — veut bien parler de sa vie
— mais ne veut pas l'écrire et la signer
— mais fournit documents valant garantie

Madame Hugo — veut bien l'écrire
— refuse de signer
— tout en faisant discrètement savoir par la presse qu'elle est l'auteur.

Si Madame Hugo reproduit cette stratégie, c'est qu'elle a elle aussi de bonnes raisons de se méfier d'un récit autobiographique classique, et qu'elle est trop proche du poète pour que les objections que celui-ci fait à l'autobiographie ne vaillent pas aussi bien pour elle.

Ce texte que personne n'assume et que tout le monde cautionne apparaît donc comme un texte « collectif », un tableau sorti de l'atelier d'un maître. Les critiques se perdent un peu dans les méandres de ce pacte bizarre. Tantôt ils tranchent, attribuant le livre à Hugo, ou à sa femme, tantôt ils ironisent sur ce livre « écrit sous le régime de la communauté », comme dit Pontmartin.

Mais la querelle d'attribution est dangereuse, dans la mesure où elle amène souvent à confondre l'auteur et le narrateur du livre, alors que le projet du livre et sa présentation impliquent au contraire une dissociation. Si l'auteur est bien quelqu'un, le narrateur, lui, est un rôle textuel qui a une fonction, mais qui n'a pas d'identité.

LE PROJET

L'auteur du livre ne se nomme pas : de plus, il reste muet sur ses intentions. Presque tous les livres de biographie et de témoignage commencent par une préface ou une déclaration d'intention ou de méthode. Ici, on entre directement dans l'histoire. Chapitre I : « Le premier Hugo qui ait laissé trace... » Où trouver les éclaircissements nécessaires? Dans le livre lui-même, le narrateur donnera à l'occasion deux séries d'indications : sur ses sources et sur la manière dont il les traite [1], et d'autre part, dans les deux derniers chapitres, sur sa concep-

1. Voir ci-dessous la section « Les 'je' du biographe ».

tion de la biographie [1]. Il faut attendre l'avant-dernier chapitre pour qu'il qualifie son livre, et encore ne le fait-il que pour justifier des omissions. Il est vrai que, comme pour le nom de l'auteur, ce qui n'est pas dit dans le livre est suggéré de manière assez appuyée dans le prière d'insérer. Mais les attentes qui y sont programmées n'expliquent en rien l'étrangeté de la présentation. Il faut sortir du texte, et connaître la lettre dans laquelle Adèle soumit son projet à Victor Hugo, en 1852 :

> Je veux travailler pendant mon exil. J'ai une idée. J'ai envie d'écrire l'*Histoire intime* de ta carrière politique et littéraire. Je mettrais une espèce d'avant-propos où je raconterais ton enfance. Ce serait d'un grand intérêt. Bien des figures à côté de la tienne ont passé devant moi, et j'ai traversé bien des événements. J'ai retrouvé un écrit de Descamps, quelques-unes de tes conversations recueillies par Charles. Je vais prier Toto (...) d'aller rechercher la série d'articles faits par le *Constitutionnel* sur *Hernani.* Avant que je ne parte, indique-moi les renseignements qu'il serait bon de prendre. Charles pourrait écrire ce que tu dis de saillant, et ce qu'il voit dans cette proscription d'intéressant. Toto ne t'a guère quitté pendant la révolution de février, je lui demanderai d'écrire de son côté ce qu'il a vu et entendu. Si Charles m'aidait de sa belle mémoire, et si Toto voulait bien aller (...) dans les cabinets littéraires ou aux bibliothèques, je partagerais avec mes fils le bénéfice de cet ouvrage. Je ne toucherais en rien à l'*existence privée.* Il n'en faudra pas moins par goût et par convenance, abstraire ma personnalité. Ce sont là les difficultés principales, d'autant que ces espèces d'arrangements ont l'inconvénient d'ôter de la vie et de la réalité. Écris-moi ce que tu penses de mon idée [2].

Dès l'origine, Adèle a conçu ce livre passe-temps et gagne-pain autant comme une biographie (écrite par un proche) que comme un livre de témoignage. Le premier titre qu'elle imagine, *Histoire intime*, le champ qu'elle délimite (carrière politique et littéraire), la méthode de travail qu'elle propose, surtout, montrent qu'elle entend utiliser sa situation privilégiée pour fabriquer une biographie officielle du poète.

« *Histoire* » *:* elle va travailler à partir de témoignages (le sien, celui

1. Au chap. LXVII, il se justifie de ne guère parler de l'œuvre poétique (« dans cette biographie pure et simple des créations de M. Victor Hugo, je dois m'étendre plus longuement sur celles qui ont eu plus d'aventures. Or les aventures principales sont au théâtre »), et souligne candidement son impartialité (« je ne juge pas ses œuvres, je les raconte, et le lecteur a pu remarquer avec quel scrupule je m'abstiens de toute appréciation et de tout éloge »).

2. Lettre du 22 avril 1852, citée par Jean-Luc Mercié dans sa présentation.

de ses fils, etc.) et de documents (qu'elle fera rassembler par ses fils) qu'elle traitera également comme des matériaux servant à rédiger une histoire. On comprend qu'en tant que témoin, elle tentera de se placer sur le même plan que ses autres sources d'information, sans privilégier son biais, sans mettre en avant son personnage dans l'histoire racontée. Cet effacement est justifié par des raisons personnelles (goût) et sociales (convenances). Elle voit d'ailleurs les inconvénients de ce choix de discrétion : cela « ôtera de la vie et de la réalité ». Quelle technique de narration adoptera-t-elle? S'agira-t-il d'une biographie écrite « à la troisième personne », d'une narration hétérodiégétique? Ou d'un récit de témoin? Cela n'est pas précisé : mais le début donne à penser qu'elle envisageait plutôt le témoignage : « bien des figures à côté de la tienne ont passé devant moi, et j'ai traversé bien des événements ».

« *Intime* » *:* le champ ici visé est Hugo non comme personne privée, mais le personnage politique et littéraire. Intime ne doit pas s'entendre comme désignant les profondeurs de l'âme ou les secrets du cœur, mais tout simplement le « familier », le grand homme vu de près, dans la perspective de son entourage immédiat. L'intime et l'officiel sont l'envers et l'endroit de la même chose, deux perspectives différentes et complémentaires sur un même objet, l'homme public. Jusque dans le récit d'enfance, plus intime au premier sens du mot, c'est par rapport à la figure publique que les éléments retenus prennent leur pertinence. L'intime s'oppose au « privé », de manière très victorienne. Le privé, c'est la vie amoureuse et sexuelle, dans la mesure où elle s'écarte des figures conventionnelles du « premier amour », des fiançailles et du mariage. Madame Hugo garantit qu'elle n'y touchera pas. Sans doute y a-t-elle intérêt, autant que son mari. Mais elle ne fait en cela que suivre les habitudes de l'époque. Il faudra attendre la fin du siècle pour que le déballage (posthume) de la vie « privée » entre dans les mœurs littéraires. En 1863, aucun critique n'a regretté, ni même mentionné, ce silence sur le « privé » : il allait de soi. Au contraire certains, comme Louis Veuillot, trouvent presque le livre indiscret ou impudique, parce que l'auteur a publié les (très chastes) lettres d'amour de Victor à sa fiancée...

Le projet ainsi défini en 1852 s'est légèrement modifié en cours d'exécution. D'abord, il s'est recentré et déplacé chronologiquement. Le récit d'enfance, prévu comme simple hors-d'œuvre, est devenu la pièce maîtresse du livre par son ampleur, par l'originalité de l'information et la qualité de l'écriture. A l'autre bout, la carrière politique et littéraire s'arrête, provisoirement, en 1841, alors que Madame Hugo pensait d'abord mener le récit jusqu'au présent (Hugo en 1848, tableau de la proscription). Le livre a pris un équilibre différent, et s'est par là encore plus rapproché de l'ambition totalisante de la biographie. La collaboration de Victor Hugo n'est pas étrangère à ce changement. Approuvant le projet d'Adèle, il proposa tout de suite de l'aider : « je ferai de mon mieux pour te donner des matériaux [1] ». C'était donner au livre la chance d'être une irremplaçable « source » et de faire autorité, mais aussi proposer à son auteur un redoutable problème technique, dans la mesure où, parmi ces matériaux, a pris place l'autobiographie orale du poète.

Les problèmes d'écriture, surtout, ont fait fluctuer le projet. Non seulement Madame Hugo a dû intégrer dans son récit celui de son mari, mais elle a dû apprendre à *écrire* (comme en témoignent les manuscrits), et trouver une solution au délicat problème de sa propre présence dans le texte. Il lui a été moins facile qu'elle l'avait pensé d'abstraire sa personnalité, et c'est un peu en désespoir de cause qu'elle en est arrivée au gommage artificieux qui a transformé son témoignage en « biographie ».

De la biographie au témoignage, et du témoignage à l'autobiographie, je suivrai les différents genres que le projet a traversés. Je le ferai en prenant l'ordre inverse de l'ordre historique; je remonterai du texte définitif à ses sources, et tenterai chaque fois de tracer la problématique du genre avant de montrer comment *Victor Hugo raconté* s'y inscrit.

LA BIOGRAPHIE

Le genre de la biographie est un des genres les plus pratiqués et les moins étudiés. Cet écart est propre aux discours « naturels », c'est-à-dire à ceux qui sont le plus fortement codés rhétoriquement et le plus chargés d'idéologie. La pratique en va de soi; et comme le modèle est mécaniquement reproduit (la plupart des textes biographiques étant soit des textes de circonstance, soit des travaux de librairie), il semble à la fois échapper à l'histoire, par sa fixité, et à l'art, à cause de son caractère stéréotypé.

On peut grossièrement distinguer trois types de textes biographiques, selon leur finalité et leur degré d'élaboration :

— L'article de dictionnaire biographique; le genre même du dictionnaire biographique s'est développé en France à partir du *Dictionnaire* de Bayle (1697) et a connu son apogée au XIXe siècle [2].

1. *Ibid.*
2. Sur le genre littéraire de la notice biographique, voir l'excellente étude de Jean Sgard, « Problèmes théoriques de la biographie », communication au colloque *Histoire et historiens au XVIIIe siècle*, Aix-en-Provence, 1975, à paraître.

L'individu n'y est pas isolé, sa vie y est au contraire prise dans une série impressionnante d'autres vies. Dans la mesure où il s'agit d'hommes de lettres, l'article appartient à la fois au genre de la bibliographie et de l'éloge.

— La monographie de circonstance : éloge funèbre le plus souvent, célébration académique, notice destinée à des « œuvres complètes », etc. La production de ces textes est liée directement à un événement institutionnel concernant le modèle. Il s'agit donc de textes contemporains, écrits par des proches ou à la demande de proches, textes souvent hâtifs, très marqués rhétoriquement, et relativement brefs [1].

— La biographie littéraire ou scientifique : il s'agit alors d'ouvrages de plus grande ampleur, ayant prétention narrative (le livre utilise les techniques familières au roman, comme le fait aussi l'autobiographie) ou visée historique (appel systématique à la documentation), et le plus souvent les deux à la fois [2].

Dans tous les cas, la biographie est prise dans une série de contradictions.

Contradiction d'abord entre la prétention à l'objectivité, et la fonction et la démarche réelles du biographe. L'écart est ici encore plus grand que dans les textes autobiographiques, peut-être parce qu'il est plus caché et que le biographe est plus libre de s'abandonner au schéma rhétorique. On soupçonne toujours l'autobiographe de « déformer » ou d'orienter son récit par souci apologétique ou narcissique : le lecteur se défie moins du discours du biographe, sans doute à tort. Dans l'autobiographie, en effet, ce souci est patent, l'apologie est étayée par un récit plus riche (qui permet éventuellement au lecteur d'orienter son jugement autrement qu'il est demandé par le narrateur), et l'autobiographe est obligé de prendre des précautions pour ne pas se faire récuser. Le biographe, lui, étant différent du modèle, est beaucoup plus à l'aise pour défendre ou encenser; il est moins gêné par une connaissance précise du sujet, et peut assujettir plus strictement la narration à son discours.

Son discours d'historien, qui a fait des recherches, cite des documents, dit les choses « telles qu'elles ont été », tend à masquer son

1. On aura une idée du pullulement de ce type de texte en feuilletant le *Catalogue de l'histoire de France*, Bibliothèque impériale, 1865, t. IX et X, chap. XV « Biographie française » (correspondant à la cote Ln 27).

2. Il n'existe aucune étude d'ensemble de la biographie comme genre littéraire en France. L'étude de Théodore Zeldin, « Biographie et psychologie sous le second Empire » (*Revue d'histoire moderne et contemporaine*, janvier-mars 1974, p. 58-74), constate ce manque, et rassemble des éléments d'information sur la pratique et la théorie de la biographie pour la période qui nous intéresse.

inévitable partialité et les fondements idéologiques de son projet. Pourquoi écrit-on une biographie? Jamais sans doute personne n'a écrit la vie d'un autre homme dans un pur but de « connaissance » : le choix du modèle, le parti pris d'admiration ou de dénigrement, la fonction du texte produit sont des sortes de présupposés qui commandent toute la démarche de « l'enquête » et l'ordre du discours. De plus, l'apologie ou le dénigrement du modèle choisi est une activité idéologique qui dépasse beaucoup le cas particulier étudié : le modèle est situé par rapport aux normes de vie et au système de valeurs de la société, il va devenir un exemple particulier de réalisation de l'idéal social. Plus encore que l'autobiographie (où un travail de modification de cet idéal peut éventuellement être effectué), la biographie a une fonction pédagogique de reproduction sociale.

La biographie est prise dans une autre contradiction, qui le plus souvent n'a pas l'air de gêner les biographes. Écrire la *vie* d'un homme, c'est prétendre à une forme de totalité. Or les textes des biographes, s'ils sont fort bien « bouclés » au niveau de leur discours, sont en général immensément lacunaires pour ce qui est de l'information. Les notices individuelles et les monographies de circonstance sont construites par emplissage, au moyen d'éléments clairsemés, des cases d'un questionnaire préexistant. Les biographies « romancées » ou scientifiques (comme la plupart des autobiographies) évitent cet écueil, ce qui veut dire qu'elles dissimulent mieux leurs insuffisances.

Le récit de Madame Hugo n'échappe pas à cette règle. Si on le juge d'après les promesses dont les journaux se sont faits l'écho, on le trouvera bien lacunaire, surtout à la lumière des informations que nous avons aujourd'hui. On promettait aux lecteurs de 1863 « Victor Hugo tout entier », ni plus ni moins, « sa vie intérieure comme sa vie politique, le fils, le mari, le père et l'ami, comme l'écrivain et l'orateur ». Comme la biographie, la publicité est un genre fortement codé et le lecteur sait qu'il doit en rabattre... Mais si l'on juge le livre en fonction du projet réel de Madame Hugo, alors l'information apparaîtra adaptée aux différents codes dont est tissé le récit biographique. Dans l'étude des manuscrits et des dossiers préparatoires du livre, il sera très instructif de recenser tous les matériaux qui ont été éliminés, ou qui ont été modifiés, ces opérations étant faites non seulement en fonction d'une certaine image de Hugo qu'il s'agissait d'imposer, mais aussi en fonction du code de la biographie, qui servait de support à cette image [1].

1. Ce travail a déjà été esquissé dans l'édition chronologique dirigée par Jean Massin.

On retrouve aisément dans *Victor Hugo raconté* les schémas communs à la biographie et à l'autobiographie des grands hommes. Citons au moins les cinq « topoi » fondamentaux :

— *La légende familiale.*

— *Le récit de vocation.* L'analyse de ce type de récit et de sa fonction a été faite par Sartre, à partir des livres sur « l'enfance des grands hommes », dans *les Mots* [1].

— *L'exemple.* Hugo est présenté comme un vrai héros, il possède toutes les vertus, sans défaillance (générosité, courage, fermeté, intelligence, etc.). La liste des aspects de Hugo dont l'évocation a été annoncée (« le fils, le mari », etc.) correspond à une liste parallèle de vertus qui sont les attributs de chaque aspect. Que Madame Hugo ait oublié l' « amant » dans la série n'a guère d'importance; dès que le temps et l'évolution des mœurs l'ont permis, d'autres biographes ont rempli la case et vanté les vertus correspondantes.

— *L'apologie.* Contre les détracteurs et les ennemis politiques du poète, on se livre à une démonstration systématique de la cohérence de son projet politique dans son évolution du royalisme à la démocratie. Hugo a déjà fait lui-même cette démonstration dans les *Contemplations* (« Écrit en 1846 ») et la refera en 1875 dans « Le droit et la loi ».

— *La petite histoire*, fondée sur le même renversement de perspective que le récit de vocation, la petite histoire consiste, sous couleur d'humaniser ou de concrétiser des événements ou des personnages qui ont eu un retentissement public et historique, à sacraliser en fait les éléments les plus quotidiens ou les plus contingents. Cela correspond aux stratégies démontées par Roland Barthes dans ses *Mythologies*, ou à celles qu'on a pu analyser récemment à partir des biographies parues dans *Paris-Match* [2].

LES « JE » DU BIOGRAPHE

La biographie est en principe rédigée par un historien extérieur à l'histoire racontée (voix « hétérodiégétique ») qui travaille à partir de documents. Si le biographe intervient comme narrateur dans son récit, c'est soit pour commenter idéologiquement les « topoi » présentés ci-dessus, soit pour préciser ses sources d'information et

1. Jean-Paul Sartre, *Les Mots*, Gallimard, coll. « Folio », 1973, p. 170-173.

2. Groupe µ, « Les biographies de *Paris-Match* », *Communications* n° 16, 1970, p. 110-127. Voir aussi Joseph Bya, « Persistance de la biographie », *Le Discours social*, n° 1, 1970, p. 23-32.

conduire son récit. C'est seulement dans ce second cas qu'il sera amené à employer la première personne.

Pour la version définitive de son récit, Madame Hugo a choisi cette technique, plutôt que celle du témoignage, qui correspondait à sa situation réelle. Ce choix l'a mise dans une position inconfortable, dont elle s'est plus ou moins bien tirée. Le narrateur de *Victor Hugo raconté* dit assez souvent « je » : mais à quoi ce « je » peut-il renvoyer? La première personne désigne l'énonciateur de l'instance de discours dans laquelle elle est employée : en l'absence de toute précision, on peut supposer que le narrateur du livre est la même personne que l'auteur. Mais celui-ci est anonyme... ou du moins ne se situe que comme « témoin » : cette indication pousse le lecteur à chercher l'identification du côté du sujet de l'énoncé, le « je » désignant alors l'un des personnages de l'histoire. Mais là aussi il sera frustré, aucune relation d'identité n'étant établie entre le narrateur et un personnage. Que par ailleurs on soupçonne, on devine, c'est une autre question. Dans le texte tel qu'il est écrit, le narrateur est une instance flottante, qui n'a guère de référence qu'intratextuelle, une marionnette de papier. La main qui la fait marcher se révèle par la maladresse intentionnelle qu'elle met à effacer sa trace. L'auteur du livre est en effet pris dans une contradiction : s'il a fait le choix d'abstraire sa personnalité, il doit laisser percer son identité, ne serait-ce que pour authentifier son information.

Les occurrences du « je » du narrateur peuvent toutes entrer dans l'une des quatre catégories suivantes : le « je » rhétorique et le « je » de régie, qui sont des emplois purement intratextuels; et le « je » de l'archiviste et celui de l'interviewer, qui, eux, amènent le narrateur à frôler la question brûlante, celle de sa place dans l'histoire.

Le « je » rhétorique.

> Je ne sais si c'était la chute de Victor dans les pierres de Saladas qui avait rendu les trois frères prudents, mais je dois dire qu'ils manquèrent totalement de sérénité devant cet abîme.
>
> L'Espagne allait donc peu à notre voyageuse.
>
> Je n'ai pas besoin de dire quel accueil fit le gouverneur à la femme de celui auquel il devait son gouvernement [1].

1. Le texte de *Victor Hugo raconté par un témoin de sa vie* sera cité d'après l'édition des *Œuvres complètes*, Club français du livre, I, 901, 903, 908-909 (chap. XVIII).

Ce « je » (ou ce « nous ») a traditionnellement deux fonctions : souligner tel ou tel point du récit, et établir l'illusion d'une communication entre le narrateur et son narrataire (connivence, complicité). Ici, cette accentuation très classique sonne vide et creux. La familiarité convenue, la personnalisation purement rhétorique font ressentir au lecteur l'absence d'un autre type de discours à la première personne : il attendait l'attestation d'un témoin, il ne trouve que l'emphase d'un conteur.

Le « je » de régie.

> J'ai dit qu'elle était indifférente aux grands aspects de la nature; elle n'attachait pas d'importance aux montagnes, mais elle adorait les jardins.
>
> Pour en finir avec le million de réaux, je dirai ici que (...).
>
> Je n'entrerai pas dans le détail de cette guerre de montagnes (...).
>
> Si mon livre était un livre de critique, il aurait une lacune considérable : je parle à peine de l'œuvre lyrique de M. Victor Hugo; mais je ne juge pas ses œuvres, je les raconte, et le lecteur a pu remarquer avec quel scrupule je m'abstiens de toute appréciation et de tout éloge [1] (...).

Ce type d'emploi du « je » correspond à l'exercice de la « fonction de régie [2] » : le narrateur commente l'organisation interne du texte qu'il produit. Il renvoie à des passages antérieurs (nombreux rappels assez maladroits : « J'ai dit que... »), justifie des abréviations, des digressions ou des ellipses. Cet emploi est fort classique, très répandu dans tous les récits biographiques, testimoniaux ou autobiographiques. Mais ici encore le lecteur se sent frustré : ces « je » n'ont de référence qu'intratextuelle, et n'étant pas associés à des « je » testimoniaux ils nous font sentir le manque de ceux-ci.

Le « je » du biographe archiviste.

> J'ai les lettres qu'il écrivait à sa femme les soirs de combat.
>
> Je copie ces passages de lettres écrites par les deux frères à leur mère.
>
> J'ai entre les mains une dizaine de cahiers de vers faits par Victor en pension [3].

1. I, 852 (chap. VII); 876 (chap. XII); 884 (chap. XV); VI, 1137 (chap. LXVII).
2. Sur les fonctions du narrateur, et en particulier la fonction de régie, voir Gérard Genette, *Figures III*, p. 261-263.
3. I, 838 (chap. III); 950 (chap. XXV); 958 (chap. XXVII).

Ce « je » est celui d'un biographe archiviste qui appuie son récit en citant ses sources d'information, ou en présentant les documents qu'il cite. Il s'agit presque toujours de documents manuscrits et inédits. Comme ils ne sauraient se trouver que dans les archives de Victor Hugo lui-même, le témoin doit appartenir à son entourage et avoir son accord. La situation est paradoxale : c'est le document qui authentifie le narrateur plutôt que l'inverse.

Si ces indications impliquent que le biographe, au moment où il écrit, a sous les yeux les archives de Hugo et connaît Hugo, elles le laissent pourtant totalement à l'extérieur de l'histoire racontée, elles sont compatibles avec une narration hétérodiégétique. D'autre part, elles suggèrent au lecteur que l'essentiel du livre a été écrit à partir de documents manuscrits, certains cités explicitement, d'autres exploités sans être cités, c'est-à-dire qu'il s'agit d'un très classique travail de biographie, et non d'un livre de témoignage. Mais toutes les sources citées ne sont pas écrites.

Le « je » du biographe interviewer.

Alors que les occurrences de « je » correspondant aux trois catégories précédentes sont nombreuses, celle du « je » de l'interviewer sont excessivement rares (cinq en tout). Leur fréquence est inversement proportionnelle à leur importance. La discrétion du narrateur s'explique par la portée assez explosive de ce type d'indication, qui risque de détruire totalement la cohérence narrative du livre.

Le narrateur éprouve le besoin d'authentifier son récit en donnant une idée de sa véritable source d'information : il a fréquenté les protagonistes, *il est lui-même un protagoniste de l'histoire*, il a recueilli des récits de la bouche même de Hugo. Les rares indiscrétions qu'il sème un peu maladroitement dans son récit sur ce point ont une fonction de « pacte » vis-à-vis du lecteur. Chacune de ces indiscrétions a une portée non pas locale (garantir l'information qui va être donnée dans les trois phrases suivantes) mais générale, modifiant la lecture de l'ensemble du livre. Ces indications n'auront donc pas à être répétées (elles sont toutes les cinq au début du livre); et même elles ne *doivent* pas être répétées, parce qu'elles révèlent l'artifice du système employé, et créent, ce qui n'est pas le but visé, un véritable mystère narratif, en attirant l'attention sur un narrateur qui désire, sinon dissimuler totalement son identité, du moins rester dans l'ombre, et ne parler de lui-même en tant que personnage qu'à la troisième personne.

Aussi ces indications sont-elles non seulement rares, mais très allusives. Bien sûr, le narrateur n'est jamais témoin d'aucun fait ayant rapport à l'histoire racontée : le plus qu'il puisse faire, c'est de se présenter comme *témoin d'un récit*. Mais avoir entendu ce récit suppose, dans certains cas, qu'il ait été un personnage de l'histoire, et, dans d'autres, qu'il ait eu des contacts très directs avec son modèle. Or les témoignages de récits sont présentés de telle manière que sa relation avec son informateur reste irrepérable. Il est une pure oreille.

La première allusion se trouve au chapitre IV « Naissance » :

> J'ai entendu plusieurs fois sa mère raconter sa venue au monde. Elle disait qu'il n'était pas plus long qu'un couteau. Lorsqu'on l'eut emmailloté, on le mit dans un fauteuil, où il tenait si peu de place qu'on eût pu en mettre une demi-douzaine comme lui. On appela ses frères pour le voir; il était si mal venu, disait la mère, et ressemblait si peu à un être humain que le gros Eugène, qui n'avait que dix-huit mois et qui parlait à peine, s'écria en l'apercevant : — Oh! la bébête [1]!

La mère étant morte en 1821, le lecteur en déduit que le narrateur appartient à la génération de Victor, qu'il a partagé son enfance ou sa jeunesse, qu'il était intime de sa famille. Il faudrait d'ailleurs changer peu de chose à ce texte pour qu'il puisse avoir été écrit par Victor Hugo lui-même, qui fut sans doute un auditeur encore plus concerné du même récit maternel.

Autre allusion, au chapitre XII (« L'entrée de l'oncle »), à un récit fait par un personnage de l'histoire et dont le narrateur fut témoin : l'oncle Louis Hugo racontant la bataille d'Eylau.

> (...) mais je ne veux pas raconter sa vie, je le ferai mieux connaître en le laissant parler lui-même. Bien des années après — il était général alors — je lui ai entendu dire un soir un épisode de la bataille d'Eylau. Son récit frappa l'un des auditeurs, qui l'écrivit le soir même textuellement, et qui veut bien me le donner [2].

Ce « certificat d'origine » donné à ce qui va faire la matière du chapitre XIII est à la fois embrouillé et clair. Quel besoin le narrateur

1. I, 841 (chap. IV).
2. I, 877 (chap. XII). La lecture des manuscrits révèle que c'est Victor Hugo qui avait eu l'idée de recueillir ce témoignage oral (« Laissez parler notre oncle, ne l'interrogez pas, laissez-le parler comme il voudra; c'est plus naïf et bien mieux ») et qu'il avait chargé son fils Charles, qui avait une excellente mémoire, de mettre le récit oral par écrit.

a-t-il de dire qu'il a assisté au récit, puisqu'il ne va pas raconter lui-même ce récit, mais en reproduire une reproduction? Qui peut bien être cet autre auditeur consciencieux et obligeant? Cette équation à deux inconnues qui aboutit à la reconstitution textuelle du récit autobiographique de Louis Hugo est, dans sa maladresse, doublement éloquente. Elle fait partie de ces transparentes énigmes qui éclairent le lecteur au moment même où elles semblent lui refuser l'information. D'autre part elle met en place, à propos de l'oncle Louis, le système de « dérivation » du récit autobiographique qui va être appliqué à son neveu Victor. Quelques lignes plus haut, en effet, le narrateur révélait qu'il tenait de Victor Hugo lui-même le récit de l'entrée de l'oncle Louis aux Feuillantines :

> Ce sabre brillant, l'Espagne qui s'y mêlait, la mâle bienveillance du visage, le prestige qui environnait alors tout ce qui était militaire, leur fit de cet oncle une vision éblouissante. M. Victor Hugo, racontant cette entrée de son oncle dans la salle à manger des Feuillantines, disait : — Il nous fit l'effet de l'archange saint Michel dans un rayon [1].

C'est la première fois que le narrateur donne explicitement la mention d'une source *orale*, cette source étant Victor Hugo en personne. Bien sûr, depuis longtemps, depuis le chapitre IV, l'information donnée ne pouvait venir que de Hugo, par définition. Mais le lecteur ne savait pas par quel canal (journal intime, notes écrites, confidences orales) l'information était passée de Hugo à son témoin.

Quoique citant sa source, le narrateur ne se présente pas comme le destinataire du discours de Hugo (il ne dit pas « *me* racontant » ni « *me* disait »). Ce gommage (qui disparaîtra progressivement aux chapitres XVI et XVIII) a une double fonction : laisser dans le vague la nature des rapports existant entre Hugo et le narrateur (donc préserver l' « anonymat » du témoin), mais aussi dégager la responsabilité de Hugo. Il a dit, et non dicté. Sa conversation a été surprise, utilisée sinon malgré lui, du moins en dehors de lui...

Si le narrateur mentionne ici sa source, c'est pour rendre possible une citation directe du récit autobiographique oral de Hugo. La même raison « stylistique » sera alléguée aux chapitres XVI et XVIII : une formule de Hugo lui paraît si bienvenue, si frappante, qu'il hésite à la reprendre à son compte et préfère laisser l'entière responsabilité de l'énonciation à Hugo en lui faisant « crever » l'écran diégétique, en lui donnant la parole « en direct » le temps d'une

1. *Ibid.*

phrase. Dans les trois cas, la phrase en question fonctionne comme la clausule d'une séquence. Ainsi au chapitre XVI, à propos de l' « idylle à Bayonne » :

> M. Victor Hugo, en racontant devant moi ces tête-à-tête avec la première femme qui l'ait fait embarrassé et gauche, disait que chacun pourrait retrouver dans son passé de ces amours d'enfant qui sont de l'amour comme l'aube est du soleil. Il appelait cela le premier cri du cœur qui se lève et le chant du coq de l'amour [1].

Ici le discours de Hugo est reproduit au style indirect. Le narrateur se rapproche de Hugo : celui-ci raconte « *devant moi* » — ce qui n'est pas, cependant, la même chose que « *à moi* ». Au chapitre XVIII, nouveau rapprochement :

> C'était le silence et l'anéantissement du sépulcre. La maison était morte. M. Victor Hugo, de qui je tiens ces détails, et dont je tâche de reproduire la conversation littéralement, disait que rien n'était sinistre comme ce suicide d'une maison [2].

« De qui je tiens ces détails » semble impliquer une véritable communication entre le narrateur et Hugo (quoique la formule soit moins décisive que n'eût été un « qui m'a fourni ces détails »). Pour la première fois (qui est d'ailleurs la seule, puisque jamais plus dans la suite du livre le narrateur ne resoulèvera ce problème), le narrateur s'explique sur sa méthode de travail : il veut « *reproduire littéralement la conversation de Hugo* ». Cette déclaration fonctionne comme élément du « pacte » valable pour l'ensemble du livre : le lecteur peut en effet en déduire que non seulement ces quelques mots, mais l'essentiel du livre vient de la conversation de Hugo, et que les effets stylistiques du narrateur sont la transposition de ceux du poète. Nous savons que telle n'est pas exactement la réalité, mais on conçoit que les premiers lecteurs aient pu s'y tromper et que la fable de Victor Hugo dictant ses Mémoires ait eu la vie longue.

Quant à la *littéralité* ici alléguée, c'est simple manière de parler. Le récit de l'oncle Louis avait été écrit « textuellement » par l'auditeur : il se présentait sous la forme directe d'un récit autobiographique cité *in extenso* (même si cette « citation » était en fait le produit d'une reconstruction). Rien de tel pour la conversation de Victor Hugo, qui n'est citée que trois fois, et qui, si elle a inspiré et informé de nombreux épisodes du livre, s'y trouve fondue et

1. I, 894 (chap. XVI).
2. I, 904 (chap. XVIII).

réduite, assimilée dans une narration à la troisième personne et mêlée de manière inextricable à d'autres sources d'information, et en particulier aux informations qui viennent du Témoin.

LE TÉMOIGNAGE

A la différence de la biographie, le témoignage est rédigé par une personne qui a connu le modèle et produit une narration « homodiégétique », disant « je » et se présentant comme personnage dans l'histoire du modèle. L'intérêt et les limites du témoignage viennent d'un point de vue subjectif assumé. L'information est de première main, irremplaçable, surtout si le témoin est un proche. L'intimité qu'il a eue avec le modèle garantit la valeur du récit; et le modèle est vu dans une relation interpersonnelle qu'il ne contrôle pas. Les limites du témoignage sont dues au caractère le plus souvent partial et partiel du récit : l'information nous parvient à travers le point de vue et le parti pris (hagiographique ou polémique) d'un individu, dont l'intelligence et le talent peuvent avoir des limites; et cette information ne concerne fatalement qu'une partie de la vie du modèle. Mais ces limites sont patentes : à la différence de la biographie, le témoignage ne prétend pas dire la vérité, mais une vérité. On pourra le confronter à d'autres témoignages, le compléter par d'autres sources d'information, quand on voudra écrire une biographie.

Même quand il est mesuré et critique, le témoignage est dans son intention première le plus souvent hagiographique; la situation idéale du témoin est celle d'un proche qui a partagé la vie du modèle sans être impliqué dans aucune relation conflictuelle ou amoureuse avec lui, et qui peut allier la proximité avec la sérénité. Tel n'est pas toujours le cas, bien sûr (et tel n'était pas le cas pour Adèle Hugo). Mais c'est la situation qui permet le mieux d'éviter les extrêmes du genre, les anecdotes d'un témoin trop distant, ou les règlements de comptes trop violemment autobiographiques. Aussi les témoins se recrutent-ils plutôt dans l'entourage familial, parmi les vieux amis ou les fidèles serviteurs. Les livres de témoignage sont le plus souvent rétrospectifs, mais il arrive que le témoin tienne son journal et note régulièrement sur le vif ce qu'il observe. Telle fut la technique de la Petite Dame (Maria Van Rysselberghe) quand elle écrivit pendant trente-trois ans ses *Notes pour l'histoire authentique d'André Gide*, qui sont un véritable *André Gide raconté par un témoin de sa vie* [1].

1. Ces *Notes* ont été éditées sous le titre *Les Cahiers de la petite dame*, Gallimard, Cahiers André Gide nº 4, 5, 6 et 7, 1973-1977.

Pour le lecteur, le charme est celui de la « petite histoire » : c'est ce charme que la biographie tente de récupérer en utilisant l'information des témoignages, mais elle en laisse perdre fatalement une partie, celle qui tient à la relation interpersonnelle du témoin qui s'adresse à son lecteur en racontant ses rapports avec le modèle. L'intérêt de la perspective du témoin, le charme de sa voix, sont surtout appréciables lorsque le témoin est très intime ou appartient à l'univers que le modèle a représenté dans ses œuvres. C'est ce qui justifie par exemple le soin qu'on a mis à recueillir le témoignage oral de Céleste Albaret sur Proust [1] et à le reconstituer en un texte écrit. Le témoignage devient alors une sorte de biais supplémentaire qui permet, par son éclairage secondaire, de voir l'œuvre du modèle dans une sorte de relief.

Ce genre de plaisir, l'auteur de *Victor Hugo raconté* le refuse délibérément à son lecteur. Le « témoignage » est ce qu'on a le plus de peine à trouver dans ce livre dont l'auteur affirme pourtant être un témoin de la vie de son modèle. S'il utilise l'information que lui donne sa position privilégiée, s'il tente d'imposer au lecteur sa perspective et ses jugements de valeur, c'est sans le dire, sans le souligner. Dans le texte définitif, Madame Hugo avait décidé de réaliser son projet initial, « abstraire » sa personnalité : ce qui implique à la fois qu'elle renonce à sa perspective personnelle sur le modèle, et qu'elle s'abstienne de se mettre en scène comme personnage de témoin. Sur le second point elle a tenu parole : elle s'est presque totalement gommée. (Trop, même : car un lecteur attentif pourrait trouver étrange que le Narrateur, qui utilise à tout instant mémoires, carnets intimes, lettres, conversations du père, de la mère de Hugo et de Hugo lui-même, n'avoue jamais avoir eu entre les mains le moindre papier venant de sa femme ni avoir reçu d'elle la moindre information.) Mais il est moins facile de renoncer à sa perspective, surtout lorsque le masque de l'objectivité historique permet de mélanger les sources d'information et dispense d'avoir à se justifier.

Reste que ces entorses à l' « objectivité » par lesquelles se révèle le biais particulier d'un témoin, c'est *malgré lui* qu'on peut les repérer, alors que dans un livre de témoignage la perspective subjective serait ouvertement assumée. Rien n'est plus révélateur de cette situation que les annotations narquoises et érudites dont les éditeurs de *Victor Hugo raconté* parsèment les marges du texte, dans l'édition chronologique. Ils cherchent fatalement à lire ce texte comme un texte de témoignage, et repèrent avec prédilection les passages où ils peuvent

1. Céleste Albaret, *Monsieur Proust*, Laffont, 1973.

saisir une discordance entre la perspective d'Adèle et celle de Victor. Si la discordance existait dans les manuscrits, et a été gommée lors de la rédaction, on souligne malicieusement la soumission aux normes de l'hagiographie; si la discordance a été maintenue jusque dans la version définitive, on souligne la partialité un peu sournoise du témoin qui profite d'une narration impersonnelle pour régler ses comptes avec sa belle-mère, ou pour éclipser sa rivale.

C'est appliquer au texte un contrat de lecture que l'auteur semble avoir récusé. Mais justement, parce qu'il l'a récusé, il n'est pas illégitime de procéder ainsi. L'auteur met trop de soin, et trop de soin maladroit, à se cacher, pour qu'on ne se sente pas autorisé, presque invité, à défaire ce qu'il a fait. D'autant plus que nous possédons aujourd'hui la possibilité de vérifier nos hypothèses, en consultant les premiers manuscrits de l'œuvre, qui, eux, appartiennent sans équivoque au genre du « témoignage ».

LE « JE » DU TÉMOIN

Les manuscrits conservés à la Bibliothèque nationale et à la Maison de Victor Hugo semblent pour l'essentiel correspondre à une phase initale du travail de rédaction, datant du séjour à Jersey. Ils comprennent plusieurs « strates » d'élaboration : des brouillons cursifs (difficiles à déchiffrer), puis des mises au net successives relativement calligraphiées, disposées sur des feuilles doubles avec une marge d'une moitié de page qui accueille souvent corrections ou additions. Ces textes ne sont pas le manuscrit du *Victor Hugo raconté* de 1863 (de celui-ci, qui se caractérise par la narration hétérodiégétique, on ne voit guère de trace dans ces dossiers). Ils correspondent plutôt au projet initial : Adèle, sans se masquer ni se dérober, écrit à la première personne un livre de témoignage sur son mari. Ce texte dont n'importe quel lecteur ressent le manque dans *Victor Hugo raconté*, il est là. Et *Victor Hugo raconté* a été construit ultérieurement à partir de lui, à coup de ciseaux, de gomme, d'allègements et de réécriture.

Ce texte a été jusqu'ici injustement méconnu par les chercheurs hugoliens. Il est vrai qu'il montre une élaboration excessivement maladroite et laborieuse : mais justement, cette élaboration ressassante prouve qu'Adèle avait conscience de ses limites. Il est vrai que chaque fois qu'Adèle se met à « penser », le poncif apparaît : mais on est sévère parce qu'on la compare à son mari, dont le verbe métamorphose des pensées souvent aussi communes. En feuilletant ces manuscrits, on peut éprouver un sentiment dramatique : ce texte oublié et méprisé correspond à une vie engloutie. Dans sa maladresse et ses tâtonnements, il témoigne d'une sorte d'éveil : éveil à son passé, éveil à ce qui justement la sépare de son mari, l'écriture.

Ces brouillons semblent voués au mépris, ou à la récupération. Le mépris, c'est par exemple l'attitude de Jean Pommier. Imagine-t-on un critique qui aurait la chance d'avoir à sa disposition les premiers manuscrits de l'œuvre qu'il étudie, et qui refuserait de les prendre en considération parce qu'ils seraient « trop différents » du texte définitif? A première vue, cela semblerait au contraire une circonstance spécialement favorable, et même excitante, pour une étude de genèse. Jean Pommier n'est pas de cet avis; il se justifie sur le ton goguenard et condescendant du pédant qui a surpris un élève à faire l'intéressant :

> Le manuscrit de Mme Hugo est conservé à la Bibliothèque nationale et à la maison de la place des Vosges. Un moment, j'avais eu l'idée de l'étudier en lui-même. Mais il est trop différent du livre. Le texte y témoigne en maints endroits d'une tentation toute naturelle. On a beau savoir à qui le lecteur s'intéresse, et que ce n'est pas à soi, mais au glorieux époux; on a beau savoir qu'on vit dans l'ombre comme George Sand dans l'éclat de la célébrité (l'*Histoire de ma vie* commence à paraître dans *la Presse* le 5 octobre 1854); on a beau, pour tout dire, n'être qu'Adèle Foucher — on n'en a pas moins un passé personnel, avec d'irrépressibles souvenirs. Alors on essaie de leur faire place [1] (...).

Le reproche est d'autant plus absurde que justement Adèle n'a pas publié ce texte, et l'a élagué et censuré elle-même pour rédiger *Victor Hugo raconté.*

Méprisé, le texte est en même temps « récupéré » (et par Jean Pommier lui-même), sous forme d'extraits, de morceaux choisis. On isole quelques passages qu'on accepte de « sauver », parce qu'ils donnent des informations complémentaires, ou témoignent d'une différence de perspective entre le brouillon et le texte définitif. C'est ce qu'a fait, d'ailleurs très pertinemment, Yves Gohin pour l'édition chronologique. C'est ce que je ferai moi-même ici, en attendant qu'une édition au moins partielle des brouillons mette à la disposition de chacun les souvenirs d'Adèle.

Il ne faut pas s'attendre, pourtant, à une véritable autobiographie. La déception du lecteur de ces brouillons ne vient pas, comme le laisse croire Jean Pommier, de ce qu'Adèle s'étale trop, mais au contraire

1. Jean Pommier, « Victor Hugo raconté par un témoin de sa vie », *Les Annales*, nº 151, mai 1963.

de ce qu'elle ne s'étale pas assez. Elle n'était pas de taille à opposer à l'autobiographie orale du poète sa propre autobiographie, à réaliser des « autobiographies croisées ». Inutile d'attendre d'elle des indiscrétions, ou un point de vue original et construit centré sur ses problèmes à elle. D'emblée, son écriture se situe dans le cadre de la littérature de témoignage, centrée sur Hugo : toutes les sections où Adèle n'est pas elle-même la source d'information sont déjà écrites dans le style de la biographie comme dans le texte définitif; en revanche dès qu'elle est la source d'information, ou dès qu'elle figure dans l'histoire racontée, elle s'exprime tout naturellement à la première personne; et il lui arrive parfois de déborder, de raconter ses souvenirs à elle, ou de mêler en tant que narratrice ses propres commentaires à l'histoire du poète. C'est alors sans doute que Jean Pommier lui reproche de se prendre pour George Sand. Mais ce qui frappe plutôt, c'est que ces débordements timides et maladroits de la première version aient été compensés, dans la version définitive, par une censure excessive et tout aussi maladroite. Aucun des deux textes n'arrive à un équilibre satisfaisant.

Aux extraits déjà publiés par Yves Gohin, j'ajouterai ici quelques passages qui touchent directement à mon propos : d'une part des textes qui éclairent le problème du *contrat* tel qu'Adèle Hugo l'envisageait en écrivant cette première version; d'autre part un spécimen révélateur de ce qui a disparu entre la première version et le texte définitif.

Adèle souligne à plusieurs reprises qu'elle ne parle d'elle-même que dans la mesure où cela est nécessaire pour peindre son mari :

> L'ignorance que j'ai de ma famille peut m'attrister, mais n'empêche pas ce que j'essaie de faire. Ce n'est ni en vue de moi, ni en vue des miens que j'écris. Je m'honore de ma famille; elle s'est élevée par le travail, elle a tenu dignement sa place, mais elle reste de la foule. On ne doit éclairer que ce qui sort naturellement de l'ombre. On ne doit parler que ce qui fait parler, et lorsque rien ne distingue, la place est le demi-jour.
>
> Les biographies sont presque toujours inexactes, et j'en voudrais laisser une qui approchât de la vérité. Voilà seulement pourquoi j'écris ceci. Ceux qui voudront après écrire sur mon mari, ceux qui auront le talent, s'en serviront comme de documents.
>
> Pourtant comme sa famille et la mienne ont toujours été liées, il faudra que je parle quelquefois de mes parents. Les premiers regards de mon mari se sont arrêtés sur eux, il a vécu longtemps à côté de mon père qui est mort bien après ma mère [1].

1. Bibliothèque nationale, NAF 23803, f° 15-16.

C'est là la problématique classique du livre de témoignage : le témoin ne sort de l'ombre que dans la mesure où c'est nécessaire à son témoignage sur la figure centrale et bien éclairée du modèle. Il ne prétend pas à l'œuvre d'art, mais à la vérité du document, livrant modestement des matériaux à ceux qui « auront le talent ». Le narrateur de la version définitive repoussera le témoin dans son ombre et essaiera d'avoir ce « talent » qui lui manque...

Le plus gros problème pour ce témoin discret, c'est de devoir raconter ses relations avec celui qui est devenu son mari — du moins le roman de leurs fiançailles. Voici comment Adèle expose ses scrupules, avant de livrer le récit qui sera transposé à la troisième personne dans le texte définitif :

> Je ne veux pas analyser, raconter, m'arrêter sur ce grand amour, tombé sur moi, pauvre enfant de la foule. Ces souvenirs me sont sacrés. J'en suis heureuse et ils me rendent confuse. Je voudrais les taire, ensevelir dans mon cœur cette pensée hermine, voiler ce rayon blanc. Et pourtant puisque je raconte la vie de mon mari, il faut bien dire son mariage? comment il est venu?
>
> C'est un moment grave que le mariage, un feuillet de la vie est terminé. On a un passé. Déjà on peut dire : autrefois. Ces pleurs sans raison, ces joies de rien, ces mélancolies maladives, ces rêves de l'impossible, ces défaillances d'un mot, cet agenouillement pour un regard, ces petits bras tendus à la mère — l'enfance, l'adolescence, ces parfums, ces effluves des frais amours, remontant dans les clartés, et tout cela ne reviendra plus. C'est un commencement de mort. Le premier point mis à la vie.
>
> Les événements sont nos collaborateurs, nos associés, on n'a que la moitié du livre sans eux. Ce qu'on enlève est pris à la figure. Enlever une épaisseur à celle de mon mari serait un mal; une délicatesse poussée trop loin, qui embarrasserait, aurait tort. On doit quelquefois laisser fléchir les pudeurs gênantes. Il ne faut pas que le petit soumette le grand, que le plâtre empêche le marbre [1].

Ce texte embarrassé, où l'annonce du récit des fiançailles encadre un couplet mélancolique sur l'enterrement d'une vie de jeune fille, montre les limites de ce que racontera Adèle. Elle ne laissera guère « fléchir les pudeurs gênantes ». Mais la manière même qu'elle a d'amorcer son récit, d'en amortir la timide audace, de présenter son rapport (inégal) à son mari, de déplorer bizarrement son mariage à elle — tout cela établit une sorte de communication avec le lecteur, lui livre des indices à interpréter, lui donne une idée du type de rela-

1. NAF 23805, f° 117-118.

tions qui existaient entre la femme et le mari. C'est cela qui disparaîtra dans le texte définitif.

De même on peut lire, dans les commentaires dont elle assortit le récit de la brouille des époux Hugo (à la génération précédente), les raisons pour lesquelles bien évidemment elle ne parlera pas des vicissitudes de son propre ménage :

> Qui pourrait d'ailleurs être juge des crises intérieures? Si ténébreuses, même, pour les intéressés; si obscures! qu'aucun ne peut dire : j'ai raison. Et puis l'on perd toujours à ces perquisitions : l'amnistié en sort amoindri. Voilons le sanctuaire, témoin des troubles du cœur; fermons les écoutilles aux coups de vent de la vie; ne laissons pas soulever le voile. Les regards jetés dessous enlèvent toujours un peu de notre dignité, ce beau vêtement de l'âme [1].

A ces explications voilées sur le contrat, j'ajouterai un spécimen du récit de témoignage où le narrateur se manifeste sur de multiples plans comme une personne, et se conduit comme un véritable témoin. Il s'agit d'un épisode du voyage en Espagne, raconté par Hugo à Adèle, et qui a totalement disparu de la version définitive, sans doute pour des raisons de bon goût. Adèle retransmet le récit de Victor, puis se met à le commenter à son propre compte de manière morale, puis en vient à évoquer comment son mari racontait l'épisode, et finalement à tracer son portrait (dans *Victor Hugo raconté*, il n'y a guère de portrait de ce genre). Le lecteur trouve dans ce passage une sorte de double portrait réciproque d'Adèle et de Victor, et il en tire le type de plaisir (et d'information) qu'on attend justement de la littérature de témoignage, où le témoin se peint lui-même par la manière qu'il a de peindre le modèle.

> Comme par enchantement, le propriétaire, si bien pourvu du reste, possédait trois filles, d'âges correspondants aux petits Hugo : douze, dix et neuf ans. Elles montaient à âne avec eux; chaque petite fille se mettait avec le petit garçon de son âge. On s'arrangeait entre couples.
> Il y a partout des ruelles à Valladolid; il y en avait une derrière la maison; on y vidait les ordures, tous les genres d'immondices, c'était l'égout de la maison.
> Les garçons promenaient les ânes et les petites filles dans cette vidange; tripotaient des pieds, en éclatant de rire.
> C'est vrai que les enfants si purs! — ces parfums! — aiment la souillure. C'est une loi de bonté, sans doute; ils ont longtemps à rester, il leur

1. NAF 23805, f° 40.

> faut bien subir ce qui est de la terre; ne rien rejeter de la vie; si l'écœurement déjà leur venait, ils n'iraient pas jusqu'au bout.
> Mon mari ne pourrait pas être classé dans les légions enfantines et pourtant l'homme sérieux n'a pas tout à fait dépouillé le gamin. Il s'épanouit d'aise à sa *bucolique de la ruelle*, il la raconte à nous faire plisser les lèvres, nous autres précieuses; lui, rit à gorge déployée. Quand son esprit s'aventure ainsi [*mots illisibles*], il le dispute à Rabelais. On dirait une toile levée, du troisième acte de Ruy Blas, on est au quatrième. Sa physionomie grave, solennelle même, fait l'école buissonnière, des lueurs folâtres lui passent au visage, comme un feu de Bengale qui grimacerait un marbre; tout Pourceaugnac est dans ses yeux [1].

Ces brouillons de récit sont d'un style faible et hésitant, les réflexions du narrateur peuvent paraître niaises ou plates — il reste qu'ils manifestent une personnalité, une voix, une présence. Là où Jean Pommier a sans doute raison, c'est quand il suggère qu'Adèle a cédé à une tentation bien naturelle — une tentation qu'elle n'avait pas prévue à l'origine. Le résultat est un texte hétérogène, hésitant entre l'histoire et le témoignage, et stylistiquement très inégal. Et, parce qu'Adèle s'y manifestait plus qu'elle n'en avait d'abord eu l'intention, impubliable. En 1857, elle constatait : « Avec le nom que je porte, une pareille publication est difficile; il me faudrait trouver une combinaison qui n'enlevât rien à la réserve et à la dignité qui convient à ma situation [2]. » Cette combinaison, qui a consisté finalement à gommer le témoin et à transformer son texte en une sorte de biographie hétérodiégétique, a dû être inventée après 1857, et elle a abouti au texte de 1863. Mais de cette seconde phase du travail, il n'y a guère de trace dans les manuscrits actuellement disponibles.

L'AUTOBIOGRAPHIE

Victor Hugo raconté est donc un texte composé à partir d'autres récits déjà existants, la plupart écrits, et qui sont tous des récits faits « à la première personne ». Toute l'information est déjà passée par l'écriture : même la conversation autobiographique de Victor Hugo a déjà donné lieu à un procès-verbal, Adèle notant, tout de suite après, l'essentiel de ce qu'elle en avait retenu. Il serait instructif de connaître ses procédés de notation : écrivait-elle textuellement les propos de son

1. NAF 23805, f° 29-30.
2. Lettre citée par Jean Pommier, art. cit. (cf. p. 89, n. 1).

mari, racontait-elle la conversation au style indirect (« Mon mari dit que... »), passait-elle ensuite au style indirect libre, c'est-à-dire ce que Genette appelle une narration « pseudo-diégétique [1] »? Les traces qui restent de ce travail laissent penser qu'elle ne notait en direct que les formules les plus frappantes, et procédait, pour le reste, immédiatement à une première transposition. Pour ses propres souvenirs, elle a naturellement commencé par les écrire « à la première personne ».

La rédaction de la biographie a été pour elle un véritable exercice de *traduction*, de passage d'une langue à une autre, d'un code à un autre code voisin, mais tout de même différent. Les commentateurs du texte ont jusqu'ici été surtout sensibles à l'un des aspects de cette traduction, les arrangements de l'information, le choix des éléments utilisés, l'orientation des jugements de valeur. Mais les problèmes de *voix* ont été négligés : que le texte soit écrit « à la première personne » ou « à la troisième personne » ne retient guère l'attention, sans doute parce que cela apparaît comme une conséquence inéluctable et secondaire du choix de l'artifice « biographique ». Mais une part non négligeable de l'information, et de l'effet produit, passe par l'énonciation. Le corpus de *Victor Hugo raconté* pourrait offrir un terrain de choix pour observer ce phénomène. Sur un plan théorique, la gamme des situations de « traduction » y est assez étendue; et sur le plan pratique nous avons la chance de posséder, dans un certain nombre de cas, le point de départ et le point d'arrivée de la traduction, et, dans d'autres, de pouvoir facilement reconstituer le trajet. Le corpus se présente comme une sorte d'atelier de « poétique du récit » : on y trouve déjà réalisés les exercices de transposition qui servent à analyser la spécificité des différentes solutions qu'on peut apporter aux problèmes de la voix narrative.

Que devient un texte autobiographique quand il est transcrit en texte biographique? Qu'est-ce qui se perd, qu'est-ce qui change? Il est bien évident que rien ne se perd de l'information contenue dans l'histoire, dans la mesure où la perspective peut rester la même. C'est au niveau du discours que tout change. Et comme, dans ce type de narration, l'histoire est subordonnée au discours, le lecteur ne la recevra plus de la même manière. C'est ce qui rend l'analyse délicate, car souvent ce changement est associé à d'autres : modification de

1. Voir G. Genette, *Figures III*, p. 245-246. Le procédé consiste à « raconter comme diégétique, au même niveau narratif que le contexte, ce qu'on a pourtant présenté (ou qui se laisse aisément deviner) comme métadiégétique en son principe, ou si l'on préfère, à sa source ». Cette figure, que G. Genette appelle *métadiégétique réduit* ou *pseudodiégétique*, est une forme du style indirect libre, articulant deux énonciations narratives.

l'information, rectification stylistique, introduction, à la place du discours évincé du narrateur autodiégétique, d'un autre discours.

Ainsi dans le cas des *Mémoires* du général Hugo, où l'on peut comparer page à page l'original et le récit qu'Adèle en a tiré. Il y a complète réécriture sur le plan stylistique : les mémoires du père sont transformés en un fragment de roman écrit par le fils, son récit est à la fois résumé et stylisé dans une sorte d'exercice de pastiche. Le passage de l'autobiographie à la biographie accentue le discours apologétique: le biographe peut exprimer en clair et souligner les qualités que l'autobiographe soulignait plus discrètement. Et naturellement la voix change : le discours du narrateur encadre une information qui vient d'un autre. Quelqu'un parle au lecteur du général Hugo, il n'entend plus le général parler, même si le récit dit la même chose, même si le lecteur devine que le récit vient de lui. Il est vrai que le général Hugo, tout en menant son récit « à la première personne », faisait un usage assez discret du discours autobiographique, mettait peu en scène sa relation à son lecteur, à son texte et à son histoire, si bien que la « perte » n'est pas énorme pour le lecteur, et qu'elle peut être compensée sur un autre plan par l'amélioration stylistique apportée par Adèle. Mais il n'en est pas de même pour les récits oraux de Victor Hugo.

L'autobiographie orale du poète n'est pas reproduite textuellement : elle alimente le récit par endroits et se trouve donc transposée en une sorte de « récit indirect libre » sans que le plus souvent la présence et l'identité de ce narrateur second, dont le premier prend le relais, soit signalée. C'est surtout dans le récit d'enfance que ce procédé est employé de manière extensive, et l'on peut effectivement supposer qu'alors Adèle reproduit le plus fidèlement possible le récit de Victor. Elle n'a plus à abréger, comme pour le récit du général, ni, bien sûr, à améliorer le style dont elle nous dit plusieurs fois au contraire qu'elle tente d'en donner une fidèle reproduction. Son seul travail est d'effectuer la transformation de la personne grammaticale. Mais elle élimine alors le commentaire lié à la présence du narrateur (ou si elle le reprend à son compte, il n'a plus la même portée) et les effets d'énonciation dus à l'emploi de la première personne : l'impression de « communication » et de présence disparaît. Le narrateur biographe est, en même temps qu'un relais, un *écran :* qu'il le veuille ou non, il fonctionne un peu comme une pédale sourde, il étouffe toutes les vibrations de l'énonciation, puisqu'il est obligé de les éliminer, ou de les transposer gauchement au style indirect. Ainsi tout le passage sur les premiers souvenirs, à la fin du chapitre IV, et quelques autres dans la suite, où Adèle doit faire passer de manière indirecte dans son propre récit ce qui ne saurait avoir de sens que dans un discours direct. On a alors l'impression d'assister à un exercice de traduction simultanée, où un truchement s'interpose entre celui qui parle et nous :

> C'est à ce moment que remontent les plus lointains souvenirs de M. Victor Hugo. Il se rappelle qu'il y avait dans cette maison une cour (...)
>
> Un événement qui lui fit autant d'impression fut (...)
>
> Il a encore gardé mémoire d'une représentation (...)
>
> Il se souvient encore de l'impression que lui firent les toits gris de Suse (...)
>
> Victor voyait, de son lit, une Vierge dont le cœur était percé de sept flèches, symbole des sept douleurs. Il la revoit encore maintenant, avec l'incroyable précision de mémoire qu'il a dans les yeux comme dans l'esprit [1].

On pourrait, il est vrai, observer que cette transposition à la troisième personne n'est pas seulement une nécessité imposée par la technique biographique choisie, mais qu'elle correspond à un procédé employé par Hugo lui-même. Elle serait donc, en même temps qu'une transposition d'un récit oral autodiégétique, une imitation de certains textes autobiographiques de Hugo. Suivant, semble-t-il, les habitudes du temps, Hugo a composé la plupart de ses préfaces à la troisième personne, en écrivant, à la place de « je », « celui qui écrit ces lignes » ou des formules analogues, et en exprimant ainsi ses opinions et même ses souvenirs [2]. Et il aimait à se voir et à se présenter comme un personnage dans une perspective extérieure. Mais cette transposition à la troisième personne ne produit pas du tout le même effet quand elle est faite par l'intéressé lui-même : l'effet de pédale sourde, on l'a vu au chapitre précédent, loin d'amener un aplatissement de l'énonciation, fonctionne alors comme une « figure d'énonciation », qui donne

1. *Œuvres complètes, op. cit.*, I, 843, 850, 913 (chap. IV, VI et XIX). Dans les manuscrits de la première version, Adèle reconstituait à la première personne et « citait » le récit que Hugo faisait de ses premiers souvenirs. Pour l'épisode de la fête à l'école, elle revenait à un récit indirect à la troisième personne.

2. Pratiquement toutes les préfaces de Hugo sont écrites « à la troisième personne », celle-ci renvoyant à « l'auteur ». Il s'agit là d'un des choix possibles dans le cadre des conventions du genre de la « préface » au XIXe siècle. La lecture de l'*Anthologie des préfaces de romans français du XIXe siècle* (Julliard, 1964) montre que la plupart des auteurs choisissent plutôt la première personne, et fait ressentir l'emploi de la troisième comme légèrement archaïque ou solennel.

du relief au récit. Le lecteur saisit bien le jeu du « comme si » : la distanciation est perçue non comme l'étouffement d'une énonciation par une autre, mais comme un effet de voix intérieur à une énonciation unique. Surtout si l'auteur emploie, en même temps que cette figure, la narration et le discours à la première personne. L'illustration la plus saisissante de cette différence entre l'emploi « au sens propre » ou « au sens figuré » de la narration « à la troisième personne » se trouve dans le double récit que nous possédons de l'épisode clé qu'est l'arrestation du général Lahorie. Adèle le raconte, d'après les récits de son mari dans le chapitre VIII de *Victor Hugo raconté;* plus tard, dans la Préface de la première partie d'*Actes et Paroles* (1875), préface qui commence « à la troisième personne » comme la plupart des préfaces de Hugo, celui-ci en a donné une nouvelle version. Les éditeurs de l'édition chronologique soulignent les différences d'information et de présentation entre les deux textes. Mais les différences de voix sont aussi étonnantes. Pour terminer cette suite d'essais et d'esquisses, je donnerai une brève analyse du récit fait par Hugo lui-même en 1875. Ce texte compliqué permet de situer par contraste la narration de *Victor Hugo raconté*, et de poser de manière concrète les principaux problèmes d'énonciation rencontrés jusqu'ici, qui apparaissent comme des problèmes de *figures*.

FIGURES

Actes et Paroles rassemble les discours et textes politiques de Hugo depuis 1841. La préface de la première partie, « Le droit et la loi », est à la fois un manifeste politique, et une ébauche de plaidoyer autobiographique, destiné à expliquer « l'histoire de ce qu'on a appelé son apostasie », dont Victor Hugo compte, « si Dieu lui en accorde le temps », raconter les péripéties sous le titre : *Histoire des révolutions intérieures d'une conscience honnête*.

La préface expose d'abord de manière impersonnelle la théorie du droit et de la loi, puis introduit « à la troisième personne » l'énonciateur du texte :

> Le hasard a voulu (mais le hasard existe-t-il?) que les premières paroles politiques de quelque retentissement prononcées à titre officiel par celui qui écrit ces lignes, aient été d'abord, à l'institut, pour le droit, ensuite, à la chambre des pairs, contre la loi [1].

1. Le texte de la préface d'*Actes et Paroles* est cité ici d'après l'édition des *Œuvres complètes* chez Hetzel et Quantin, 1882 (t. I, p. 1-47).

La formule, apparemment très banale, « *celui qui écrit ces lignes* », appelle quelque réflexion sur l'énonciation écrite. Elle a pour fonction d'établir, sans recourir à la première personne, l'identité entre l'énonciateur du texte (dont on saura qui il est en remontant à sa signature, c'est-à-dire au nom de l'auteur affiché sur la couverture) et le sujet de l'énoncé de la présente proposition. Et dans la suite du texte, le pronom « il », renvoyant à la formule antérieure « celui qui écrit ces lignes », désignera donc l'énonciateur du texte, c'est-à-dire qu'il remplira la fonction de la première personne. Mais comme « il » peut renvoyer à bien d'autres éléments nommés dans le texte, il sera nécessaire de réintroduire de temps en temps des formules analogues (« lui-même, qui parle ici », etc.). Jamais Hugo ne fait remplir cette fonction de rappel par l'emploi de son *nom* (alors que le narrateur de *Victor Hugo raconté* le désigne dès le début par son nom, selon les procédés de la biographie, l'appelant familièrement « Victor » tant qu'il est enfant ou adolescent, puis « M. Victor Hugo » dès qu'il entame sa carrière publique).

Loin d'être un détour ou une circonlocution, la formule « celui qui écrit ces lignes » est un retour explicite à ce qui est d'habitude implicite dans l'emploi de la première personne. Quand Benveniste définit la première personne, il effectue la même transposition à la troisième personne, reportant l'élément déictique auto-référentiel du sujet de l'énonciation à l'énonciation elle-même :

> *je* est l' « individu qui énonce la présente instance de discours contenant l'instance linguistique *je* [1] ».

La première personne pourrait être envisagée comme une figure qui déplace l'accent de l'énonciation à son sujet, et substitue ce sujet de l'énonciation à celui de l'énoncé pour signifier leur rapport (rapport qui n'est un rapport d'identité stricte que dans le cas du performatif). Cette « figure » lexicalisée nous est si naturelle que c'est paradoxalement le retour au sens propre dont elle est dérivée qui nous semble une figure. Surtout lorsque la formule développée se trouve relayée par un simple « il ».

Parler de soi « à la troisième personne » n'est donc pas forcément recours à un artifice, comme le serait déjà le fait de parler de soi en se nommant par son nom propre. La figure est transparente, il n'y a aucune ambiguïté. Elle s'apparente aux figures qui sont lexicalisées dans d'autres langues (les troisièmes personnes de politesse de l'alle-

1. Émile Benveniste, *Problèmes de linguistique générale*, Gallimard, 1966, p. 252.

mand et de l'italien utilisées pour désigner le destinataire du discours), la différence étant qu'en français cet emploi exige qu'une première formule explicite ait d'abord donné la « clé », et qu'il est réservé à certains genres, comme la préface ou le discours public, où il exprime la discrétion ou la solennité.

La troisième personne sera donc reçue par le lecteur comme une figure de la première, dans le cadre d'un effet d'assourdissement dont l'énonciateur est lui-même responsable. Il ne peut pas oublier que c'est Hugo qui parle, alors que dans le cas d'une imitation de la présentation biographique (comme c'est le cas par exemple pour les mémoires de César), il arrive que l'on perde de vue l'énonciateur. D'autant plus que Hugo ne se prive pas, loin de là, des effets propres au discours à la première personne, des soulignements par des « je l'affirme », « je le déclare », qui vont aussi être transposés à la troisième personne. L'effet produit est assez étrange (et sans doute ces phrases seraient-elles données, dans une étude théorique, comme exemples de transposition impossible...), mais cela reste incontestablement un effet d'énonciation, et non une information donnée par un énoncé :

> La fidélité à cette règle, c'est là, il l'affirme, ce qu'on trouvera dans ces trois volumes, *Avant l'exil*, *Pendant l'exil*, *Depuis l'exil*.
>
> Pour lui, il le déclare, car tout esprit doit loyalement indiquer son point de départ, la plus haute expression du droit, c'est la liberté.

Cet assourdissement n'a donc pas la même valeur que ceux auxquels procédait Madame Hugo. Le recul était réel, il est ici *figuré*. Il est vrai que, *Victor Hugo raconté* n'étant pas signé, certains lecteurs ont pu se tromper.

Ce système est employé de manière cohérente dans les trois premières sections de la préface. A la fin de la troisième, Hugo annonce un éclaircissement autobiographique : « Quelquefois l'homme qu'on est s'explique par l'enfant qu'on a été. » Avec le récit du général Lahorie aux Feuillantines (quatrième section), tout se complique et se dérègle, comme si la pression du souvenir rendait impossible la feinte distanciation obtenue jusqu'ici. La première personne va effectuer un retour triomphal, faisant craquer la convention, et lui substituant non la narration autobiographique classique, mais un système mixte peu cohérent mais très expressif.

Le récit commence par ce qui semble être un effet d'assourdissement supplémentaire :

> Au commencement de ce siècle, un enfant habitait, dans le quartier le plus désert de Paris, une grande maison qu'entourait et qu'isolait un grand jardin.

Que cet enfant soit la même personne que celle qui « écrit ces lignes », c'est-à-dire Hugo, tout l'indique, et l'on n'a pas une seconde d'hésitation. Reste qu'au premier recul dû à la troisième personne s'ajoute maintenant une nouvelle figure, tout à fait classique dans les débuts de nouvelle ou de récit : l'identité différée [1]. Elle sert soit à introduire progressivement le héros, soit à ménager un coup de théâtre. Au début d'une biographie ou d'une autobiographie, comme on sait déjà par ailleurs de qui il s'agit, ce genre d'énigme est transparent. Il a souvent pour fonction de faire partager, par jeu, au lecteur, l'ignorance où le héros était lui-même de son identité, c'est-à-dire de sa gloire future. Victor ne savait pas qu'il était Hugo. Il n'était qu'un enfant, qui allait justement vivre une des expériences qui le transformeraient en le Hugo qui nous parle. Sartre a humoristiquement critiqué dans *les Mots* l'usage du « faux incognito » dans la biographie [2]. Ce type de formule annonce naturellement que le (faux) mystère sera plus tard éclairci par une révélation : « cet enfant, c'était... ». Dans une biographie, le fait que l'incognito soit levé n'entraîne aucun changement dans le système narratif. Dans une autobiographie, au contraire, il amène le passage à l'autodiégétique « à la première personne ».

Mais ici le procédé de l'incognito est employé dans le cadre d'une narration autodiégétique « à la troisième personne ». Comment effectuer la révélation? Impossible de dire : « cet enfant, c'était lui ». La référence du pronom doit être reprécisée. Elle ne peut l'être par la mention du nom propre, que le système adopté exclut. Elle devrait l'être, comme précédemment, par l'auto-référence à l'énonciation : « Cet enfant, c'était celui qui écrit ces lignes. » Mais on sent bien que cette phrase est, sinon impossible, du moins rhétoriquement contradictoire : il serait maladroit d'utiliser pour un acte de dévoilement une formule qui, sur un autre plan, réalise une forme de voilement. La greffe du procédé de l'identité différée sur le procédé de l'autodiégétique à la troisième personne implique à terme la ruine de ce dernier procédé et son abandon.

1. Victor Hugo lui-même avait déjà employé cette figure dans le plus célèbre de ses poèmes « autobiographiques », « Ce siècle avait deux ans... » *(Les Feuilles d'automne)*.

2. Cf. p. 79, n. 1. Sartre, d'ailleurs, emploie lui-même au début des *Mots* le procédé de l'identité différée : « En Alsace, aux environs de 1850, un instituteur accablé d'enfants consentit à se faire épicier. »

Cet abandon va être réalisé par à-coups. Le premier paragraphe qui a évoqué sur un ton ému le décor disparu d'une enfance et la vie que menaient les trois frères « ébauchant la vie, ignorant la destinée », se termine brusquement sur la phrase exclamative : « Sois bénie, ô ma mère! » Cette intrusion du discours autobiographique, comme sous le coup d'une émotion, lève (trop tôt) l'incertitude de l'identité de l'enfant, et amorce le passage de l'autodiégétique « à la troisième personne » (code des préfaces) à l'autodiégétique « à la première personne » (code des récits autobiographiques).

A peine démasqué, le narrateur se remasque et revient au système antérieur. S'il peut le faire sans « briser l'illusion », c'est bien sûr parce qu'il n'y a pas d'illusion, mais seulement jeu de figures, que nous prenions pour tel. Le lecteur est seulement frappé de la dislocation de ce jeu, qu'il attribue à l'émotion. Les onze paragraphes suivants continuent avec le système du faux incognito et celui de la troisième personne. Ce qui donne par exemple :

> Le plus jeune des trois frères, quoiqu'on lui fît dès lors épeler Virgile, était encore tout à fait un enfant.
> Cette maison des Feuillantines est aujourd'hui son cher et religieux souvenir. Elle lui paraît couverte d'une sorte d'ombre sauvage.

Le discours autobiographique à la troisième personne du second paragraphe cité (qui est en contradiction avec l'anonymat feint du premier paragraphe) peut avoir l'air de ressembler aux fragments de *Victor Hugo raconté* étudiés ci-dessus (p. 96). La différence essentielle est que la troisième personne renvoie à l'énonciateur, et non à un « Victor » ou « M. Victor Hugo » dont parlerait un énonciateur qui ne serait pas lui.

Au bout de trois pages, Hugo met fin à ce jeu. Il abandonne à la fois l'incognito et la troisième personne :

> Ainsi vivait, déjà sérieux, il y a soixante ans, cet enfant, qui était moi.
> Je me rappelle toutes ces choses, ému.

Et tout le reste du chapitre s'installe de manière cohérente dans un récit et un discours autobiographiques classiques à la première personne. On a l'impression d'avoir assisté à l'émergence d'une voix qui, de lointaine et solennelle, s'est faite proche et directe. Hugo a modulé, grâce à la médiation du « faux incognito », d'un genre à un autre, de la préface académique à l'autobiographie.

Mais cette mue n'est pas définitive : le début de la cinquième section remodule en sens inverse. Après des « je » autobiographiques, on revient brusquement à « L'homme qui publie aujourd'hui ce recueil », et c'est à la troisième personne qu'il livre ensuite en résumé l'essentiel de son autobiographie politique. Mais au milieu de la septième section, dans le feu du récit qu'il fait de ses interventions de 1851, il repasse brusquement à la première personne. Plus loin il repassera encore à la troisième. Le texte semble *instable*, hésitant entre les conventions des deux genres, la préface et l'autobiographie. Un troisième genre vient d'ailleurs compliquer le système, mais aussi faire transition entre le « il » et le « je » : c'est le discours politique, où la prédication s'exprime par des « nous » réunissant l'orateur et son auditoire, mais qui parfois amènent des « nous » de majesté qui désignent le seul orateur (« Dans tout ce que nous disons ici... »).

L'impression sur laquelle reste le lecteur, c'est celle d'une grande virtuosité à jouer sur toutes les possibilités que les différents genres offrent à l'énonciation, et sur les transitions ou les combinaisons de figures. Cet énonciateur multiforme donne à son texte le maximum de relief. Et il termine ses modulations par un retour magistral à l'accord parfait, en assenant à son lecteur ces trois mots, qui me serviront à clore mon propre discours : « J'ai dit. »

La Voix de son Maître

L'entretien radiophonique

Ionesco à « L'homme en question ». *Sartre par lui-même*, film en trois heures. Une fournée d'auteurs chaque vendredi à « Apostrophes ». La « Radioscopie » de la plupart des célébrités réalisée en direct et mise en vente sur cassette par Radio-France. On consomme aujourd'hui l'image et la voix de « l'auteur » souvent avant d'avoir lu une seule ligne de lui, et on le lit pour l'avoir entendu. Pour un peu, il faudrait de l'imagination pour se souvenir du temps où on acceptait de l'écouter parce qu'on l'avait lu... En fait, les deux systèmes coexistent et se confondent : un tourniquet de présupposés fait qu'on lit l'auteur parce qu'on l'a écouté, mais on ne l'a écouté qu'avec la croyance qu'il avait écrit quelque chose (toute apparition à la radio ou à l'écran faisant de la notoriété, que parfois elle crée de toutes pièces, un présupposé de l'écoute...). Et ce qu'on consomme, dans le cas de la notoriété littéraire, c'est la *forme* même du « portrait de l'auteur », quelle qu'en soit la passagère incarnation. Loin de nous faire revenir au stade des relations « villageoises » directes, la radio et la télévision ont au contraire développé au-delà de toute mesure l'effet charismatique propre à l'écriture, fondé sur l'absence. L'écriture reste le fondement de la gloire : quand ils apparaissent en chair et en os (c'est-à-dire en image), les écrivains peuvent seulement *se ressembler*, ou ne pas se ressembler (ce qui revient au même). Peu importe par quel bout on les prend, l'existence ou l'écriture. Entre l'effet Bergotte (« Ah! vous existez! ») et ce que j'appellerai l'effet Pivot (« Ah! vous écrivez! »), il n'y a qu'une différence d'articulation, et le passage de la vraie naïveté à la fausse. La machine à gloire qu'est l'écriture imprimée n'a pas été « concurrencée » par le développement des médias modernes : elle s'y est intégrée et s'y est démultipliée[1].

1. Ainsi, près de deux fois sur trois, les personnes interviewées par Jacques Chancel à « Radioscopie » le sont parce qu'elles viennent de publier un livre, ou qu'elles en ont publié. La radio, comme la télévision, sert d'instance de consé-

La visite au grand homme était déjà, depuis le XVIIIe siècle, une sorte de rituel religieux, qui ne se vivait que pour pouvoir se raconter [1]. Aujourd'hui les délais se raccourcissent, l'illusion de la présence se renforce, les apparitions se multiplient : le rite y gagne de passer pour naturel. L'écrivain est pris dans une « société de spectacle », où il ne peut guère inventer et façonner l'image qu'il entend donner de lui. Au mieux, aidé par le service de presse de son éditeur, il peut exploiter à son avantage les figures permises par un jeu dont il ne lui appartient pas de changer les règles. Tant mieux ou tant pis pour lui si, comme le dit joliment Marcel Jullian, il est « auto-vendeur [2] ».

Pour s'arracher à cette obsession, le mieux est d'en faire l'histoire. Il n'existe pas encore d'*Histoire de la gloire*. Ou du moins elle n'existe que sous forme de fragments [3]. C'est un fragment que je voudrais à mon tour ajouter. Fragment d'un fragment : il s'agit de recherches sur l'histoire du genre de l'interview (qui n'est qu'un des supports de la gloire) des écrivains (la création littéraire n'étant elle-même qu'un des moyens de prétendre à la gloire). Et, plus précisément, sur la naissance du genre des entretiens radiophoniques dans les années 1949-1953.

1. ÉCRIT

Quand a été inventée l'interview? La seule réponse possible à cette question « mythologique » est de dire qu'en France l'interview a été introduite dans la presse quotidienne aux environs de l'année 1884. Pour le reste, on peut remonter à Socrate, ou plus haut, mais

---

cration au second degré, de relais du système d'édition imprimée. Mais on pourrait dire aussi bien que le livre est devenu une étape ou un moyen pour accéder à la célébration radio-télévisuelle...

1. Cf. Jean-Claude Bonnet, « Naissance du Panthéon », *Poétique*, no 33, février 1978.

2. Formule employée à propos de Bachelard et de Genevoix, dans le dossier « Télévision, quelles chances pour la culture » qu'il a dirigé dans *Les Nouvelles littéraires* (2-9 février 1978). Ce dossier contient des interviews de Pierre Dumayet et de Bernard Pivot, sur la pratique de l'interview dans les émissions culturelles.

3. Par exemple, sur les formes actuelles de la gloire littéraire, voir les théories de Pierre Bourdieu (« La production de la croyance, contribution à une économie des biens symboliques », *Actes de la recherche en sciences sociales*, no 13, février 1977) ou le pamphlet de Jean-Marie Geng (*L'Illustre Inconnu, une tératologie de la notoriété, ou Portrait du perceur par lui-même*, coll. « 10 × 18 », 1978).

cela n'a pas plus de sens que de voir dans les grottes de Lascaux l'origine des bandes dessinées. L'interview n'a, dans ses débuts, aucun rapport avec le genre du dialogue littéraire ou philosophique, qu'il pourra lui arriver plus tard, parfois, de frôler. Dans la mesure où c'est une *technique d'information*, il serait plus légitime de la rapprocher de la demande d'information qui existait déjà dans le domaine qui nous occupe, la littérature.

Dès la première moitié du XIXe siècle, le rôle de l'écrivain était très personnalisé, par la manière qu'il avait de se représenter plus ou moins directement dans ses écrits (à la fois comme personne, et comme auteur), et surtout à cause du développement général de la curiosité biographique. Tout ce qui le concernait échappait à l'insignifiance, et devenait digne d'être écrit, *notable*. Biographies, témoignages, éditions de correspondances se multiplient, principalement autour de grands écrivains (comme Walter Scott, Byron, Gœthe). Le témoignage le plus recherché est celui qui porte sur la conversation du grand homme. Mais il ne s'agit pas là exactement d'interview : le témoin note une parole « naturelle », c'est-à-dire adressée à lui (et non au public auquel il la retransmet), et cette parole est communiquée au public avec un délai souvent important, et presque toujours sous la forme du *livre*. Les traits qui définissent l'interview (réponse à un questionnement, intention de parler pour un public donné représenté par le questionneur, publication quasi immédiate) manquent ici. Certes, l'écrivain célèbre sait qu'il est entouré de témoins virtuels : tout ce qu'il dit risque d'être rapporté. Mais ce n'est pas sous sa responsabilité. Cela l'incite à prendre des précautions, ou à tirer parti du système pour amorcer des formes de collaboration avec un témoin privilégié jouant plus ou moins un rôle de secrétaire, comme Gœthe dans ses entretiens avec Eckermann, ou Victor Hugo se laissant interroger par sa femme pour lui fournir la matière d'une biographie. Ce sont là des situations intermédiaires entre le genre du témoignage et celui de l'interview, mais tout de même plus près du témoignage tel qu'il se pratiquait alors depuis plus d'un siècle.

On pourrait se demander, non sans quelque naïveté, pourquoi l'interview n'a pas été inventée plus tôt. La demande d'information existait, et il ne manquait apparemment aucun moyen technique. Car de 1884 jusqu'à la commercialisation du magnétophone (1948), toutes les interviews se sont faites avec du papier et un crayon, mais surtout avec de la mémoire. Au besoin, d'ailleurs, la sténographie existait, son usage était courant, par exemple dans le domaine des débats parlementaires. Ce qui manquait, bien sûr, c'était un circuit de diffusion, et un public capable de lire une interview. Le journal du

XIXe siècle s'est dégagé très lentement du mode de présentation (format, typographie), de rédaction et de lecture du livre. C'est l'élargissement progressif du public (lié à l'évolution sociale, mais aussi à l'abaissement du coût, lui-même lié aux innovations techniques) qui a rendu possible l'invention d'un nouveau type d'information [1]. L'interview n'est donc pas née dans les hautes sphères où se meuvent les Eckermann, mais dans le monde de ce qu'on appelait jadis la *petite presse*, presse à grande diffusion et à bon marché, vendue au numéro. et qui cherchait l'information sensationnelle et exclusive. Cas particulier du *reportage* (qui consiste à créer l'information au lieu de simplement retransmettre l'information élaborée en dehors du journal), imitée des pratiques américaines, l'interview a été introduite en France en 1884 par le *Petit Journal* [2]. Elle s'est développée assez rapidement dans les dix années suivantes, mais elle était utilisée surtout (presque exclusivement au début) pour les crimes et faits divers (interviews des témoins, des victimes ou des criminels) et pour l'information politique.

Mon propos n'est pas ici de raconter ces dix années (1884-1894) au cours desquelles l'interview s'est peu à peu acclimatée en France : cela n'alla pas sans mal, ni sans polémiques. Ce serait là une belle occasion pour étudier la résistance à l'innovation, analogue à celle qui a accueilli plus tard la télévision, puis la littérature au magnétophone [3]. Je choisirai plutôt, dans cette esquisse, d'envisager le phénomène selon les principes posés par Tynianov pour l'étude de

1. Voir sur ce point l'*Histoire générale de la presse française*, PUF, 1972, t. III (1871-1940), et l'*Histoire de la presse politique nationale au début de la IIIe République (1871-1879)* de Pierre Albert, thèse ronéotée, 1977, 3 vol.

2. Datation proposée par *La Grande Encyclopédie* (art. « Presse »). En fait, ici comme ailleurs, il n'y a pas d'invention datable : l'interview découle logiquement du développement du reportage, et l'on trouverait bien des paroles rapportées dans la presse avant 1884. Ce qui est certain, c'est que l'interview a été pratiquée d'abord par la « petite presse », et qu'elle suivra, dans ses changements de fonction, le même type d'évolution que le reportage lui-même, passant du fait divers à la chronique littéraire (cf. l'analyse d'Hugues Le Roux dans *Le Temps* du 22 février 1889). Les articles que les dictionnaires contemporains consacrent à l'interview montrent clairement, jusque dans leurs réticences, le succès de la formule de l'interview auprès du public (voir les articles « interview » dans le *Grand Dictionnaire universel du XIXe siècle*, t. XVII, 1890, et dans *La Grande Encyclopédie*, t. XX).

3. Entre bien d'autres, voici deux exemples des attitudes extrêmes : le long article anonyme publié dans *Le Temps* contre l'interview le 15 novembre 1890, qui est un condensé de tous les arguments utilisés à l'époque; et la défense de l'interview publiée par Anatole France dans les *Annales politiques et littéraires* du 26 août 1894. Après 1894, les polémiques s'apaisent : l'interview est devenue une pratique courante et acceptée.

l'évolution littéraire [1]. Comment se sont rencontrées cette nouvelle technique d'information, qui avait mauvaise réputation parce qu'elle était née dans la presse à bon marché, et la demande qui existait, dans le public lisant, d'une information directe sur les écrivains?

L'interview a d'abord été utilisée pour renouveler le genre journalistique de l'*enquête* sur une question d'actualité. Au lieu de publier une réponse écrite, on transcrivait une réponse orale (les textes publiés en interviews sont restés longtemps très courts). Et ce pouvait être pour le journaliste l'occasion de faire un bref *portrait* de l'interviewé (pratiquement toutes les interviews sont narrativisées). Jules Huret fut le premier à comprendre les possibilités du genre : en menant son enquête sur l'*Évolution littéraire* [2] il arriva à combiner les trois genres de l'enquête, du portrait, et de la polémique (interrogés successivement, certains écrivains répondaient aux allégations des précédents). Surtout il fut l'un des premiers à créer l'événement par l'interview, et non à interviewer autour d'un événement, et à montrer la puissance du journal qui pouvait à lui tout seul engendrer une nouvelle bataille d'*Hernani*.

Malgré l'exemple donné par Jules Huret, l'interview est longtemps restée un genre plus que mineur dans l'information littéraire, cantonnée dans l'enquête d'opinion, l' « écho » parisien, le croquis de silhouette, puis le « prière d'insérer » (lancement d'un livre ou d'un spectacle). On aura une idée de la lenteur de l'évolution en voyant que si l'interview d'écrivain a été assez tôt introduite dans la « grande presse » quotidienne, en revanche les hebdomadaires culturels existant à l'époque *(les Annales politiques et littéraires*, la *Revue bleue)* n'y ont pas eu recours. Ce sont des journaux nouvellement créés, comme le quotidien des spectacles *Comœdia* (1907), et l'hebdomadaire *les Nouvelles littéraires* (1922) qui ont eu l'idée de la pratiquer régulièrement. Quant aux revues littéraires proprement dites, ce n'est que beaucoup plus tard (assez récemment) qu'elles ont accueilli (c'est-à-dire suscité) des entretiens : là encore les revues nouvellement créées franchissent les premières le pas.

La timidité de la presse littéraire d'alors s'expliquait par le caractère des textes produits, brefs, anecdotiques, et souvent suspects.

1. J. Tynianov, « De l'évolution littéraire », in *Théorie de la littérature*, (éd. Todorov), Éd. du Seuil, 1965, p. 120-137.

2. Du 3 mars au 5 juillet 1891, Jules Huret a publié dans *L'Écho de Paris* une série de soixante-quatre interviews, reprises ensuite en volume sous le titre *L'Évolution littéraire*. Jules Huret a mené d'autres enquêtes, et réalisé des interviews plus développées d'écrivains, comme celle de Huysmans (recueillie en 1901 dans *Tout yeux, tout oreilles*), qui est un modèle du genre.

C'était de la littérature de circonstance, tirant sa valeur de son actualité même, mais ne pouvant que jaunir en même temps que le papier journal qui lui servait de support, et finir à l'état d'archives. Le passage au livre n'a eu lieu que pour des enquêtes [1]. Le texte de l'interview n'était cautionné par rien : même s'il n'inventait pas, le reporter résumait et adaptait à sa guise. Et, s'agissant d'écrivains, l'interview ne pouvait, bien sûr, comme *écrit*, rivaliser avec leurs propres textes. Dans le meilleur des cas, elle avait chance de rester longtemps une variété du croquis littéraire : mise en scène d'une rencontre, et reconstitution stylisée et synthétique d'un bref dialogue, l'intérêt dépendant du talent de l'interviewer, auquel la responsabilité revenait entière [2].

Ce genre du croquis fut étoffé par Frédéric Lefèvre, dans sa série des *Une heure avec* [3]... A partir de 1922, il passa en revue pour *les Nouvelles littéraires* tout le monde littéraire et intellectuel parisien. L'entretien prend de l'ampleur (une quinzaine de pages en moyenne). Il se dégage de l'enquête d'opinion ou d'actualité, et tend à devenir une enquête *d'identité*, vivante et pleine d'intuitions, fondée sur une connaissance étendue de l'œuvre et sur une écoute longue et attentive. L'interviewer ne vient plus recueillir quelques propos, quelques opinions, à la sauvette : il se transforme en connaisseur d'hommes et pratique les vertus que devrait avoir un critique selon Sainte-Beuve.

1. Ainsi dans le livre de Georges Le Cardonnel et Charles Velay, *La Littérature contemporaine (1905). Opinions des écrivains de ce temps*, en 1905, et dans celui de Jean Muller et Gaston Picard, *Les Tendances présentes de la littérature française*, en 1913, qui d'ailleurs mélangent interviews et réponses écrites, les unes et les autres fort brèves.

2. L'interview écrite narrativisée est un genre qui exploite les possibilités du discours rapporté et de l'encadrement. En même temps qu'une variété de la « chronique », elle est une forme spéciale de *nouvelle*. En stylisant la conversation, l'auteur de l'interview cherche naturellement à la reconstruire de manière serrée et rigoureuse, tout en ménageant des surprises, et surtout une « chute ». Le portrait du modèle s'accompagne d'un essai de pastiche de sa conversation, comme s'il s'agissait d'un personnage de roman ou de théâtre. Les contraintes de longueur et de forme, le rôle que jouent le questionnement et le talent du journaliste, tout concourt à faire de celui-ci l'unique auteur du texte. Les interviews d'un même journaliste se ressemblent entre elles souvent plus que chacune d'elles ne ressemble aux écrits de l'auteur interviewé, exactement comme les portraits faits par un même peintre. C'est d'ailleurs ce qui fait le charme de la lecture des *Une heure avec*... de Frédéric Lefèvre. Cet effet existe aussi bien sûr aujourd'hui à la radio et à la télévision (toutes les « Radioscopies » tendent à se ressembler), mais il est atténué par l'initiative que ces médias laissent au modèle, et par le contact plus direct et plus riche d'informations qu'ils procurent.

3. Les « Une heure avec... » furent recueillies en volumes au fur et à mesure de leur publication (six volumes de 1924 à 1933, chez Gallimard).

Par sa plasticité, ses compétences, son art de l'écoute, Frédéric Lefèvre a ouvert un nouveau champ (c'est-à-dire de nouvelles fonctions) à la technique de l'interview. Voici son comportement décrit par une de ses « victimes » :

> Je goûtais en vous (...) cette abénégation héroïque de l'enquêteur comme aussi cette originalité d'une méthode où, dans le dialogue même, vous intervertissez les démarches du Socrate platonicien, lui qui ne réclame et n'obtient de ses interlocuteurs que des monosyllabes approbatifs, afin de les plier à ses propres thèses; si bien qu'il ne paraît extraire d'eux des éléments largement humains, que parce qu'il les y met souvent en prestidigitateur habile à suggérer les opinions désirées : vous au contraire, réussissant à vous faire intellectuellement tout à tous, vous vous plaisez à la diversité des âmes et des œuvres; vous faites étaler à chacun ce que chacun a de plus intime, de plus neuf, de plus nutritif, de plus déplaisant parfois, et cela sans avoir l'air d'y toucher, par une sorte de bonhomie apprivoisante et de familiarité ailée qui contraste avec le modeste appareil de vos interventions toujours discrètes et placides, même quand elles violent certains secrets que l'on voulait réserver (...) [1].

Dès lors qu'il ne s'agit plus de questionner, mais d'écouter le modèle qu'on a mis en confiance, l'entretien a chance de se prolonger, et l'interviewer peut être tenté de transformer ce qui n'était qu'une esquisse en un véritable tableau. En même temps que l'ampleur, l'entretien change de fonction. L'écrivain interrogé qui accepte de parler plusieurs heures de son œuvre et de sa vie, et de voir ses propos publiés en livre, engage quelque peu sa responsabilité : même embryonnaire et limité, c'est une forme de contrat autobiographique vis-à-vis du public. Quant au journaliste, son ambition n'est plus de faire un portrait d'actualité. Il se transforme en critique. Son but est de rendre intelligible le développement d'une œuvre tout entière, en construisant un livre d'initiation et de synthèse sur l'auteur interrogé.

S'appuyant sur le succès des *Une heure avec...*, Frédéric Lefèvre a d'abord cherché à juxtaposer dans un livre la formule de l'entretien, et celle de l'essai critique. « L'heure avec » Paul Valéry s'étant convertie en un assez grand nombre de conversations, Lefèvre en

1. Maurice Blondel, dans la lettre-préface de *L'Itinéraire philosophique de Maurice Blondel*, propos recueillis par Frédéric Lefèvre, Éd. Spes, 1928, p. 15-16. Sur ce problème essentiel de l'écoute, substituée au questionnement, voir comment Jacques Chancel décrit sa pratique parallèle à celle de Frédéric Lefèvre, dans *Le Temps d'un regard*, Hachette, 1978, p. 153-156.

a rapporté l'essentiel dans un livre dont la seconde moitié consistait en des « commentaires des œuvres de Paul Valéry [1] ». L'année suivante, il publie un long essai sur Claudel, suivi de la reproduction de son « Heure avec » lui [2]. Après ces tâtonnements, au cours de ses conversations avec Maurice Blondel, Lefèvre trouve la solution : il faut non pas juxtaposer, mais intégrer la démarche de l'entretien et celle de l'essai. *L'Itinéraire philosophique de Maurice Blondel* (1928) est le premier livre-entretien digne de ce nom. L'entretien n'est plus narrativisé mais présenté sous la forme exclusive du dialogue; une longue conversation en trois épisodes permet de parcourir en 250 pages l'histoire du travail philosophique de Blondel et de le situer dans le champ intellectuel de l'époque. On est loin de l'anecdote et du texte de circonstances. C'est un grand livre, solide et original, sorti indirectement d'une technique journalistique.

Si Frédéric Lefèvre a imposé pour de longues années une sorte de modèle de l'interview [3], en revanche sa formule du livre-entretien n'a guère été imitée dans l'immédiat. Sans doute était-elle prématurée. Il y manquait (et cela aussi bien du côté des auteurs que de celui du public) l'habitude d'un contact prolongé par la parole qui rendrait vraisemblable, comme son sous-produit, la publication d'un livre. Ce contact n'est pas né directement des progrès de l'enregistrement sonore [4], mais de l'apparition d'un type de diffusion autre que le journal imprimé. Il est né de la radio.

2. PARLÉ

En mars 1944, un petit car se rendait à Brangues, chez Claudel. A bord, Pierre Schaeffer, Jacques Madaule, et du matériel d'enregistrement. Ils allaient réaliser une expérience inédite. Non pas enregistrer Claudel lisant un texte, ou répondant à deux ou trois questions pour la radio. Mais fixer, sans but de diffusion, et au naturel, deux

1. *Entretiens avec Paul Valéry*, Le Livre, 1926. Les propos de Valéry ne sont pas présentés sous forme de dialogue, mais regroupés de manière autonome par sujet traité.
2. *Les Sources de Paul Claudel*, Lemercier, 1927.
3. On peut suivre l'évolution de l'interview grâce à des corpus récemment réunis, comme les interviews de Céline rassemblées dans les *Cahiers Céline* n° 1 et 2, Gallimard, 1976.
4. Ainsi les *Entretiens sur le cinématographe* (1950) de Cocteau et Fraigneau furent réalisés sans magnétophone, directement en sténographie.

heures et demie de conversations amicales, à bâtons rompus avec Claudel. L'idée de Schaeffer était de créer un véritable langage radiophonique, en arrachant la radio au théâtre, en lui faisant découvrir l'*intimité* [1]. Il suivait en cela les vues de Jacques Copeau, mais aussi sans doute le sentiment qu'il y avait mieux à faire avec la parole des écrivains que d'en prélever de brefs échantillons dans des conditions tout à fait artificielles.

Aux débuts de l'enregistrement sonore, en effet, comme on ne pouvait enregistrer que quelques minutes, et que l'enregistrement était une pièce d'archives sans perspective de diffusion, on avait eu tendance à traiter l'écrivain (ou l'homme célèbre) comme un acteur, en lui faisant *lire* ses propres textes. Ainsi dans le cadre des « Archives de la parole » créées en 1911, on avait essayé de faire une collection de « Voix célèbres », en faisant lire un poème à Apollinaire, un fragment de ses mémoires au capitaine Dreyfus, en faisant répéter à Pétain un de ses discours, etc. Pour les poètes, la série a été continuée depuis par la Phonothèque nationale *(Anthologie des poètes dits par eux-mêmes* [2]*)*.

Dans le cas des écrivains, une telle pratique semblait particulièrement justifiée. Si le style écrit est un reflet de la parole parlée (présupposé de toutes ces expériences), n'était-il pas passionnant de saisir l'origine perdue, de boucler la boucle, en faisant resurgir cette voix, filtrée par l'écriture, dans un exercice de diction qui en donnerait la quintessence? Avec, de plus, la certitude d'avoir une sorte de « version originale », ou de première interprétation, pouvant faire « autorité ». Que ne donnerait-on pour avoir un enregistrement des lectures que Rousseau fit des *Confessions* en 1770! Cette curiosité fétichiste, que les premiers enregistrements montrent sous la forme

1. Cette expérience a été évoquée par Pierre Schaeffer dans *Arts*, 28 novembre-4 décembre 1952. Un montage d'extraits de l'enregistrement a été publié en 1966, hors commerce, par la Société Paul Claudel, sous le titre *Claudel parle*, Entretiens avec Pierre Schaeffer et Jacques Madaule enregistrés à Brangues en 1944 (1 disque 33 t 30 cm).

Peu de temps après, le 8 juin 1944, Albert Riéra renouvelait l'expérience en enregistrant pendant plus d'une heure une « Causerie à bâtons rompus » avec Léon-Paul Fargue et sa femme. Ces essais d'enregistrement de conversation (plus ou moins dirigée, mais tout de même assez différente de l'interview) furent poursuivis par le Club d'Essai et aboutirent en particulier à la série « Un quart d'heure avec... » (voir ci-dessous p. 117, n. 2).

2. Sur les débuts de l'enregistrement sonore, voir les mises au point de Jean Thévenot, « Les machines parlantes » et « Discothèques, phonothèques et ténidiothèques », dans *L'Histoire et ses Méthodes*, Encyclopédie de la Pléiade, Gallimars, 1961, p. 802-819 et 1184-1204. Voir aussi Roger Devigne, *La Phonothèque nationale*, Phonothèque nationale, 1949.

la plus rudimentaire, mais aussi la plus pure, est liée à la double rencontre de l'écriture imprimée avec la personnalisation du rôle de l'écrivain. L'écriture manifeste l'absence d'une parole, le texte renvoie à son auteur à la fois comme à sa cause et à son secret. Cette absence qui se creuse derrière la page imprimée (et que le lecteur cherche à dissiper parfois en écrivant à l'auteur, soit pour finir par le voir, soit pour entrer lui-même dans la sphère de son écriture), il était tentant d'essayer de la combler dès que la technique permit de fixer, puis de multiplier et de diffuser la voix, et de doubler l'artefact imprimé d'un artefact sonore. A des époques moins perfectionnées, on avait exploité cette tendance fétichiste en proposant au public des biographies ou notices accompagnées d'un portrait (plus tard, d'une photographie) de l'auteur et d'un fac-similé de son écriture. A l'autographe vient maintenant s'ajouter l'*autophone*, si je puis dire.

Très caractéristique est le projet que deux jeunes gens vinrent proposer à André Maurois en 1948. Ils lui montrèrent un objet en forme de petit livre relié, dont le cartonnage formait boîte et contenait, par couches successives, des textes imprimés, une iconographie, un disque, un film enroulé. Ils expliquèrent ainsi leur projet :

> Voici un type de livre entièrement nouveau que nous avons réalisé. Nous voudrions consacrer un volume à chacun des grands hommes de notre temps, de tout pays. On pourrait y lire un texte, autant que possible inédit, où chacun exposerait l'essence de son œuvre, ou sa conception de son métier; une biographie écrite par un autre homme de talent; un disque de la voix du héros permettrait de l'entendre lisant un de ses textes favoris; un film qui le montrerait dans ses décors familiers, fixerait pour l'avenir sa personne physique. Il y aurait aussi un manuscrit autographe, quelques dessins, les empreintes de ses mains [1].

Ils appelaient cela « Les Éditions de l'Immortalité », et pensaient qu'elles aideraient à éclairer l'œuvre et serviraient aux futurs biographes. Ce qui frappe dans ce projet est son côté à la fois prémonitoire et archaïque, un peu comme la forme des premières voitures à moteur où tout rappelait le cheval. Trente ans plus tard, en 1978, n'importe quelle émission biographique télévisée sur un écrivain vivant remplit synthétiquement toutes les fonctions ici énumérées

1. André Maurois, « Neuve immortalité », *Les Nouvelles littéraires*, 7 octobre 1948.

sous la forme d'une addition de gadgets[1]. Il suffit de l'enregistrer sur bande vidéo et de placer la bande dans un coffret en forme de livre (c'est ce qui reste du cheval) pour réaliser, et beaucoup mieux, le projet des deux jeunes gens.

Archaïque, le projet l'est de deux points de vue.

D'abord parce qu'il juxtapose sur le même plan des médias qui devaient s'intégrer. A l'époque du parlant, on pouvait envisager de réunir l'enregistrement sonore et visuel[2], et de faire assumer par le film parlant la fonction donnée ici à l'iconographie, et surtout la fonction réservée aux textes écrits et imprimés. Au lieu de fixer le son d'une voix lisant un texte, et une silhouette dans un cadre familier, pourquoi ne pas filmer un dialogue qui lui-même remplirait à la fois la fonction de l'autobiographie écrite et celle de la biographie? Aveuglement bien excusable, certes : un film ne pouvait alors se commercialiser comme un livre. Surtout, les deux jeunes gens n'imaginaient pas les possibilités de l'entretien (enregistré ou filmé), que la radio était pourtant en train de découvrir à tâtons dans ces années d'après-guerre, et que dans les années 1950 la télévision mettra à son tour un certain temps à découvrir et à mettre au point. L'entretien n'est pas fils de l'enregistrement, mais de la diffusion : c'est un nouveau circuit de communication qui induit un nouveau type de performance orale (ou audio-visuelle), la radio et la télévision étant à l'enregistrement ce que l'imprimerie a été pour l'écriture. Ce sera le grand mérite de Jean Amrouche et de ses « suiveurs » de l'avoir compris.

Le second trait archaïque de ce projet est lié au premier, mais se retrouvera même dans des comportements plus modernes. C'est l'angoisse de l'archivage. Quand un nouveau moyen d'enregistre-

1. Par exemple *Maurice Genevoix, une vie*, réalisé par J. Mousseau et E. Kneuzé, diffusé par TF 1 en juin 1978.

2. Parallèlement au début des entretiens radiophoniques, les années 1949-1953 ont vu celui des courts ou longs métrages biographiques sur des écrivains ou des peintres vivants. Ce furent, projetés en 1951, le *Colette* de Yannick Bellon, et le *Paul Claudel*, d'André Gillet, en 1952 le *Gide* de Marc Allégret. Autant que les entretiens radiophoniques, ces « apparitions » suscitèrent des débats dans la presse littéraire. Voir par exemple, autour du film réalisé par Raymond Dorgelès sur Utrillo (1950), « Portraits avant ou après décès? » (*Les Nouvelles littéraires*, 16 mars 1950), et après la sortie du film de Marc Allégret sur Gide, « Les écrivains doivent-ils paraître sur l'écran? » (*Les Nouvelles littéraires*, 13 mars 1952).

A la même époque, Nicole Védrès a fait apparaître dans son film *La vie commence demain* (1950) différents auteurs (dont Gide et Sartre) jouant leur propre rôle dans des entretiens successifs avec un jeune provincial qui n'est pas « d'accord avec son époque ».

ment apparaît, on est d'abord sensible à une sorte d'urgence : il faut fixer ce qui va disparaître, combler avant qu'il ne soit trop tard un vide monstrueux. On raisonne comme si on était déjà la postérité, et on concentre son attention sur une petite poignée de gloires déjà éprouvées par le temps, dans tous les sens du terme : consacrées et menacées, immortels et mourants. A plus juste titre, la fièvre de conservation s'est emparée (mais un peu tard) des historiens contemporains qui viennent de découvrir les ressources de l'histoire orale, et concentrent aujourd'hui leurs micros sur des retraités septuagénaires. Légitimement absorbés par cette tâche, les pionniers ne perçoivent pas que le vide qu'ils comblent n'existera plus à l'avenir : il n'y aura plus besoin de *fabriquer* des archives, dans la mesure où la pratique quasi quotidienne du nouveau média accumulera une masse d'information dans laquelle le problème sera de choisir [1]. Aussi, après vingt ans de radio et de télévision, la voix et l'image de l'écrivain ont-elles perdu un aspect de leur valeur, lié à la *rareté*. Une des surprises de l'historien qui se replonge dans ces premiers temps de la radio, c'est de voir à quel point apparaît miraculeux aux auditeurs d'*entendre* la voix de ceux qu'ils ont lus. Écouter Colette ou Léautaud chez soi à la radio, c'était vivre une « première », comme la traversée de l'Atlantique en avion, ou les premiers pas de l'homme sur la lune, télévisés en direct en juillet 1969. Une chose impossible devient possible : c'est une sorte de descente aux enfers, où l'on va rencontrer celui qui jusqu'alors n'était qu'une ombre. Imaginons aujourd'hui qu'un nouveau procédé nous permette d'entendre Balzac ou Hugo... Le genre scolaire du dialogue des morts pèsera parfois d'ailleurs sur ces nouveaux dialogues des vivants (en particulier dans les réalisations d'Amrouche). Le public est plein de l'étonnement et de l'attention concentrée que manifeste le chien célèbre, penchant la tête pour entendre, venant du fond d'un énorme cornet acoustique, la voix de son maître.

A Brangues, Schaeffer et Madaule viennent donc avec l'idée de recueillir la parole de Claudel « nature », comme il parlerait si le micro n'était pas là (comme on faisait dans les familles au début du magnétophone, en enregistrant des conversations à l'insu des intéressés). Bien sûr, pas question de ruser, ni de cacher l'encombrant

1. L'angoisse de l'archive, qui caractérise la période de transition pendant laquelle le nouveau média s'installe, s'est également manifestée à la télévision. Une fois éprouvées les possibilités de l'entretien télévisé, on a lancé la série des Archives du XXe siècle, en mettant en conserve (réservés à une diffusion posthume) de très longs (et solennels) entretiens filmés avec des célébrités reconnues du monde intellectuel ou artistique.

matériel [1]. On met en marche l'enregistrement, tout en expliquant à Claudel le projet : tout commence donc par du *métalangage* sur la situation elle-même. On retrouvera dans plusieurs entretiens des années 1949-1953 cette scène rituelle, traumatisante et initiatique : à tâtons, le modèle, guidé plus ou moins par l'interviewer, explore un nouvel espace de parole, et essaie de se mettre à l'aise [2]. Ce qu'il découvre brusquement, parfois dans l'angoisse, c'est la présence d'un public d'auditeurs inconnus (qui comprend à la fois des lecteurs de ses œuvres, mais aussi n'importe qui d'autre). Quand on écrit, on ne s'étonne pas que le lecteur soit absent : et on est maître de fabriquer son lecteur. Le mode de diffusion du livre fait qu'une sorte d'ajustement se produit entre le narrataire du texte et les lecteurs réels : le texte choisit ses lecteurs. La radio s'introduit, elle, d'un seul coup chez un public beaucoup moins trié : ce qui permet bien sûr des rencontres heureuses, mais expose aussi à parler dans le vide. Ce vide, cette écoute immense et indistincte, sont représentés par le personnage du microphone : « un terrible petit personnage », selon Amrouche, « une petite personne monstrueuse avec cent mille oreilles », selon Cocteau [3]. Pour exorciser la peur qu'on a de parler *au*

1. Pierre Schaeffer enregistra Claudel *sur disques souples.* Cette technique, mise au point vers 1930 (et qui révolutionna alors la radio), permettait l'enregistrement direct, susceptible d'être écouté aussitôt, sans passer par tout l'appareillage de gravure et de reproduction.

Cette procédure était, malgré tout, très lourde et malcommode. Chaque face durait de trois à quatre minutes seulement (d'où la nécessité de deux enregistrements simultanés se chevauchant, pour les raccords), il était impossible d'effacer, et les montages ne pouvaient se faire qu'à la diffusion, de manière assez acrobatique. La mise au point de la bande magnétique dans les années d'après-guerre permit d'une part un enregistrement plus maniable (une bobine de magnétophone durait vingt minutes) et surtout le *montage*, sans lequel les grandes séries d'entretiens réalisées à partir de 1949 n'auraient pas été possibles.

On trouvera une très vivante évocation de cette mutation technique dans le livre de Jean Vertenelle, *Cher-z-auditeurs*, Amiot-Dumont, 1951, p. 56-65.

2. Ainsi au début des entretiens Cocteau-Fraigneau, et au début des entretiens Giono-Amrouche. Giono déclare : « Je n'ai jamais su faire de conférence, je n'ai jamais su parler à un grand nombre de gens (...). Les histoires que je peux raconter, qui sont familières et peuvent s'adresser à une ou deux personnes, prennent une trop grande importance quand elles sont racontées à deux cents personnes, et encore plus à deux cent mille », à quoi Marguerite Taos et Jean Amrouche répliquent que les deux cent mille personnes ne sont pas agglutinées, comme au théâtre ou au concert, mais que chacun est chez lui, dans l'intimité de sa maison. Ce que cette explication (fort juste) a de piquant, c'est que Giono parle très simplement, tandis que ses interviewers qui le « rassurent » parlent, eux, à la cantonade, comme s'ils étaient devant une salle bondée.

3. *Qui écoutait la radio?* Il y avait en France 6,4 millions de postes récepteurs en 1949, 8,3 millions en 1953. Mais tout le monde n'écoutait pas la Chaîne

micro, on va parler *du* micro, en le réduisant au statut de « troisième personne » et en réinvestissant de la fonction de destinataire l'interviewer que l'on a à ses côtés. Les conduites magiques par lesquelles on se rassure au moment de franchir la ligne fatale (« est-ce que ça enregistre déjà? ») sont bien sûr propres à toutes les situations d'entretiens enregistrés. Mais il se trouve que pour l'écrivain la diffusion de sa parole crée une interférence avec celle de son écriture, et une sorte de renversement de situation, puisque *l'absence* change de camp.

Claudel ne fut pas longtemps embarrassé. Madaule lui proposa l'image d'un destinataire (des jeunes chrétiens d'aujourd'hui qui ont besoin d'être guidés par lui), puis se substitua au destinataire en le faisant parler sur son travail actuel, étalé devant lui sur la table, la traduction des *Psaumes*. Et, à partir de là, tout se passa comme si Claudel avait totalement oublié qu'on l'enregistrait. Deux heures et demie de conversation entre amis, zigzaguante, et centrée sur l'actualité, le *hic et nunc*, et non pas la rétrospective solennelle qui modèlera ses entretiens avec Amrouche. Ce document (en fait tout à fait banal) produit encore aujourd'hui un effet extraordinaire, à cause de la rareté, et aussi du présupposé de l'écoute (c'est un génie qui parle, et l'on écoute son écriture dans sa parole). Mais il s'agit là d'un document, et non d'une émission. Il était convenu dès le départ que l'enregistrement ne serait jamais diffusé : d'où la liberté de parole de Claudel, mais aussi la présence de silences, les allusions à un contexte désormais absent, qui manifestent l'indifférence à un éventuel auditeur indiscret. Ce qui fait, mais au second degré, et aujourd'hui, la valeur radiophonique de l'enregistrement : il est très vilain, mais aussi très amusant, d'écouter aux portes [1].

---

nationale le soir vers 22 heures. En 1948, une enquête de *Radio-Programme* (supplément du nº 55, 9 avril 1948) basée sur le dépouillement de 11 000 réponses, montrait que les « postes préférés » des auditeurs étaient Luxembourg, (59 %), le Poste national (19,1 %), le Poste parisien (12,2 %), Paris-Inter (2,8 %). La grande enquête de l'INSEE effectuée en 1952 (« Une enquête par sondage sur l'auditoire radiophonique », *Bulletin mensuel de statistique*, suppléments trimestriels de janvier-mars et de juillet-septembre 1954) établissait que la Chaîne nationale était écoutée *plutôt* par les « vieux » (opposés aux « jeunes »), les « intellectuels », ayant une instruction supérieure, habitant dans les villes. C'est sans doute ce qui explique que, dans l'enquête de *Combat* sur la radio (18 novembre 1952), les « grands entretiens littéraires (Léautaud, Montherlant, Mauriac, etc.) » apparaissent en bonne place avec d'autres émissions culturelles parmi les préférences des auditeurs.

Radio-Luxembourg, qui ne faisait pratiquement aucune place à la littérature, avait un auditoire plus jeune, plus populaire, et beaucoup plus vaste.

1. « Il faudrait que ça soit fait sans qu'on le sache », dit Claudel à Pierre Schaeffer. En 1950, un habile, mais indiscret, technicien de la radio joua ce tour à Paul

Cette visite chez Claudel montrait donc qu'il était possible d'enregistrer sur très longue durée une conversation, et d'obtenir, par la médiation d'un interlocuteur amical et habile, un comportement à la fois naturel et riche d'information. Mais il manquait la prise en compte d'un destinataire et un minimum de structuration. Et l'expérience allait trop brusquement à contre-courant des pratiques de diction ou de déclaration théâtrales en faveur à l'époque. Entre 1944 et 1949, les écrivains ne sont pas absents du micro, loin de là. Ils sont même de ceux que l'on sollicite le plus volontiers, en tant que spécialistes du langage. Le public s'habitue à entendre leur voix : interviews rapides, participation à des débats, déclarations, souvenirs ou commémorations littéraires, lectures [1]. Mais ces différentes manifestations souffrent le plus souvent d'être brèves, banales et guindées. En 1948, dans ses chroniques sur la radio (aux *Nouvelles littéraires*), Pierre Descaves stigmatise, dans ce domaine comme dans les autres, l'absence d'un langage spécifiquement radiophonique (c'est-à-dire le fait que l'on transfère les habitudes propres à d'anciens médias, théâtre, diction, conférence, etc., dans le nouveau média). Quelques émissions pourtant trouvent grâce auprès de la critique, et surtout auprès du public, et leur succès a sans aucun doute été déterminant pour la nouvelle orientation : la série des « Un quart d'heure avec... » réalisée par le Club d'Éssai [2], les émissions de

---

Léautaud et à Julien Benda. Léautaud arrivait pour une séance avec Mallet; trouvant Benda dans un studio où il venait de terminer un enregistrement, il entra, et tous deux se mirent à bavarder sans se douter que le micro était resté branché. Ils parlèrent de leur santé, des entretiens auxquels l'un et l'autre participaient, puis de problèmes littéraires, et du monde littéraire... Et bien sûr, le soir même, Léautaud raconta en détail cette conversation dans son journal (*Journal littéraire*, t. XVIII, Mercure de France, 1964, p. 78-81). Cet enregistrement pirate conservé à la phonothèque de l'I.N.A. (et qui ne fut pas diffusé) constitue une double « pierre de Rosette » : il permet de comparer la manière dont ces deux écrivains se parlent entre eux à la manière dont chacun d'eux parle au public par l'intermédiaire de son interviewer; d'autre part, il offre sans doute l'un des rares cas où l'on puisse comparer le récit d'une conversation notée dans un journal personnel à la conversation elle-même.

1. On aura une idée du type de performance radiophonique des écrivains dans ces premières années d'après-guerre en feuilletant la section « phonographie » placée à la fin des volumes de la collection « La Bibliothèque idéale » (Gallimard). Voir par exemple, le *Claudel* de Stanislas Fumet, p. 293-300. Sur la radio d'après-guerre, voir Pierre Miquel, *Histoire de la radio et de la télévision*, Éd. Richelieu, 1972, p. 174-178.

2. Le principe de ces émissions était différent de celui de l'interview : on allait enregistrer le modèle chez lui, en le faisant bavarder avec quelques amis à lui autour du micro, sans qu'il y ait de meneur de jeu. Naturellement il y avait pour

Francis Carco [1], et surtout les « Souvenirs de Colette [2] ». Il ne s'agit pas du tout d'entretiens : Colette lit elle-même des textes autobiographiques alors inédits, qu'elle publiera l'année suivante dans *le Fanal bleu*. Diction, donc, mais dans laquelle Colette joue son propre rôle si bien que la performance s'efface au profit d'un discours de narratrice, apparemment direct. De plus l'accord entre la voix fascinante de Colette (qualifiée par un auditeur de « voilée, rauque, tendre, gouailleuse, impertinente, sceptique, émue, malicieuse, inoubliable, voix assurée de faune et de sirène [3] ») et son style écrit correspond à l'attente spontanée du public, qui aime qu'un écrivain parle comme il écrit — comme un livre. Ne serait-il pas tentant d'obtenir directement des émissions de cette qualité, sans passer par l'écrit, en faisant improviser l'écrivain, ce qui aurait en plus le charme de l'aventure? L'entretien est né de ce pari.

L'entretien radiophonique développé, tel que Jean Amrouche l'a inventé en 1949, n'est donc pas une simple transposition de l'interview journalistique à la radio. Il est d'abord, à l'époque, une des solutions au problème suivant : comment faire des *émissions littéraires* vraiment radiophoniques. Or l'émission littéraire repose sur d'autres exigences que l'interview. Son but principal est de présenter les œuvres à un public plus large que celui du livre : d'où l'importance des lectures d'extraits (par les auteurs ou par des acteurs), et d'un discours d'accompagnement pédagogique, à la fois informatif et critique. L'entretien avec l'auteur est souvent alors associé aux lectures et aux explications comme moyen de la vulgarisation littéraire. Le grand problème des émissions avec les écrivains sera d'ailleurs de savoir ce qu'il faut supposer connu, et la manière de faire connaître ce qui doit être connu pour que l'intervention de l'écrivain ait un sens

---

chaque émission un thème-prétexte, autour duquel la conversation se développait assez librement, entre des interlocuteurs multiples. (Voir par exemple les quatre « quarts d'heure avec... » Léon-Paul Fargue réalisés par Albert Riéra en octobre 1946.)

1. Francis Carco a énormément travaillé pour la radio à la fois comme « modèle » (racontant ses souvenirs : « Au hasard de ma vie » (1946), « Comme au bon temps » (1949), « C'est pourtant vrai » (1949, etc.), et comme réalisateur d'émissions littéraires (sur Baudelaire, Nerval, Rimbaud, etc.). Les émissions où il raconte des souvenirs, chante, lit des poèmes ont beaucoup fait pour ce que Pierre Descaves appelle le « réveil du parlé » (*Les Nouvelles littéraires*, 4 novembre 1948).

2. Recueillis par André-Maurice Picard et diffusés en novembre-décembre 1948.

3. Cité par Pierre Descaves dans *Les Nouvelles littéraires* du 23 décembre 1948. Descaves ajoute : « voix d'une prenante et suggestive modulation en concordance avec le style même de l'auteur de *Chéri* ».

et un intérêt. On verra la contradiction quand Claudel, par exemple, sera invité par Amrouche à parler de ses rapports avec Gide, parce qu'on vient de publier leur correspondance et que le public qui l'a lue veut en savoir *plus*; et comme Claudel répond qu'il n'a rien à ajouter, Amrouche lui demande de retracer l'histoire *pour ceux qui ne l'ont pas lue* [1]! L'entretien devra donc avoir une fonction d'information, de relais de l'œuvre écrite vers un public d'auditeurs, l'écrivain étant amené à se répéter, ou plutôt à se transposer, à jouer son rôle dans un nouveau circuit de communication.

D'autre part, à la différence de ce qui se passait dans l'interview journalistique, la responsabilité de l'écrivain est directement engagée par sa parole, et l'interview pourra avoir tendance à le pousser dans deux directions : la *performance* stylistique et « dramaturgique », d'abord, puisque la voix de l'écrivain n'est plus filtrée par la mémoire et la retranscription de l'interviewer, mais pourra être appréciée « directement » par l'auditeur. Amrouche visera explicitement ce but : provoquer une sorte de création littéraire orale. Et le *dévoilement*, puisqu'on pourra faire dire à l'écrivain ce qu'il n'a pas écrit, et le faire se révéler par sa parole. Ce fantasme du « dévoilement » s'est manifesté de manière assez naïve dans une série d'émissions réalisée par André Gillois à partir de 1949, sous le titre *Qui êtes-vous?* Au départ, l'idée avait été de s'inspirer de la psychanalyse (?) en faisant « associer » l'homme interrogé, pour l'amener à se révéler malgré lui. En fait la méthode suivie fut la suivante : la victime recevait à l'avance un questionnaire (type questionnaire Proust) auquel elle pouvait préparer ses réponses. Les cinq premières minutes de l'émission étaient consacrées à ce questionnaire, ce qui mettait la victime en confiance, et donnait aux trois ou quatre analystes amateurs réunis autour d'elle le point de départ pour un nouveau questionnement, lui, non programmé, pendant plus d'une demi-heure, destiné à sonder et à coincer le patient. Léautaud fit ainsi à cette émission sa première apparition au micro, et l'équipe d'André Gillois essaya de lui *expliquer* sa morbide curiosité pour la mort, et la logique de son comportement amoureux [2]! Le genre de l'entretien, qui suppose

1. Vingt-huitième entretien des *Mémoires improvisés* (coll. « Idées », p. 245 et 247 respectivement).

2. André Gillois a publié la transcription de quarante émissions de cette série (*Qui êtes-vous?*, Gallimard, 1953), avec un avant-propos qui présente son projet et sa méthode. L'entretien avec Léautaud (diffusé le 24 décembre 1949) est reproduit en tête. Mauriac, qui fut lui aussi soumis à cet interrogatoire expéditif, le compara par la suite au long et fécond dialogue qu'il eut avec Amrouche : « Je comprends qu'un écrivain arrivé à un certain âge donne au public une vue d'ensemble de lui-même. Cela n'a aucun rapport avec l'épreuve à laquelle j'ai été

une collaboration amicale, exclut ce type d'agressivité réductrice : mais on y retrouve souvent la tentation de faire se révéler le modèle malgré lui, de le pousser à en dire plus qu'il ne le croit.

Toutes ces possibilités font donc de l'entretien radiophonique quelque chose de différent de l'interview écrite : elles ont donné un nouvel essor à une technique qui n'évoluait plus guère. Essor d'abord matériel : on n'avait guère auparavant réalisé des interviews durant dix ou vingt heures. Essor fonctionnel aussi, l'entretien radiophonique quitte les genres limités du portrait littéraire ou de l'enquête pour renouveler les genres de la biographie et de l'autobiographie, et de l'étude littéraire. Amrouche a réalisé le rêve de Frédéric Lefèvre.

Sans doute l'inventeur d'un nouveau genre n'est-il que le premier à avoir saisi une idée qui était dans l'air, et qu'un autre aurait inventée quelques mois plus tard. Mais cela ne diminue en rien le mérite de Jean Amrouche, qui a conçu très ambitieusement, à la fin de 1948, d'expliquer et de *compléter* l'œuvre de Gide en réalisant avec lui une série d'entretiens enregistrés à partir de janvier 1949, et diffusés d'octobre à décembre 1949. Amrouche exploita ensuite la formule ainsi trouvée en interrogeant Claudel, Mauriac, Giono, Ungaretti et Jouhandeau. Il lui revient aussi d'avoir essayé de dresser un petit art poétique du genre, en 1954, dans une conférence intitulée « Le roi Midas et son barbier [1] ». Cette conférence est en même temps un plaidoyer *pro domo* : Amrouche a été fort attaqué pour sa conception trop professorale de l'entretien, au moment même où la formule qu'il avait lancée était imitée et variée par d'autres réalisateurs : de 1949 à 1953, environ vingt-trois séries de ce genre ont été enregistrées et diffusées. Imitée, en France du moins. Car on ne trouve rien d'équivalent à l'époque, ni en Angleterre, ni aux États-Unis. La formule correspond sans doute à une conception spécifiquement française du rôle oraculaire de l'écrivain.

---

soumis, où l'on essaie de vous psychanalyser, et qui garde un côté un peu... escopette! En face d'un seul interlocuteur, on dit exactement ce qu'on veut dire. Comment ne pas préférer à un jeu où l'on essaie de vous surprendre une conversation avec quelqu'un qu'on a choisi et avec qui on est en confiance » (*Les Nouvelles littéraires*, 8 février 1951).

1. Conférence prononcée le 29 mars 1954 au Centre d'études radiophoniques, précédée d'une présentation par Jean Tardieu (phonothèque de l'INA).

3. DIFFUSÉ (1949-1953)

Le tableau ci-après donne la liste et les coordonnées principales des *séries d'entretiens* diffusées par la Radiodiffusion française entre 1949 et 1953. J'ai arrêté cet inventaire en 1953 parce que mon propos était d'étudier la naissance du genre, la période d'invention et de tâtonnements, du côté des réalisateurs et des modèles, la période d'éducation de l'écoute, du côté du public. Ce bouillonnement suscite de nombreuses polémiques, exactement comme en 1884 après l'invention de l'interview écrite [1]. Puis les polémiques retombent, le nouveau moyen de communication devient pour tout le monde l'une des données de la vie quotidienne, la pratique s'installe dans une sorte de « version moyenne » résultant des premières expérimentations. Et elle a déjà derrière elle de grands « modèles » (d'ailleurs diamétralement opposés), ceux des entretiens de Léautaud et de Claudel, que la presse littéraire et le public ont plébiscités.

Je n'ai retenu, dans cet inventaire, que les *séries*, comportant au moins sept émissions. Bien entendu ces séries, longues et prestigieuses, se détachent sur le fond d'une production, plus abondante, d'émissions biographiques, littéraires ou culturelles de courte durée *(Qui êtes-vous?, Une heure avec..., Incompatibilité d'humour, Tête de ligne, Mémoires à plusieurs voix, etc.)*. Si l'interview ou l'émission unique, ou la brève série, sont des procédures couramment appliquées aux notoriétés de toute grandeur et de tout domaine, la longue série d'entretiens a, elle, un champ spécifique. Les modèles ont été choisis presque exclusivement chez les écrivains (17) ou chez les musiciens (5), la seule exception étant René Clair, du côté du cinéma [2].

1. Voir par exemple, *contre* la nouvelle technique des entretiens, Pierre Audiat, « Confessions spontanées » (*Les Nouvelles littéraires*, 1er février 1951), et Maurice Bedel, « Les jeux de la parole » (*Ibid.*, 6 mars 1952). Et *pour*, les écrivains eux-mêmes et les réalisateurs, dans l'enquête « Le micro chez les écrivains », réalisée par *Les Nouvelles littéraires*, 8 février 1951.

2. Pourtant, dès la fin de 1953, Roger Lutigneaux a étendu le genre aux mémoires historiques d'hommes politiques, en réalisant une série de douze entretiens avec Alexandre Kerinski, qui fut diffusée ultérieurement.

D'autre part G. Charbonnier avait commencé à interroger des peintres, dans la série *Couleurs de ce temps* (vingt émissions, consacrées chacune à un peintre, du 20 octobre 1950 au 9 mars 1951). Certaines de ces émissions ont été publiées plus tard dans *Le Monologue du peintre* (Julliard, 1959-1960, 2 vol.), en même temps que des émissions de la série radiophonique *Le Monologue du peintre*, qui, elle, date de 1956-1957.

Écrivains	Interviewer	Titre de la série[1]	Nb[2]	Dates de diffusion[3]	Publication imprimée	Publication sonore
Gide (1869-1951)	Jean Amrouche	*Entretiens avec André Gide*	34	10.10.49... ...30.12.49		André Gide. *Entretiens* avec Jean Amrouche. Disques Adès, coffret de 2 disques 30 cm, 33 tours (7032). Publiés en 1969.
Colette (1873-1954)	André Parinaud	*Entretiens avec Madame Colette*	35	20.2.50... ...26.6.50		
Cendrars (1887-1961)	Michel Manoll	*En bourlinguant avec Blaise Cendrars*	13	16.10.50... ...30.11.50	*Blaise Cendrars vous parle...*, propos recueillis par Michel Manoll, montage par Albert Riera, Denoël, 1952.	
Léautaud (1872-1956)	Robert Mallet	*Entretiens avec Paul Léautaud*	38	7.12.50... ...19.3.51 et 9.5.51... ...11.7.51	*Entretiens* avec Robert Mallet, Gallimard, 1951.	Paul Léautaud. *Entretiens* avec Robert Mallet. Disques Adès, 6 disques 30 cm 33 tours (13.101 à 13.106). Publiés en 1967. (1. L'enfance; 2. Les années d'apprentissage littéraire; 3. Les poètes d'aujourd'hui; 4. Le petit ami; 5. La mort; 6. Les bêtes).
Cocteau (1889-1963)	André Fraigneau	*Entretiens avec Jean Cocteau*	14	26.3.51... ...14.5.51	*Entretiens* avec André Fraigneau, 10 × 18, 1965.	
Claudel (1868-1955)	Jean Amrouche	*Mémoires improvisés de Paul Claudel*	41	21.5.51... ...12.7.51 et 1.10.51... ...14.2.52	*Mémoires improvisés*, Gallimard, 1954. Nouvelle transcription, établie par Louis Fournier, Gallimard, collection Idées, 1969.	Paul Claudel. *Mémoires improvisés*. Coffret de 7 disques 30 cm 16 tours. Édité hors-commerce par la Société Paul Claudel en 1968.
De Ghelderode (1898-1962)	Roger Iglesis	*Images et visions d'un solitaire*	8	28.10.51... ...16.12.51	*Les Entretiens d'Ostende*, recueillis par Roger Iglesis et Alain Trutat, L'Arche, 1956.	

DUHAMEL (1884-1966)	Henri-Charles Richard	*Mémoires réels et imaginaires*	20	27.12.51... ...29.5.52		
BRETON (1896-1966)	André Parinaud	*Entretiens avec André Breton*	16	21.2.52... ...9.6.52	*Entretiens avec André Parinaud,* Gallimard, 1952. Repris dans la collection Idées, 1973.	
CARCO (1886-1958)	Michel Manoll	*L'auteur et ses personnages*	8	5.6.52... ...24.7.52	*Francis Carco vous parle... (L'auteur et ses personnages),* propos recueillis par Michel Manoll, montage par Albert Riera, Denoël, 1953.	
MAURIAC (1885-1970)	Jean Amrouche	*Ma vie et mes personnages*	40	16.6.52... ...31.7.52 et 21.10.52... ...16.1.53		François Mauriac. *Entretiens* avec Jean Amrouche. Disques Adès, coffret de 2 disques 30 cm 33 tours (7039). Publiés en 1971.
MONTHERLANT (1896-1972)	Pierre Sipriot	*Quinze soirées avec Montherlant*	15	21.10.52... ...3.2.53		
PAULHAN (1884-1968)	Robert Mallet	*Entretiens avec Jean Paulhan*	8	20.1.53... ...13.2.53	*Les Incertitudes du langage,* Gallimard, collection Idées, 1970 (d'abord édité dans les *Œuvres Complètes* au Cercle du Livre Précieux, 1966-1970).	
GIONO (1895-1970)	Marguerite Taos et Jean Amrouche	*Rencontres avec Jean Giono*	23	12.2.53... ...11.6.53 et 15.10.53... ...3.12.53		
FORT (1872-1960)	Michel Manoll	*Entretiens avec Paul Fort*	15	17.2.53... ...10.4.53		
BIBESCO (1890-1973)	Roger Lutigneaux	*Entretiens avec la Princesse Bibesco*	17	12.5.53... ...10.7.53		
BENDA (1867-1956)	Pierre Sipriot	*Colloques d'un Clerc*	15	2.7.53... ...8.10.53		

	Interviewer	Titre de la série[1]	Nb[2]	Dates de diffusion[3]	Publication imprimée	Publication sonore
MUSICIENS						
DUPRÉ (1886-1971)	Bernard Gavoty	*Entretiens avec Marcel Dupré*	8	5.12.49... ...30.1.50		
HONNEGER (1892-1955)	Bernard Gavoty	*Entretiens avec Arthur Honneger*	10	18.10.50... ...20.12.50		
ENESCO (1881-1955)	Bernard Gavoty	*Entretiens avec Georges Enesco*	20	25.1.52... ...4.7.52	Bernard Gavoty, *Les Souvenirs de Georges Enesco*, Flammarion, 1955.	
MILHAUD (1892-1974)	Claude Rostand	*Entretiens avec Darius Milhaud*	18	28.4.52... ...25.8.52	*Entretiens* avec Claude Rostand, Julliard, 1952.	
POULENC (1899-1963)	Claude Rostand	*Entretiens avec Francis Poulenc*	18	13.10.53... ...16.2.54	*Entretiens* avec Claude Rostand, Julliard, 1954.	
CINÉASTE						
CLAIR (né en 1898)	Georges Charensol et René Régent	*Rencontre avec René Clair*	12	19.10.51... ...4.1.52		

1. Les titres des séries abandonnent parfois l'indication générique (Entretiens, Rencontres, Soirées) pour jouer sur un rappel des titres d'œuvres de l'écrivain (Cendrars, Duhamel, Benda).

2. Nombre d'émissions dans la série.

3. Les séries sont ici classées dans l'ordre chronologique de leur diffusion. Mais certaines séries ont été enregistrées bien avant d'être diffusées. Les entretiens avec Benda ont été faits en 1950, en même temps que ceux de Léautaud; ceux de Breton en 1950-1951, ceux de Carco en 1951, ceux de la princesse Bibesco en 1952.

En général, les séries étaient diffusées par la Chaîne Nationale. Mais les entretiens avec Honneger, Milhaud et Poulenc, et la seconde partie des entretiens avec Paul Léautaud, ont été diffusés par Paris-Inter; les entretiens avec Michel de Ghelderode, sur Paris-IV Club d'essai.

Les enregistrements de tous ces entretiens sont conservés à la Phonothèque de l'Institut National de l'Audiovisuel (Maison de la Radio). (Seule la série Colette est incomplète, il ne reste plus que les sept premiers entretiens et le vingt-sixième.)

C'est seulement plus tard que la formule sera utilisée par exemple pour des peintres (André Masson, interrogé par Georges Charbonnier en 1957), pour des ethnologues (Claude Lévi-Strauss, interrogé en 1959 par Georges Charbonnier également), etc. Aujourd'hui la technique de la série d'entretiens (et son sous-produit direct, le livre-entretien) semble applicable à toutes les spécialités du monde intellectuel, du journaliste au philosophe, en passant par l'acteur ou le savant, et même aux personnalités politiques. Il n'y a pas de raison qu'ils soient moins intéressants radiophoniquement à entendre. Mais en ces temps d'invention, il semblait plus sûr de s'adresser d'abord à ceux qui, comme les écrivains, incarnaient la forme la plus traditionnelle de la gloire, et qu'on supposait doués du génie de l'expression, et à ceux qui, comme les musiciens et les écrivains, produisaient des œuvres dont la radio pouvait donner des échantillons.

La série d'entretiens, d'autre part, a d'abord été conçue comme une entreprise de préservation (six des écrivains ont entre soixante-dix-sept et quatre-vingt-quatre ans au moment où leurs entretiens sont diffusés) ou de consécration (les onze autres ont entre cinquante-trois et soixante-neuf ans, les plus jeunes étant Ghelderode, Breton et Montherlant). Aucun écrivain né après 1900, c'est-à-dire ayant moins de la cinquantaine, ne figure dans cette première fournée. La série d'entretiens suppose une gloire déjà acquise et consacrée, qui assure une écoute régulière. Ce n'est qu'exceptionnellement une épreuve de repêchage pour écrivain tombé dans l'oubli : Léautaud est le seul exemple d'une telle survie acquise *in extremis*, et due à la « présence » radiophonique. La série d'entretiens n'est donc pas axée sur l'actualité littéraire, les débats en cours, les tendances nouvelles, les œuvres en train de se faire. Personne n'a eu l'idée, vers 1950, de consacrer une série d'entretiens à des personnalités comme Sartre ou Camus : eux-mêmes y auraient sans doute vu une forme d'embaumement prématuré. Leur place à la radio était ailleurs, dans les interviews et débats, là où on pouvait agir, et non être consommé comme bien culturel. En fait la série d'entretiens a une vocation rétrospective et historique, virtuellement posthume, et elle tend à rivaliser avec les genres écrits de la biographie et de l'autobiographie. Il faut, pour y accéder, avoir l'âge des Mémoires [1].

1. Les interviewers, eux, journalistes ou écrivains, ont pour la plupart aux environs de trente-cinq ou quarante ans (Jean Amrouche est né en 1906, André Fraigneau en 1907, Michel Manoll en 1911, Robert Mallet en 1915). Le rapport d'entretien est un rapport de génération. Il est aussi parfois un rapport d'amitié, l'interviewer se trouvant être un disciple ou un familier (comme Amrouche avec Gide, Fraigneau avec Cocteau, et plus tard Jean Carrière avec Giono).

La série d'entretiens se différencie de l'interview par sa longueur, qui entraîne un changement du type de relations entre le modèle et le public. La technique est celle du *feuilleton*. Chaque émission dure environ vingt minutes [1], ce qui est un bon dosage pour que l'attention de l'auditeur ne se relâche pas, et qu'il reste avec le désir d'entendre la suite plutôt qu'avec le soulagement que ce soit enfin fini (on supporte difficilement au-delà d'une demi-heure l'écoute d'une émission dialoguée continue). Chaque tranche du feuilleton est précédée et suivie d'un indicatif musical qui permet d'identifier la série (par exemple : piano pour Colette, sirènes de navires pour Cendrars, musique de film pour Cocteau, Bach pour Duhamel, musique primitive pour Breton, etc.), la première émission étant de plus coiffée d'une déclaration solennelle de l'interviewer décrivant son projet et vantant sa réalisation [2]. Les entretiens étaient diffusés en général le soir, vers 21 ou 22 heures, sur la chaîne Nationale, où ils meublaient deux fois par semaine (lundi et jeudi) l'entracte du concert symphonique. Les séries étaient de longueur fort inégales : Claudel eut le record avec quarante et une émissions, la moyenne

1. Parfois plus, mais il s'agit alors de séries qui combinent la formule de l'entretien avec celle de l'émission littéraire (lecture d'extraits d'œuvre, commentaires de présentation), l'entretien lui-même dépassant rarement quinze ou vingt minutes. C'est le cas par exemple pour les entretiens avec Duhamel et Montherlant et pour les entretiens avec les musiciens, qui comportent des illustrations musicales.

2. Le prologue d'entretiens radiophoniques est un micro-genre (variété « sonore » de la préface) fort intéressant sur le plan de la *voix* et de la *stratégie rhétorique*.

L'annonce est faite sur un ton déclamatoire, par une sorte de voix-objet qui ne s'adresse pas vraiment à l'auditeur, mais qui « se donne à entendre », exactement comme un texte imprimé se donne à voir. Ce n'est pas l'interviewer qui parle; la Radio en personne parle par sa voix (qu'on imagine en majuscules sur une belle page de garde). Bien sûr, le texte est *lu*, et lu trop fort, à la cantonade : exactement comme au début du téléphone, quand les utilisateurs croyaient nécessaire de parler très fort pour se faire entendre « loin », confondant l'émetteur avec le cornet acoustique d'un sourd. Ces deux contraintes (lecture et « cantonade ») pèsent non seulement sur la voix des prologues, mais sur l'énonciation de beaucoup d'interviewers pendant l'interview elle-même, et ce de manière d'autant plus spectaculaire que les modèles, eux, parlent plutôt comme dans la vie courante. Il est rare qu'un entretien commence tout de suite par une conversation avec le modèle, qui remplisse la fonction du prologue (comme le fait maintenant Jacques Chancel au début de ses « Radioscopies »).

Sur le plan rhétorique, le prologue a pour fonction de mobiliser les présupposés qui rendront possible l'écoute : affirmation de la célébrité et de la valeur du modèle (croyance qui permet de supporter, et souvent de ne pas même percevoir, les défauts du dialogue ou de la performance radiophonique), annonce claironnée d'un apport original d'information (secret, dévoilement, rideau levé sur l'envers des choses) qui programme l'attitude d'écoute et souvent propose sous une forme condensée (comme les prières d'insérer) un jugement tout fait sur ce qu'on va entendre.

s'établissant autour de la vingtaine d'émissions. La diffusion de la série s'étalait donc souvent sur plusieurs mois (trois mois pour Gide, pour Colette, six pour Claudel, et pour Léautaud), les séries les plus longues étant coupées par quelques mois d'interruption (Claudel, Mauriac) et changeant éventuellement de poste (Léautaud, qui termina sur Paris-Inter).

L'étalement dans le temps permettait de toucher un public considérable (stratégie de harcèlement), en accrochant en cours de séries de nouveaux auditeurs : il est vrai qu'en sens inverse la série trop longue, si elle n'est pas excellente, peut créer un effet de satiété nuisible au genre. Sans doute les auditeurs qui écoutèrent intégralement chaque série ont-ils été relativement peu nombreux par rapport à ceux qui pratiquèrent une écoute partielle ou épisodique. Mais, même irrégulière, cette écoute donnait à l'auditeur l'impression de devenir un familier de l'auteur, de s'habituer à lui progressivement, et de finalement le reconnaître. Ni les transcriptions, ni même la publication en disques ne restituent cet effet. On pouvait manquer sans trop de dommage des épisodes : le « feuilleton » n'était pas fondé sur un suspense dramatique, on n'attendait pas le numéro suivant pour des révélations. On faisait plutôt un bout de route avec l'auteur, en redécouvrant de son point de vue un itinéraire dont la ligne générale était sans surprise. On sait que la radio a déclenché une véritable manie épistolaire : l'auditeur désirait franchir la barrière et rendre la communication réciproque. Les écrivains à leur tour bénéficièrent de cette *réponse* du public. Colette, Cendrars et surtout Léautaud, semblent avoir reçu un énorme courrier. Bien évidemment ce type d'illusion (que la télévision a porté encore plus loin : on reconnaît dans la rue l'écrivain passé à « Apostrophes », et on a tendance à croire qu'il devrait vous reconnaître) n'avait jamais pu auparavant être produit par l'interview écrite.

Le feuilleton crée l'impression d'un temps passé *avec* l'écrivain. On le retrouve de semaine en semaine. La périodicité, jointe à l'*inédit*, finit presque par produire l'effet du direct. Bien sûr, c'est là aussi une illusion. Toutes les émissions sont faites en différé, et il n'existe rien à l'époque qui ressemble aux quotidiennes « Radioscopies » en direct de Jacques Chancel. Presque toujours, la série commence à être diffusée alors que les enregistrements et le montage de l'ensemble sont terminés : il n'y a donc pas de « feed-back » de l'écoute d'une émission sur les suivantes. Tout se déroule en vase clos, et selon un temps différent, périodique lui aussi. Il est assez rare qu'une série d'entretiens soit enregistrée d'un bloc, comme celles de Cocteau, réalisées en deux après-midi de quatre heures. Le plus souvent, elles sont réalisées en séances d'environ une heure, étalées sur un certain temps (quatre mois pour Gide, trois mois pour Léautaud). L'enregistrement se fait à Paris, en studio; mais il arrive aussi que l'interviewer aille interroger son modèle sur place et qu'il en profite, en parlant ou en expliquant les bruits de fond, pour faire entrer dans l'entretien un espace familier : Giono revient d'une promenade sous la pluie, on voit des paysages de la Touraine par la fenêtre de Francis Poulenc, on entend le bruit des rues d'Ostende par celle de Ghelderode. L'enregistrement et la diffusion en différé donnent bien sûr au modèle et à l'interviewer une certaine sécurité. Mais c'est une aide psychologique plutôt que pratique. Sauf dans le cas d'entretiens écrits à l'avance et lus, il ne saurait être question de recommencer plusieurs fois toute une séquence sur un même sujet, sous peine de perdre tout naturel [1]. Le montage sert surtout au calibrage des « tranches » de feuilleton, à la toilette du discours (élagage des silences, des faux départs, des moments mal venus, quelques rectifications ponctuelles) et à l'amélioration du rythme. Bien évidemment, il ne peut pas suppléer à une structuration qui aurait été absente au moment de l'entretien lui-même, il ne peut que mettre en valeur le dialogue qui a eu lieu.

A quelles règles obéit ce dialogue? La situation de communication créée par la radio est tout à fait nouvelle, et il peut être plus nuisible qu'éclairant de projecter directement sur elle les règles des genres existants, dont elle a bien sûr eu tendance à s'inspirer : l'interview journalistique par question et réponse (modèle principal), le dialogue littéraire écrit (de Platon à Valéry), le dialogue théâtral (construction de scènes, équilibrage de rôles, jeux de voix), la conférence (glissement du dialogue au monologue), et, en sens opposé, ce qui n'est pas à proprement parler un genre littéraire mais une situation de discours qui a servi de mythique modèle de référence, la « conversation ordinaire » et familière. Il vaut mieux analyser d'abord la situation de communication elle-même, dans toute sa complexité, qu'Amrouche a essayé de démêler de la façon suivante :

> La règle du jeu n'est pas si simple, dès lors en effet que ce jeu implique plusieurs acteurs qui se trouvent représentés par deux protagonistes. Car ce jeu prête à d'innombrables malentendus. Quand je parle de plusieurs acteurs, je voudrais simplement vous demander d'analyser

1. Les rectifications sont donc locales et mineures. Ainsi Léautaud, après la fin de ses entretiens, dut retourner à la radio « pour la révision de l'ensemble, les parties mal venues à recommencer, à mettre au net, comme les parties excessives à retrancher » (*Journal littéraire*, t. XVIII, Mercure de France, 1964, p. 82).

le contenu réel de ces deux personnages, ou du moins ce qu'ils représentent exactement. Il y a l'auteur de l'instant, du temps; il y a sa figure mythique, que son interlocuteur lui tend sans arrêt comme une effigie de lui-même, constamment retouchée, reprise, mais qui est, vis-à-vis de l'auteur réel, une déformation permanente de sa figure; il y a l'interlocuteur lui-même, qu'on ne peut pas totalement annuler, qui ne peut pas, le voudrait-il, s'annuler totalement, cet interlocuteur qui n'est pas tellement lui-même que le représentant d'un certain public dont il se forme une certaine image et dont il pense qu'il est là pour poser les questions que le public aimerait poser; il y a enfin le public lui-même, qui est présent bien qu'invisible; et aussi un terrible petit personnage qui est le micro — bref vous pouvez vous amuser à dénombrer ce que j'appelle ici des acteurs, qui sont plutôt des représentations, des fantasmes reflétés et réfractés indéfiniment les uns par les autres[1].

Peut être faut-il distinguer dans ces jeux de miroir deux dimensions, comportant chacune de multiples facteurs :

— *la situation de communication* qui est faite de l'*imbrication* de deux situations différentes, le dialogue du modèle et de l'interviewer n'étant pas un vrai dialogue au premier degré, mais la construction d'un message adressé en commun à un destinataire virtuel[2];

1. « Le roi Midas et son barbier », *op. cit.* (cf. p. 120, n. 1).

2. Dans « Pour une typologie des messages oraux » (in *La Grammaire du français parlé*, sous la direction d'André Rigault, Hachette, 1971), Jean Peytard traite l'interview (radiophonique) comme si elle était une situation de communication simple, sans paraître remarquer cet emboîtement. Pourtant une réflexion rapide permet de distinguer les deux niveaux :

(a) *X interroge Y qui lui répond.* Ce qui se passe entre eux est une conversation (échange entre deux interlocuteurs qui sont l'un pour l'autre des récepteurs « actuels, proches et immédiats », pour prendre la terminologie de J. Peytard); mais c'est un *genre particulier* de conversation : en effet, quoiqu'il y ait échange, il n'y a pas réversibilité des rôles : c'est toujours X qui interroge, toujours Y qui répond; si les rôles étaient réversibles, on serait dans un autre genre particulier, le dialogue. D'autre part chacun des interlocuteurs de (a) sait que (a) sera communiqué à un vaste public, qui est le destinataire ultime. Du coup tous les actes de parole sont « au figuré » : X n'interroge pas pour son propre compte, mais sert de médiateur à la curiosité supposée du public, et c'est comme cela que Y reçoit ses questions; et quand il répond à X, il répond en même temps au public. La situation de Y est la plus confortable, puisque ses deux destinataires se trouvent « dans la même direction », si je puis dire, tandis que X est dans une position d'intermédiaire, et parle à la fois « derrière lui » (au public qu'il prend à témoin de la question qu'il pose en son nom) et devant lui (à Y auquel il pose la question), à cheval entre le discours à la cantonade et la conversation privée.

(b) *Un média quelconque* (radio, télévision, cinéma, disque...) *transmet* (a) *à des récepteurs virtuels.* Il ne s'agit plus ici de relations entre des locuteurs, et l'analyse strictement linguistique de J. Peytard devrait être relayée par une analyse des

— *les jeux de représentation :* l'auteur est quelqu'un qui a construit une image de lui-même dans ses écrits, et donc le public a, lui aussi, construit une image, qu'il désire à la fois reconnaître et enrichir; quant au public (comme instance de dialogue), c'est lui aussi une image, éventuellement différente chez chacun des deux interlocuteurs, et toujours d'ailleurs, à la radio, multiple.

Dans aucun des genres que j'ai évoqués plus haut, un interlocuteur ne se trouvait placé dans une situation si compliquée, et obligé de faire face *dans l'instant* à une telle sollicitation. Amrouche insiste à juste titre sur les risques de l'entreprise : il suffirait d'ajouter le direct (comme chez Chancel) et l'image (comme chez Pivot), pour avoir la difficulté maximum. Placé au centre du système, et dans la situation la plus inconfortable, l'interviewer lui-même : c'est en effet à lui (et non à l'écrivain) qu'il incombe de mesurer tous les facteurs en présence, et de réaliser par son comportement l'équilibre qui assurera la communication. Il suffit de très peu de chose pour tomber dans l'artificiel, le fastidieux, ou le ridicule. Et, comme le fait remarquer Amrouche, on aura tendance à attribuer le succès à l'écrivain, et l'échec à l'interviewer.

Cette complexité même fait qu'il n'y a pas de « recette » à appliquer, et que chaque réalisateur doit inventer. Amrouche raconte qu'il a eu l'idée d'interviewer Gide en jouant aux échecs avec lui : pourquoi ne pas remplacer l'échiquier par un micro? La seule analogie sérieuse qu'on peut voir entre le jeu d'échecs et l'entretien, c'est la difficulté qu'il y a à maîtriser tant de facteurs à la fois. Dans ces années 1949-1953, les pionniers ont donc inventé des solutions très différentes. Pour en donner une idée, j'ai choisi d'abandonner le discours suivi et de proposer, sous la forme plus directe de notes d'écoute (et de lecture), mes propres réactions en face des solutions choisies, tout en formulant, à mesure qu'ils se présenteront, les problèmes théoriques qu'elles soulèvent. Cela implique naturellement une certaine partialité, des jugements un peu tranchés ou expéditifs. Mais c'est la règle du jeu, dans une société de spectacle comme est aujourd'hui la nôtre. L'auditeur (ou le spectateur) a le droit d'être satisfait, et, s'il ne

---

médias. Mais comme, dans l'interview (et dans beaucoup d'autres genres radiophoniques), la situation (b) a été introjectée et anticipée dans la situation (a), les récepteurs virtuels trouvent leur place, assistant en tiers à une conversation truquée dont ils savent bien qu'ils sont les vrais destinataires.

Sur la pratique de l'interview, on peut consulter avec profit les études de Pierre Dumayet et d'Edgar Morin publiées dans *Communications* 7, 1966.

l'est pas, de baisser le pouce, comme un empereur romain, en tourn ant le bouton [1].

4. ÉCOUTÉ

SACERDOCE (JEAN AMROUCHE)

Inventeur du genre, Jean Amrouche s'est attaqué de préférence à des « génies » ou à des écrivains « grand format », guides spirituels déjà canonisés ou en passe de l'être. Il se comporte en Grand Prêtre de leur culte, et se fait une très haute idée de sa mission [2].

Projet. Pour Gide, par exemple, le projet est double. Il désire « l'aider à combler une certaine lacune de son œuvre », ses mémoires qu'il a laissés inachevés. Il lui faudra en rabattre; les entretiens ne contiennent guère d'information originale, et sont même très en retrait par rapport à l'autobiographie publiée [3]. C'est en fait avec Claudel que cet aspect du projet sera le mieux réalisé. D'autre part, il veut surtout « établir un document historique d'une authenticité irréfutable (...) comportant l'examen général d'une œuvre et comme le jalonnement d'une existence ». Idée ambitieuse, qui consiste à faire avec l'auteur l'histoire littéraire de son œuvre. Aussi le dialogue est-il souvent conçu, moins comme une performance orale, que comme

1. Tous les entretiens ici répertoriés sont conservés à la Phonothèque de l'Institut National de l'Audiovisuel (Maison de la Radio).

Je remercie tout particulièrement Suzanne Legrand qui m'a aidé à établir cet inventaire, et m'a guidé dans les écoutes.

2. Sur le travail radiophonique d'Amrouche, voir d'abord sa conférence « Le roi Midas et son barbier » (cf. p. 120, n. 1). Pour les entretiens avec Gide, on dispose du « journal d'écoute » d'une auditrice spécialement qualifiée, Maria Van Rysselberghe (*Les Cahiers de la Petite Dame*, t. IV (1945-1951), Cahiers André Gide n° 7, Gallimard, 1977, p. 150-166), qui critique de manière assez méchante mais fort pertinente la stratégie d'Amrouche. L'accueil de la presse fut tiède, un peu agacé (*Les Nouvelles littéraires*, 20 octobre 1949 et 19 janvier 1950). Les entretiens avec Claudel, eux, furent un succès, et contribuèrent, avec les entretiens Léautaud/Mallet, à légitimer le genre. Voir, dans *Les Nouvelles littéraires* du 11 octobre 1951, « A l'écoute de Claudel », déclarations d'André Maurois, Jacques Madaule, etc., et une interview d'Amrouche. Voir aussi en 1954, à l'occasion de la sortie des *Mémoires improvisés*, une interview d'Amrouche par Jean Duché, et de Claudel par Stanislas Fumet (émission « La vie des lettres », 23 mars 1954).

3. Il était peu réaliste de penser que Gide, spécialiste des éditions confidentielles (*Et nunc manet in te*, tiré à treize exemplaires en 1947, et réservé au posthume) dirait quoi que ce soit d'intime devant des dizaines de milliers d'auditeurs.

un relais entre deux écritures, celle de l'œuvre, en amont, et en aval celle du livre tiré des entretiens et qui la couronnera [1]. Pour être à la hauteur de l'écrivain pendant leurs longues heures de tête-à-tête, Amrouche se prépare de manière intensive par la lecture. Par exemple, il relit à la suite toute l'œuvre de Claudel dans l'ordre où elle a été composée, pour saisir son unité organique et son développement interne. Chaque séance d'entretien est elle-même d'autant plus préparée (délimitation d'un champ et d'une trame de questions, mise au point d'interventions) qu'Amrouche demande à l'écrivain interrogé de venir sans préparation, sans même savoir de quoi on va parler, pour ne pas compromettre sa spontanéité. L'écrivain y risque quelque chose, certes, mais Amrouche encore plus, puisque la dérive de la conversation peut l'éloigner du thème prévu.

Impression d'écoute. Voix d'Amrouche sonore, éclatante, guindée, pompeuse, écrite, insoutenable. Ane chargé de reliques, brayant. Sa voix écrase tout autour de lui, coupe la communication, et glace aussi bien l'auditeur que l'écrivain interrogé [2]. Il veut hausser le public au niveau de l'homme de génie; d'où un didactisme à la fois lourd et allusif, le contraire d'une vulgarisation intelligente qui mettrait l'homme de génie, ou de grand talent, au niveau du public, comme le fait Bernard Pivot, parfois. Le grand public ne peut se reconnaître dans les questions, et se sent honteux d'ignorer tant de belles choses. Degré de spécialisation trop poussé, réservant une grande partie de ces entretiens à un public étroit, déjà averti, un public de lecteurs et non d'auditeurs. Et Amrouche veut aussi hausser l'homme de génie... à son propre niveau, si je puis dire, en le mettant en demeure d'être génial devant le micro. L'écrivain passe un examen, presque une soutenance de thèse (parfois Amrouche connaît son œuvre mieux que lui). Son examinateur, qui est en même temps son avocat, a peur qu'il ne soit pas à la hauteur. En parlant, Amrouche donne le « la », lui indique la tenue de langage requise, et l'incite à prendre la pose (comme un photographe 1900 : tenez-vous bien, la postérité nous regarde).

Dialogue. Se déroule comme dans un livre : répliques cohérentes, sagement alternées. On a parfois l'impression que Gide et Amrouche

1. Voir par exemple le projet de livre soumis à Gide (*Les Cahiers de la Petite Dame*, *op. cit.*, p. 153), que Gide d'ailleurs refusa.

2. La comparaison avec l'âne, irrespectueuse et injuste, m'a sans doute été suggérée par association avec la légende de Midas. A dire vrai, ce type d'éloquence se retrouve chez d'autres présentateurs : c'est le style radio de l'époque, qui contraste avec le langage plus détendu employé aujourd'hui sur les chaînes culturelles.

ne se parlent pas, mais dictent tous deux à un secrétaire. Amrouche incarne tellement la postérité qu'il est difficile d'avoir un contact personnel avec lui. Contraste des voix : la belle voix cultivée de Gide paraît toute simple, le souffle ténu de Mauriac fragile, la coulée mélodieuse de Giono limpide, à côté de ces fanfares impérieuses. Stratégie des auteurs : passivité de Gide, qui suit Amrouche, sans doute parce qu'il n'avait rien d'autre à dire que ce qu'il avait déjà écrit, et ne cherche guère à établir un contact avec le public qui, malgré tout, était derrière Amrouche. C'est donc moins Gide par lui-même que Gide personnage d'Amrouche. De la part de quelqu'un qui était si avide de « biais », si sensible aux problèmes de la présentation de soi, cette soumission à un interviewer pontifiant déçoit. Giono, lui, se montre dès le départ réticent : « je me méfie des gens qui viennent de Paris », dit-il aimablement à Amrouche. Claudel est celui qui donne l'impression de résister le mieux. Sans doute parce qu'il avait à dire des choses qu'il n'avait pas écrites (ou du moins pas publiées). Il suit le fil de son propre discours : sa parole paysanne, ruminée, vise la longue distance. Il sait où il va, et on a l'impression que sa parole passe *par-dessous* celle d'Amrouche, et que c'est elle qui donne aux entretiens leur véritable unité.

Une des raisons de l'échec radiophonique de certains de ces entretiens (en particulier ceux avec Gide et avec Mauriac), c'est ce qui fait par ailleurs leur exceptionnelle qualité : la compétence d'Amrouche, le travail d'examen critique, en compagnie de l'auteur, de son œuvre entière. Amrouche prend sa revanche dans le livre : les *Mémoires improvisés* de Claudel sont une remarquable somme d'histoire littéraire, et un codicille à l'œuvre même de Claudel. Mais l'obsession de l'œuvre aboutit souvent à contraindre l'auteur à rester dans le registre du langage critique, ou des souvenirs littéraires. Amrouche a de la peine à atteindre ce qu'il vise lui-même accessoirement et qui sera le but principal d'autres interviewers : susciter un autoportrait actuel de l'auteur, « en dehors de son écriture », et favoriser une « création verbale » qui soit une sorte d'écho sonore du travail d'écriture (c'est-à-dire satisfaire la double demande mythologique de l' « homme au naturel », et du « style dans la voix »).

Voix. Sur ce plan, toutefois, les entretiens avec Claudel ont été un succès. Les auditeurs ont apprécié, outre la puissante personnalité qui s'imposait, une voix, qu'ils ne trouvaient sans doute si remarquable que *parce qu'ils l'écoutaient à la lumière de l'écriture*. Je citerai *in extenso* les réactions de Maurois et de Madaule, qui illustrent de manière exemplaire ce qu'on pourrait appeler « l'effet Claudel » :

> La voix de Claudel aide ceux qui connaissent l'homme Claudel à entrer de plain-pied dans l'œuvre. Cette voix est vigoureuse, âpre, dominatrice, et pourtant savoureuse et cordiale. Elle mâche les mots avec force, elle détache les syllabes, elle se meut parmi les phrases et les propositions comme le soc de charrue parmi les mottes de terre brune. Elle creuse dans le champ des idées un sillon inflexible et profond, mais les pierres et les bêtes des champs, et les plantes arrachées, grouillent, dans cette ligne droite, d'une vie chaotique. Elle est une voix très française, mais provinciale, champenoise, paysanne. « Qui a mordu la terre, dit Claudel, il en conserve le goût entre les dents [1]. »

Pour l'auditeur moyen (et pour Maurois lui-même) c'est sans doute plutôt l'œuvre qui permettait d'entrer de plain-pied dans la voix...

> Un des grands attraits de ces émissions est de nous faire entendre *Claudel créer*. Claudel est un écrivain qui parle ce qu'il écrit, et, au cours de ces entretiens, on sent le style de Claudel venir d'une sorte de « grommellement » intérieur. Il improvise réellement, il débite les phrases telles qu'elles sortent toutes bouillantes de l'atelier, avant d'être refroidies par l'écrit [2].

Il *se ressemble*. L'entretien radiophonique paraît donc spécialement indiqué pour les écrivains dont le style évoque la parole. C'est ce qui justifie le choix d'un Giono, remarquable conteur, qui avait dicté certains de ses livres *(Fragments de paradis)*, et que Jean Amrouche est allé interroger avec sa sœur Marguerite Taos avec l'idée non seulement de le faire classiquement parler *de* son œuvre, mais de lui faire *parler son œuvre :* ne pourrait-il pas, par exemple, raconter la suite du *Hussard sur le toit* [3]?

Autocritiques. La mienne : des jugements un peu rapides dictés par l'agacement — Amrouche est insupportable, Gide, Claudel et Mauriac sont radiophoniquement médiocres (chose qui demande un certain courage à dire : le roi Midas est nu!). Mais Amrouche était un pionnier, il était difficile de trouver du premier coup une solution satisfaisante et sa pratique s'assouplit quelque peu avec le temps. Et puis Amrouche a fait lui-même son autocritique (il est vrai sans

1. A. Maurois, *Les Nouvelles littéraires*, 11 octobre 1951.
2. J. Madaule, *ibid.*
3. Giono a enregistré plusieurs séries d'entretiens, avec Jean Amrouche et Marguerite Taos en 1953, avec Marguerite Taos seule en 1954 (*Propos et Récits de Jean Giono*, diffusés en 1955), puis avec Jean Carrière en 1965 : ce sont ces derniers qui ont fourni la matière des deux disques publiés en 1972 par Adès.

paraître s'en rendre compte) en terminant ainsi sa conférence sur le Roi Midas :

> On exige, on attend de lui (l'auteur), que chacune de ses paroles soit comme l'aboutissement de toute son œuvre. On veut que ce moment qu'il aura donné soit chargé de toute son histoire et en quelque manière que le mouvement dialectique de toute son existence trouve ici, dans cet instant même, son achèvement. Eh bien, Mesdames et Messieurs, c'est une exigence inhumaine et démesurée..

CURIOSITÉ (ENTRETIENS COLETTE-PARINAUD)

L'exigence n'est ici ni inhumaine ni démesurée. Si Amrouche était radiophoniquement pénible, c'était du moins un interlocuteur intelligent et compétent, et ses émissions avaient une haute tenue. Ici, c'est l'inverse, et le spectacle radiophonique naît de l'insuffisance de l'interviewer, qu'un écrivain hautement malicieux fait tourner en bourrique [1].

Voix. Surprise d'abord d'entendre la voix de Colette, plus provinciale et paysanne que celle de Claudel. On nous avait annoncé « une grande dame » (prolôgue pompeux des entretiens), on entend une vieille paysanne roublarde et charmeuse, qui joue de sa province comme d'autres jouent de leur physique. On rêve à ce que devait être cette voix *jeune*, cette voix qui l'empêcha de faire du théâtre, et la poussa au mime — et à l'écriture. Voix « bourrrguignonne », qui frappe par son naturel (hésitations, exclamations, reparties vives) et par son caractère finaud et concerté (rien d'irréfléchi, elle sait le parti qu'elle peut tirer des différents registres de son « naturel »). Autant la prononciation et le rythme ont une saveur provinciale, autant la langue elle-même est raffinée et hypercorrecte. Deux remarques, en passant, sur cette voix tant vantée :

1. Cette voix est séduisante dans les entretiens radiophoniques, c'est-à-dire dans une situation relativement naturelle d'improvisation. En revanche, quand on fait lire à Colette ses propres textes, ou qu'elle enregistre pour un disque un texte déjà rédigé, elle me

1. Sur le comportement de Colette en face de l'interviewer, voir son propre témoignage dans *Le Fanal bleu* (Ferenczi, 1949, p. 90-93), et celui de Claude Gregory, « La leçon d'interview chez Colette », *Arts*, 17-23 avril 1952. Sur ses entretiens avec Parinaud, voir ses déclarations, prudentes, dans *Les Nouvelles littéraires*, 8 février 1951.

devient proprement insupportable d'artifice [1]. L'exercice de diction, en surimposant le style et la voix, détruit le charme qu'ils ont chacun séparément. Du moins dans ce cas.

2. Avoir entendu la voix de l'auteur lisant ses textes modifie bien sûr la lecture que l'on en fait ensuite. Contrairement à ce qu'on prétend généralement, il ne me semble pas que le texte y gagne grand-chose. La voix *reparticularise* l'image de l'auteur qui s'était élaborée dans l'écriture, lui enlève sa généralité, la réinsère dans une contingence peut-être intéressante pour l'histoire littéraire, mais nuisible à la plasticité de l'écriture. Colette lisant *Sido* me gâche *Sido*, en m'empêchant de l'interpréter à ma guise. J'avoue donc ne pas regretter que la voix de Victor Hugo, ou celle de Proust, se soient entièrement perdues.

Dialogue. Mais ici Colette ne lit pas un texte : sa voix est affrontée à une autre voix, qui la met en valeur. Et ce d'autant plus que, faute d'accord entre les deux interlocuteurs, le dialogue prend souvent un tour comique. André Parinaud, dans les premiers entretiens, qui portent sur les *Claudine*, se comporte comme le représentant d'un public très moyen, affriolé de clés, assoiffé d'aveux (sur la vie, conjugale ou non, des personnes concernées, sur les dessous de la collaboration littéraire avec Willy, etc.). Il tire à bout portant des rafales de questions commençant par l'une des formules suivantes : « Pourriez-vous me dire... Pourriez-vous me donner des précisions sur... Je voudrais savoir... Vous ne pensez pas que... » Colette, narquoise et réticente, manifeste peu d'ardeur à collaborer avec ce jeune blanc-bec. On reste dans une perspective d'*interrogatoire :* il est rare que l'entretien « prenne », c'est-à-dire que Colette ait l'initiative d'un récit de quelque ampleur, ou, par association d'idées, enchaîne elle-même sur un sujet voisin. Elle laisse Parinaud patauger et parfois, d'un coup sec, elle lui enfonce la tête dans l'eau. Elle se dérobe habilement aux questions qu'elle juge déplacées, souligne les questions idiotes (Parinaud lui demandant quand elle... est née, elle lui conseille de consulter le dictionnaire). Elle répond au coup par coup, non comme si elle participait à un travail commun et à l'élaboration d'une « œuvre ». Parinaud, lui, s'obstine, et on l'admire de ne pas se décourager, ou se vexer. C'est qu'il se sent soutenu par l'immense curiosité du public, au nom duquel il livre assaut à cette vieille dame.

1. Ainsi dans le disque *Colette vous parle*, disques Festival, coll. « Leur œuvre et leur voix » (FLDX 34). Ce disque est le premier d'une collection qui associe une déclaration (lue ou parlée) de l'auteur, éventuellement un fragment de son œuvre lu par lui, et des lectures faites par des comédiens.

Du coup, ces entretiens assez incohérents sont fort amusants à écouter. La qualité radiophonique d'un spectacle n'est pas liée, comme le croyait trop Amrouche, à la haute tenue intellectuelle des propos échangés. C'est d'abord une question dramaturgique : une certaine « différence de potentiel » fait passer le courant. Ici, le désaccord fondamental des interlocuteurs sur la fonction de l'entretien, et la maladresse de Parinaud créent une situation virtuellement comique, exploitée par Colette. Et ce jeu n'est pas sans signification : il projette une vive lumière sur l'espace même dans lequel s'inscrit l'œuvre de Colette, l'espace autobiographique.

Curiosité. Parinaud présente comme une caricature du lecteur de fiction, obsédé par les problèmes de la ressemblance et du secret. Au moment où il s'efforce de « revenir » à la réalité historique, il ne fait que prolonger le plaisir de la fiction : il est comme un avare qui croirait doubler son trésor en le regardant dans un miroir. L'interview télévisée n'a pu que renforcer cette tendance : elle impose à tout auteur de fiction une torture autobiographique à laquelle il ne saurait échapper, sa simple présence physique étant déjà par elle-même comme un aveu :

> L'interview d'un romancier, c'est cela. C'est : vous avez écrit ceci, à telle ou telle page, que je peux considérer ou non comme un aveu, à vous de me le dire. Je posais des questions dans ce sens. Un livre c'est quelque chose de secret. Faire parler de quelque chose de secret, c'est difficile. Mais c'est cette difficulté-là qui me paraît être l'intérêt de l'interview. L'auteur est dans une situation inquiète, une situation de secret violé. La télévision, si elle récolte correctement cette émotion, fait un travail qui va dans le sens de la littérature [1].

Elle va surtout dans le sens de la lecture autobiographique, qui n'est qu'une des directions possibles (et sans doute la plus facile) dans cette recherche du secret que provoque la littérature, et qui s'épuise ici dans l'anecdote et la tautologie. Son excuse, c'est que cette attitude est provoquée par le système de l'édition et par les auteurs eux-mêmes. Aussi est-il intéressant ici de voir Colette se débattre dans ce piège qu'elle a contribué à monter. Ces entretiens mettent en effet en évidence une dimension de son œuvre qu'on a tendance à sous-estimer parce qu'elle a publié de nombreux textes personnels : le refus de l'autobiographie, dans sa double dimension de l'aveu et de la totalisation.

1. Pierre Dumayet, *Les Nouvelles littéraires*, 2-9 février 1978.

IMPROMPTU?

Faut-il que les émissions soient préparées ou improvisées? Amrouche, en face de Gide, avait choisi de se préparer lui-même intensément, et de mettre son modèle dans une situation d'improvisation totale. Mais bien sûr le modèle, tout en répondant de manière spontanée, était sensible au projet de l'interviewer et, même s'il dérivait quelque peu, il se laissait guider par lui et lui facilitait la tâche en restant dans les rails tracés par les questions. D'autres stratégies sont possibles : elles furent vite mises en œuvre, et autour d'elles s'engagea un débat d'esthétique radiophonique (quelque peu faussé, il est vrai, par les perspectives de publication en livre que nourrissaient la plupart des interviewers). Aux deux extrêmes, les entretiens Cendrars-Manoll, et les entretiens Breton-Parinaud.

Le style débraillé. Cendrars est arrivé devant le micro avec la ferme intention de ne pas se faire pontifier ou momifier comme Gide l'avait été par Amrouche, et de prendre en main lui-même la situation. Il voulait que ces entretiens soient son œuvre à lui, dans leur conception et dans leur réalisation (jusqu'au montage auquel il a tenu à participer en personne). Son idée est de créer le contact avec l'auditeur par un style direct, familier et naturel. Ce qui impliquait non seulement improvisation de sa part à lui, mais de celle de l'interviewer, Manoll, auquel on supprima ses papiers. Tant pis si cela ne va pas tout droit : le naturel avant tout!

> Je crois, pour ma part, qu'il faut improviser entièrement. Moi qui ne suis pas du tout orateur, j'ai trouvé cela assez éreintant; je n'ai pas voulu que ce fût académique pour un sou; je suis un bon bavard, et c'est tout (...). On voulait me poser deux cents questions le premier soir. J'ai dit : « Non mon vieux, on bavarde. » C'est d'ailleurs passionnant d'avoir à se défendre : on cherche, on rue, on échappe, on se met en colère — ou on fait semblant (...). Pour moi, j'ai tenu à garder le ton de l'improvisation, aussi loin que possible de la conférence, de l'enseignement ou du débit de salon. Ce que je voulais, c'était me bagarrer, avec toujours près de moi mon chien fidèle, Wagon-lit [1] (...).

On n'entend pas d'aboiement, mais presque. La prise de son est décontractée. Pas de « Silence, on enregistre » : on craque des allu-

1. Réponse à l'enquête des *Nouvelles littéraires* « Le micro chez les écrivains » (8 février 1951).

mettes (on fume?), l'intensité des voix varie si bien qu'on a l'impression (sans doute fausse) qu'on circule dans la pièce, peut-être même qu'on parle dos au micro. On est dans un espace réel, avec sa voix de tous les jours, et si on fait la grosse voix, ce n'est pas pour parler à la postérité, mais parce qu'on se fâche. La conversation navigue un peu dans tous les sens, on se coupe la parole, ça bourlingue. Cendrars ne se gêne pas pour dire leurs quatre vérités à toutes sortes de gens, tout en parlant de sa vie ou de ses œuvres, et de sa conception du monde. Il étale sa rude franchise. Joue son personnage, marginal, aventurier, irrécupérable.

C'est à la longue fatigant, dans la mesure où c'est peu structuré, répétitif, et où un minimum de considération pour l'auditeur ne semble pas observé (on a parfois envie de se retirer sur la pointe des pieds, en les laissant bavarder tranquillement entre eux). Mais c'est en même temps rafraîchissant, si l'on vient d'écouter Amrouche, et surtout, si le but de la série est de proposer un portrait de Cendrars, c'est assez réussi, puisque c'est lui qui mène le jeu, tente ici même, sous nos yeux, une sorte d'expérimentation esthétique, que nous pouvons juger plus ou moins convaincante, mais qui est en rapport direct avec son activité de créateur et avec son éthique : poétique de la voix, poétique de l'anticonformisme.

Le malaise qu'éprouve parfois l'auditeur tient aussi au montage des émissions. Cendrars avait mis la main à la pâte, et, de son propre aveu, cela faillit tourner à la catastrophe :

> Je fus pris d'un tel enthousiasme pour le procédé, qui me rappelait le montage cinématographique et ses prodigieuses possibilités, et je taillais, coupais, supprimais les longueurs, les répétitions et les développements littéraires pour mettre au premier plan l'improvisation et la spontanéité du dialogue, qu'avec les trente-huit bobines que nous avions impressionnées, Manoll et moi, nous eûmes tout juste de quoi monter treize entretiens de vingt minutes sur les quinze qui étaient prévus [1].

Techniquement, le montage est médiocre : les raccords s'entendent (sauts d'intensité, brefs silences, sans compter le zigzag de la conversation) : l'impression de « spontanéité » en souffre... D'autre part, un rythme ne s'obtient pas en juxtaposant des temps forts.

Peut-être y avait-il une certaine naïveté dans les moyens employés pour faire passer le naturel à la radio, trop de confiance dans la totale improvisation et dans les vertus du montage. D'autres, à la suite de

1. *Blaise Cendrars vous parle*, Denoël, 1952, p. 257-258.

Cendrars, réussiront de meilleurs dosages qui rendront ce type de naturel radiophonique attrayant. Mais la voie ainsi ouverte était intéressante, et Cendrars est presque le seul à avoir pris en charge lui-même sa série d'entretiens.

Le style boutonné. Cendrars et Léautaud fascinèrent un grand nombre d'auditeurs, mais en irritèrent bien d'autres, qui en tirèrent la conclusion que les entretiens devaient être soigneusement préparés, et préparés des deux côtés, aussi bien du côté du modèle que de celui de l'interviewer. Cette préparation pouvait aller d'une simple concertation préalable sur les thèmes à aborder (et à éviter), et sur l'ordre à suivre, jusqu'à la rédaction intégrale du texte de l'entretien, qu'on se contentait de mettre en scène le jour de l'enregistrement. Voici par exemple comment Bernard Gavoty décrit et justifie ce type de procédure :

> (Nos entretiens) avaient été conçus selon la méthode habituelle, sous forme de dialogues, non pas improvisés, mais rédigés, puis enregistrés avec le nombre voulu d'hésitations volontaires qui restituaient à peu près le ton de la conversation. Peu nous importait que l'on nous crût dotés de cette redoutable facilité verbale qui fait sombrer la plupart des dialogues radiophoniques en d'insupportables bavardages, sans plan, nervures, ni substance. L'auditeur est sensible à un récit ordonné, à une pensée qui s'exprime clairement : il lui est bien indifférent qu'à l'autre extrémité des ondes, un monsieur soit dans les affres de l'improvisation. C'est une grande erreur de croire que le bafouillage systématique donne « de la vie » à des propos oiseux. N'est-il pas préférable de concevoir un texte fait pour l'oreille, puis de le lire avec une voix vivante et vraie [1]?

L'entretien devient alors une variété de théâtre radiophonique, où le modèle joue son propre rôle. Tout dépend de son talent à mimer son naturel : ce qui est peut-être plus scabreux encore que l'improvisation totale. La clarté de l'exposé risque d'être compensée par l'artifice de la diction. Dans la pratique, Bernard Gavoty et Georges Enesco s'en sont médiocrement tirés, et leur dialogue sonne faux : à dire vrai, cela n'a guère d'importance, parce que le violon d'Enesco, lui, sonne profondément juste et fait oublier tout le reste.

La voix d'André Breton, elle aussi, sonne juste, et c'est elle qui a sauvé une entreprise dont la conception paraissait au départ vouée à l'échec, sur le plan radiophonique. André Parinaud (sans doute échaudé par ses dialogues avec Colette) avait renoncé à l'improvi-

1. Bernard Gavoty, *Les Souvenirs de Georges Enesco*, Flammarion, 1955, p. 7-8.

sation et à l'anecdote, et voulait faire faire à Breton une histoire en profondeur du mouvement surréaliste, sous la forme d'un dialogue entièrement écrit à l'avance. Devant un projet si académique, on rêve à ce qu'aurait pu être une utilisation surréaliste de la radio, on se souvient des expérimentations d'Artaud. A la place, on aura de l'histoire littéraire enrobée dans une éloquence hiératique : Parinaud écarte tout portrait de l'homme intime (pas de questions indiscrètes), et toute polémique (on est loin de l'aspect offensif des *Manifestes*). Pas de scandale, de la tenue. Voici comment Parinaud justifie son choix et juge le résultat :

> J'avais sollicité d'André Breton un témoignage qui puisse permettre de réinventer les années exaltantes du surréalisme, et nous offrir la leçon qui se dégage de cette véritable épopée. La proximité des années évoquées, les personnages mis en cause, la nécessité d'aborder le fond de l'expérience, ne laissaient pas d'autres possibilités que de rédiger la teneur des émissions. André Breton a parfaitement répondu à mon attente. Sa langue, la précision de ses souvenirs, sa générosité, sa lucidité, dégagent souvent une émotion et une poésie véritables auxquelles beaucoup ont été sensibles, mais le style volontairement dépouillé de ce long colloque, n'est-ce pas la preuve qu'une personnalité peut se révéler avec toute sa chaleur malgré l'apparent contrôle exercé du fait du genre adopté, aussi bien que dans le prétendu hasard d'une improvisation, qui flatte sans doute le goût du public pour le déshabillé, mais permet aussi à l'homme de se dissimuler sous des grimaces [1].

De fait, ces entretiens n'ont rien d'accrocheur, mais se laissent écouter. On est d'abord glacé par l'absence totale de communication entre les deux interlocuteurs. Un dialogue lu n'est pas reçu comme un dialogue, mais comme une lecture : il ne se passe, et il ne se passera, *rien*, toute attente d'ordre dramaturgique est coupée dès le départ. Du coup, les questions et interventions de Parinaud sonnent complètement faux, l'interviewer n'est plus qu'un compère « délégué à la transition ». Breton est dans une bien meilleure position, parce qu'il n'a pas à faire semblant de dialoguer, et lit son texte directement pour le public. Ce texte, soigneusement composé, très clair et serré à la fois, est mis en scène avec une voix théâtrale, grave, posée, profonde,

1. André Parinaud, « Comment et pourquoi ont été réalisés les entretiens avec André Breton », *Arts*, 11 novembre 1952. Les entretiens eux-mêmes contiennent une brève « discussion » où Breton analyse et approuve le choix fait par Parinaud et justifie son propre comportement (début du seizième et dernier entretien).

tout à fait hiératique — royale. Les brèves transitions de Parinaud lui servent de repoussoir, la fausse éloquence faisant ressortir les mérites de la vraie (dont on pourrait, sans cela, se lasser). Le rythme est lent, mais non monotone. L'ensemble, froid, boutonné, mais plein d'allure. Un peu comme dans le cas de Cendrars, la technique employée a l'avantage d'être en elle-même une sorte d'autoportrait de l'écrivain.

Entre l'improvisation tonitruante et la lecture guindée, il existe des solutions intermédiaires. Je ne parle pas de Montherlant qui, visiblement, lit, comme Breton, des réponses préparées. Mais je pense par exemple à Georges Duhamel, qui donne un modèle de naturel et de bonhomie dans ses réponses à Henri-Charles Richard : ni impressionné par le micro, ni imbu de sa personne, il s'explique tout simplement, il raconte sur un ton familier. La cérémonie de l'interview s'en trouve dédramatisée, et la communication s'établit. On entre vraiment dans ce registre de l'intimité (opposée à la diction théâtrale) où Copeau voyait l'avenir de la radio. Intimité ne signifie pas forcément accord : il est aussi possible de faire se révéler un homme en le contredisant, en le critiquant (ce qui implique qu'on quitte la position impersonnelle, et qu'on s'engage). C'est ce qu'a fait Pierre Sipriot avec Julien Benda. Sipriot a un ton et un langage moins soutenus qu'Amrouche, il n'est pas paralysé par l'admiration devant Benda qui, provoqué, doit mettre quelque chaleur à soutenir ses positions. Les entretiens avec Benda et avec Duhamel, moins prestigieux que ceux que j'ai évoqués précédemment, paraissent en fait plus modernes, et plus conformes à l'esthétique de la radio.

Savoir écouter, savoir se taire, savoir contredire, savoir établir une relation qui induise un comportement révélateur chez le modèle, c'est là chose plus indispensable que d'être ferré sur son œuvre. Le problème n'est pas tant de savoir s'il faut tout improviser ou tout préparer. Tous les moyens sont bons à partir du moment où l'on obtient le résultat suivant : faire qu'un auditeur qui ouvre le poste par hasard ne le referme pas aussitôt. Et faire que l'émission puisse s'écouter sans connaissance préalable de l'œuvre, et, à la limite, même si on ne sait pas qui est l'homme interrogé. C'est-à-dire en faisant abstraction de tous les présupposés qui rendent supportable la médiocrité de beaucoup d'émissions de ce genre (« J'écoute le célèbre Untel »). C'est là bien sûr, comme dirait Jean Amrouche, une exigence démesurée et inhumaine imposée aux producteurs d'émissions, d'autant plus que les écrivains n'ont aucune raison spéciale d'être meilleurs à la radio que les membres de telle ou telle autre profession. Le tout est de bien les choisir.

Robert Mallet n'a pas choisi des écrivains « grand format » comme Amrouche. Ses deux modèles, Léautaud et Paulhan, se ressemblent par toute une série de traits : ce sont à la fois des « originaux » et des sceptiques, de notoriété plus restreinte (pour *happy few*), et en même temps des « stylistes » et des moralistes, beaucoup plus typés comme personnages, beaucoup plus précis comme rôles que Gide ou Claudel. Tous deux se sont construit une manière d'être dont Mallet a eu le mérite de comprendre qu'elle était, si on s'y prenait bien avec eux, merveilleusement radiophonique. Ces deux séries d'entretiens sont pour moi (et je suppose pour tous ceux qui les ont entendues) les chefs-d'œuvre du genre. Réussite sur deux plans : construction d'un spectacle radiophonique *en soi*, indépendant de tout présupposé et de toute connaissance antérieure, qui a le charme, le rythme d'une comédie de Molière. Et construction d'une émission littéraire qui réalise ce que la plupart des autres émissions visent sans l'atteindre. On acquiert *in vivo* (je n'ose pas dire *de visu*, mais *de auditu*) l'expérience d'une démarche de pensée, d'une attitude (critique) en face du monde, d'un style. Parce que l'écrivain s'y prête, bien sûr. Et parce que Mallet a eu la sagesse de ne pas le faire parler de son œuvre, mais comme dans son œuvre. Il n'y aura donc ni abus de pédagogie, ni abus de vénération. Voici par exemple le programme très anti-amrouchien des Entretiens Paulhan :

> C'est en somme à la connaissance d'un tempérament qu'il paraît souhaitable de s'attacher plutôt qu'à celle d'une œuvre qui demeure à portée de main dans les bibliothèques, tandis que Jean Paulhan l'homme de tous les jours, lui, échappe aux regards les plus perspicaces et nous fait perdre une moitié de lui-même dont il faut bien admettre qu'elle explique l'autre [1].

En fait, rien n'est expliqué : les deux moitiés sont pareilles. Mais pour une fois, la performance orale peut se substituer à l'écrit sans trop de perte. Comme les entretiens avec Léautaud sont fort connus, j'ai choisi de donner ici plutôt mes impressions d'écoute de Paulhan.

Voix de Paulhan. Affectée, précieuse, dans un registre relativement aigu, presque féminin. Langue d'une hypercorrection permanente (mais c'est un trait d'époque...). La diction est sans aucune bavure,

1. Prologue du premier entretien (20 janvier 1953).

ni reprises, ni hésitations. Mais ce n'est pas le moins du monde académique : la stratégie de l'énonciation est dans le genre pince-sans-rire, ou humour anglo-saxon (d'ailleurs on a parfois l'impression que Paulhan parle le français comme une langue étrangère, ou qu'il est « doublé » comme au cinéma les voix de Laurel et Hardy). Pas une phrase, pas une réplique qui ne soient ironiques, paradoxales, qui ne fonctionnent selon la logique défensive du trait d'esprit. C'est pétillant et stimulant dans l'instant, quelque peu lassant à la longue (ou plutôt ce le serait si Mallet n'était pas là), dans la mesure où ces *retraits* perpétuels donnent l'idée de quelqu'un de suprêmement protégé. Il ne saurait se permettre un seul instant de parler au premier degré. Tempo très serré, donc, peu de relâchement, sinon par feinte pour engendrer de nouvelles surprises, et garder l'avantage de l'initiative, même quand il répond à la question la plus simple. Peu de souffle : à l'écouter, on l'imagine spécialiste des genres brefs. L'ensemble, très concerté : il a déjà (comme Léautaud) rodé son numéro sur de nombreux publics. A l'écoute, je suis frappé par de très légers temps de retard dans le démarrage des réponses : on a l'impression qu'il *vise* avant de tirer. Qu'il choisit rapidement entre différents développements stratégiques tout montés. Ce retard est frappant parce qu'il n'est accompagné d'aucune hésitation : dès que cela démarre, c'est parfaitement net. Sa conversation est une œuvre d'art, et elle propose en même temps à l'auditeur une sorte de leçon d'hygiène, très décapante : ce qui est le propre des moralistes.

Rôle de Mallet. A comédien, comédien et demi. Mallet ne joue ni au professeur, ni à la postérité. Avec un sens aigu du théâtre, il joue un rôle d'idiot. Exactement comme en face de Léautaud, il a compris que son rôle devait être de *faire valoir*. Il prenait exprès Léautaud à rebrousse-poil, pour le faire sortir de ses gonds (si je puis dire) : il jouait le bon jeune homme naïf et scandalisé, face à un vieux cynique dont il voulait révéler le fond de tendresse : et tous deux finissaient par former un couple comique impayable continuant dans un autre registre Alceste et Philinte, ou Don Juan et Sganarelle [1]. Avec Paulhan, il est très à l'aise, décontracté, pour mettre en valeur le guindé-sophistiqué de son partenaire. Il joue la rondeur et le bon sens, face au pointu-précieux. Presque un côté Bernard Pivot. Et comme chez Pivot, cette conduite met l'auditeur à l'aise. Cela est capital : Paulhan tout seul, ou en face de quelqu'un qui le singerait et essaierait de se mettre « à son niveau », ne passerait pas à la radio,

1. Mallet a lui-même expliqué cette stratégie à Léautaud dans leur dernier entretien (*Entretiens*, p. 393).

il serait rapidement intolérable : il est très loin de l'auditeur moyen, et il est évident qu'il n'a pas la communication facile... Il ne passe, mais alors merveilleusement, qu'à travers l'écoute de Mallet, dont l'attitude sert à le distancier, à le camper comme personnage de comédie.

L'astuce de Mallet, c'est, en face de quelqu'un qui parle toujours au troisième degré, par figures, ellipses ou paraboles, de se tenir *rasibus* au niveau du bon sens, de tout prendre au pied de la lettre, d'expliciter, de mettre les pieds dans le plat. Cette conduite a deux fonctions : vis-à-vis du lecteur, elle contribue à la décrispation, établit une connivence. On a même parfois l'impression que Mallet s'amuse en douce, et prend l'auditeur à témoin. Vis-à-vis de Paulhan, elle sert à lui fournir le personnage de l'idiot dont il a besoin pour rebondir, qu'il va prendre plaisir à intriguer et à surprendre. Mallet pose la question bête au bon moment, renoue le fil après les digressions, et se comporte comme quelqu'un qui écoute plutôt que comme quelqu'un qui interroge. Il est un personnage à l'intérieur du discours de Paulhan. Cette conduite établit un équilibre remarquable entre les différents facteurs en présence.

Léautaud et Paulhan parlent devant Mallet exactement comme ils parlent en d'autres circonstances. D'après André Billy, Léautaud parlait déjà comme cela depuis quarante ans :

> Pour moi ces émissions où, harcelé par Robert Mallet, vous vous débattez à coup de phrases hachées et grognées, me produisent une assez curieuse impression, car j'y retrouve, presque mot pour mot, nos conversations d'il y a quarante ans. Vous vous rappelez, Léautaud, cette époque d'avant Quatorze où, tous les après-midi, j'allais vous voir dans votre bureau de *Mercure* et m'asseyais en face de vous pour vous écouter, pendant deux ou trois heures d'horloge, raconter vos souvenirs et proférer vos opinions [1].

Et on peut le vérifier en écoutant d'autres émissions de l'époque (par exemple les *Qui êtes-vous* consacrés par André Gillois à Léautaud et à Paulhan). Mais ces émissions sont beaucoup plus plates, les interlocuteurs ne s'étant pas adaptés à leurs modèles. Mallet, lui, a réussi à refaire avec Léautaud *Le Misanthrope*, et avec Paulhan... *Les Précieuses*.

1. André Billy, « Un mot à Paul Léautaud », *Le Figaro littéraire*, 13 janvier 1951.

Je pourrais continuer ces notes d'écoute, en nuançant et enrichissant le palmarès. Je signalerais le caractère lu et artificiel des entretiens faits par Bernard Gavoty et Claude Rostand. Je rectifierais peut-être mon classement : un certain nombre de séries sont plus proches de l'émission littéraire (montage de lectures et de réponses préparées), comme celles de Carco, de Montherlant, de René Clair. Je ferais état de surprises : stupeur d'entendre Roger Lutigneaux annoncer (en 1952) qu' « on ne présente pas la princesse Bibesco », qui m'était, j'ai honte de le dire, peu familière (en 1978), et dont je n'ai pas lu une ligne. Cette dame partage la conviction de son interviewer, et elle jouit, à haute voix et sans scrupules, de cette gloire, tout à fait réelle à l'époque, aujourd'hui évanouie. *Sic transit gloria mundi.* Mais elle ne dit rien qui puisse induire la postérité (moi) à la repêcher. En sens inverse, l'écoute de Ghelderode, que je connais fort mal, me donne brusquement envie de le lire. Etc. D'une manière générale, je soulignerais le décalage entre le champ culturel des années 1949-1953 — ou plutôt de ces séries d'entretiens qui reflètent le champ culturel de l'entre-deux-guerres — et ma propre culture.

Mais assez de prétéritions. Pour mettre en perspective ces écoutes, le mieux est de sortir du domaine des entretiens radiophoniques, et de les opposer à d'autres types d'*actes radiophoniques* datant de la même époque.

La seule série d'entretiens qui ait produit un choc sur l'opinion publique (allant même jusqu'à susciter une interpellation au Parlement!), c'est celle de Léautaud. Pourquoi? Parce que Léautaud, en réalité, *ne jouait pas le jeu de l'entretien:* il n'a pas suivi la consigne d'autocensure et de théâtralité que plus ou moins tous les autres écrivains ont respectée. Et il a parlé à Mallet exactement comme il aurait parlé à n'importe qui, comme à une personne humaine, et non au représentant délégué du « public ». Ce mépris des règles du jeu de l'entretien, et du système de médiation qu'il met en place, a fait que le public a ressenti la parole de Léautaud non comme un *spectacle* inoffensif, mais comme un *acte* plutôt agressif, et à lui directement adressé. Il est révélateur que Léautaud soit le seul écrivain à s'être heurté à la *censure* (on lui a fait recommencer les passages trop vifs touchant à la vie « conjugale » de son père). La radio s'adresse à un public immense, virtuellement à l'ensemble de la population du pays, et elle s'impose à lui de manière si impérieuse et incontrôlable que les responsables se sentent obligés de faire eux-mêmes les choix *avant* la diffusion. Et c'est encore plus vrai aujourd'hui avec la télévision. Il faut donc prendre au sérieux l'affirmation de Léautaud à un de ses correspondants : « Ne vous emballez pas pour les *Entretiens* à la radio. On n'y est pas libre. On y est censuré[1]. »

Je voudrais explorer rapidement ce problème de la censure, parce qu'il recoupe en partie celui de la *création*, et des rapports de la littérature et de la radio. Je suis frappé par le caractère anodin et « secondaire » (filtré et médiatisé) des émissions littéraires, et du genre même des entretiens radiophoniques : les lectures de textes à la radio, et les entretiens avec les écrivains, sont des sortes de comédies, dans lesquelles l'acte littéraire (qui les cautionne et qui est leur référent) n'apparaît qu'au passé, à travers des équivalents (récitations, voix de l'auteur, vie de l'auteur, histoire de l'œuvre), à travers des accumulations de métalangage. L' « auteur » est là, mais c'est la littérature qui a disparu. Et même, l'auteur est-il là? La *diffusion*, qui donne en apparence l'occasion à l'écrivain de s'exprimer « plus directement », lui impose en fait une censure d'autant plus insidieuse que le plus souvent elle est par lui anticipée et prise en charge.

Mais ne serait-il pas possible que la radio, au lieu de parler d'une littérature passée, soit simplement le média d'une littérature actuelle, directement conçue comme *orale*, et comme *diffusée?* En voici deux exemples, datant des années 1947-1948, qui m'ont d'autant plus frappé que les émissions ont toutes deux été *censurées*, que trente ans plus tard on a pu voir leurs auteurs à leur tour happés et récupérés par la célébration biographique audio-visuelle.

Après avoir créé les *Temps modernes*, et prôné la littérature engagée, Sartre s'est vu offrir en 1947 par le gouvernement Ramadier la possibilité de réaliser lui-même une émission hebdomadaire, *en toute liberté*. La « Tribune des *Temps modernes* », qui abordait directement les grands problèmes politiques de l'heure, dura six semaines et suscita tant de polémiques et de protestations qu'elle fut supprimée[2]. Malgré les précautions prises par Sartre il s'est avéré qu'il était impos-

1. Lettre de Léautaud à M. Bry, 18 décembre 1950, *Correspondance générale*, Flammarion, 1972, p. 1200. Voir aussi *Journal littéraire*, t. XVIII, Mercure de France, 1964, p. 92-93 (2 novembre 1950). Mais lui-même reconnaissait qu'on ne pouvait s'exprimer avec la même liberté dans une revue (où l'on était en quelque sorte l'invité d'un public préexistant) et dans un livre (que personne n'est forcé de lire) (*Journal littéraire*, *ibid.*, p. 68, 13 juin 1950).

2. Voir Michel Contat et Michel Rybalka, *Les Écrits de Sartre*, Gallimard, 1970, p. 169-173, et Fernand Pouey, *Un ingénu à la radio*, Domat, 1949, p. 248-254 (Pouey évoquant à la fois l'affaire Sartre, et l'affaire Artaud, à la suite de laquelle il démissionna de la radio). Ces émissions ont été diffusées le 20 et le 27 octobre, le 3, le 10, le 17 et 24 novembre 1947.

sible d'administrer à la France entière le discours jusque-là réservé aux lecteurs d'une revue militante. Et pourtant Sartre a joué le jeu radiophonique de manière habile. La troisième émission, par exemple, consiste en une analyse des lettres d'injures et de menaces reçues par Sartre à la suite des deux premières : Sartre démontre qu'au niveau des présupposés les lettres venant de bords opposés se ressemblent : personne ne croit que Sartre puisse penser librement, chacun le croit payé par son adversaire. A partir de là Sartre arrive, en vingt minutes, à faire une analyse de la situation en France, à expliquer ce que c'est que l'engagement existentialiste, et surtout à donner une image convaincante d'une méthode de pensée rigoureuse et claire. C'est professoral, mais dans le meilleur sens du terme : bien préparé et entraînant, parce que convaincu et légèrement fiévreux. En peu de temps il vise juste, engage le dialogue avec les auditeurs. Ce n'est pas un spectacle, comme si on était venu lui poser des questions sur ses opinions ou sur sa vie. Mais un acte radiophonique efficace, donc insupportable pour une partie du public, et censuré.

Même chose dans un domaine plus métaphysique, avec l'émission d'Artaud « Pour en finir avec le jugement de Dieu » (1948). Voilà une création originale, aussi violente et ironique que du Rimbaud ou du Lautréamont, mais aussi recherchée que du Mallarmé. Tout repose sur un travail extraordinaire de la *voix* : non pas des vociférations désordonnées, mais au contraire une mise en pages sonore, jouant sur les rythmes, les passages de l'aigu au grave, l'intensité et le silence, le corps s'exprimant, s'étageant, vibrant, un peu comme les mots imprimés dans *Un coup de dés jamais n'abolira le hasard.* Mais la violence du texte et le caractère apparemment hystérique de la performance rendent effectivement l'émission difficile à supporter. La radio donne à ce qui ne serait sans cela qu'une expérience de laboratoire (ou une cérémonie intime comme le fut la conférence d'Artaud au théâtre du Vieux-Colombier en 1947) la valeur d'un acte d'agression terrifiant. La radio recula, et chercha à s'en laver les mains en convoquant pour une audition un certain nombre de « personnalités littéraires [1] ». Parmi elles, Pierre Descaves, qui tenait la rubrique « Radio » des *Nouvelles littéraires*, et dont la réaction est révélatrice :

1. On trouvera le « livret » de l'émission dans le t. XIII des *Œuvres complètes* d'Artaud (Gallimard, 1974), avec en note, p. 323-341, l'ensemble de l'histoire de l'émission et le dossier de presse de l'affaire.

> Peut-on accueillir devant le micro et adresser à l'immense majorité du public des auditeurs de la radio « officielle » des productions où la hardiesse des propos et la véhémence du ton s'expriment en toute liberté [1]?

Non, bien sûr! Tout en demandant une radio de création, et en se félicitant du « bel esprit de recherche » que manifestent de telles émissions, Pierre Descaves choisit la censure, et prétend que « le livre est la voie normale d'acheminement d'une pensée aussi profondément originale », ce qui est ou très hypocrite ou assez bête, puisqu'il s'agit d'une recherche de *voix.*

L'émission d'Artaud est restée vingt-cinq ans bâillonnée. Elle a été diffusée pour la première fois le 6 mars 1973 (puis rediffusée en 1975 et en 1978). Ce qui étonne, c'est que la censure ait été levée : sommes-nous moins vulnérables aujourd'hui? Bien sûr la réponse est ailleurs : Artaud est mort en 1948, et en vingt-cinq ans il est devenu un *maître*, c'est-à-dire que sa voix a acquis valeur d'*archive*, relativement inoffensive, déjà amortie par l'histoire. Et cette audace à retardement sert d'alibi.

Je ne m'éloignerai qu'apparemment du problème de l'entretien radiophonique si j'évoque un récent spectacle audiovisuel, *Antonin Artaud, le visage* [2]. Il s'agit d'un montage faisant alterner les séquences de films où Artaud a tenu un rôle, des photos et documents divers, des témoignages sur lui, et des fragments de représentation ou de lecture de ses œuvres, le tout enveloppé dans un texte de présentation. Documents intéressants, certes, mais j'ai été frappé par l'inversion insidieuse que l'émission biographique réalise. Artaud parle du corps, de la mort, de nous : l'émission parle d'Artaud. Au lieu de regarder avec la lorgnette qu'il nous tend, nous le regardons *lui* en prenant la lorgnette par l'autre bout. L'émission biographique situe, explique, intègre, réduit, au moment même où elle croit sans doute faire le contraire (c'est la contradiction inhérente à l'hagiographie moderne). Coincé entre un film policier et la finale de la coupe Davis, enrobé d'amis « qui l'ont connu », situé dans le développement du cinéma, vu tout petit, tout tragique à l'autre bout de la lorgnette, entendu juste une minute à la sauvette dans un fragment de « Pour en finir avec le jugement de Dieu », Artaud est *digéré.*

Dans cette perspective, l'entretien radiophonique, tel qu'il est pratiqué depuis 1949, apparaît comme une nouvelle et très efficace

1. *Les Nouvelles littéraires*, 12 février 1948.

2. *Antonin Artaud, le visage*. Producteur délégué : Alain Virmaux, réalisation Claude Robrini. Diffusé sur Antenne 2 le 8 octobre 1978 (1re diffusion en 1974).

procédure de digestion de la littérature. En faisant participer l'auteur lui-même à cette digestion, on se donne l'air de remonter aux sources de la création littéraire, alors qu'on entame le travail d'assimilation qui intégrera, et d'une certaine manière dissoudra, son œuvre. Arrivé à un certain degré d'épanouissement et de maturité, tout « corpus » se trouve vulnérable à l'enzyme biographique, ses défenses se relâchent, et il en arrive à collaborer plus ou moins activement à sa propre dissolution dans le champ culturel [1].

Le ton scandalisé que je prends est sans doute naïf : peut-il en être autrement? D'ailleurs, en lisant ces notes d'écoute, on aura remarqué qu'à l'abri de l'attitude satirique que j'ai choisie, je pratique parfois moi-même au premier degré les attitudes que je stigmatise. Aussi ma métaphore digestive doit-elle être prise simplement comme l'indication d'un phénomène « naturel », indispensable au bon fonctionnement et à la survie de la littérature. Valéry disait, à propos de la création littéraire, que « le lion est fait de mouton assimilé ». Dans la lecture, c'est l'inverse : le mouton est fait de lion assimilé, si je puis dire. L'opération biographique est à double tranchant : la connaissance de l'homme doit permettre de mieux assimiler son œuvre. Mais l'homme lui-même (et son œuvre, à partir de laquelle l'homme est toujours reconstruit) se trouve assimilé par une forme préexistante à laquelle il fournit un contenu chaque fois nouveau, la biographie. La biographie, objet profond du désir, se fait prendre pour un moyen de connaissance. Transparente, omniprésente, comme l'air qu'on respire, elle est une des formes fondamentales de notre appréhension du monde. Elle absorbe plus ou moins vite toutes les notoriétés, et sous couleur de les rendre assimilables, elle se les assimile.

5. ARCHIVÉ

« Quel document pour la postérité!... »

Pour les entretiens diffusés de 1949 à 1953, nous sommes déjà la postérité : trente ans se sont écoulés, presque tous les auteurs interrogés sont morts. Nous pouvons juger de manière nuancée, et quelque

1. Cette dissolution peut même s'effectuer *malgré* l'auteur. Samuel Beckett a toujours opposé une résistance farouche à l'interview et à l'indiscrétion, mais n'a pu empêcher qu'on écrive sa « biographie » (D. Bair, *Samuel Beckett*, Fayard, 1979).

peu mélancolique, la manière dont une voix enregistrée *survit* à son émetteur.

Peut-être faut-il d'abord souligner certaines des caractéristiques (et des limites) de ce type de document.

Par rapport à la personne réelle et à son langage, l'enregistrement sonore opère un *tri :* il isole la voix du reste des moyens d'expression (le langage du corps, les expressions du visage, les gestes), il grossit certains traits, comme dans une glace déformante. Je n'ai jamais *vu* Colette parler, et peut-être tel aspect de sa voix, que l'entretien met en valeur, serait-il fondu ou équilibré si j'avais une perception plus complète de son langage (mais en même temps il disparaîtrait, et avec lui l'information qu'il porte). Ceux qui ont connu Paulhan et qui ont parlé avec lui trouveront sans doute caricatural le portrait que je donne de sa voix : le côté hyper-aigu était peut-être atténué visuellement, et surtout j'imagine que les regards et les expressions du visage devaient donner une tout autre saveur (une autre harmonisation) aux figures de rhétorique sur lesquelles son discours était bâti.

Une seconde limite est liée à la situation d'entretien et au destinataire de la diffusion, le public des années 1949-1953, avec les présupposés de son écoute (un certain champ de notoriété, un contexte idéologique, des lectures supposées faites, et aussi une certaine attente en face de la radio). L'image de ce public est en quelque sorte *tissée* dans la voix des interviewers et des auteurs. Ce qui à l'époque facilitait l'écoute aujourd'hui la gêne, ou plutôt la transforme : l'actualité est devenue de l'histoire. Les entretiens de cette époque sont maintenant des *documents*, qui n'accomplissent plus au premier degré la fonction de communication qui était la leur. Cela est vrai de tout vestige historique, mais l'impression pathétique du vieillissement est peut-être plus saisissante lorsque le média continue à donner une forte impression de réalité, comme c'est le cas pour la bande magnétique. La voix vieillit plus vite que l'écriture : à cause de ce contexte implicite qu'elle garde fossilisé en elle, mais peut-être aussi parce qu'il y a des modes pour la voix, comme pour le costume, il y a des « voix d'époque », voix de « speakers », mais aussi voix cultivées, voix précieuses, voix venant d'un autre monde. Cet effet est accentué dans les séries d'entretiens où l'on n'interrogeait que des personnes âgées, qui avaient appris à parler au XIXe siècle.

Mais la fragilité de ces documents tient d'abord au média lui-même. Les trente ans qui se sont écoulés depuis leur diffusion originale ont vu apparaître, sur des plans différents, une double concurrence : celle de l'imprimé, et celle de la télévision. Cette concurrence s'exerce d'abord pour la production de nouveaux documents, bien sûr : l'entretien radiophonique a complètement perdu aujourd'hui la situation d'exclusivité qu'il avait en 1950. Il a été tourné sur ses arrières, si je puis dire, par le livre-entretien produit directement au magnétophone, et en avant, par les émissions télévisées qui sont seules capables de faire un « événement » La fragilité se voit aussi quand on examine le problème de la conservation et de la consultation de ce genre de document. J'ai pu en faire l'expérience en réalisant cette étude. Une fois diffusé, quel sort attend l'entretien radiophonique?

VERBA VOLANT

Enregistré, et parfois recopié, sur bande magnétique, ou gravé et pressé en disques par la Phonothèque pour ses archives, l'entretien est assuré de survivre matériellement. L'adage antique est devenu faux : *verba manent*. Mais il reste vrai : qu'est-ce qu'une parole qui ne « vole plus », qui n'est plus réalisée de manière sonore, et *écoutée par quelqu'un?* « Manent » est alors l'équivalent d'un « ci-gît », pour une parole définitivement gelée. L'avenir sonore d'une parole enregistrée, après la diffusion pour laquelle elle a été faite, est relativement mince.

Diffusion radiophonique.

On peut poser en règle générale qu'une série d'entretiens ne saurait être diffusée deux fois pour le même public : un entretien n'est pas fait pour être *réécouté* sauf cas très exceptionnel. Le seconde écoute détruit l'impression de spontanéité et de nouveauté, fige la parole, et produit rapidement un sentiment de fatigue et de saturation. A plus forte raison quand il s'agit d'une série assez longue, qui mettait déjà à l'épreuve la patience de l'auditeur.

La rediffusion suppose un changement de public. Soit dans l'*espace :* en vendant les droits de diffusion à une radio étrangère : ainsi Léautaud, qui fut rediffusé par Radio-Lausanne. Mais la rediffusion est limitée aux pays francophones, bien sûr [1]. Soit dans le *temps :*

1. Il est rare qu'un entretien soit diffusé *en traduction* par une radio étrangère. C'est pourtant ce qui est arrivé à l' « Autoportrait à soixante-dix ans » de Sartre, qui a été diffusé en norvégien : les rôles de Sartre et de Contat étaient joués par des acteurs qui avaient préalablement écouté les bandes originales pour bien se mettre dans la peau de leur personnage...

il faut que les années passent, que le public se renouvelle, et que le souvenir de la première diffusion s'estompe. Mais cette attente change beaucoup de choses : le public est en partie différent et, le plus souvent, l'auteur interrogé est mort. La rediffusion ne sera plus un acte journalistique d'actualité (une communication avec un contemporain) mais déjà une cérémonie culturelle et funéraire.

Ou bien les entretiens sont utilisés pour réaliser des montages d'émissions historiques, ou d'émissions de commémorations (centenaires de naissance, comme pour Gide en 1969, anniversaires de mort, etc.); dans ce cas-là seuls des extraits proportionnellement assez brefs sont diffusés. Ou bien la série d'entretiens est rediffusée pour elle-même en partie ou en totalité : c'est ce qui est arrivé à plusieurs reprises pour Léautaud. Ces dernières années, France-Culture a profité des soirées des mois d'été (de juillet à septembre) pour rediffuser chaque soir entre 22 h 30 et 23 heures des séries anciennes : en 1975 les *Mémoires improvisés* de Claudel et les *Entretiens* de Jean Paulhan ont été rediffusés intégralement; en 1976 ce fut le tour de Gide (rediffusion partielle, dix-sept entretiens); en 1977, celui de François Mauriac (rediffusion intégrale, quarante entretiens, chacun accompagné d'une petite discussion entre deux critiques sur le thème de l'entretien [1]). Sur les vingt-trois séries que j'ai répertoriées, cinq seulement ont fait l'objet de telles rediffusions. Toutes les autres sont restées « stockées », pour des raisons qui combinent deux facteurs de « tri historique » : « obscurcissement » de l'écrivain lui-même, ou médiocrité des entretiens. Les cinq « survivants » eux-mêmes ne pourront plus être rediffusés avant un certain nombre d'années, et sans doute, le temps passant, le nombre des auditeurs qui accepteront de consacrer leurs soirées d'été à les écouter diminuera. En août 1977, les voix de Mauriac et d'Amrouche me paraissaient déjà venir d'un autre monde.

Sans doute est-ce là le sort de toutes choses humaines : mais la radio accentue le phénomène. En fait l'entretien est fondamentalement une procédure d'actualité, il obéit aux lois du journalisme, c'est un genre qui vit du *présent*. Pour un écrivain, l'essentiel n'est donc pas que les entretiens qu'il a faits soient rediffusés (ce qui est un signe de mort), mais qu'il réalise, sa vie et son œuvre avançant, de nouveaux entretiens, le plus souvent avec un nouvel interviewer (comme

1. Les séries d'entretiens sont maintenant réalisées et diffusées par France-Culture. Par rapport aux années 1949-1953, deux changements sont intervenus : le rythme est plus rapide (diffusion quotidienne du lundi au vendredi), et les séries plus courtes (de cinq à dix entretiens), ce qui permet de renouveler plus rapidement l'intérêt.

c'est arrivé par exemple à Giono). Il assure sa présence non par la répétition d'une même performance, mais par l'usage normal et renouvelé du média, qui implique l'obsolescence de tout produit une fois utilisé.

Édition sonore.

La solution serait-elle d'*éditer* en disques les entretiens, de manière à permettre aux personnes intéressées de les acheter et de les écouter? Là aussi les difficultés sont énormes. Les acheteurs possibles sont en nombre assez limité, ce qui rend aléatoire ce genre de pari commercial. L'intérêt du disque est de permettre *plusieurs écoutes* de l'enregistrement. Cela veut dire : soit une audition pour plusieurs auditeurs successifs (l'achat sera fait par des discothèques ou des bibliothèques, éventuellement par des établissements d'enseignement, mais en nombre tout de même restreint), soit plusieurs auditions pour un même auditeur : mais qui, à part un spécialiste, ou une poignée d'admirateurs fanatiques, pourrait écouter plusieurs fois un disque d'entretiens? Les disques de paroles qui ont chance de se vendre (parce qu'ils peuvent être réécoutés) sont les disques de diction (théâtre, poésie, contes) : encore se vendent-ils relativement moins bien que la musique. Aussi les maisons de disques ont-elles longtemps reculé devant les « entretiens » : même quand elles essayaient de vendre la *voix* d'un auteur, elles s'arrangeaient pour produire en fait un disque de diction. La série de la firme Festival intitulée « Leur œuvre et leur voix » (« X vous parle ») ne comporte aucun fragment d'entretien radiophonique, mais associe le plus souvent une déclaration « lue » par l'auteur à des lectures de textes faites par lui ou par des comédiens. Seuls les disques Adès, à partir de 1967, ont pris le risque d'éditer des entretiens [1].

Il y fallait du courage, parce que le disque est mal adapté à l'entretien. On ne peut guère écouter sans fatigue plus de vingt minutes ou d'une demi-heure d'entretiens, l'équivalent d'une face de microsillon. Qui serait assez patient pour réaliser chez lui, soir après soir, la technique du feuilleton? En ressentirait-on même l'utilité? En effet l'information originale qu'apporte la performance parlée est tout entière donnée au départ, dès le premier quart d'heure d'entre-

1. Voir le tableau p. 122-124. Adès a également publié (en extraits) les *Entretiens* de Giono avec Jean Carrière, les *Entretiens* d'André Malraux avec Pierre de Boisdeffre, et ceux d'Albertine Sarrazin avec Jean-Pierre Elkabbach.

Sur les rapports du disque et du livre, voir l'enquête publiée par *Le Monde*, « Le disque au service du livre », 31 janvier 1968.

tien, et ensuite elle se répétera, identique, pendant des heures. L'auditeur, lui, voudrait pouvoir abréger, feuilleter, écouter en diagonale, chose que l'oral en général, et l'enregistrement sur disques en particulier, permet peu. Sans parler du prix : en collection de poche, je peux me procurer les *Mémoires improvisés* de Claudel pour douze francs. En disques, il en faudrait une vingtaine, qui me reviendraient à environ cinq cent vingt francs, et qui m'encombreraient...

La firme Adès a donc choisi d'éditer des *extraits* d'entretiens, en réalisant un nouveau montage. Ces extraits, regroupés thématiquement, ont été très larges pour Léautaud (six disques), plus restreints pour Gide et Mauriac (deux disques chacun). Pourquoi avoir choisi Gide et Mauriac? A cause de leur gloire (qui garantit une certaine vente), et de circonstances funèbres (Gide aurait eu cent ans en 1969, Mauriac est mort en 1970). Le montage s'efforce d'effacer quelque peu le discours d'Amrouche. Curieusement, d'ailleurs, la solennité de ces entretiens paraît moins déplacée en disque (on attend d'une chose *gravée* une certaine... gravité) qu'à la radio. Les coffrets des disques renforcent cette solennité, avec leurs notices éloquentes et leur iconographie soignée.

Quant à publier intégralement des entretiens, aucune firme ne s'y est risquée. Seule la Société Paul Claudel a tenté l'aventure, en tassant sur des disques seize tours les treize heures des *Mémoires improvisés*. Mais ces disques, hors commerce, et de plus inutilisables sur la plupart des électrophones actuels, sont comme s'ils n'existaient pas.

Phonothèque.

Si en 1978, année où aucune rediffusion d'entretien de la période 1949-1953 n'a eu lieu, vous désirez étudier ces entretiens, vous n'avez d'autre solution que d'acheter les disques existants (mais qui concernent seulement trois des vingt-trois séries), puis d'aller à la phonothèque de l'INA (Maison de la Radio), où sont conservées les émissions radiodiffusées. La consultation de ces documents n'est pas ouverte au grand public (il faut justifier d'une raison professionnelle ou scientifique pour y avoir accès), et, pour les personnes extérieures à la radio ou à l'INA, elle est payante [1]. D'autre part la phonothèque n'effectue et n'autorise aucune reproduction de document sonore. Ces précautions s'expliquent par les moyens limités dont elle

1. Pour un chercheur universitaire, le tarif est de trente francs pour la première heure, quinze francs pour les heures suivantes.

dispose, et par la lourdeur même, sur le plan technique, du processus de consultation (les recherches de documents et toutes les manipulations sont faites par le personnel de la phonothèque : c'est comme une bibliothèque où il y aurait un bibliothécaire par lecteur). J'ai été frappé à la fois par la compétence et l'efficacité des phonothécaires de l'INA, mais aussi par cette lourdeur, commune aux documents sonores et aux documents audio-visuels. A cela s'ajoute la fatigue propre à l'écoute, qui impose une fragmentation du travail. La présentation des entretiens que j'ai faite plus haut ne résulte donc pas, loin de là, d'une écoute intégrale des vingt-trois séries : elle a été faite à partir d'un échantillonnage, à partir d'une dégustation sonore des différents « crus », guidée par des sommeliers avertis. Et elle s'est appuyée sur la lecture des entretiens publiées.

Dans ces conditions, seuls des spécialistes peuvent avoir accès à l'immense majorité de ces enregistrements. Quel profit en tirent-ils? Le plus souvent, ils viennent chercher là non pas une documentation *sonore*, mais tout simplement une documentation *inédite*, qu'ils s'empressent de transcrire pour l'utiliser dans des préfaces, biographies, etc. Malgré les cris d'enthousiasme que suscite périodiquement l'écoute de la *voix* de tel grand écrivain, il est frappant de voir que cet enthousiasme se monnaie en un chapelet d'adjectifs louangeurs et de lieux communs, et ne débouche jamais sur la moindre étude. Par exemple :

> La voix d'un écrivain me paraît capable de révéler autrement qu'un texte écrit — ou lu par un acteur — certains rythmes profonds de l'artiste. Elle couvre les mots de chair en les colorant de l'accent d'origine, elle les anime d'une pulsation rythmique qui peut nous permettre, d'une certaine façon, de remonter à la source physique d'un style, de mieux le comprendre. On ne lit plus Gide, Malraux, Giono, Mauriac après comme avant de les avoir entendus. Mais surtout Colette[1].

Bien sûr. Mais les lit-on *mieux?* Après des déclarations comme celle-ci, on pourrait s'attendre à ce que l'enregistrement sonore ait bouleversé la stylistique. Il n'en est rien. On a au contraire l'impression que la référence à la voix enregistrée a pour fonction de dispenser de toute étude du style. Comme la biographie, la phonographie peut être l'alibi d'une attitude obscurantiste, une sorte de recours à

1. Georges Rouveyre, « Le disque dans l'enseignement du théâtre et de la littérature », in *Compte rendu du Premier Congrès mondial des phonothèques* (1967), Phonothèque nationale, 1970, p. 136.

l'ineffable ou à l'évidence tautologique. En dédoublant le langage de l'auteur, elle procure l'illusion de comprendre quelque chose. Mais depuis trente ans qu'on enregistre des écrivains, et qu'on s'extasie, ces effets de relief n'ont pas fait avancer d'un pas la stylistique ni la phonostylistique. Ils mèneraient, au mieux, à une assez contestable stylistique de l' « écart », de l'individuel, alors que les lois et les caractéristiques générales de la parole parlée sont encore relativement mal connues [1].

Deux exemples, pour en finir : la voix tant vantée de Claudel n'a fait l'objet d'aucune étude. Dans un colloque réunissant les spécialistes, amateurs et amis de Jean Paulhan, où il fut surtout question de langage, et où on se référa constamment aux *Entretiens* avec Mallet, pas une seule fois le problème de l'oral ne fut évoqué [2]. Tout simplement sans doute parce que ceux qui n'étaient pas des amis de Paulhan n'avaient jamais eu l'occasion d'entendre ces entretiens, et ne les connaissaient que par l'imprimé.

SCRIPTA MANENT

La survie des entretiens est assurée en fait surtout par l'imprimé : la perte d'information est compensée par le gain en disponibilité et en maniabilité. Certains interviewers pensaient à la publication dès le début de leur travail, et les éditeurs avaient intérêt à exploiter le succès d'une série radiophonique. Léautaud fut publié quelque mois après avoir été diffusé : il est évident que la transcription d'un entretien n'est pas lue de la même manière par quelqu'un qui a encore la voix de l'écrivain dans l'oreille, et par quelqu'un qui ne l'a pas entendue.

Tous les entretiens n'ont pas été publiés. L'écrivain pouvait s'y opposer, comme le fit Gide, ou, comme Montherlant, il pouvait refuser de considérer comme faisant partie de son œuvre les propos tenus devant le micro. Il arrivait aussi que l'écrivain eût publié déjà, ou fût en train de publier, des mémoires avec lesquels les entretiens auraient fait double emploi (ce fut le cas pour Benda, Duhamel, la princesse Bibesco). Enfin ou pouvait se demander si un dialogue qui passait bien au micro se laisserait lire avec plaisir, la médiation

1. J'ai pu en faire l'épreuve sur la voix de Sartre, dont j'ai étudié un échantillon (voir « Ça s'est fait comme ça », *Poétique*, n° 35, septembre 1978, et ci-dessous, p. 200-202). Voir aussi p. 187, n. 1.
2. *Jean Paulhan le souterrain*, colloque de Cerisy (1973), coll « 10 × 18 », 1976.

de l'interviewer perdant, par écrit, une partie de sa nécessité [1].

Pratiquement tous les entretiens qui ont été publiés l'ont été sous la forme d'une transcription assez fidèle du dialogue (questions/réponses, indications sonores (« rires »), etc. [2]). Le lecteur ne devait pas oublier qu'il lisait quelque chose qui avait été prononcé, et qui était fait pour être entendu. Même s'il n'avait pas lui-même entendu *cet* entretien, il avait suffisamment l'expérience de la radio pour imaginer le type de performance sonore auquel cela renvoyait. Aussi était-il prêt à accepter comme vraisemblable, et à supporter, jusque dans ses faiblesses, une transcription qu'on n'aurait sans doute pas pu publier vingt ans auparavant. En même temps que la radio a fourni une nouvelle matière au livre imprimé, elle a contribué à en modifier la lecture. Et, par voie de conséquence, elle a entraîné une mutation dans le genre de l'interview écrite, et donné naissance à un nouveau genre littéraire, le livre-entretien.

A partir des années 1950, les journalistes ont pu se servir du magnétophone pour enregistrer des interviews ou des débats, et ont été tentés de publier la transcription (plus ou moins élaguée et arrangée), à la manière des transcriptions radio, mais sans qu'il y ait eu diffusion. Ces dialogues bruts (ou présentés comme tels) introduisaient une petite révolution dans l'art de l'interview journalistique. A preuve la réaction indignée d'un « classique », pour lequel l'interview imprimée restait un art de la transposition et de l'arrangement :

> Il convient de ne pas la confondre [la formule des entretiens radiophoniques] avec celle des « interviews enregistrées », telles que certains journaux ont essayé depuis un an ou deux de lancer. L'interview est un genre littéraire comme un autre qui a ses lois et ses spécialistes : le plus grand demeurant sans conteste Frédéric Lefèvre avec ses « Une heure avec... ». Il ne suffit pas de mettre un ou plusieurs écrivains devant le micro et de les faire ou de les laisser parler, puis de transcrire leurs propos, pour obtenir des résultats dignes d'intérêt. Sans doute est-ce là le principe des entretiens radiophoniques, mais n'oublions pas que la radio restitue lesdits entre-

1. Seul Bernard Gavoty s'est refusé à transcrire le dialogue : il a regroupé en un récit continu les propos d'Enesco, pour épargner au lecteur « la courbature d'un dialogue artificiel ». Aveu piquant et paradoxal, puisque justement ce dialogue lui-même avait été entièrement rédigé et lu au micro...

2. Différentes solutions étaient possibles. On pouvait choisir une reproduction fidèle du dialogue, ou profiter de la publication pour réécrire le texte (ce que fit Cendrars). La reproduction fidèle pouvait être soit la reproduction des entretiens *avant montage* (solution adoptée pour Léautaud), soit la reproduction de la version diffusée (solution adoptée pour Claudel), soit une version réalisant un nouveau montage (Paulhan).

> tiens en leur conservant un caractère d'improvisation, de vie, de « pris sur le vif » qui en fait l'intérêt et le charme essentiel. De plus le montage permet de donner au dialogue un rythme qu'il n'a pas toujours à l'origine.
> L'interview écrite suppose un travail d'élaboration, de mise au point, fût-il invisible, que la simple « dictée » du magnétophone ne permet pas [1].

Juste en apparence, cette réaction indignée était en fait un combat d'arrière-garde contre une technique qui s'est imposée, et qui est aujourd'hui pratiquée dans toute la presse. L'erreur était de confondre le mode de présentation (dialogue brut, non narrativisé, sans présentation, résumé, ni commentaire de l'interviewer) avec ce qu'on suppose être le mode d'élaboration (transcription brute, non arrangée). Tout le monde sait bien que, même lorsqu'elle se présente comme un dialogue brut, l'interview a été élaborée et arrangée. Et, pour le montage, l'interview écrite dispose d'une marge de manœuvre bien plus grande que l'interview radiophonique.

Dans les années 1950, la technique traditionnelle de l'interview narrativisée a été peu à peu concurrencée, dans les journaux et les périodiques, par la technique de l'interview dialoguée, qui s'adresse à des lecteurs désormais formés par la radio.

Dans le livre proprement dit, l'influence de la radio a été plus lente. C'est seulement en 1966 que Pierre Belfond a lancé sa grande collection « Entretiens », qui reprenait le principe de l'entretien radiophonique, mais *sans la radio*. Le public cultivé était suffisamment habitué à lire des transcriptions de dialogue, et suffisamment imbibé de dialogue radiophonique ou télévisuel. En 1971, Claude Glayman a étendu la formule au grand public en lançant la collection « Les grands journalistes » (inaugurée avec Françoise Giroud), qui a connu un très grand succès et suscité beaucoup d'imitations, le marché étant envahi par ce que certains considèrent comme des « non-livres », parce qu'ils se lisent comme on lit le journal, et comme on écoute la radio.

*

Mon propos n'est pas d'établir un bilan manichéen. L'écriture est bien évidemment la forme d'archivage la plus souple, la plus

1. « Radio et littérature », *Les Nouvelles littéraires*, 22 janvier 1953.

pratique et la plus économique. On pourrait imaginer de perfectionner les modes de consultation des documents sonores : soit en publiant des « radio-livres » qui donneraient à la fois la transcription intégrale d'une série d'entretiens, et un échantillon d'une heure d'enregistrement sur cassette; soit en instituant un système de copie sur cassette à la demande, comme Radio-France le pratique déjà pour les « Radioscopies », les « Dialogues » de France-Culture, et quelques autres émissions. Certainement c'est là la solution de l'avenir, comme l'est, pour la télévision, la constitution de vidéothèques, ou d'archives vidéo réalisées par le téléspectateur lui-même grâce au magnétoscope. Ce n'est qu'une question de temps, et d'argent...

L'essentiel, pourtant, n'est pas là. A la différence de l'écriture, les médias audiovisuels sont d'abord un moyen de vivre le présent. La relative infirmité de leur archivage est compensée par la toute-puissance de leur diffusion quotidiennement renouvelée, qui transforme notre manière de lire et d'écrire. La Voix des Maîtres du passé s'estompe, et, dans une certaine mesure, la multiplication actuelle des apparitions atténue la « sacralisation » caractéristique des premières années du genre. Cela est surtout vrai aujourd'hui pour la télévision : la voix diffusée est encore relativement proche de l'écriture. L'image du petit écran, elle, donne une « définition » tout à fait différente de l'écrivain, et, d'une manière plus générale, renvoie chaque jour dans l'oubli les images des jours précédents. Qui se souviendra, d'ici peu, de l'émission « L'homme en question », citée au début de cette étude, mais supprimée pendant l'été 1978? Mais qu'importe : on l'oubliera parce qu'elle aura été remplacée. Les écrivains se succèdent à « Apostrophes », mais finissent par se ressembler, non pas à eux-mêmes, mais entre eux.

Sartre et l'autobiographie parlée

Sartre a laissé en suspens la plupart de ses œuvres de longue haleine : *l'Être et le Néant*, *les Chemins de la liberté*, *l'Idiot de la famille*. Mais c'était après des réalisations de grande ampleur. Son autobiographie, elle, semble avoir été, dès le départ, vouée à l'inachèvement. Certes, par définition, l'autobiographie est, à la différence de la biographie, un genre ouvert et *interminable :* seule la mort met le point final. Mais au moins peut-on ne pas s'arrêter, comme l'a fait Sartre, dès le début. Le récit des *Mots*, publié en 1963, s'achève brusquement, en promettant une « suite », qui n'est jamais venue, et qui ne viendra jamais, puisque Sartre, depuis, a déclaré que les *Mots* étaient un « adieu à la littérature ».

Mais si Sartre a renoncé à continuer *ce* texte, il n'a pas renoncé à faire acte autobiographique. En 1970 il a substitué à ce projet celui d'un « testament politique ». Enfin, depuis 1975, un certain nombre de productions sont présentées par son éditeur, et par lui-même, comme étant la suite des *Mots :* l' « autoportrait » composé par Michel Contat (1975), le film *Sartre par lui-même* (1972-1976), et les dialogues au magnétophone entrepris avec Simone de Beauvoir [1]. Quel sens

1. Les principaux textes « autobiographiques » ainsi produits sont, dans l'ordre chronologique :

— le film *Sartre par lui-même*, d'Alexandre Astruc et Michel Contat (1976), dont les tournages ont eu lieu en février-mars 1972; la transcription de la bande sonore du film a été publiée en volume chez Gallimard en 1977 sous le titre *Sartre;* le press-book comprend, en plus du synopsis et de la fiche technique, une interview de Sartre sur le film (1er mai 1976), et une interview des deux réalisateurs sur leurs intentions;

— l'émission « Radioscopie » de Jacques Chancel, réalisée en direct le 7 février 1973, qui fut ensuite reproduite en cassette, puis transcrite dans le t. I de *Radioscopie*, coll. « J'ai lu », 1973, p. 187-215;

— un « Entretien inédit avec Francis Jeanson » (17 juin 1973) sur son adolescence et sa jeunesse, publié par Francis Jeanson en annexe de sa biographie *Sartre dans sa vie*, Éd. du Seuil, 1974, p. 289-299;

— *On a raison de se révolter. Discussions*, Gallimard, 1974, en collaboration avec Philippe Gavi et Pierre Victor (passages autobiographiques);

peut bien avoir cette expression « suite des *Mots* », en dehors de sa fonction publicitaire?

J'essaierai ici de suivre la transformation du projet autobiographique de Sartre et de montrer qu'elle est liée paradoxalement à la fois à la radicalisation de son engagement politique, à sa canonisation comme écrivain célèbre, et au jeu des médias modernes.

1. LA SUITE DES « MOTS »

L'idée de « suite » implique une conception chronologique du récit, dans laquelle la narration suit en gros l'ordre de l'histoire, et a la même extension qu'elle : c'est le modèle de la biographie classique, auquel la plupart des autobiographes se soumettent docilement, découpant leur vie en tranches successives qu'ils proposent aux lecteurs. Ainsi sont construits les différents volumes de l'autobiographie de Simone de Beauvoir : *la Force de l'âge* est la « suite » des *Mémoires d'une jeune fille rangée*. La vie est un feuilleton, dont les épisodes s'enchaînent et sont toujours « à suivre » au prochain numéro. Sartre se faisait sans doute une idée plus complexe du travail de biographe, mais sa méthode dialectique « progressive-régressive » n'excluait pas du tout qu'il choisisse, parmi d'autres principes d'organisation de son discours, la progression chronologique. Son projet initial était de s'appliquer à lui-même la méthode biographique qu'il essayait sur d'autres, et d'embrasser ainsi l'ensemble de sa vie [1].

— « Simone de Beauvoir interroge Jean-Paul Sartre », *L'Arc*, n° 61, 1975, repris en 1976 dans *Situations X;*

— « Autoportrait à soixante-dix ans », interview par Michel Contat, publiée en extraits dans *le Nouvel Observateur* les 23 juin, 30 juin et 7 juillet 1975, puis intégralement dans *Situations X* en 1976;

— « Sartre et l'argent », *Une semaine de Paris-Pariscop*, 20 octobre 1976 (extraits des entretiens de 1972 non utilisés dans le film *Sartre par lui-même*);

— « Sartre et les femmes », interview de Catherine Chaine, publiée dans *le Nouvel Observateur* les 31 janvier et 7 février 1977.

De plus Sartre avait entrepris en 1974 avec Simone de Beauvoir un livre d'entretiens autobiographiques au magnétophone (cf. *Situations X*, p. 152 et 175), mais semble les avoir abandonnés (cf. *Obliques*, « Sartre », n° 18-19, p. 329).

(Les références aux *Mots* renverront à l'édition de poche Folio.)

1. « Jean-Paul Sartre on his autobiography », interview par Olivier Todd, *The Listener*, 6 juin 1957, citée par Michel Contat et Michel Rybalka, *Les Écrits de Sartre*, Gallimard, 1970, p. 386. En 1957, Sartre rapprochait son projet autobio-

En 1955, il annonce clairement son désir de mettre « presque tout » de lui-même dans ce livre et de mener son héros au-delà de la conversion jusqu'à son engagement actuel [1]. En 1957, il va même jusqu'à prévoir un découpage chronologique parallèle à celui des *Mémoires d'une jeune fille rangée*, le « premier volume » de son autobiographie devant aller « jusqu'à la vingtième année [2] ». Quel crédit faut-il accorder à ces déclarations d'intentions? Correspondaient-elles à un début de réalisation? Il semble bien que, si Sartre a pu égrener au fil de ses interviews de telles promesses, c'est justement parce qu'il n'avait pas encore conçu la structure de son récit d'enfance tel que nous le connaissons.

Une première ébauche des *Mots* avait été élaborée en 1953-1954 sous le titre de *Jean sans terre :* Sartre l'a laissée dormir presque dix ans. Dès le départ, cette autobiographie a été interrompue. Et cela sans doute pour des raisons de méthode : peut-on vraiment parler de soi comme d'un autre? peut-on construire le récit d'une vie dont on est soi-même l'incertain aboutissement et qui est par définition ouverte sur l'avenir, comme on reconstitue la vie achevée d'un autre? Sartre butait sans doute sur l'incertitude du *terme* du récit, qui mettait en cause toute son organisation. D'autres facteurs, mais assez secondaires, ont pu aussi intervenir : la nécessité de faire un récit de son adolescence, qu'il hésitait à publier de peur de heurter sa mère, à ce que rapporte Simone de Beauvoir; et, justement, le fleuve autobiographique de Simone de Beauvoir, qui a donné au public à partir de 1957 l'équivalent d'un *Sartre raconté par un témoin de sa vie* dispensant Sartre de faire sa propre chronique. Sartre avait pris son élan pour un projet de grande ampleur, qui a tourné court.

Quand il a repris son texte en 1963, son travail a consisté à transformer ce qui n'avait été conçu que comme un début, en un tout (pro-

---

graphique de la biographie. On lui reprochait de reconstruire la vie des autres de l'extérieur, cela « perdait un élément de sympathie ». Humoristiquement, il explique qu'en écrivant sa propre biographie, il évitera ce reproche. Plutôt que cette boutade (qui contient pourtant du vrai : le désir de parler de soi comme d'un autre), il vaut mieux revenir sur ses déclarations de 1971, où il reconnaît que l'auto-analyse est impossible à cause de « l'adhésion ou de l'adhérence à soi ». La biographie reconstitue le projet d'un autre; l'autobiographie, elle, est un acte de constitution d'un nouveau projet de son auteur (*Situations X*, p. 103-104).

1. Interview accordée au *Monde*, 1er juin 1955, citée dans *Les Écrits de Sartre*, p. 386.

2. Interview accordée au *Welt am Sonntag*, 6 octobre 1957; cf. *Les Écrits de Sartre*, p. 313.

visoirement) achevé et refermé. Au lieu de donner une « suite » à un récit d'enfance construit comme la première étape d'un développement chronologique, il a essayé de donner une image, sinon complète, du moins cohérente de l'ensemble de son histoire dans un récit qui s'arrêtait à la onzième année [1]. Le récit de la vocation littéraire a été mené de manière à représenter à la fois l'histoire de l'enfant (1905-1916) et, indirectement, l'histoire du jeune écrivain (1905-1939). D'autre part, les éléments d'autoportrait du narrateur ajoutés en 1963 viennent compléter l'information que le style parodique donne sur la « conversion » idéologique et politique qui inspire le récit (conversion postérieure à 1939). Les différentes phases de la vie de Sartre se trouvent donc ici non plus alignées, mais superposées et fondues, comme les couches d'un glaçage en peinture. Ce procédé de construction permet d'éluder provisoirement la suite de la « biographie », et fait du récit un *acte* autobiographique cohérent. L'explication de l'enfance n'est plus qu'une conséquence parmi d'autres d'un choix existentiel nouveau qui s'affirme. Rejetant et éclairant son passé, c'est tout un appareil idéologique que Sartre fustige comme dans un pamphlet. Si le récit biographique reste en suspens, l'acte autobiographique, lui, aboutit à une forme de clôture.

Que pouvait être la suite d'un tel récit? On peut l'imaginer à différents niveaux, comme la suite de l'histoire de l'enfant, comme un récit de la conversion, ou même comme un nouvel acte autobiographique remettant le premier en question...

L'ADOLESCENCE REFOULÉE : UN CHANTIER AUTOBIOGRAPHIQUE

Dans *les Mots*, Sartre règle ses comptes avec un vieux mort, son grand-père. S'il avait poursuivi l'histoire de l'enfant, il aurait dû affronter une vivante, sa mère [2]. Tant qu'elle a vécu, il s'est refusé non seulement à l'idée de publier, mais même d'écrire ce récit d'adolescence. Le posthume n'est pas son genre, ni le « coup de pied de l'âne » consistant à attendre la mort de sa mère pour publier ce qu'il n'aurait pas voulu qu'elle lise. C'est en partie pour cela qu'il avait

1. J'ai analysé ces procédés de construction dans « L'ordre du récit dans *les Mots* », *Le Pacte autobiographique*, Éd. du Seuil, 1975, p. 197-243.

2. Mme Mancy, la mère de Sartre, avait finalement apprécié *Les Mots*, mais elle redoutait la suite : « Elle prévoyait qu'en revanche le volume suivant, où il parlerait de son beau-père, ne lui serait pas agréable. Il ne l'écrivit pas. Elle pensait qu'il le ferait après sa mort. Elle savait bien que son remariage avait brisé quelque chose entre eux (...) » (Simone de Beauvoir, *Tout compte fait*, Gallimard, 1972, p. 107).

laissé pendant dix ans son autobiographie en panne, et qu'il a ensuite indéfiniment différé la « suite ». Lorsque après la mort de sa mère (1969), il s'est trouvé libre de réenvisager le problème, il semble qu'il s'en soit désintéressé, parce que entre-temps sa conception de l'autobiographie avait changé [1].

Mais ce texte qu'il avait renoncé à écrire, Sartre s'est mis à le *parler*. Presque tout ce que nous savons de son adolescence vient de trois interviews ou textes au magnétophone produits en 1972-1973 [2]. S'agit-il d'une improvisation que n'aurait précédée aucun travail d'écriture? En ce cas, ce serait comme le « brouillon » oral d'un texte virtuel. S'agit-il au contraire d'une sorte de résumé vulgarisant un texte déjà « écrit » (au sens littéraire)? Le texte que nous lisons serait alors le produit d'une double opération de filtrage ou de transposition, c'est-à-dire d'une double dégradation : le style écrit fatalement simplifié et réduit par l'oral, et celui-ci à son tour aplati et réduit par la transcription graphique, le texte ayant donc perdu successivement à la fois ce qui peut être l'intérêt de l'écrit et ce qui peut faire l'intérêt de l'oral... A dire vrai, nous sommes en face de ces textes d'interviews un peu comme les lecteurs de 1960 étaient en face de l'interview recueillie par Madeleine Chapsal : comment aurait-on pu imaginer ce que serait le texte des *Mots*, ses jeux stylistiques et dialectiques, en lisant le résumé assez rapide et plat qu'en présente Sartre [3]? Il est vrai que les interviews sur l'adolescence comprennent quelques récits développés de scènes [4], et,

1. En 1970, Contat et Rybalka, tout en affirmant qu'il n'existait pour le moment aucune suite entièrement rédigée et publiable des *Mots*, ajoutaient : « Il n'est cependant pas impossible que, dans un avenir assez proche, Sartre consacre un volume à son adolescence » (*Les Écrits de Sartre*, p. 387). Mais peu de temps après, Sartre a lui-même annoncé qu'il renonçait à ce volume (*Situations IX*, p. 133-134), et il le confirme dans le film (*Sartre*, p. 112).

2. Voir *Sartre*, Gallimard, 1977, p. 15-22 (c'est d'ailleurs la seule information originale que contienne ce film); l'interview accordée à Francis Jeanson en 1973; et certains passages de *On a raison de se révolter* (p. 171-172). Avant 1972, Sartre avait rarement évoqué son adolescence : un bref et méchant portrait de son beau-père dans son texte sur Nizan (*Situations IV*, p. 160-161), et une évocation de l'apprentissage de la violence pendant la guerre à La Rochelle (*Situations IX*, p. 28).

3. Cette interview de 1960 est reprise dans *Situations IX*, p. 10-39. Sartre y résume en quelques phrases le thème des *Mots* (p. 32-33). *Les Mots* n'étaient pas alors publiés ni même terminés. Pour le public du film, en 1972, Sartre recommence cet exercice de résumé (*Sartre*, p. 14-15 et 22-28). Comme le montage comporte la lecture de citations des *Mots* (*ibid.*, p. 14-15 et 22-23), on peut comparer la version écrite et la transcription de la version orale.

4. En particulier dans le film, où plusieurs récits de scènes sont esquissés, la plus réussie étant celle où l'on retrouve le grand-père faisant craquer ses genoux, « Dieu

surtout, que le film nous permet d'échapper à la réduction « graphique » de l'oral.

Ces scènes, le spectacle de ce discours, laissent penser que la raison alléguée par Simone de Beauvoir (Sartre aurait hésité à peiner sa mère) n'est qu'un écran. Tout se passe comme si Sartre avait peur de son propre discours, de ce qu'il *pourrait* dire, et qu'en fait il n'a jamais osé dire autrement que sous la forme des plus candides dénégations. Il y a là une sorte de nœud obscur, de crise non dominée. Sartre a employé une formule révélatrice, disant de son adolescence qu'il l'avait plus ou moins « mise sous la cendre [1] ». Le geste de « mettre sous la cendre » n'est pas seulement celui de l'adulte qui diffère de parler de son adolescence ou d'y penser : il ne fait en cela que répéter ce en quoi cette adolescence elle-même a consisté, ce qu'il appelle l'intériorisation de la violence, et qui commence par le refus désespéré de se concevoir comme victime. Dans le film, Sartre tient des propos très étonnants par leur caractère classique de dénégation, qui livrent précisément ce qu'ils croient cacher, et montrent en même temps le refus total d'envisager ses rapports avec sa mère. Il répète sous nos yeux, au moment même où il croit l'analyser, le coup de force intérieur par lequel l'enfant « met sous la cendre » son désir, son angoisse et son agressivité, pour finir par se croire l'auteur d'une situation qu'il subit. Le discours oral improvisé révèle les failles et les contradictions bien mieux que ne le ferait un texte écrit à loisir, où l'élaboration stylistique finirait par colmater les ruptures, par les intégrer dans une dérive élégante. Les attitudes contradictoires, brutalement juxtaposées, lourdement répétées, naïvement exposées, provoquent chez l'auditeur une écoute analytique : il ne s'identifie plus au narrateur, il est conduit à recevoir ce discours comme le discours d'un *autre*, qui est à interpréter [2].

Quel ton Sartre aurait-il adopté s'il avait écrit cette adolescence? Dans *les Mots*, une sorte d'équilibre s'établit entre la satire de la famille, et la présentation humoristique de l'enfant qui joue le jeu qu'elle propose. L'adulte parvient à se maintenir à distance. Dans les récits oraux de son adolescence, le ton est différent : plus tendu et agressif vis-à-vis des autres, adhérant plus immédiatement aux

---

le Père se baissant pour ramasser une pièce de dix sous, pour écarter l'exclu » (*Sartre*, p. 20).

1. Francis Jeanson, *Sartre dans sa vie*, Éd. du Seuil, 1974, p. 289.

2. J'ai analysé un des passages de ce récit d'adolescence fait devant les caméras, dans « Ça s'est fait comme ça » (*Poétique*, n° 35, septembre 1978). Voir la présentation de cette analyse ci-dessous, p. 200-202.

souffrances et griefs du héros. Il n'y a guère de distanciation ni d'autocritique. Et Sartre ne remet guère en question, à travers les attitudes de l'adolescent, celles de l'adulte qu'il est devenu, et resté. Il y voit plutôt les sources qui le légitiment : l'explication n'est pas liée, comme dans *les Mots*, à un effort de dépassement.

A dire vrai, ces récits d'adolescence, répartis entre plusieurs interviews, dont les intentions et les techniques sont différentes, nous apparaissent plutôt comme des éléments disjoints, épars sur une sorte de chantier autobiographique à l'abandon. L'acte autobiographique, qui n'est ici qu'esquissé, consisterait à construire le sens de ces épisodes, et à trouver une manière non d'en parler, mais d'en écrire. Ce sens, qui reste flottant, dépend en fin de compte des choix actuels du narrateur. Écrit et publié, le texte des *Mots* a figé l'enfance de Sartre dans une interprétation sur laquelle il ne saurait revenir. Son récit d'adolescence reste au contraire ouvert à tous les vents de l'histoire : c'est un passé qui a encore de l'avenir devant lui. Nul doute qu'avant et après 1968, Sartre n'a plus pensé exactement de la même manière à ses révoltes et à ses soumissions.

Le sens de cette adolescence, de toute façon, ne saurait venir que de son couplage avec une phase ultérieure. Quand Sartre, à la fin des *Mots*, annonce « J'ai changé », il renvoie coup sur coup à *deux* changements : la découverte de la laideur et de la violence par l'adolescent à partir de 1917, et la découverte de l'histoire par l'adulte après 1939. Il donne ainsi la règle de construction d'un second volume, parallèle au premier : à travers la période 1917-1924, par exemple, montrer les lignes de force et les fondements de la période 1939-1964. On voit bien ce qui compliquerait l'opération : cette période 1917-1924 appartient en même temps à la période d'illusion engendrée par l'enfance « littéraire ». Mais un récit dialectique est habile à démêler et à mettre en scène de telles complexités. La difficulté est ailleurs. Elle tient à la fonction même d'un tel récit, qui devrait changer de genre, et passer du pamphlet à l'apologie.

UN RÉCIT DE CONVERSION?

Les Mots sont une sorte de récit de conversion : à la lumière d'une vérité nouvelle, le narrateur représente, explique et répudie ses erreurs passées. La « suite » qui manque, c'est moins le récit d'adolescence que le récit de la conversion elle-même (1939, entrée dans l'histoire; 1952, rapprochement avec le marxisme) et l'exposé des vérités conquises. Mais Sartre pouvait-il, pour accomplir ce second

« acte autobiographique », se servir du récit parodique et critique tel qu'il l'a mis au point dans *les Mots?* On peut en douter. Cette nouvelle vision du monde, il nous la communiquait sans doute mieux négativement : elle était le présupposé qui fondait sa démarche ironique, elle soutenait un jeu parodique qui avait d'ailleurs pour fonction de fournir une solution imaginaire aux contradictions dont Sartre restait malgré tout prisonnier [1]. S'il voulait formuler positivement sa nouvelle conception du rôle de l'écrivain, il devait abandonner le genre du pamphlet satirique (mais aussi abandonner la pratique du *style*) pour rejoindre un genre littéraire différent et même opposé : le *plaidoyer*. *Plaidoyer pour les intellectuels* (1967) n'est pas la « suite » des *Mots*, mais en est la contrepartie positive, un discours de *justification* substituant au mythe de l'écrivain héros ou saint la figure de l'intellectuel classique. Au récit parodique et pluriel succède un discours philosophique et univoque, parallèle à ce qu'avait été vingt ans plus tôt *Qu'est-ce que la littérature?* On peut se demander si Sartre n'est pas plus à l'aise dans l'attaque que dans la défense, dans la dénonciation que dans la justification : en particulier la dernière section du *Plaidoyer*, qui accorde à l'écrivain un statut exceptionnel, celui d'un « intellectuel par essence », finit par lui redonner, après un long détour, la place privilégiée que *les Mots* s'acharnaient à lui refuser. Tout se passe comme si le style parodique des *Mots* n'était que le masque d'un impossible dépassement. Les contradictions resurgissent dès qu'elles ne sont plus fictivement maîtrisées.

Sartre lui-même en a pris conscience après 1968, quand il s'est remis en question comme « intellectuel classique ». En réalité la seule suite possible aux *Mots* serait non pas le récit de la conversion (1939-1964) qui fondait la critique de la vie antérieure (1905-1939), mais bien une critique de cette conversion imparfaite au nom d'une conversion plus radicale survenue ultérieurement (1968-1970). C'est seulement quand on commence à ne plus être tout à fait quelque chose que l'on devient capable d'apercevoir comment on l'est devenu. Le récit autobiographique tel que Sartre le pratique dans *les Mots* suppose un effort de distanciation. Jusqu'en 1963, il adhérait trop à son rôle d'intellectuel pour pouvoir faire de sa pratique d'intellectuel un récit stylistiquement élaboré. Après 1968, il a repris une relative

1. Sur la fonction de la parodie dans *Les Mots*, voir Jacques Lecarme, « *Les Mots* de Sartre : un cas-limite de l'autobiographie », *Revue d'histoire littéraire de la France*, novembre-décembre 1975; sur ses niveaux et ses mécanismes, voir Geneviève Idt, « L'autoparodie dans *les Mots* de Sartre », *Cahiers du XX*e *siècle*, nº 6, 1976.

distance critique (non exempte de contradictions), et il est devenu capable de définir un nouveau projet autobiographique qui ne fait pas suite aux *Mots*, mais englobe la portion de sa vie déjà évoquée et repense toute sa vie d'un autre point de vue.

UN NOUVEAU PROJET

Défini en 1970, ce nouveau projet consiste à substituer à la question « comment devient-on écrivain? » cette autre question « comment un intellectuel en vient-il à la politique? » Pour Sartre la réponse à ces deux questions doit garder un caractère exemplaire : à travers son cas, il vise toujours la généralité. Généralité, il est vrai, qui se limite fatalement à celle d'un groupe particulier d'intellectuels bourgeois parisiens. Mais, de même qu'il tente de se peindre comme un cas typique de ce groupe, il a tendance à peindre ce groupe lui-même comme représentatif de la société française : on reconnaît là une des visées les plus répandues et les plus légitimes du récit autobiographique, celle qui consiste à centrer l'histoire autour du moi.

Sartre a donc défini la *fonction* de cette nouvelle autobiographie politique : « je raconterai ce que j'ai fait dans ce domaine, quelles erreurs j'ai commises et ce qui en est résulté. En faisant cela j'essaierai de définir ce qui constitue la politique aujourd'hui, dans la phase historique que nous vivons [1] ». Mais il a laissé dans le vague, et finalement n'a pas trouvé, la *forme* qui pourrait accomplir cette fonction. Pourtant, Sartre avait clairement conscience de la nécessité d'*inventer une forme* pour réaliser ce projet. En 1970, il emploie le mot « testament » pour désigner le genre qu'il pratiquera, ce qui renvoie, dans son esprit, au caractère strictement autobiographique du texte, et à sa fonction de clôture. Mais « testament » implique aussi un discours assertif, peut-être même une sorte de prédication, visant à transmettre un avoir, un capital : aussi Sartre renonce-t-il à ce terme. Il veut seulement montrer, analyser, éventuellement critiquer, ce qu'il a fait : comme dans *les Mots*, il faudra qu'il trouve un procédé pour se « distancier », se dédoubler.

Ce procédé pourrait-il être de nouveau la *parodie?* Sartre avait pris congé de la littérature en écrivant un texte *trop* littéraire : pouvait-il prendre congé de l'intellectuel classique en élaborant un style hyper-

1. *Situations IX*, p. 134 (interview au *New Left Review*, 26 janvier 1970). Voir aussi, en 1972, ses déclarations dans le film *Sartre par lui-même* (*Sartre*, p. 110-112) et en 1976 ses déclarations à propos du film, dans le press-book (interview du 1er mai 1976).

intellectuel, dans un « burlesque » brechtien de son propre discours philosophique et politique? Il ne semble pas qu'il ait choisi cette voie : d'abord parce que sa conversion n'était pas radicale, et ne pouvait aboutir à une bouffonnerie ruinant dans son principe un type de travail que par ailleurs il poursuivait avec un imperturbable sérieux en composant *l'Idiot de la famille.* D'autre part la parodie, même si elle est employée contre la littérature, est dans son principe même un développement du geste littéraire (recombinaison de textes antérieurs, élaboration d'une structure plurielle). En l'utilisant dans *les Mots,* loin de rompre avec sa pratique antérieure, Sartre n'avait fait qu'expliciter systématiquement un procédé employé dans ses premiers textes de fiction (*la Nausée*, en particulier). Aurait-il continué dans cette voie? La seule chose que nous sachions, c'est qu'en 1971, il envisageait de retrouver une situation de dédoublement en recourant non à l'autoparodie autobiographique, mais à une autofiction au voile transparent, qui aurait permis au lecteur d'appliquer à Sartre ce que Sartre aurait dit d'un personnage fictif [1]. Sartre désignait par le terme « nouvelle » le genre de ce texte : ce qui impliquait brièveté et construction serrée en vue de produire un effet dominant, c'est-à-dire un type de composition analogue à celle des *Mots.* Le pacte envisagé, la voix narrative probablement complexe, et les jeux de style auraient sans doute fait de cette « nouvelle » un texte aussi ambigu et aussi « pluriel » que *les Mots.*

L'important dans ce nouveau projet était l'intention d'accentuer le caractère *indirect* de l'évocation du vécu, sans se couper entièrement du pacte autobiographique. A partir de 1971, Sartre a développé l'idée classique que la biographie et l'autobiographie sont à la fois *référentielles* au niveau du pacte (l'auteur et le lecteur doivent également *croire* qu'il s'agit de parler du réel, en essayant de l'approcher dans sa vérité), et romanesques dans leurs procédés, en ce sens qu'elles sont des récits, et que tout récit est une construction imaginaire [2]. La question nouvelle qu'il se pose, c'est s'il ne vaut pas mieux *jouer ouvertement* de cet écart, en l'utilisant délibérément comme procédé d'exploration, que le subir passivement comme une limite inhérente à son travail, et qui éveille fatalement la méfiance du lecteur. Si l'on se distancie du personnage en l'habillant en fiction, on inverse la réaction du lecteur, en fonction de cette loi d'équilibre interne propre à l'espace autobiograhique : le lecteur prend d'autant plus en charge

1. *Situations X*, p. 145-148.
2. Il applique ce raisonnement à *L'Idiot de la famille* (*Situations X*, p. 94) et aux *Mots* (*ibid.*, p. 146).

lui-même l'attitude référentielle que l'auteur feint de l'abandonner. Et au même moment l'auteur retrouve la liberté d'inventer, c'est-à-dire *de dire ce qu'il ne sait pas :* ce ne serait une entorse à la vérité que s'il savait tout de lui-même. Ce raffinement dans la recherche d'une forme autobiographique distanciée correspond au désir de neutraliser autant que faire se peut l' « adhérence à soi » qui empêche chacun de se connaître. Mais peut-on vraiment sortir de soi, — et pour se voir de quel point de vue? Le dispositif sophistiqué par lequel on va faire semblant de se voir comme un autre n'est au bout du compte qu'une nouvelle forme du même imaginaire. La contradiction se renverse : si on ne peut rendre vraiment son « vécu » tel qu'il a subjectivement été, on ne saurait non plus sortir de son point de vue pour le saisir objectivement dans sa vérité. La seule fidélité qu'on puisse donc authentiquement atteindre est celle qui consiste à représenter cette contradiction elle-même. C'est ce qu'a tenté Roland Barthes dans son *Barthes* par Barthes, dans une gymnastique vertigineuse mais sans péril qui lui fait mettre en scène tous les « redans » de son imaginaire en jouant aux quatre coins avec les pronoms personnels [1].

Sartre semble avoir envisagé une solution différente : plutôt que d'avoir recours à la troisième personne, ou à un système mixte (système qui maintient le pacte autobiographique, mais introduit des « figures d'énonciation »), il aurait préféré jouer sur le pacte lui-même, en se donnant la liberté d'inventer une sorte de double allégorique. L'acte autobiographique ainsi conçu ne serait pas le récit d'une conversion déjà faite, mais le lieu d'un travail de conversion. Sartre y voyait le moyen d'essayer de sortir de son propre système, en montrant (un peu comme Rousseau) que ses « contradictions » n'étaient pas des incohérences personnelles mais des effets apparents produits par le champ idéologique :

> Il s'agissait, par le biais d'une fiction vraie — ou d'une vérité fictive —, de reprendre les actions, les pensées de ma vie pour essayer d'en faire un tout, en regardant bien leurs prétendues contradictions et leurs limites, pour voir si c'était bien vrai qu'elles avaient ces limites-là, si l'on ne m'avait pas forcé à considérer telles idées comme contradictoires alors qu'elles ne l'étaient pas, si l'on avait bien interprété telle action que j'avais faite à un certain moment [2]...

1. Cf. sur ce type de solution « L'autobiographie à la troisième personne », ci-dessus, p. 32-59.
2. *Situations X*, p. 148.

Il se serait donc moins agi d'autocritique que d'une manière d'assumer ses contradictions en en rejetant la faute sur le système social, en les prenant comme instrument d'exploration de son fonctionnement idéologique : comment est faite la société actuelle pour qu'elle ait besoin de décréter contradictoires mes différents choix?

2. LA NOSTALGIE DE L'ÉCRITURE

Mais rien ne sert de rêver à ce qu'aurait pu être ce texte. A partir de 1972 cette recherche d'une nouvelle forme autobiographique s'est mise à dériver, pour deux raisons différentes, dont les effets se sont conjugués.

D'abord, Sartre a commencé à être piégé dans le « champ biographique » : et cela non par la faute des médias ou de journalistes trop curieux, mais par l'évolution de son entourage. Sans doute est-il fatal, dans notre civilisation, que le capital idéologique et mythologique que représente un grand écrivain vieillissant ne soit pas laissé à l'abandon et suscite à la fois des entreprises de conservation, et une certaine exploitation commerciale. Le fait n'est pas nouveau : il suffit pour s'en convaincre de lire le récit de la vieillesse de Gide dans les *Cahiers de la Petite Dame* [1]. Pour Sartre le tournant se situe autour de 1970. La publication de la biobibliographie de Michel Contat et Michel Rybalka, *les Écrits de Sartre*, qui est un chef-d'œuvre du genre, a marqué l'entrée de Sartre dans l'histoire, dans le passé, au moment même où il radicalisait ses positions révolutionnaires. Son « intérêt idéologique » se trouvait brusquement *capitalisé*. Dans les années qui suivent, la présence à ses côtés de ces deux interviewers remarquablement qualifiés, les projets biographiques de Francis Jeanson, l'idée d'un film qui est venue simultanément à Alexandre Astruc et à Michel Contat, — tout cela a pu offrir à Sartre une activité de diversion, et l'amener à penser que par certains de ces canaux (en particulier le cinéma), il pourrait préparer ou réaliser tel ou tel aspect de son nouveau projet autobiographique [2]. Au moment même où il cherchait une

1. Maria Van Rysselberghe, *Les Cahiers de la Petite Dame*, t. IV (1945-1951), *Cahiers André Gide*, n° 7, Gallimard, 1977. On y voit Gide embaumé vivant, avec irruption de photographes, moulages de main, enregistrements au piano, film de Marc Allégret, entretiens radiophoniques réalisés par Jean Amrouche (les premiers du genre, en 1949), etc.

2. Les projets d'émission de télévision conçus en 1975 (dont Sartre aurait écrit le scénario avec Simone de Beauvoir, Philippe Gavi et Pierre Victor) tenaient

forme nouvelle pour son testament politique, il s'exposait, par sa collaboration à ces entreprises, à retomber dans les formes traditionnelles d'un genre différent, la biographie.

Peut-être aurait-il échappé à ce piège si, en 1973, l'affaiblissement de sa vue ne l'avait obligé à renoncer à l'écriture. Cet accident de santé, qui réalise à la lettre la « future infirmité » dont, enfant, il berçait ses rêveries posthumes [1], l'amène non pas à écrire dans le noir des manuscrits apparemment illisibles mais géniaux, mais à s'en remettre à autrui du soin d'écrire quelque chose à partir de ses paroles.

Dans « Autoportrait à soixante-dix ans », Sartre a commenté avec une lucidité remarquable ce qu'impliquait pour lui ce renoncement à l'écriture. Il faut sans doute distinguer deux problèmes différents : peut-il y avoir autobiographie sans style? et peut-il y avoir style sans écriture?

STYLE ET AUTOBIOGRAPHIE

Quand Sartre, questionné par Michel Contat, essaie de définir ce qui limite ou même rend impossible le projet autobiographique, il développe deux raisonnements contradictoires. D'un côté il prétend que ce qui rend l'autobiographie impossible, c'est l'opacité des relations sociales actuelles; il n'est pas possible de tout dire de soi : « comme chacun, j'ai un fond sombre qui refuse d'être dit [2] ». Et il précise qu'il ne s'agit pas de l'inconscient, mais de choses qu'il sait, et qu'il garde pour lui. Plus tard, quand la révolution sera faite, tout le monde sera transparent. Les questions de Michel Contat soulignent malicieusement le caractère archaïque de ce raisonnement Rousseauien. Deux minutes ou deux pages plus loin, Sartre dit exactement le contraire : s'il est difficile et urgent d'écrire son autobiographie, c'est justement parce que l'on ne se connaît pas soi-même. Et pour approcher cette vérité sur l'individu particulier qu'on est, il ne suffit pas de parler, il ne suffit pas non plus d'écrire ce qu'on croit déjà

---

compte de l'existence du film tourné en 1972 : « Le projet consistait à me prendre comme sujet en évolution jusqu'en 1975, mais j'étais un sujet quasiment impersonnel. Je ne racontais pas mon histoire, j'interprétais l'histoire du monde pendant les soixante-dix années que j'ai vécues. L'histoire vue à travers une subjectivité concrète, celle d'un Français parmi tant d'autres. C'est cela qui m'intéressait, du moment que j'avais déjà fait ce film autobiographique » (interview du 1er mai 1976, press-book, p. 2).

1. *Les Mots*, p. 173.
2. *Situations X*, p. 143.

savoir, il faut avoir le courage de travailler le langage, pour arriver à représenter ce qu'on ne sait pas. L'autobiographie n'a guère d'intérêt, si elle n'est invention d'une forme, si elle n'est littérature.

L'autobiographie n'est plus qu'un cas particulier de l'écriture littéraire, de ce que Sartre appelle le *style*. Une des plus apparentes contradictions de Sartre est qu'au moment même où, avec *les Mots*, il semblait détruire le mythe de l'écrivain, il continuait, dans le sillage de Mallarmé, la plus mystique des réflexions sur l'écriture. Sartre reprend en 1975 à propos de l'autobiographie les théories qu'il exposait déjà en 1967 dans son *Plaidoyer pour les intellectuels*. Il vaut la peine de les résumer : elles impliquent en effet une condamnation, ou du moins la constatation des limites de la communication ordinaire, et donc de l'autobiographie non littéraire. L'emploi ordinaire du langage ne s'effectue qu'au prix d'une particularisation, d'un appauvrissement des mots. L'écrivain est celui qui joue sur le signifiant et sur tous les réseaux du signifié pour remettre chaque mot, chaque phrase, chaque énoncé, en relation avec la totalité de la langue. Il restitue la part de « désinformation », d'ambiguïté, qui oblige le lecteur à reprendre conscience de l'existence de cette totalité qui le dépasse et qui le détermine; par là il l'oblige à se resituer, à faire un choix, il l'arrache à la fausse « naturalité » de la langue de tous les jours. Cette théorie repose sur une métaphore filée mettant en parallèle la relation du mot à la langue et la relation de l'homme au monde :

> Le propos essentiel de l'écrivain moderne, qui est de travailler l'élément non signifiant du langage commun pour faire découvrir au lecteur l'être-dans-le-monde d'un universel singulier, je propose de l'appeler : recherche du sens. C'est la présence de la totalité dans la partie : le style est au niveau de l'intériorisation de l'extériorité (...).
>
> L'écrivain ne peut que témoigner du sien (être-dans-le-monde) en produisant un objet ambigu qui le propose allusivement. Ainsi le vrai rapport du lecteur à l'auteur reste le non-savoir; à lire le livre, le lecteur doit être ramené indirectement à sa propre réalité de singulier universel [1]...

Ces propositions, appliquées à l'autobiographie, définissent une conception du genre diamétralement opposée à la pratique ordinaire. Du côté de l'écriture, elles excluent tout recours paresseux à des formes conventionnelles, elles dénient tout intérêt à la spontanéité du premier jet; elles renvoient la plupart des discours autobiogra-

1. *Situations VIII*, p. 449-450 et p. 444.

phiques au niveau d'une sorte de bavardage aliéné, que l'écrivain doit justement remettre en question par son travail. On n'écrit pas pour dire ce qu'on sait, mais pour approcher au plus près ce qu'on ne sait pas, pour explorer les contradictions qui nous constituent, manifester dans une construction de langage complexe la vérité comme manque qui nous fonde. Cette idée de manifester une absence, se retrouve aussi bien chez Leiris *(Frêle Bruit)* que chez Barthes (*Barthes* par Barthes). Loin d'être un inventaire de quelque chose qui existerait, l'autobiographie est invention de ce qui n'est pas. Et si moi, lecteur, je lis les textes ainsi produits, ce n'est pas pour « communiquer » mythiquement avec un autre, ni par pur souci de curiosité historique, c'est parce que je suis, moi aussi, à la recherche d'un langage pour exprimer une vie qui m'échappe et me dépasse. Un beau texte autobiographique, ce n'est pas celui qui m'apporte un savoir sur un autre, mais celui qui éveille en moi le désir de donner une forme à ma propre vie, et qui m'en suggère les moyens. C'est là certes une conception exigeante, qui rapproche l'autobiographie de ce qu'on attend de la poésie (forcer le lecteur à être poète) et l'éloigne des satisfactions propres à la fiction (intérêt narratif, identification) et au document (savoir).

Aussi très peu de lecteurs ont-ils sans doute désiré et attendu la suite des *Mots*, comme on attend la suite d'un roman; Jacqueline Piatier, réalisant en 1964 la seule interview qui accompagne la sortie du livre, ne pose même pas à Sartre cette classique question, « à quand la suite? ». Et nul doute que le lecteur moyen satisfera mieux sa curiosité biographique par d'autres moyens. Dans *les Mots*, on ne reçoit pas le texte comme une information communiquée par l'auteur, comme une communication d'homme à homme. Visiblement, le narrateur s'est construit une voix factice et compliquée, qui brouille complètement l'illusion d'un sujet plein qui s'adresserait à nous : et je ne peux lire ce texte que si à mon tour j'abandonne la place confortable et convenue de destinataire d'une communication univoque. Je dois me mettre, moi aussi, à jouer la comédie : je suis aspiré par cette absence, par cette négativité, et je finis non seulement par perdre de vue l'individu Jean-Paul Sartre, mais par être arraché à l'évidence de mon langage et mon image. La lecture ou le spectacle d'une interview, en sens inverse, reconstitue pour moi ce sujet « plein », solide, extérieur à moi, dont l'absence, la fuite délibérée irrite ou stimule le lecteur de l'autobiographie écrite. Le narrateur des *Mots* et le monsieur qui raconte sa vie sur l'écran dans le film *Sartre par lui-même* sont, pour moi, l'inverse l'un de l'autre. Le monsieur du film est quelqu'un qui a des opinions, un corps, une histoire, un être tout à fait extérieur à moi, contingent, et non cette absence aspirante, ce vide nécessaire qui est au cœur de la dialectique et du style parodique des *Mots*. Cette opposition totale ne tient pas seulement au degré d'écriture ou de style qu'il y a dans le langage, mais aussi, bien sûr, au type de communication qu'induisent des médias différents. Reste que l'autobiographie écrite arrive à nous communiquer la forme d'un sujet « subjectif », tandis que la conversation nous donne simplement des informations pour constituer un personnage extérieur au sein d'un discours biographique.

STYLE ET ÉCRITURE

Cette élaboration stylistique d'un texte écrit, Sartre ne la conçoit pas en dehors de l'écriture. Privé de la possibilité de lire et d'écrire, il ne se sent plus capable d'effectuer par la seule parole ces opérations qui arrachent le langage à sa platitude. « Homme de l'écrit », appartenant à une civilisation de l'imprimé, il ne saurait se passer des commodités qu'offre l'écriture. L'écriture n'est pas liée à la « loi d'isochronie » qui régit l'émission et la réception de la parole. Il faut autant de temps pour écouter une phrase que pour la prononcer, alors qu'on peut lire une page en dix fois moins de temps qu'il n'en a fallu pour l'écrire. L'écriture, d'autre part, permet un feed-back instantané de l'information émise, et un retour en arrière quasi immédiat : le contrôle et la rectification, nécessaires à l'élaboration stylistique, en sont singulièrement facilitées. Enfin, l'éloge de l'écriture n'est plus à faire... Mais à force de le faire, on finit par oublier qu'il n'y a rien là de naturel ni de nécessaire, et qu'il a pu exister dans des civilisations sans écriture une autre manière de travailler sur le langage : la mémoire mieux exercée permettait de remplir la fonction que nous avons déléguée à l'écriture, et c'était la répétition d'une performance devant des publics différents qui était l'occasion d'un travail d'élaboration. On sait bien qu'on peut améliorer une histoire en la racontant plusieurs fois, et les récits d'enfance de Vallès, de Pagnol et de bien d'autres ont certainement beaucoup gagné à avoir ainsi été « rodés » avant d'être couchés par écrit.

Mais le problème de Sartre est différent. D'abord il ne s'agit pas, bien évidemment, de parler au lieu d'écrire, mais de *parler pour écrire*. La parole est simplement utilisée comme ersatz dans un système de production dont la logique reste celle de l'écriture : on élabore dans la solitude un message destiné à être communiqué ultérieurement par écrit à un public. D'autre part, à la différence d'écrivains qui utilisent l'oral pour une première version de leurs textes, Sartre est contraint de se reposer entièrement sur lui : il ne saurait lire ce qu'il aura dicté, ni travailler sur la transcription. Tout passage par l'écrit lui étant impossible, il doit s'en remettre à autrui, qu'il choisisse le système de la dictée ou celui de l'entretien.

Dans la *dictée*, l'aide d'autrui est purement matérielle, et l'auteur garde entière la responsabilité de la composition. La dictée peut être directe (on dicte à une secrétaire) ou différée (on dicte à un magnétophone). La dictée directe permet d'effectuer certaines des opérations propres à l'écriture : relecture (il est vrai orale) des phrases précédentes, corrections et retouches immédiates. C'est une technique qui a été et qui est toujours employée aussi bien pour la composition de fictions que pour l'élaboration de mémoires. Depuis l'après-guerre, le magnétophone permet la dictée différée, et donc solitaire. On s'enregistre soi-même, on contrôle son texte en le réécoutant, on peut effacer, ou dicter des instructions de rectifications adressées au secrétaire qui transcrira la bande. C'est ce que fait Georges Simenon depuis qu'il a décidé, en 1973, d'arrêter d'écrire ses romans. Il a troqué la machine à écrire contre le magnétophone, qui lui sert à tenir son journal. Il fait, selon son expression, de l' « auto-interview [1] ». Mais ces dictées quasi quotidiennes qu'il publie régulièrement par tranches, comme Jouhandeau ses *Journaliers*, n'impliquent aucun effort de construction. D'autre part les écrivains qui aujourd'hui composent au magnétophone gardent la possibilité de travailler ensuite par écrit sur la transcription [2]. La situation où se trouve Sartre ressemble plutôt à celle d'Emmanuel Berl qui, sa vue baissant, a dicté au magnétophone ses souvenirs d'enfance [3].

Mais Sartre, lui, n'a pas voulu se servir de cette technique d'expression. « Homme de l'écrit », il se dit trop âgé pour changer de mode

1. « Or, qu'est-ce que je fais à présent? J'ai envie de répondre : de l'auto-interview. La différence avec autrefois, c'est que je choisis à la fois les questions et les réponses. C'est presque devenu un jeu. Au lieu de penser à vide, si je puis dire, je pense à haute voix, comme je le faisais jadis devant un reporter ou un journaliste » (*Les Petits Hommes*, Presses de la Cité, 1976, p. 33). D'une manière générale, Simenon ne se réécoute pas, et ne transcrit pas lui-même la bande. On doit tout de même supposer qu'une certaine toilette et un certain élagage précèdent la publication. Six volumes composés selon cette méthode ont été publiés aux Presses de la Cité de 1975 à 1977. Et la série continue.

2. Voir sur l'ensemble de ce sujet l'excellent dossier établi par Karine Berriot dans *Les Nouvelles littéraires*, 3-10 mars 1977.

3. Le livre d'Emmanuel Berl (*Interrogatoire*, par Patrick Modiano, suivi de *Il fait beau, allons au cimetière*, Gallimard, 1976) réunit deux textes produits par les techniques complémentaires de la dictée solitaire et de l'entretien.

de composition [1]. Il y a sans doute d'autres raisons. Formés dès l'enfance à la discipline de l'écriture et de la lecture « silencieuse », nous sommes habitués à écrire seuls : mais « parler tout seul » nous est encore un peu inquiétant et passe traditionnellement pour signe de « folie ». Il est révélateur que lors de son apparition sur le marché, dans les années 50, le magnétophone ait été utilisé au théâtre par Beckett et Sartre pour mettre en scène d'angoissants dédoublements intimes [2]. L'enregistrement de la parole, comme jadis l'invention du miroir, crée une nouvelle situation de réflexivité qui transforme notre imaginaire. C'est là sans doute une mutation de civilisation : la diffusion du magnétophone et des techniques vidéo est en train de changer lentement le rapport que chacun entretient avec son corps et avec le son de sa voix. Exactement comme il pouvait paraître bizarre et inquiétant, vers 1900, de parler à quelqu'un qui n'était pas là grâce au téléphone, au lieu de lui écrire, aujourd'hui beaucoup d'adultes formés à l'écriture ont peur du magnétophone, surtout s'ils sont seuls devant l'appareil. Ils craignent de s'enregistrer, et de se réécouter, comme si leur voix devait résonner dans le silence d'une écoute analytique. D'avance ils s'entendent parler et leur voix se brise :

> Si je ne suis pas sûr qu'un autre corps m'écoute, ma voix se paralyse, impossible de la faire sortir (...). Parler seul devant un magnétophone alors que toute voix est faite pour rencontrer l'autre, me paraît une frustration insupportable : ma voix est littéralement coupée (châtrée) (...). Et puis, la lenteur même de l'écriture me protège [3]...

Sartre ne semble même pas avoir essayé de dicter au magnétophone. Il dit, à juste titre, que ce changement de mode de composition entraînerait un changement de style, et peut-être même la perte de ce qu'il appelle *le style*. Mais l'autre solution, celle de l'entretien, n'aboutit-elle pas au même résultat? Si Sartre l'a préférée, c'est qu'elle prolongeait des situations « naturelles » et stimulantes de dialogue avec son entourage; c'est aussi parce que, pour le style, elle dégageait sa responsabilité.

Le style, selon lui, est produit par deux opérations fonctionnellement liées : élaboration de la phrase « plurielle » (« *dire trois ou quatre*

1. *Situations X*, p. 137.
2. Samuel Beckett, *La Dernière Bande* (1959), Jean-Paul Sartre, *Les Séquestrés d'Altona* (1959).
3. Réponse (écrite) de Roland Barthes à l'enquête de Karine Berriot, *Les Nouvelles littéraires*, 3-10 mars 1977. Ce n'est pas l'absence d'écoute qui paralyse, mais au contraire le fantasme d'une écoute silencieuse.

choses en une », « *donner à chaque phrase des sens multiples et superposés* »), mais cela en fonction de la construction d'une totalité (« *Le travail du style ne consiste pas tant à ciseler une phrase qu'à conserver en permanence dans son esprit la totalité de la scène, du chapitre et, au-delà, du livre entier. Si vous avez cette totalité, vous écrivez la bonne phrase. Si vous ne l'avez pas, votre phrase détonnera ou paraîtra gratuite* [1] »). Or ces différentes opérations, si elles sont à la limite possibles dans le cadre d'une composition orale solitaire, sont pratiquement irréalisables dans une situation d'entretien.

L'attitude de communication incite à donner à chaque phrase un sens univoque, et à juxtaposer et non superposer les sens. Certes, il n'y a rien là de nécessaire : le propre des brillants causeurs est d'arriver à produire dans un entretien un texte structuré, qui utilise en même temps que des jeux sémantiques et syntaxiques les propriétés du langage oral (rythme, intonation). D'autre part, dans notre civilisation, il se produit fatalement, à des degrés divers, des échanges entre la pratique écrite et la pratique orale du langage. Sartre remarque ce genre d'échange à l'intérieur même de l'écrit, entre ses textes littéraires et ses textes philosophiques : « Après cinquante ans d'écriture, on finit par être imbu de son propre style et (...) certaines formules viennent spontanément, sans aucun travail [2]. » L'écrit peut finir par déteindre sur l'oral. Mais, chez Sartre, cette teinture reste locale. Le film *Sartre par lui-même* montre qu'il n'a rien du côté brillant ou théâtral d'un Malraux. Ce qui frappe, au contraire, c'est sa simplicité, son attitude naturelle, la manière qu'il a de jouer normalement le jeu de la conversation, en partageant le langage de l'autre, en cherchant la communication et non la performance. Il ne saurait parler comme il écrit dans *les Mots :* la concentration des jeux de langage, le jeu même de la parodie, cette théâtralisation de l'énonciation, ne sont supportables que dans le cadre d'un cérémonial littéraire et sont en contradiction avec l'attitude d'écoute que nous avons devant un entretien. Et, du côté du locuteur, le souci pédagogique de clarté, l'attention accordée à l'auditeur, limitent fatalement l'élaboration stylistique : à force de vouloir informer et clarifier, Sartre renonce à la « désinformation » et à l'ambiguïté propre au « style ». Et il peut avoir l'impression de réduire et de trahir ce qui serait en réalité à dire, — ou plutôt à écrire. A la fin de son « autoportrait », il cerne très bien ce paradoxe :

1. *Situations X*, p. 137-138.
2. *Ibid.*, p. 94.

— *Y a-t-il quelque chose que vous voudriez ajouter?*

— Tout, en un sens, si vous voulez, et en un autre, rien. Tout, parce que par rapport à ce que nous avons formulé, il y a tout le reste, tout ce qui demanderait à être approfondi avec soin. Mais ça, ce n'est pas dans une interview qu'on peut le donner. C'est ce que je sens chaque fois que je fais une interview. En un sens, c'est frustrant une interview, c'est frustrant parce que en effet il y aurait beaucoup de choses à dire. L'interview les fait naître comme leur contraire en même temps que les réponses que l'on fait [1] (...)

Aussi n'y a-t-il rien à « ajouter » : seul le style pourrait introduire dans l'énoncé lui-même ce « contraire », et le rendre dialectique.

Ce qui empêche l'élaboration orale du style, ce n'est pas seulement l'attitude de communication, c'est aussi la situation de dialogue. L'interviewé ne saurait déterminer lui-même la composition du texte. Il ne peut pas contrôler le rapport de la partie au tout, donc il ne saurait régler le jeu des effets stylistiques. Quoique ce soit lui qui parle la plupart du temps, son discours est suscité, contrôlé, totalement régi par un autre discours dont il est hiérarchiquement dépendant. Le propre du genre de l'interview, c'est que la communication n'est pas réversible : c'est toujours le même qui interroge, le même qui répond. Et celui qui interroge détermine entièrement la structure du texte final. Pendant l'entretien, l'interviewé ne saurait organiser (comme Sartre le fait dans *les Mots*) une structure complexe, simultanément chronologique, thématique et dialectique; il lui est impossible de jouer sur les symétries et les renversements. Il ne peut pas prévoir où en sera le dialogue dans cinq minutes, et, absorbé dans la communication immédiate, il ne maîtrise pas non plus complètement ce qu'il a dit avant. C'est l'autre qui est maître du jeu, qui a un projet (parfois critique), qui cherche à défaire des cohérences, à mettre en lumière des failles. Et dans la seconde phase d'élaboration (transcription, choix et montage), l'interviewé n'intervient plus du tout.

En choisissant pour s'exprimer la voie du dialogue et de l'interview, Sartre a donc renoncé non seulement, comme il le dit, au *style*, mais aussi au statut d'auteur, responsable de ce qu'il publie. Accorder un entretien, c'est un peu comme poser devant un peintre : à cette différence près que le modèle du peintre, immobile, passif, n'a pas le sentiment d'être l'auteur du tableau, tandis que le modèle de l'interviewer collabore en répondant et ne se rend pas toujours compte que la parole qu'il fournit est comme un *matériau* que l'interviewer suscite à sa guise, extrait, modèle et sculpte, et dont il devient à son

1. *Ibid.*, p. 225.

tour l'auteur. Aussi les textes « autobiographiques » produits sous le nom de Sartre ces dernières années ne sont-ils plus exactement de l'autobiographie : ce n'est pas vraiment de la biographie, mais un genre intermédiaire que l'on pourrait appeler biographie dialoguée, ou dialobiographie.

La célébrité de Sartre fait qu'on continue à publier ces textes sous son nom. Mais il suffit de regarder certains des titres ou sous-titres (choisis sans doute non par Sartre mais par ses éditeurs) pour sentir un décalage gênant. Le volume X de la série des *Situations* porte en sous-titre « Politique et autobiographie ». La première partie, qui reprend des articles, conférences ou préfaces écrits jusqu'en 1973, s'intitule « Textes politiques ». La seconde partie, qui comprend uniquement des interviews, s'appelle « Entretiens sur moi-même », ce qui est un croisement maladroit entre les deux types de titres possibles, ou bien « Essais sur moi-même », à la manière de Jouhandeau, ou bien « Entretiens avec Jean-Paul Sartre », comme il est maintenant courant dans les différentes collections d'entretiens ou de biographies dialoguées. Le lecteur est choqué à la fois par le caractère boiteux de la réflexivité de ce « moi-même [1] », et par l'ostentation si peu sartrienne de « moi-même » dans un titre.

Sartre est-il responsable, est-il même conscient de cette dérive? Pour être juste, il faut la resituer dans l'ensemble de ses activités. Privé de l'usage du « style » littéraire, Sartre n'a pas voulu renoncer à la pensée théorique : à défaut de pouvoir écrire, il a élaboré avec Pierre Victor depuis 1975 un nouveau mode de collaboration, qui doit aboutir à un livre, intitulé *Pouvoir et Liberté*. Ce livre, d'une certaine manière, remplira la fonction assignée en 1971 au « testament politique [2] ». D'autre part, si Sartre se prête aux entretiens, et aux différentes entreprises biographiques qui se constituent autour de lui, c'est avec l'idée de les faire servir à la diffusion de ses idées et à l'explication de son engagement. Il n'avait pas voulu être récupéré par le prix Nobel : il s'est récupéré lui-même, en décidant de mettre systématiquement sa « gloire » au service de la révolution. Sans doute n'est-il

1. Un titre fonctionne toujours comme une phrase, adressée de l'auteur (ou quelquefois de l'éditeur) au lecteur. Ici il comporte une double ellipse : celle qui est commune à tout titre *(je vous propose de lire...)* et celle propre à ce type de titre (*cet* essai *que j'ai écrit* sur moi-même). Dans la formule « Entretiens sur moi-même », la réflexivité du « moi-même » est boiteuse, puisque « Entretiens » implique sans doute un verbe à la première personne du pluriel *(que nous avons eus)*, et qu'on ne sait pas qui est associé à ce « je » pour faire un « nous ».

2. L'histoire et la forme de ce projet sont présentées par Sartre et Victor conjointement dans une interview publiée par *Libération* le 6 janvier 1977.

pas dupe de cette gloire qu'il cherche à utiliser : mais du fait même qu'il ne se pense pas célèbre, il a tendance à sous-estimer les effets et les pièges de la célébrité. Il y a une logique du système de la gloire qu'il est sans doute impossible de contourner, surtout lorsque de nouveaux médias viennent en décupler la puissance.

3. À TRAVERS LES MÉDIAS

La dérive du projet autobiographique de Sartre se trouve coïncider, chronologiquement, avec l'expansion du marché de l'entretien au magnétophone, et avec la transformation induite par la télévision dans nos « horizons d'attente ». J'examinerai ci-dessous différents aspects de cette transformation : le cas de Sartre sera pour moi un exemple privilégié, mais seulement un exemple, dans l'évocation de ces problèmes d'ensemble.

SARTRE ET L'INTERVIEW

Sartre semble avoir toujours essayé de se servir au maximum de tous les médias qui étaient à sa disposition. Depuis plus de trente ans, il a accordé des interviews avec une générosité constante. Comme écrivain, il a souvent accompagné la sortie de ses livres d'interviews explicatives, qui avaient pour fonction d'inciter et d'aider à lire, mais pouvaient aussi à la limite en dispenser [1]. Chacune de ses pièces de théâtre a vu son intention éclairée par des interviews paraissant au moment de la première. Mais c'est surtout comme intellectuel militant, comme *tribun*, que Sartre s'est servi de la presse et de la radio chaque fois que l'occasion lui était donnée [2]. *Les Écrits de Sartre* répertorient

1. L'auteur, devenu son propre vulgarisateur grâce aux médias, empiète ainsi sur une des fonctions traditionnelles de la critique. Bernard Pivot remarquait récemment : « Aujourd'hui, on lit et on entend partout de grandes interviews de Michel Foucault. Il y a seulement trente ans, on n'aurait lu que des comptes rendus de ses livres. En somme les critiques littéraires sont aujourd'hui court-circuités par les créateurs eux-mêmes, qui s'expriment directement dans le public sous la forme d'interviews, de portraits, de débats, etc. » (*Les Nouvelles littéraires*, 21-28 avril 1977). Bernard Pivot aurait pu ajouter : que les créateurs court-circuitent aussi leurs propres créations. Quel besoin de lire le dernier livre de Foucault puisqu'il l'a lui-même résumé et commenté dans *Le Nouvel Observateur*?

2. Par exemple, en réalisant pour la radio la « Tribune des Temps Modernes » (1947). Voir ci-dessus p. 147-148.

cent trente-deux interviews données par Sartre jusqu'en 1969, sans compter les participations à des débats, tribunes libres, et, bien sûr, les déclarations écrites et les articles. Cela rend d'autant plus incompréhensible et regrettable sa brouille actuelle avec la radio et la télévision : nul doute que le film *Sartre par lui-même* aurait mieux accompli sa fonction d'explication et de propagande s'il avait été diffusé à la télévision.

Ces interviews étaient pour Sartre non des œuvres, mais tout simplement des actes, des interventions. Comme tout ce qui paraît dans un journal ou se dit à la radio, elles étaient destinées à une réception immédiate, et devaient disparaître avec les situations qui les justifiaient. Leur qualité était d'ailleurs très inégale : Contat et Rybalka, en les répertoriant, se comportent comme des dégustateurs qui apprécient différentes « cuvées » d'un même vin. La qualité des interviews dépend, autant que de l'humeur ou de la « forme » de Sartre, de l'astuce et du talent de l'interviewer. Quant à leur contenu, elles remplissaient toutes les fonctions classiques du genre : préciser les positions actuelles, les projets de l'auteur, donner quelques éléments d'autoportrait.

Contat et Rybalka, en cataloguant tous ces textes, les ont virtuellement arrachés à leur statut éphémère pour les intégrer aux « écrits » de Sartre, anticipant sur les changements de la pratique de Sartre lui-même. Depuis 1970, Sartre a, sur trois points, modifié sa stratégie :

— En 1972, pour la première fois, il a reproduit dans des volumes signés de son nom *(Situations VIII* et *IX)* un nombre important d'interviews [1]. Pour *Situations VIII*, il s'agissait sans doute de faire l'inventaire des prises de positions historiques, et de les regrouper comme points de repère d'un itinéraire politique, un peu comme Victor Hugo l'avait fait en 1875 avec *Actes et Paroles*. *Situations IX* regroupait dans une section « Sur moi-même » quatre interviews-bilans données entre 1960 et 1970, qui passaient ainsi du statut de document à celui de texte, et remplissaient la même fonction que les autres articles, préfaces ou conférences recueillis dans le volume. Il est vrai que Sartre a *choisi* parmi les nombreuses interviews de cette époque celles où il se reconnaissait, et qui pouvaient utilement *compléter* l'image de son activité que donnait ce recueil. Mais cette technique de composition change complètement le sens et la fonction générique de la série *Situations :* les volumes précédents reprenaient

1. Si bien qu'une même interview a pu paraître deux fois en volume, d'abord sous la signature de Madeleine Chapsal (*Les Écrivains en personne*, 1960), puis de Sartre (*Situations IX*, 1972).

des textes *écrits* déjà publiés comme articles, préfaces, etc., et qui étaient centrés sur des problèmes théoriques, politiques ou critiques généraux; maintenant, c'est l'image de l'auteur qui devient le foyer. Le regroupement des articles n'est plus tant acte de combat, destiné à prolonger leur action, que geste d'enregistrement, amorçant la construction d'une biographie et étayant un plaidoyer. Cette opposition est peut-être un peu trop tranchée, mais elle indique l'évolution générale de la série, que *Situations X*, en 1976, a confirmée.

— Depuis 1971, Sartre, tout en continuant à accorder des interviews à différents journaux et périodiques dans les mêmes conditions qu'avant [1], a été souvent interrogé non plus par des journalistes, mais par des membres de son entourage, qui le connaissaient bien, et qui étaient en mesure de lui faire dire, expliquer ou manifester beaucoup plus, et autre chose, qu'un journaliste extérieur. Le statut de l'entretien change : il devient l'instrument du projet d'un groupe, le groupe Sartre (comme il y avait le groupe Hugo à Guernesey). Ce groupe comprend un noyau, la « famille [2] », qui réunit autour de Sartre et Simone de Beauvoir la vieille garde des *Temps modernes* — ce sont les « interlocuteurs » que l'on voit entourer silencieusement Sartre dans le film. Et des éléments périphériques, biographes et bibliographes, comme Francis Jeanson, Michel Contat et Michel Rybalka.

— Enfin, depuis 1972, Sartre a pratiqué l'entretien non plus comme une activité annexe et éphémère, mais en sachant qu'il aboutirait au *livre*, ou à une œuvre qui durera, comme le film. Il ne s'agit plus d'une récupération *a posteriori* d'interviews triées, mais d'une production délibérée de textes enregistrés. Ce dernier changement s'explique naturellement par la semi-cécité de Sartre. Les dialogues enregistrés avec Philippe Gavi et Pierre Victor ont été publiés directement en volume. L' « Autoportrait à soixante-dix ans » a été présenté dans *le Nouvel Observateur* non comme une interview ordinaire, mais comme une prépublication d'extraits de *Situations X*. Les dialogues entrepris avec Simone de Beauvoir étaient dès le départ destinés à constituer un livre.

Les différents textes produits ces dernières années, qui ont des fonctions différentes (liées la plupart du temps au travail politique de Sartre), ont tous, à des degrés divers, occupé le champ laissé ouvert par l'inachèvement des *Mots*. Mais le terme « autobiographie »

1. Michel Contat et Michel Rybalka ont donné suite à leur bibliographie (qui s'arrête en 1969) dans le *Magazine littéraire* (nº 55-56, sept. 1971), et dans l'édition américaine de leur livre (*The Writings of Sartre*, Northwestern Univ. Press, 1974).
2. *Situations X*, p. 196.

paraît doublement impropre pour les désigner. Du côté du préfixe, parce qu'ils sont le fruit d'une collaboration, qui met en question la notion même d'auteur. Du côté du suffixe, parce que, si certains de ces textes sont « écrits », ils ne sont pas écrits par Sartre, et que les autres se présentent comme des textes radiophoniques ou filmiques. Mieux vaut donc appeler globalement « média-biographie » ce genre de message, et envisager ses différentes variables : le type de présence que chaque média assure au « modèle », les situations de communications utilisées pour le faire parler, et le rôle déterminant du réalisateur de l'entretien.

FORMES ET DEGRÉS DE LA MÉDIA-BIOGRAPHIE

Audiovisuel. Le contact le plus direct et le plus riche que l'on puisse réaliser est l'entretien télévisé en direct, comme c'est le cas pour les émissions littéraires *(Apostrophes)*, ou « biographiques » *(l'Homme en question)*. Le film *Sartre par lui-même* ne nous donne qu'un entretien différé et monté. Quoique le tournage et le montage aient été faits selon l'esthétique de la télévision, il a été diffusé sur grand écran dans les salles de cinéma, et n'a touché qu'un public plus limité et déjà averti. En 1975, Sartre avait espéré pouvoir accéder à la télévision pour construire une série d'émissions historiques non pas sur la « légende du siècle », comme l'avait fait Malraux, mais sur ce qu'il croit être sa vérité. Il y a renoncé, si bien que nous ne possédons aucun autre document audiovisuel que ce film, qui est à peu près l'équivalent des émissions « Archives du XXe siècle » réalisées par la télévision sur les grands contemporains.

L'information que véhicule ce type de document me semble être exactement l'inverse de celle que propose l'autobiographie écrite. Transparence et opacité changent de place : je vois Sartre tel qu'il ne pourra jamais se voir vraiment, j'entends sa parole, je l'écoute parler avec tout son corps, et il en dit ainsi plus qu'il n'en sait, au point même que je me sens gêné de le sentir si naïvement *exposé*. C'est l'aspect « discours psychanalytique », comme il dit lui-même en parlant de la correspondance de Flaubert [1]. Mais en même temps joue l' « effet Bergotte » : j'ai de la peine à passer de cette conversation au style que je connais : et le montage du film, qui juxtapose des pages des *Mots* ou de *la Nausée* « bien lues » par des comédiens, accentue ce décalage. Et puis ce vieil homme vissé sur un tabouret me masque

1. *Ibid.*, p. 106.

sa vie : son image a un degré de présence qui écrase ce qu'il dit lui-même de son passé et les documents qui illustrent son récit. Le narrateur d'une autobiographie écrite, même s'il se met au premier plan, n'impose pas continuellement son image comme le fait le personnage-narrateur représenté dans ce film biographique. Mais ce n'est écran que par rapport à la suggestion du passé : pour le présent, au contraire il livre, parfois sans le savoir, tous les éléments d'un portrait. Je montrerai tout à l'heure ce qu'a de contestable le discours biographique réalisé par le montage, et le dispositif des entretiens « profilmiques »; mais ce film restera comme un irremplaçable document d'archives à cause de la richesse des informations qu'il donne sur un Sartre que l'on voit parler pendant plus de deux heures de manière très naturelle sur les sujets les plus variés.

Oral-oral. A la radio, toute une partie de l'information disparaît (le langage du corps, les gestes, les expressions), mais en même temps aussi ce qui fait l'épaisseur de l'image : la voix est déjà plus proche de l'écriture par le type de médiation qu'elle établit. Sartre, en 1973, a accepté de venir parler en direct à la radio dans le cadre de l'émission de Jacques Chancel, « Radioscopie ». Il s'agissait pour lui de prendre la radio à son propre piège et de se servir du « direct », qui empêche toute censure ou la rend spectaculaire, pour annoncer le lancement du quotidien *Libération*, transformant ainsi en tribune politique une émission « biographique » écoutée par le grand public. Cette émission, enregistrée, a été mise en circulation sous la forme de cassette, comme toutes les autres « Radioscopies ». Elle a ensuite été publiée en livre sous forme de transcription. Peut-être dans l'avenir le livre-cassette « autobiographique » s'imposera-t-il sur le marché. Mais pour l'instant c'est encore à l'écriture qu'on a recours la plupart du temps pour diffuser le texte des entretiens radiodiffusés, télévisés ou filmés qui ont chance d'intéresser le public. L'oral-oral devient alors de l'oral-écrit.

Oral-écrit. La transcription (qui n'est qu'un cas particulier de l'*adaptation*, la translation d'un message d'un média à un autre) pose des problèmes aussi difficiles que la traduction d'une langue à une autre. La communication s'effectue de manière complètement différente par écrit et par oral, au point même que tout ce qui facilite l'expression orale et le contact avec l'auditeur, si on le transcrit littéralement, devient un obstacle à la communication écrite. Mais ces difficultés sont sous-estimées, l'opération étant considérée comme « allant de soi », et le travail étant souvent réparti entre plusieurs personnes (déchiffrement confié à une secrétaire, rédaction assurée par quelqu'un d'autre). Un texte transcrit se trouve ainsi parfois avoir plusieurs « auteurs ». Transcrire soi-même ce qu'on doit ensuite rédiger oblige à se poser des problèmes que la division du travail cache [1]. Céline les a magistralement formulés dans ses (fictifs) *Entretiens avec le professeur Y* (1955). Si on plonge un bâton dans l'eau, il a l'air brisé. Si on veut le voir droit, il faut le briser en sens inverse avant de le plonger. Compenser la réfraction. Il y a donc un travail à faire, qui n'a rien à voir avec une mythique exactitude, et qui doit prendre en compte d'abord et surtout les lois propres aux deux médias et leurs différences. La bonne transcription ne sera pas la plus littérale, pas plus que la meilleure « adaptation » d'un roman au cinéma n'est la plus « fidèle ».

Il y a en fait beaucoup de manières de se comporter avec le bâton. Une des solutions les plus utilisées consiste à le plonger entièrement dans l'eau : on recompose entièrement le texte en fonction des conventions de l'écrit, et même les traces d'une énonciation orale qu'on laisse subsister sont rédigées de manière théâtrale. Ces recompositions ne concernent pas seulement la syntaxe, le vocabulaire et le rythme, mais aussi l'ordre et le développement du discours ou du récit : on élague, on regroupe. Les redites et les zigzags disparaissent. Ce n'est pas là trahison, mais inéluctable adaptation. Une autre solution consiste à redresser le bâton du côté de l'oral en utilisant des conventions qui ne sont plus celles de la prose écrite, mais celles de la poésie. Le modèle du genre est le travail qu'a fait Adélaïde Blasquez dans *Gaston Lucas, serrurier* (Plon, 1976 [2]).

Les transcriptions utilisées pour la parole de Sartre sont, elles, des plus classiques. Et un effet d'optique inévitable (la comparaison avec les textes écrits par Sartre lui-même) les rend parfois très décevantes. C'est le cas en particulier pour la transcription de la bande sonore du film *Sartre par lui-même*, qui produit une impression de bafouillement et de pauvreté, alors qu'à l'écoute on était sensible à la simplicité et au naturel. Sans doute parce que, dans ce cas, le public était en mesure de vérifier l'exactitude de la transcription, on a choisi de transcrire « tel quel » : « seules de menues corrections syntaxiques

1. Il est rare que les transcripteurs d'interviews s'expliquent sur leurs méthodes : c'est ce qui fait le prix de l'étude de Jean Guénot, « Voyage au bout de la parole » (in *Céline*, Cahiers de l'Herne en Poche-Club, 1968, p. 351-381), qui amorce une étude théorique des problèmes que pose la transcription, en même temps qu'il essaie de cerner le rapport oral-écrit chez son modèle. Voir aussi, sur le problème de la transcription, Roland Barthes, « De la parole à l'écriture », *La Quinzaine littéraire*, nº 182, 1-15 mars 1974.

2. Voir ci-dessous, p. 299-301.

ont été apportées pour faciliter la lecture ». C'est une erreur de croire qu'on n'apporte que de menues corrections syntaxiques. En écrivant et en ponctuant un discours oral, de toute façon, on le modifie profondément. Autant en prendre son parti, ne pas se retrancher derrière une mythique exactitude, et redresser le bâton plus nettement du côté de l'écrit, comme Michel Contat l'a fait pour l' « autoportrait à soixante-dix ans », ou viser plus nettement à l'effet oral en inventant un dispositif graphique différent.

SITUATIONS DE COMMUNICATION

Il faut d'abord distinguer le *dialogue* de l'*interview*. Dans le dialogue, les deux interlocuteurs sont dans une situation « réversible », aucun ne détient le monopole des questions ou des réponses, et ils sont tous deux objets de curiosité pour le lecteur ou l'auditeur. Le compte rendu d'un dialogue réel n'a naturellement rien de commun avec le genre littéraire traditionnel du dialogue : celui-ci est toujours une fiction polémique ou pédagogique contrôlée par un énonciateur unique. Le dialogue au magnétophone, lui, implique situation réelle, énonciation multiple et responsabilité collective : il réalise de manière immédiate ces confrontations qui autrefois se faisaient par des polémiques de journaux ou par l'échange de correspondance. C'est ici la pratique des débats à la radio et à la télévision qui a été reversée dans l'imprimé.

Sartre ne s'est pas livré à ce jeu : il déclare même avoir en horreur la conversation d'idées. Quand deux philosophes se rencontrent pour parler, « ils sont au plus bas d'eux-mêmes [1] ». Pas question pour lui de se donner en spectacle dans des joutes philosophiques avec Raymond Aron ou Claude Lévi-Strauss. Le public n'a qu'à réaliser lui-même le dialogue en confrontant leurs écrits et les réponses qu'ils se sont faites. Sartre refuse ces démonstrations stériles : mais du même coup il échappe au risque d'une contestation réelle et s'expose à ne se montrer en conversation qu'avec des gens qui sont déjà d'accord avec lui, ce qui est une autre forme de stérilité et d'artifice.

Dans ses dialogues avec Philippe Gavi et Pierre Victor, il a essayé de

1. *Sartre*, p. 116; *Situations X*, p. 190. Michel Contat traduit ceci en termes plus clairs lorsqu'il suggère que c'est Sartre qui est au plus bas de lui-même lorsqu'il a en face de lui des gens qui ne sont pas d'accord avec lui : « Il faut savoir que Sartre n'est pas un « debater ». Ce n'est pas quelqu'un qui aime la discussion d'idées, l'affrontement idéologique. Si on avait cherché à mettre en face de lui des interlocuteurs antagonistes, je crois que cela n'aurait rien donné » (Press-Book, p. 6).

trouver une formule originale : le dialogue est lié à un travail en commun, il fait partie de ce travail, au cours duquel les positions des interlocuteurs se déplacent. A vrai dire, les déplacements ne sont pas énormes, et ce n'est pas Sartre qui se déplace. D'autre part, tout en affirmant dans le prologue que le personnage le plus important du livre c'est le lecteur, Sartre et ses amis maos se comportent exactement comme si le lecteur était déjà d'accord avec eux sur l'essentiel, et avait le même *implicite* qu'eux. On a l'impression d'écouter sans qu'ils s'en aperçoivent un groupe de militants bavardant dans une permanence gauchiste. Ce sera plus tard un document historiquement intéressant, ce peut être actuellement un document de travail pour le petit groupe qui l'a produit, mais ce n'est certainement pas un texte susceptible d'établir une communication avec un large public. Le film *Sartre par lui-même*, d'ailleurs, pour des raisons différentes, donne la même impression d'enfermement, d'ignorance de ce que sait ou pense le grand public auquel il prétend s'adresser. L'avantage des dialogues avec Philippe Gavi et Pierre Victor, c'est que Sartre n'y a pas le monopole de la parole : ses interlocuteurs le traitent comme un camarade et non comme une vedette.

Dans l'interview, la relation n'est pas réversible. L'interviewé seul est objet de curiosité, et se trouve limité au devoir de réponse, sans avoir droit de questionner. L'interviewer, lui, même s'il s'agit de Simone de Beauvoir, a pour fonction de poser des questions et de transmettre une certaine demande d'un public qu'il représente. Tout dépend donc du public représenté : ce qui est lié aussi bien à la nature du média qui diffuse l'interview qu'à la situation personnelle de l'interviewer par rapport au modèle. Quand Simone de Beauvoir « interroge » Sartre sur la question des femmes et qu'on publie son texte dans *l'Arc*, elle représente le public féminin intellectuel. Quand Catherine Chaine revient sur le même sujet pour *le Nouvel Observateur*, elle représente un public intellectuel plus large et moins bien informé [1]. Quand Jacques Chancel interroge Sartre en direct à « Radioscopie », il représente le Français moyen, qui ne connaît Sartre qu'à travers un certain nombre de clichés et de préjugés et se trouve partagé entre l'admiration pour un personnage célèbre et le scandale

1. Simone de Beauvoir essaie d'extraire de Sartre un « mea culpa ». Catherine Chaine a tendance au contraire à tomber dans la littérature édifiante (Sartre héros d'un nouveau type de conjugalité) et l'anecdote. Ces deux interviews semblent d'ailleurs également pénibles à qui garde une certaine admiration pour Sartre, à cause de la bonne volonté qu'il met chaque fois à entrer dans le jeu qu'on lui propose, et à dire ce qu'on veut lui faire dire, alors qu'en fait il semble qu'il n'ait pas grand-chose à dire sur ce sujet (rien qu'il aurait pris la peine d'écrire).

devant ses agissements politiques : il permet à Sartre d'affronter en sa personne « l'opinion publique ».

La proximité ou la distance de l'interviewer par rapport au modèle, si elles sont excessives, nuisent également à la qualité de l'information obtenue. Dans les deux cas, l' « effet perroquet » se déclenche : le familier trop complice a tendance à lancer son modèle vers des morceaux de bravoure; en sens inverse, l'étranger souvent ne posera que les questions dont il connaît déjà la réponse. L'interview transforme l'interviewé en un comédien qui répète le même numéro pour des publics différents. Quand Alain Decaux construit de fictives interviews au magnétophone de grands personnages du passé, il invente des questions pour aboutir à des réponses authentiques que l'histoire a enregistrées : beaucoup d'interviews réelles ne procèdent pas autrement. D'autre part la complicité ou l'hostilité produisent finalement un même blocage. Les cas les plus évidents sont le film *Sartre par lui-même*, où Sartre n'est entouré que d'admirateurs qui l'encouragent à rester dans son personnage, et l'interview réalisée par J. Chancel, où régnait, dès le départ, une assez vive tension (il est vrai instructive pour l'auditeur) entre l'interviewer et son modèle, Sartre attendant avec impatience le moment de parler de *Libération*, Chancel, agacé, essayant de le contenir dans le cadre habituel de l'émission [1].

LE DISCOURS BIOGRAPHIQUE

L'entretien « autobiographique » est de toute façon un processus qui échappe en partie à l'intéressé. Rien n'est plus instructif que de comparer les performances et les rendements de différentes procédures sur un même modèle. Trois portraits différents de Sartre apparaissent dans sa « Radioscopie », dans le film *Sartre par lui-même*, dans son « Autoportrait à soixante-dix ans » : ou plutôt de l'un à l'autre, des

1. Dans *Le Temps d'un regard* (Hachette, 1978, p. 156-162), Jacques Chancel a donné sa version des faits : Sartre, venu pour parler politique, aurait rapidement cédé au charme de l'*écoute* biographique de Chancel, au point d'oublier de donner aux auditeurs le numéro de compte en banque de *Libération :* « Pendant un moment, infidèle à son engagement politique, il était donc revenu à son monde profond, à son espace de pensées, de paroles, il s'était abandonné à lui-même et il en est, pour chacun de nous, toujours ainsi » (p. 162). C'est sans doute ce qu'*aurait désiré* Chancel (qui cherche « l'homme profond » derrière des idées politiques superficielles qui le masqueraient). Malheureusement il suffit d'écouter l'émission pour voir que Chancel prend ses désirs pour des réalités. Sartre a joué au début le jeu biographique par courtoisie, pour rendre possible son appel politique, et il a ensuite lutté contre la *surdité* délibérée de Chancel.

informations analogues ou complémentaires se trouvent ainsi distribuées dans des *discours biographiques* différents. Rapidement, et non sans une certaine partialité, j'évoquerai la stratégie de ces discours, tendant vers le cliché, l'hagiographie, ou le portrait.

Cliché.

Jacques Chancel interroge quotidiennement une « personnalité », et cela à partir d'un dossier biographique et d'un choix de citations qui lui servent à établir son parcours, et à progresser en zigzag de manière à couvrir en cinquante minutes le « champ biographique » du modèle. Ce canevas sert de garde-fou : on y revient si on dérive; en même temps le décousu des questions garantit une certaine spontanéité des réponses. Pour amener le modèle à se révéler, on emploie aussi d'autres armes classiques de l'interview : on le provoque en le contredisant ou en déformant sa pensée, ou on le met brutalement en face de grands problèmes. Avec Sartre, Chancel avait affaire à un client difficile, parce que Sartre avait une autre idée du discours qu'il avait à tenir. Cette « Radioscopie » produit d'ailleurs une impression différente selon qu'on écoute la bande sonore ou qu'on en lit la transcription. A l'écoute, Sartre, un peu crispé au début, paraît très à l'aise, plein de patience pour expliquer dans un langage simple ses engagements politiques, et à l'occasion plein de verve, en face de Chancel agacé et embarrassé, et peu assuré lorsqu'il s'agit de préciser ses objections. La transcription gomme cette inégalité, rend quelque peu ridicule la tension du dialogue. Surtout, elle met en évidence la stratégie de l'émission. Chancel est très habile à établir la communication entre le grand public et la personnalité interrogée : il faut toujours que la personne par définition « célèbre » réalise un équilibre entre le « comme tout le monde » et le « hors du commun », pour qu'elle puisse servir de médiation entre nous et le rêve de l'accomplissement et de la gloire. Il faut aussi que sa vie soit intelligible, ou plutôt, *formulable*. Dans la présentation en volume, les interviews sont précédées d'une sorte de « programme », fait d'une longue série juxtaposant des phrases extraites de l'interview. Chaque vie est réduite à un paquet d'aphorismes ou de biographèmes. Pour Sartre, cela donne la mosaïque suivante :

> Mon père? Une photo dans la chambre de ma mère et c'est tout — Je suis contre toute sagesse — Je ne renie rien de mon passé mais je peux l'apprécier. L'homme est condamné à être libre — J'occupe une très petite place dans l'échiquier international — Seuls les lec-

teurs peuvent dire ce que je vaux, pas ces messieurs âgés du prix Nobel — Je n'ai rien à faire avec les vieux de l'Académie — C'est difficile d'écrire — Je suis engagé... Je suis plus loin que le « parti communiste » — Je ne me suis jamais trahi — Je suis contre tous les partis — Je crois à l'illégalité — Je n'ai pas besoin d'être aimé — J'ai besoin d'avoir des amis — Je suis vieux, déjà — L'homme est de trop — Il a besoin d'amitiés, d'amour, de liberté — Il y a une façon de vivre et de communiquer qui me ferait dire : les autres ne sont pas l'enfer — Le peuple demande un journal libre, populaire — Je parle ici... C'est une bonne combine — Flaubert disait « Écrire est une cérémonie ». Il faut inventer l'écriture, donc les gestes, les intonations, l'accent — Dieu est mort quand j'avais dix ans — Je ne suis pas victime de mes œuvres — « Libération » fait partie de mon œuvre — Il faut agir sur le présent — Tout ce que je fais est probablement voué à l'échec [1].

Exactement comme la notice biographique du dictionnaire, ou la biographie littéraire classique, la « radioscopie » impose à toutes les vies qu'elle « traite » une forme analogue, qui est d'abord une forme de langage : ici un puzzle de mots d'auteur, de maximes (résumant l'expérience d'une vie), et de traits biographiques. Squelette identique pour tous, comme derrière l'écran de l'appareil de radioscopie, plutôt qu'art de découvrir le secret de chacun grâce à une intuition aussi pénétrante que les rayons X.

Hagiographie.

Le film *Sartre par lui-même* est bien évidemment le plus riche et le plus saisissant portrait de Sartre, à cause du média lui-même, et du naturel du modèle. A juste titre, Sartre semble avoir été content de sa performance : « Le film est une autobiographie faite un peu de chic. Il se peut que ça soit plus intéressant pour me connaître parce que c'est tout à fait spontané. » Et il a dit aux auteurs du film : « Je crois que je ne m'en suis pas trop mal tiré [2]. » Mais eux ne s'en sont pas aussi bien tiré que lui. Il ne faut pas confondre l'image audio-visuelle de Sartre, qui est le matériau, avec l'emploi qui en a été fait. Deux

1. *Radioscopie*, coll. « J'ai lu », vol. I, p. 187-188. Cette présentation est dérivée de celle qui est en usage dans le journal : dans une interview un peu longue, on intercale des sous-titres qui sont faits uniquement des déclarations de l'intéressé (voir par exemple la présentation des interviews de Sartre dans *Le Nouvel Observateur*). Au lieu d'intercaler, Chancel regroupe ces citations (d'ailleurs déformées) en une sorte d' « argument liminaire ».
2. Interview recueillie le 1er mai 1976 (Press-Book, p. 2).

séries d'erreurs ont été commises, l'une au moment du tournage, l'autre au montage. Et ces erreurs vont toutes dans le même sens : faire le plus sérieusement du monde sur Sartre ce que Sartre a parodié — la légende d'un grand homme. Le plus étonnant est que Sartre ait autorisé la sortie de cette hagiographie. Au tournage, le dispositif imaginé, reconstituant « l'intimité de Sartre », aboutit à un effet désastreux : cette intimité n'en est pas une, Sartre est au centre, sur un tabouret ; les autres à la périphérie. Sartre parle, les autres se taisent. S'ils interviennent, c'est pour relancer maladroitement Sartre. Ils lui font réciter sa vie, comme on fait réciter un compliment à un enfant. Vieillard illustre ou enfant prodige, la comédie est la même. Ses fidèles écoutent dévotement ce qu'ils ont déjà sans doute entendu cent fois : pour varier les plans, la caméra se promène lentement sur de beaux visages attentifs qui nous montrent comment il faut accueillir la voix de son maître [1]. A Jersey, déjà, Madame Hugo faisait parler son mari et recueillait sa parole pour rédiger *Victor Hugo raconté par un témoin de sa vie*. On regrette qu'un ou deux camarades maos ne soient venus prendre la relève de la vieille garde : peut-être ces gens se seraient-ils mis à parler *entre eux*, et on aurait eu une information plus vivante sur les complicités et les clivages du groupe Sartre. Dès le départ, le film a été conçu selon un canevas chronologique : il s'agissait de montrer « une idée en marche [2] ». Le résultat est décevant : on a plutôt un homme sur un socle. L'ordre des entretiens et surtout leur illustration réalisent à peu près le programme de l'album Sartre que la Bibliothèque de la Pléiade offrira en prime à tout acheteur de trois volumes, d'ici quelques années [3]. Mais ce qui

1. On retrouve les mêmes défauts, plus accentués encore, dans le film *Simone de Beauvoir* de Malka Riboskwa et Josée Dayan (1979). Dans les deux films, les réalisateurs-biographes refusent d'assumer franchement leur rôle. D'une part ils se retranchent derrière le discours « autobiographique » de leur modèle, auquel ils font pratiquer sans cesse l'*autocitation* (exemple : on fait lire à Simone de Beauvoir des passages de ses mémoires). D'autre part ils confient à des membres de l'entourage le rôle d'interviewer. Ce qui a deux inconvénients majeurs : un intime ne peut guère assumer avec vraisemblance le rôle de représentant du public qui est celui de l'interviewer. Sartre jouant auprès de Simone de Beauvoir le rôle de Jacques Chancel est assez comique, malgré lui. Surtout : dans ce type de situation, seul le modèle interrogé est à l'aise, parce qu'il est au centre de son rôle. Ses amis sont placés, par rapport à leur propre rôle, dans une situation marginale et artificielle : ils ne doivent montrer d'eux-mêmes que ce qui a rapport au modèle. La focalisation biographique sur le modèle interdit la *réciprocité* qui donnait aux relations qu'on veut peindre leur valeur et leur authenticité.

2. Interview des deux réalisateurs, Press-Book, p. 6.

3. Sans attendre l'album de la Pléiade, les éditions Gallimard viennent de publier un album de photos, *Sartre, images d'une vie* (1978), réalisé par Liliane Sendyk-Siegel (qui partage la couverture avec Sartre), et commenté par Simone

fait un bel album ne fait pas forcément un bon film : on assiste plutôt à un montage audio-visuel de qualité moyenne, comme on en produit de plus en plus aujourd'hui dans l'enseignement. Photographies, séquences d'actualités, mais aussi, puisqu'il s'agit d'un écrivain, lecture appliquée de textes choisis : sur une belle feuille de papier blanc, on voit une main écrire une définition de la contingence; ou bien, la caméra détaille la végétation d'un square pendant qu'un acteur lit un montage de phrases de *la Nausée*. Ces idées d'illustration sont si simplistes et conventionnelles, si maladroitement réalisées, que le spectateur, soulagé, en arrive à conclure qu'il s'agit d'une *parodie* du film sur un grand homme. La réalité de la parodie est là, mais, hélas, l'intention manque. Le film est désespérément sérieux. Il semble même avoir à cœur de suivre pas à pas la technique ridiculisée dans *les Mots*. L'enfant rêvait à ses œuvres complètes :

> (...) Aux environs de 1955, une larve éclaterait, vingt-cinq papillons in-folio s'en échapperaient, battant de toutes leurs pages pour s'aller poser sur un rayon de la Bibliothèque nationale. Ces papillons ne seraient autre que moi. Moi : vingt-cinq tomes, dix-huit mille pages de texte, trois cents gravures dont le portrait de l'auteur [1].

Mission accomplie : en 1972, une caméra suit en travelling et en gros plan avec une lenteur étudiée « la tranche de tous les livres de Sartre [2] ». Quelle fécondité : même des éditions de poche participent à ce solennel défilé. L'enfant rêvait d'être nécessaire, il enviait ce Monsieur Simonnot, le seul qui arrivât à être absent en chair et en os :

> (...) Mon grand-père, du haut de sa gloire, laissa tomber un verdict qui me frappa au cœur : « Il y a quelqu'un qui manque ici : c'est

---

de Beauvoir. Il s'agit là d'une production commerciale assez décevante, malgré l'intérêt de certaines photos (comme celle de Sartre en scribe accroupi).

« Un enfant s'embarque dans la vie. D'où vient-il? où arrivera-t-il? cet album répond à vos questions. L'enfant s'appelle Jean-Paul Sartre. » C'est bien lui. Après l'enfant, on nous présente le « professeur », l' « écrivain », le « voyageur », etc. Les photos d'enfance sont commentées par des citations de Sartre. Ensuite les légendes sont rédigées soit dans le style album de famille (« Sartre donne à manger à des biches dans les jardins d'un temple shinto »), soit dans le style hagiographique (« Sartre avec le docteur Michaël Stern. Il avait mené une campagne efficace pour sa libération. Le docteur le remercie et lui souhaite un heureux soixante-douzième anniversaire »).

Une iconographie n'est pas fatalement plate. Barthes l'avait montré en choisissant et en commentant lui-même les photos qui illustrent son *Barthes* par Barthes.

1. *Les Mots*, p. 164.
2. *Sartre*, p. 42.

> Simonnot. » Je m'échappai des bras de la romancière, je me réfugiai dans un coin, les invités disparurent; au centre d'un anneau tumultueux, je vis une colonne : M. Simonnot lui-même, absent en chair et en os. Cette absence prodigieuse le transfigura. Il s'en fallait de beaucoup que l'Institut fût au complet : certains élèves étaient malades, d'autres s'étaient fait excuser; mais il ne s'agissait là que de faits accidentels et négligeables. Seul, M. Simonnot *manquait*. Il avait suffi de prononcer son nom : dans cette salle bondée, le vide s'était enfoncé comme un couteau [1].

Rêve réalisé : au début du film un long travelling montre un plan de la tour Montparnasse en construction, pendant qu'une voix déclare dans un style très hugolien : « C'était l'hiver 1972. Le président de la République s'appelait Georges Pompidou... », puis la caméra recule et découvre Sartre, chez lui, devant son bureau, en compagnie de ses amis. Trois heures plus tard, le film s'achève. Un travelling explore lentement le bureau de Sartre : même décor que pendant le film, mais cette fois plus personne. Le bureau est vide. Les autres non plus ne sont pas là, Gorz, Pouillon, Bost, partis vaquer à leurs affaires : il n'y a que Sartre qui *manque*. Ce bureau vide nous donne un coup au cœur. C'est le coup Simonnot. Serait-il mort? On l'aurait su. La voix off, toujours solennelle, évoque la suite de ses luttes depuis 1972. C'est l'épopée. Contre vents et marées, échecs et maladie, toujours Sartre lutte, toujours infatigable il continue la lutte.

> Il n'empêche, Sartre continue. A l'heure qu'il est, il travaille avec l'aide de son ami Pierre Victor à un nouvel ouvrage qui aura pour titre *Pouvoir et Liberté* [2].

On est sauvé.

Les auteurs du film ont déclaré avoir voulu sortir des sentiers battus : « Nous n'avons pas eu de modèle pour faire ce film, nous avons eu quelques repoussoirs [3]. » Sans doute est-ce une allusion discrète aux *Mots*...

Le ton que j'ai pris pour parler de ce film pourra surprendre.

1. *Les Mots*, p. 79.
2. *Sartre*, p. 136.
3. Press-Book, p. 16, intervention de Michel Contat. Quelques lignes plus haut, Alexandre Astruc avance que le film « pourrait à la limite s'inscrire dans l'œuvre de Sartre. Ce serait presque la suite des *Mots* ». Pourtant Sartre, lorsqu'on lui demande « Ce film, est-ce un film de Sartre ou un film sur Sartre? » répond « Un film sur Sartre. Je n'ai pas participé moi-même à l'élaboration du film, et le projet n'est pas le mien : on me l'a présenté, je l'ai trouvé intéressant, j'en ai discuté avec les réalisateurs et je l'ai accepté » (*ibid.*, p. 2).

J'ai simplement essayé d'imaginer ce que le Sartre de 1964, qui a refusé le prix Nobel, aurait pu en penser. Et puis j'ai moi-même été surpris de la mansuétude de la presse parisienne : mais on ne fait pas de scandale à un enterrement. Seul Jean-Marie Domenach a osé dire : « Sartre vaut mieux que cela [1] ». C'est qu'il croyait Sartre encore vivant.

Malgré tout, ce film, entre les mailles d'un discours poncif, a l'avantage de laisser passer un portrait assez évocateur du modèle. A quoi réussit encore mieux, à mon sens, l'interview « Autoportrait à soixante-dix ans », réalisée trois ans plus tard, de nouveau par Michel Contat.

Portrait.

Dès l'attaque de l'entretien, le lecteur se sent réellement entrer dans l'intimité de Sartre. Cela pour une raison très simple : tout commence par de l'*inédit*. Depuis deux ans Sartre était malade, des rumeurs couraient, mais il ne s'en était pas expliqué. Une atmosphère de « secret » se constituait autour de lui. Cette interview la dissipe avec une franchise salutaire et rétablit le contact entre Sartre et son public: elle a été, à son heure, un *événement* journalistique. Reproduite dans le livre *Situations X*, elle n'a plus le caractère émouvant qu'elle avait pour moi, un matin de juin 1975, lorsque j'ai ouvert *le Nouvel Observateur*. Dans le livre, elle est redevenue un document. Dans le journal, elle était un acte de parole, et j'étais exactement à la place du destinataire visé. Pour la première fois, Sartre se trouvait dans une situation d'aveu. Un de ses familiers l'aidait à franchir le pas. Sartre le faisait avec tant de simplicité, il montrait en face de cette diminution tragique, de cette mort symbolique qu'est pour lui la perte de l'écriture, tant de résignation lucide, qu'on éprouvait plus de respect que de pitié. Et du coup, toute la suite de l'interview se trouvait placée sous le signe de l'authenticité. Le ton juste était trouvé, et il ne s'agissait pas d'une interview de circonstance, destinée à vulgariser du déjà écrit, mais d'un véritable bilan : comment Sartre voit sa vie à soixante-dix ans. Mais aussi, comment un homme de la génération suivante peut voir Sartre.

Tout tient en effet à la situation de l'interviewer et à la manière dont il conçoit son rôle. Michel Contat est un familier des écrits et du groupe Sartre, il est devenu un intime de Sartre. Mais il n'a pas connu le Sartre des années 1950, et il est resté suffisamment extérieur

1. *Esprit*, décembre 1976, p. 861-862.

pour le voir avec un autre regard que ceux qui le connaissent « depuis toujours ». Visiblement, Sartre a confiance en lui, et ne lui parle pas comme il parlerait à un journaliste : ces signes de confiance, discrets mais présents tout au long de l'interview, contribuent d'autant plus au naturel que cette confiance n'est pas fondée sur une connivence totale qui stériliserait le dialogue. Michel Contat se conduit non en compère ou en truchement complice, mais en homme qui, à fréquenter Sartre depuis une dizaine d'années, s'est fait une certaine idée de lui, et qui va chercher à la transmettre au public. Il est conscient du décalage qui existe entre l'image que le public a de Sartre, et sa propre expérience privée du personnage; surtout il ne partage pas certaines idées que Sartre se fait de lui-même. Il a donc un témoignage à apporter, des jugements de valeur à exprimer : en fait son projet est de composer un portrait de Sartre, en lui faisant faire son autoportrait. La règle du jeu implique qu'il fasse parler Sartre : et pourtant, tout au long de l'interview, c'est lui que nous suivons. Certes, il donne occasion à Sartre de parler de tout ce qui lui importe, de développer ses positions actuelles. Mais en même temps il ne cesse, selon un plan visiblement mûri, de le lancer dans des directions inattendues, de lui porter une amicale contradiction, de lui poser des questions pièges, de réfléchir vers lui un certain nombre de critiques auxquelles Sartre ne répond en général que par le mépris : Sartre est soumis à un questionnement affectueux, mais critique, et finalement très exigeant. Au lecteur de tirer la conclusion qu'il veut des réponses de Sartre : Contat n'a pas l'intention de faire le procès de Sartre, loin de là; il veut simplement montrer, dans sa complexité, ses déroutantes contradictions, ses naïvetés et ses grandeurs, tout un homme. Ni hagiographie, ni procès : un portrait nuancé établi avec la collaboration (souvent involontaire) du modèle.

C'est là sans doute ce que l'interview autobiographique peut avoir d'irremplaçable : nous faire voir au même instant un homme tel qu'il se voit lui-même, et tel qu'un autre le voit. Mais il est rare que l'interviewer soit capable de créer cet effet de relief, et de proposer au modèle une autre image de lui sans le bloquer. C'est le cas ici. L'interview n'a plus pour tâche de faire répéter à l'auteur ce qu'il a déjà écrit, ni, comme cela se pratique souvent, de le faire parler sur des sujets étrangers à sa notoriété [1]. Elle a surtout pour fonction comme le

1. L'effet classique de la notoriété est d'investir d'intérêt tout ce qui touche au modèle, tout ce qu'il touche. D'où la tentation d'exploiter cet effet charismatique, et d'étendre le questionnement au-delà de la sphère à laquelle le modèle doit sa notoriété. « Pourquoi faire parler les écrivains? N'ont-ils pas tout dit dans leurs livres?

suggérait Roland Barthes, d'explorer son imaginaire [1]; ou de mettre en évidence les *angles morts* de son champ de vision, et ce qu'il expose de lui sans le voir. De faire voir son aveuglement. Si je dresse rapidement la liste de ces points aveugles, tels que Contat les repère, tels qu'il les fait explorer par Sartre lui-même, j'aurais l'air de faire le procès de Sartre; mais il s'agit seulement de cerner les ombres qui donnent au visage son relief. Je n'en choisirai que trois : l'argent, la politique, la gloire. On pourrait ajouter l'amour, mais Sartre a réservé à des interviewеuses ses confessions à ce sujet.

L'argent. Interrogé par *Playboy* en 1965, Sartre avait rapidement situé, à sa manière, sa haine de la possession et les raisons de sa générosité. L'interviewer enregistrait la réponse et passait à autre chose [2]. Faute de connaître Sartre, il ne pouvait guère faire autrement. Revenant sur le même sujet, Contat se comporte, lui, en témoin : il rappelle à Sartre son habitude de transporter d'énormes liasses de billets sur lui, sa manie des pourboires excessifs, il essaie de lui faire faire son budget, son examen de conscience et un brin d'auto-analyse. Le résultat est tout à fait étonnant : à la fois par ce qu'il révèle chez Sartre d'irresponsabilité, mais surtout par le peu d'empressement qu'il met à envisager cet aspect de son rapport au monde. Non seulement il n'aurait pas pensé, comme Leiris l'a fait, à écrire un texte autobiographique pour tirer la chose au clair, mais il s'étonne de l'insistance

---

C'est ce qu'on peut d'abord penser. Mais l'entretien commence, et tout d'un coup il n'est plus question, souvent, que de ce qu'ils n'avaient jamais écrit. Sartre parle des femmes, Sagan raconte sa vie, Breton évoque sa jeunesse, Pauline Réage explique la guerre » (Avant-propos de *La Vie comme une fête*, entretiens avec Marcel Jouhandeau, Pauvert, 1977 — entretiens dans lesquels, d'ailleurs, Jouhandeau répète simplement ce qu'il a déjà écrit).

Si vraiment on arrive à faire parler l'écrivain de sujets étrangers à sa sphère d'activité, on court le risque (risque inversement porportionnel à l'intensité du pouvoir charismatique) de révéler que le roi est nu, que le génie a des opinions de sa classe sociale et de sa génération.

Interroger Sartre sur la pratique de la musique, comme le faisait Michel Contat en 1975, avait l'intérêt de révéler brièvement un aspect *inédit* de ses pratiques culturelles, d'ajouter une facette à un portrait complexe. Revenir deux ans après sur le même sujet en lui consacrant deux pages du *Monde* (« Sartre et la musique », interview par Lucien Malson, 28 juillet 1977), c'est poser Sartre en autorité dans un domaine où il n'a aucune compétence particulière. Sartre, condamnant les nouveaux programmes de France-Musique, se révèle avoir les opinions les plus banales. On le fait ensuite improviser sur « Musique et société » et sur « Musique et psychanalyse », et le résultat est flou et filandreux.

1. Roland Barthes, « Réponses », *Tel Quel*, n° 47, automne 1971, p. 106.

2. Interview reproduite dans *Le Magazine littéraire*, n° 55-56, septembre 1971, p. 13.

de Contat : « Je vous dirai que c'est la première fois qu'on me demande pourquoi [1]... »

La politique. Contat profite de la confiance que Sartre a en lui pour lui demander de s'expliquer sur sa condamnation du groupe « Socialisme ou barbarie » en 1952, et il entame avec lui directement cette polémique qui en général ne se déroule qu'en l'absence de Sartre [2]. Sartre fait preuve dans ses réponses d'une solide bonne conscience et d'une certaine mauvaise foi : les autres avaient tort d'avoir raison, et lui avait raison d'avoir tort. Inutile de chercher dans le film *Sartre par lui-même* des explications sur ce point, ni rien qui permette de voir un peu en relief les errements et les aveuglements qui font aussi partie de l' « itinéraire d'un intellectuel qui en vient à la politique ». Sartre a plusieurs fois fait allusion à des « erreurs » sur lesquelles il s'expliquerait, pour l'instruction des autres naturellement. Le mérite de Contat est de l'avoir pris au mot et d'avoir exploré la marge, très faible, d'autocritique qu'il supporte.

La gloire. Le propos de Contat est, là, différent. Il désire faire comprendre au public à quel point Sartre est resté naturel et ne se perçoit pas comme un homme célèbre. Inversant le mot de Cocteau (Hugo était un fou qui se prenait pour Hugo), il nous suggère que « Sartre ne sait pas qu'il est Sartre ». Ce qui n'empêche pas Contat de montrer en même temps que l'auteur des *Mots* se réjouit d'entrer vivant dans la Bibliothèque de la Pléiade, alors qu'en 1967 il s'y refusait parce que la Pléiade était « une pierre tombale ». On comprend mieux que le film ne l'ait pas choqué. A cela, il faudrait ajouter ses étonnantes déclarations sur les femmes, dans le film cette fois : « Ben, je vais vous dire, au fond j'aime bien être avec une femme parce que je n'aime pas la conversation d'idées, ça m'assomme [3]. » La transcription littérale n'ajoute rien à la galanterie du propos.

Mais qui, intelligemment interrogé, résisterait mieux que Sartre à une telle radioscopie? Le mérite de l'interview de Contat, c'est de montrer que Sartre est comme tout le monde, avec des contradictions, des limites, une certaine naïveté, un rien de mauvaise foi, mais aussi, bien sûr, du courage, de l'optimisme, une grande générosité et beaucoup de pénétration. Mais je n'ai pas ici à juger Sartre, plutôt à mesurer l'effet produit par cette technique d'interview quand elle est bien maniée. Le texte de Contat est habilement composé :

1. *Situations X*, p. 201.
2. *Situations X*, p. 181-186. Voir un développement de la polémique sur ce point, entre Cornelius Castoriadis et André Gorz, dans *Le Nouvel Observateur*, 20 juin, 27 juin et 4 juillet 1977.
3. *Sartre*, p. 116.

on lit sans fatigue ces quatre-vingt-dix pages de questions et de réponses, sans doute la plus longue interview transcrite jamais accordée par Sartre. L'ouverture et la chute du texte sont bien ménagées, on va d'un aveu à un bilan, et le dialogue se déroule librement en spirale, en repassant plusieurs fois par les mêmes thèmes, abordés d'un point de vue différent. L'unité dramatique est fournie par le comportement incisif de l'interviewer, dont on finit par épouser l'attitude critique, dont on devine ce qu'il attend, et ce qu'il pense des réponses obtenues; on assiste à cet interrogatoire comme à une sorte de match amical, certes, mais où Sartre risque quelque chose. Le jeu n'est pas truqué. Les seuls passages languissants sont ceux où Sartre monologue (p. 175-180), résumant le thème de ses entretiens autobiographiques avec Simone de Beauvoir (ce qui laisse mal augurer des résultats de leur collaboration). Visiblement, cet entretien n'est pas la transcription littérale de conversations : Michel Contat a dû, à partir de conversations réelles, élaguer, recomposer, monter. Bien évidemment, l'interview est un art.

ÇA S'EST FAIT COMME ÇA

Des *Mots* au film *Sartre par lui-même*, j'ai retracé ici une évolution qui me semblait révélatrice, au-delà du cas particulier de Sartre, d'un changement de civilisation. Homme de l'écrit condamné à la parole, grand pourfendeur des mythes biographiques qui finit sa vie en collaborant à sa propre légende, Sartre se tient de manière paradoxale à la limite de deux mondes, celui de l'édition imprimée et celui des *mass media* audio-visuels. Son exemple confirme le bien-fondé des analyses proposées par Régis Debray dans *le Pouvoir intellectuel en France*.

Après cette vue cavalière, j'ai eu envie d'adopter la démarche inverse, et d'analyser au microscope un infime échantillon de cette autobiographie parlée. Non par goût de l'anecdote ou du détail, mais parce que le travail sur un objet limité permet plus de rigueur. A quoi s'ajoutait ici l'attrait de la nouveauté : les recherches les plus élaborées sur la narration filmique portent pratiquement toutes sur le film de fiction, presque jamais sur le documentaire, sur le film biographique ou sur le montage d'interviews. J'ai donc choisi dans le film *Sartre par lui-même* un fragment d'une minute et demie, — au moment où Sartre explique comment, adolescent, à La Rochelle, il a « rompu » avec sa mère [1], — et j'en ai poussé l'analyse aussi loin que possible.

1. *Sartre*, p. 17-18.

Cette explication de texte filmique, fort longue, a été publiée dans la revue *Poétique* (nº 35, septembre 1978) sous le titre « Ça s'est fait comme ça ». Ce titre reprend une phrase que Sartre prononce en l'accompagnant d'un geste tranchant, par lequel il désigne la soudaineté et la brutalité de cette « rupture » intérieure avec sa mère.

Quel est le profit *théorique* d'un tel exercice? A l'intérieur de ces quatre-vingt-dix secondes de pellicule, j'ai construit trois objets d'étude, selon des méthodes différentes.

J'ai d'abord essayé d'analyser comment Sartre parlait. Dans le chapitre précédent, j'ai suggéré que, contrairement à ce qu'on prétend en général, l'écoute de la voix d'un écrivain n'est pas forcément d'une grande utilité pour apprécier son « style [1] ». Aussi mon idée était-elle d'étudier Sartre parlant comme s'il était n'importe qui (et sur ce plan-là, comme sur beaucoup d'autres, il est n'importe qui). Ce qui permettait, une fois déblayé le faux problème, de voir apparaître le vrai : celui de la sémiotique de la parole. Et un autre encore par-derrière, que j'évoquerai plus loin à propos de l' « autobiographie de ceux qui n'écrivent pas » : celui de la représentation écrite de la parole [2]. Je disposais, pour cette étude, du film lui-même (qui faisait apparaître le langage du corps, les gestes, les regards, les expressions du visage), de la bande sonore du film (plus maniable, et où la voix était isolée), de la transcription publiée par Michel Contat, puis de celle que j'ai moi-même établie. Articulation du rythme, de la syntaxe, du geste. Jeu des pauses et des hésitations. Tri qu'opèrent les différents médias entre les divers aspects de la parole. L'étude de ces problèmes, esquissée sur l'échantillon sartrien, me paraissait un préalable à toute réflexion sur l'autobiographie orale.

Ces quatre-vingt-dix secondes avaient été malicieusement choisies parce qu'elles permettaient de construire un second objet — psychanalytique : on voit en effet Sartre mimer avec son corps la scène de rupture et se livrer à un exercice de *dénégation* qui semble fait pour illustrer l'analyse freudienne. J'ai donc suivi dans ses méandres la logique de ce discours dénégatif, en continuant, sur cet exemple filmique, l'étude de la scène d'aveu comme scène de *répétition*, que j'avais entreprise en travaillant sur les aveux de Rousseau et sur ceux de Michel Leiris [3].

Enfin je pouvais, en analysant le *montage*, formuler une première

1. Cf. ci-dessus, p. 156-157.
2. Cf. ci-dessous « Transcriptions », p. 290--301.
3. Pour Rousseau, dans « La punition des enfants » (*Le Pacte autobiographique*, Éd. du Seuil, 1975, p. 49-85) et « Le peigne cassé » (*Poétique*, nº 25, 1976). Pour Leiris, dans *Lire Leiris, autobiographie et langage*, Klincksieck, 1975.

analyse du discours filmique dans le film biographique, et lutter contre le sentiment d'évidence qu'engendre le cinéma « référentiel ». Le titre *Sartre par lui-même* exprime bien le jeu du film biographique, qui ajoute à l'impression de réalité que produit le cinéma, ce que j'appellerai l'*illusion d'autorité :* on finit par croire que Sartre est l'auteur de ce qu'on voit. Alors qu'en réalité, son discours autobiographique, suscité et encadré par un dialogue que le montage fait en grande partie disparaître, est représenté et articulé dans une narration filmique qui lui échappe complètement; et la narration orale de son passé est doublée d'une autre narration (le discours de l'illustration) qu'il ne contrôle pas non plus. Petite grammaire des niveaux d'énonciation dans le film biographique...

Le lecteur de *Je est un autre* qui voudrait éprouver sur un texte précis la validité des analyses ici proposées (ou qui simplement, ayant vu *Sartre par lui-même*, aurait la curiosité de savoir ce qu'on peut bien « expliquer » dans un tel film) — pourra donc se reporter à la lecture de « Ça s'est fait comme ça ».

Dernière question : pourquoi avoir choisi Sartre pour cette démonstration? Est-il vraiment le meilleur exemple à donner? Sans doute le critique n'échappe-t-il pas lui-même à la fascination du grand homme : ce qui explique peut-être qu'agacé, il fasse preuve de quelque mauvaise foi en reprochant à Sartre d'être pris au piège de sa gloire ou en stigmatisant ses « hagiographes ». Il s'aperçoit d'ailleurs que Sartre, figure médiane de son livre, l'habite souterrainement d'un bout à l'autre : auteur d'un récit d'enfance ironique, comme Vallès; tenté un moment par l'autobiographie indirecte; obsédé, à travers son grand-père, par la figure de Victor Hugo... Quant à la suite de ce livre, elle ne lui échappe qu'en apparence. Jusqu'à présent il n'a été question que de l'autobiographie (ironique, indirecte ou « médiatisée ») des *écrivains*. Maintenant, il va s'agir de tous les autres. « Tout un homme, fait de tous les hommes et qui les vaut tous et que vaut n'importe qui », disait Sartre... Mais peut-on être vraiment n'importe qui, dès qu'on parle de vous? A moins qu'être « n'importe qui » ne soit tout simplement un rôle comme un autre.

Le document vécu

Chaque mois, le magazine *Lire* propose des extraits de dix nouveautés : pour un roman, on trouve neuf livres référentiels, dont la moitié adoptent la forme de présentation du témoignage autobiographique (même si le centre d'intérêt est un problème ou un événement plutôt que l'individu qui parle ou qui écrit). D'ailleurs, fictions et livres théoriques sont souvent transformés en documents vécus par le jeu des médias : à « Apostrophes », le montage permet de faire apparaître, dans une fenêtre qui s'ouvre lentement au centre de la couverture d'un livre, l'image de son auteur en train de parler en direct — comme s'il était le contenu de son livre. Quant au document vécu proprement dit, il prolonge sous la forme du livre le mode de présentation du reportage ou de l'interview, tels qu'on les pratique dans la presse écrite ou audio-visuelle.

Chaque mois, dans les classes des lycées, des enseignants se désespèrent de ne pouvoir intéresser leurs élèves aux grands textes littéraires inscrits au programme : c'est le « vécu » pédagogique[1]. Ils constatent la lassitude engendrée par des livres écrits « comme dans une langue étrangère », correspondant à une autre culture, coupés du quotidien, et par les exercices formels auxquels ils donnent lieu. Alors, à leurs risques et périls, ils vont à la recherche de la *demande* des élèves, et tentent de partir de leurs lectures réelles. C'est à ce mouvement qu'on doit la lente introduction dans l'univers scolaire de l'étude de la bande dessinée, de la science-fiction, du roman policier, du roman de grande consommation (Guy des Cars), et celle de la publicité et du journal.

Mais les élèves lisent aussi, et avec passion, des documents vécus, surtout lorsqu'ils renvoient à des problèmes d'actualité : *L'Herbe*

1. Cette présentation du « document vécu » a été écrite à la demande de la revue *BREF (Bulletin de recherche sur l'enseignement du français)*, qui l'a publiée en février 1978 (nº 13). Elle est ici légèrement modifiée, mais je lui ai conservé sa visée pédagogique.

bleue, journal d'une jeune droguée; *Sept ans de pénitence*, — en prison; *Moi, une infirmière;* ou *L'Homme qui marchait dans sa tête* [1]. La forme de présentation, l'intérêt immédiat des sujets font de ces livres une lecture facile. Ils peuvent être utilisés par l'enseignant comme centre d'un ensemble d'activités (lecture suivie et dirigée, fiches de lecture, exposés, discussions sur un problème, etc.). Mais il ne s'agit pas seulement de susciter l'expression orale des élèves : il faut les amener à mieux lire et à mieux écrire. L'enseignant peut se demander comment remplir son rôle à partir de ce genre de livres.

Il risque de se heurter à deux difficultés. La première sera personnelle. Ces livres ne sont pas « de la littérature », ils ne sont peut-être pas ceux que lui-même lit, ou du moins, s'il les lit, en volumes ou en tranches dans des périodiques, il les considère comme une lecture de seconde zone; il se trouvera dans une position de condescendance — qui est la pire des positions pour enseigner. D'autant plus que le mépris va souvent de pair avec une certaine ignorance. Qui méprise le journal, en subit les effets sans discernement. Dans la littérature « document », comme ailleurs, le médiocre côtoie le meilleur : le problème est de les distinguer, non de tout condamner. Ce qui suppose qu'on en lise (éventuellement plus que les élèves) et qu'on engage une réflexion théorique à partir de sa lecture. On verra alors se lever toute une série de questions, auxquelles les élèves ne pensent pas, sur ce que c'est que ce « vécu » qu'ils consomment sous forme de texte.

La seconde difficulté viendra des élèves. Pour eux, étudier en classe *l'Herbe bleue*, c'est quitter le conventionnel pour entrer dans le naturel. Le document sert de point de départ pour cerner un problème qui se pose autour d'eux. La vie est entrée à l'école : d'autres textes, pour faire autre chose. Si c'est pour refaire des explications de texte, autant les faire sur Racine. Mais on peut étudier comment est fabriqué un texte sans faire pour autant une « explication rituelle ». Et, après tout, il peut arriver à tout le monde d'avoir un jour à écrire ce qu'il a vécu pour témoigner. Il y a même des gens dont le métier est de le faire à la place de ceux qui n'en sont pas capables (du moins si ces incapables ont une célébrité ou une expérience vendables) : les « nègres ».

1. *L'Herbe bleue, journal intime d'une jeune droguée* (anonyme), traduit de l'américain, Presses de la Cité, 1972 (édition de poche, Presses Pocket, 1973); Nicole Gérard, *Sept ans de pénitence*, Laffont, coll. « Vécu », 1972 (édition de poche, J'ai lu, coll. « Documents », 1976); Ségolène Lefébure, *Moi, une infirmière*, Stock, coll. « Témoigner », 1973 (édition de poche, J'ai lu, coll. « Documents », 1976) : Patrick Segal, *L'Homme qui marchait dans sa tête*, Flammarion, 1977. Tous les livres mentionnés dans cette présentation le sont à titre de simples exemples : leur choix n'a nullement valeur anthologique.

Le problème, pour les enseignants comme pour les élèves, tient à ce que ce type de textes (qu'il s'appelle autobiographie, témoignage, document) a pour effet de créer, aussi bien au niveau du pacte de lecture que des techniques narratives employées, l'illusion de transparence : ils se présentent comme des non-textes, si bien qu'il semble oiseux d'aller voir comment ils sont faits. Pourtant, ils portent le discours fondamental dans lequel toute notre existence baigne, ce discours « naturel » dont nous vivons. Pour dissiper cet effet, le plus simple est de partir d'une réflexion sur *le contrat de lecture* dont tout lecteur fait fatalement l'expérience. Dès qu'on entre dans une librairie, on est le destinataire d'un discours publicitaire. Les livres ont leurs affiches, leurs couvertures. Analyser la décision de lire (qui trouve d'ailleurs son écho en classe dans les discours sur le choix du livre qu'on va étudier) est la meilleure manière d'enclencher et de motiver d'éventuelles recherches sur la manière dont le livre est fabriqué et sur sa fonction dans le jeu social.

Mon propos n'est pas ici de donner des recettes pédagogiques, ni d'entreprendre une analyse théorique de ce corpus immense, mais d'esquisser quelques analyses pour arracher ces textes à leur évidence. Je réfléchirai d'abord sur le contrat de lecture du « vécu », puis sur deux cas particuliers : le témoignage de dénonciation écrit *(Moi, une infirmière)*, et le récit de vie *transcrit*.

1. « VÉCU »

Le livre paraît le plus souvent dans une collection. « Témoigner », « Témoignages », « Les grands journalistes », « Elles-mêmes », « En direct », « Documents », etc. Ou, mieux, et les résumant tous, ce titre d'une des collections de Robert Laffont, lancée en 1969 avec *Papillon*, « Vécu ». Astucieusement, cette collection présente son titre sous la forme d'une sorte de cachet semi-circulaire imprimé en biais : chaque exemplaire a l'air tamponné. Vérifié, certifié, garanti. Il vaut la peine de déplier les différentes connotations impliquées par la forme et le texte de ce cachet.

On pense d'abord à la certification « copie conforme à l'original » pour laquelle on va demander un coup de tampon dans un commissariat de police. L'idée suggérée est celle de la *copie :* le rapport du texte à ce dont il parle serait un rapport de *ressemblance* et non de production. On suggère qu'il ne s'agit pas d'un texte, mais d'un reflet direct, dans le langage, du monde « réel ». A cela s'ajoute l'idée d'une garantie effectuée par une instance extérieure autorisée et responsable (bureau de vérification : cent pour cent pure laine vierge, mis en bouteille par le propriétaire). On peut consommer en toute confiance : ce n'est pas un produit trafiqué dans les chais de l'éditeur. C'est la vie toute crue. A croire sur parole.

Le mot « vécu » qui est au centre du tampon est un mot miroitant qui prend des sens différents selon qu'on le réfère à la nature de l'objet vendu ou à l'effet qu'il doit produire sur l'acheteur.

Du côté de l'objet, il signifie d'abord que l'histoire est vraie, c'est-à-dire qu'il ne s'agit pas d'une fiction, inventée. Le lecteur n'aura donc pas à adopter l'attitude de feinte crédulité, l'attitude de jeu qui est liée à la fiction, et qui permet au lecteur de s'en distancier à volonté. Ici la crédulité doit être entière, puisque le texte est référentiel. Le lecteur est comme devant un reportage à la télévision. Tout ce dont on lui parle appartient à un monde où il vit lui-même, et non au monde du papier et de l'écriture. Il pourrait l'atteindre, ou en être atteint, sans l'écriture.

« Vécu » signifie ensuite que cette histoire réelle va nous parvenir par le canal de ceux qui l'ont vécue. Il ne s'agit pas d'une enquête de troisième main ou d'un reportage livresque fait par un tiers non concerné, mais du récit d'une des personnes directement impliquées dans la situation ou dans les événements. « From the horse's mouth. » C'est la situation impliquée par le contrat autobiographique.

Mais du côté du lecteur, « vécu » signifie autre chose. On lui promet que ce livre lui procurera une *impression* de vie : il ne va pas lire, c'est la vie qui va lui sauter au visage, « comme si vous y étiez ». Ce qui implique l'emploi de techniques narratives conçues en fonction de la réception du texte, capables de créer le maximum d'identification chez telle ou telle catégorie de lecteurs. Les techniques narratives sont des faits de langage et de communication indépendants du degré de véracité des faits racontés : elles sont le plus souvent communes au roman et à l'autobiographie. « Vécu » renvoie donc, selon le mécanisme paradoxal mais classique du réalisme, non à l'impression que fait la vie courante mais à des modèles littéraires déjà connus, aux manières de raconter créant l'effet le plus intense, c'est-à-dire, assez souvent, à des modèles romanesques. Il y a des techniques pour « faire vécu », j'essaierai d'en montrer quelques-unes tout à l'heure : ce sont les ficelles du métier de journaliste ou de reporter. Sans en avoir conscience, le lecteur voit donc dans le label « vécu » la garantie de ce degré d'élaboration littéraire : force des effets, facilité de lecture, et même présence d'un style. C'est-à-dire au fond la garantie que c'est... « *écrit* ».

Ce qui caractérise le vécu, c'est donc l'intensité : sans doute par contraste avec le vécu réel du lecteur, diffus, incertain, mal orienté et non formulé. C'est aussi, toujours par contraste, l'altérité : le vécu c'est *l'autre*. Il ne s'agit pas simplement de communiquer avec des vies différentes de la sienne, dans un souci impartial d'étendre son expérience par procuration. Le « vécu » évoque le plus souvent des zones d'expérience par opposition auxquelles se définit notre existence. Une analyse des domaines couverts par les livres-documents permet d'établir une carte des mythologies, des fantasmes, et du refoulé, qui définissent l'identité du public visé et plus largement de la société à laquelle il appartient [1]. Bien évidemment, la forme du « document » n'est pas la seule qui soit utilisée pour remplir ces fonctions : l'étude scientifique ou les textes de fiction le font également. Le mythe a plusieurs variantes. Dans le cas du document, la certification d'authenticité masque cette fonction. Très sommairement, que trouve-t-on à lire au rayon « documents » dans une librairie?

— des témoignages de dénonciation, portant sur un certain nombre de lieux où la société met ses « autres » (hôpitaux, asiles, prisons), sur l'exploitation du travail, sur les injustices et cruautés de certains régimes politiques, etc. En même temps qu'une réflexion critique, ces textes alimentent des rêveries qui donnent bonne conscience (vertu indignée, fantasme de persécution). Le héros va d'épreuve en épreuve dans un monde dont il dévoile l'injustice et dont il se venge par ce récit. On se sent accablé, vertueux et vengé;

— des récits de guerre et de résistance (qui se lisent fatalement comme des épopées, des romans d'aventures ou des romans policiers); tout était possible en ce temps-là; les hommes donnaient leur mesure;

— des récits touchant des transgressions (meurtrières, sexuelles ou autres) que le lecteur ne se permet pas; c'est la forme développée et élaborée du fait divers;

— des récits d'exploits sportifs, ou moraux *(l'Homme qui marchait dans sa tête)* qui proposent au contraire des modèles héroïques à imiter;

— des autobiographies de personnes ayant atteint par un moyen quelconque la gloire (ces personnes ont une sorte de « crédit charismatique » ouvert à leur nom dans l'esprit du public, et peuvent en pro-

1. Il est toujours utile, et agréable, avant de se mettre à étudier un « document », de relire les *Mythologies* de Roland Barthes (Éd. du Seuil, coll. « Points », 1970).

fiter pour vendre leur vie, même si elle n'est que très ordinaire; si elles ne savent pas écrire, elles utilisent un spécialiste du « vécu » (c'est-à-dire de l'écrit), un nègre);

— des récits d'aventure exotique (*Antecume ou une autre vie*, — chez les Indiens [1]);

— ou enfin apparemment l'inverse, les témoignages de Français ordinaires enregistrés au magnétophone, ouvriers à la retraite ou vieilles paysannes (ce que *le Monde* a appelé irrévérencieusement « l'école des Mémés »), mais qui sont les « autres » des citadins des classes moyennes qui consomment leurs livres.

Procurer bonne conscience, évasion, compensation, rêverie héroïque ou nostalgique, telles sont, parmi d'autres, les fonctions du « vécu », qu'il accomplit parfois de façon accentuée en se servant des techniques narratives de genres romanesques bien codifiés : roman d'apprentissage, roman d'épreuve, d'enquête, « cas », « exemple », etc. Plutôt qu'une copie du réel, les documents vécus seraient simplement des variétés des formes narratives communes, et on serait tenté de les rattacher aux différentes formes fondamentales qu'essaient de classer Jolles, Frye, ou d'autres poéticiens [2]. Le vécu, en même temps qu'il véhicule une certaine information, a fonction de faire rêver. Et il a sur la fiction l'avantage de l' « authenticité » : il procure le rêve éveillé.

Il ne s'agit pas de conclure de là que le vécu *ment*, et d'étendre au document « l'ère du soupçon ». Ce serait naïvement supposer que la vie pourrait être appréhendée « directement » en l'absence de toute forme, et que la forme serait déformation. Simplement, il faut reconnaître que la vérité du document se trouve à plusieurs niveaux : l'information qu'il apporte, c'est lui qui la constitue, et cette construction n'a de sens que comme élément du système de représentation qu'une société produit. C'est sa forme qui est un reflet de la société, au moins autant que son contenu en est une représentation. Aussi faut-il éviter de le donner pour une pure copie de la réalité. Il arrivait souvent, dans les classes, qu'on se servît de *Germinal* pour étudier la condition des mineurs au XIXe siècle, en traitant le texte de Zola comme s'il était la réalité. Les élèves finissaient par croire que, quand ils procédaient à un classement thématique, ils faisaient une enquête sur le terrain. Avec un document comme *Louis Lengrand, mineur*

1. André Cogniat, *Antecume ou une autre vie*, récit recueilli par Claude Massot, Laffont, coll. « Vécu », 1977.

2. André Jolles, *Formes simples*, Éd. du Seuil, coll. « Poétique », 1972; Northrop Frye, *Anatomie de la critique*, Gallimard, 1969.

du Nord[1], la tentation est encore plus grande, puisque *c'est vrai.* Et pourtant, en histoire et en sciences sociales, on commence par une critique du témoignage et une analyse du document.

La stratégie du « vécu » consiste à paralyser cette envie critique, en occultant le texte comme texte, et en additionnant des motivations de lecture qui pourraient se contrarier. On peut en trouver d'innombrables preuves dans la rhétorique des prières d'insérer et des textes qui figurent aux dos des volumes. Le livre est souvent garanti bien écrit, avec force, saveur, il est passionnant, etc. Mais ces qualités d'écriture ne sont pas mises au compte d'un métier ou d'un talent : elles sont une émanation directe de la vie. On ne dira pas d'un auteur qu'il écrit avec force une expérience vraie, mais : « Il écrit avec la force que donne l'expérience vraie. » Ou bien l'éditeur remerciera ainsi le modèle d'une autobiographie parlée : « Merci, chère Mémé Santerre, de m'avoir donné ces pages écrites avec votre sueur et votre cœur[2] » : ce qui implique que les bons sentiments font les bons écrivains, et donne à croire que Mémé Santerre a écrit ces pages, qui ont été fabriquées à partir d'enregistrements (« Merci, cher Serge Grafteaux », plutôt). Souvent les prières d'insérer promettent à la fois les plaisirs que donnent les fictions (facilité de lecture, vigueur des effets, composition, quelquefois en précisant le type de plaisir promis : passionnant comme un roman policier, etc.) et ce frisson supplémentaire que donne le contrat référentiel : en plus, c'est vrai. Cette alliance se reflète parfois dans des sous-titres génériques composites, comme celui de *Douchka de mon enfance*, de S. Simon, qualifié de « roman-document » (Stock, 1974). Le miroitement est exploité aussi bien par des livres référentiels, prétendant aux charmes de la fiction, que par des livres de fiction, alléguant leur fondement référentiel. De *Graine d'ortie*, roman de Paul Wagner, on nous dira : « il ne s'agit pas ici d'un roman, mais d'une autobiographie douloureuse parfois, malgré sa retenue, sa pudeur, sa générosité[3] ».

L'essentiel des thèmes de ce discours « publicitaire » se trouve rassemblé dans le plaidoyer suivant, où Robert Laffont oppose au « nombrilisme » des écrivains français couronnés par les prix littéraires la « force naturelle » de ceux qui ont réellement quelque chose

1. Louis Lengrand et Maria Craipeau, *Louis Lengrand, mineur du Nord*, Éd. du Seuil, 1974.

2. Serge Grafteaux, *Mémé Santerre, une vie*, Éd. du Jour, 1975 (déclaration de l'éditeur Jean-Pierre Delarge, page 4 de couverture). Sur *Mémé Santerre*, voir ci-dessous p. 296-299, et p. 306-307.

3. Paul Wagner, *Graine d'ortie*, La Table ronde, 1971 (édition de poche, Gallimard, coll. « Folio », 1976).

à dire parce qu'ils ont *vécu*, et qui le disent « en toute innocence littéraire » :

> Depuis longtemps, je suis frappé par la hargne particulière avec laquelle sont accueillis dans notre petit monde les récits non moins autobiographiques de ceux qui, par le fait d'une vie mouvementée et d'une riche expérience humaine, ont quelque chose à raconter et le font en toute innocence littéraire. Je m'aperçois que, finalement, ce mépris si haut exprimé est un réflexe d'autodéfense. Ces néophytes entrent dans une chasse gardée qu'ils dérangent par leur audace, leur refus des règles admises et leur force naturelle. Par bonheur, parce qu'ils ont réellement quelque chose à dire, le public les lit et avec beaucoup plus de satisfaction que les récits narcissiques et répétitifs dans lesquels s'enferme une bonne part de nos écrivains avec l'approbation des professionnels [1].

Déchiffrer le discours publicitaire du « vécu » peut être un bon exercice : cela prépare à analyser le livre, mais en même temps à le situer socialement, comme un objet dans un marché : quels sont les livres de cette catégorie qui ont réussi? Entre l'auteur qui a vécu (et écrit) et le lecteur qui le consomme, il y a un éditeur qui a une stratégie dans le champ de ce que les sociologues appellent « l'économie de la production des biens symboliques [2] ». Un livre qui sort ne dispose que de quelques mois pour s'imposer. Pourquoi tant de livres « vécus » sombrent-ils dans l'oubli? Qu'est-ce qui distingue ceux qui réussissent sur le marché, c'est-à-dire passent en collections de poche (principalement la collection « Documents » de *J'ai lu*) et ont ainsi chance de se trouver entre les mains des élèves? En quoi sont-ils plus « vécus » que ceux qui ont sombré? Sans doute à cause de la construction de l'objet, et de la conformité de l'écriture à un modèle attendu?

A partir de là, d'autres questions peuvent se poser. Quels rapports le « vécu » consommé sous forme de *livre* entretient-il avec le « vécu » qui est consommé quotidiennement par les autres médias (journal, radio, télévision) et qui souvent lui sert de modèle ou de caution? Comment fonctionne le circuit de communication? Qui est vraiment le destinateur du livre (ainsi dans *l'Herbe bleue* ce n'est pas la jeune fille qui écrit son journal, mais ceux qui après sa mort l'ont publié,

1. Robert Laffont, « Lettre aux lecteurs », *Vient de paraître*, n° 190, septembre 1979, p. 3.

2. Pierre Bourdieu, « La production de la croyance, contribution à une économie des biens symboliques », *Actes de la recherche en sciences sociales*, n° 13, février 1977, p. 3-44, et sur le champ de l'édition en particulier, p. 23 *sq*.

avec l'intention d'en faire un exemple), qui est le destinataire, etc.? De proche en proche, l'étude d'un livre-document (ou, de préférence, d'un ensemble de livres-documents permettant des comparaisons) peut amorcer une réflexion non seulement sur les formes littéraires, mais sur les médias, la communication, le champ culturel, et les mythologies de notre société. Cette réflexion n'est pas dévalorisante, même si elle peut être sur certains points démystifiante. Elle ne condamne pas les livres-documents, mais amène à mieux les choisir et à mieux les lire.

2. ÉCRIT

Moi, une infirmière. « Ségolène Lefébure a ' tenu ' six ans et nous devons à cette expérience courageusement vécue, décrite sans fard ni complaisance, un document saisissant où l'espoir et la joie de vivre demeurent pourtant présents. » Il faut être sans cœur pour disséquer comme un texte ce document vécu. Mais cela n'enlève rien aux défauts du système hospitalier français, ni aux mérites de Ségolène, que de voir comment elle s'y prend pour faire passer son expérience. Sur la couverture, son visage rieur se mire dans un flacon de perfusion. L'image suggère l'idée du reflet (une femme se regarde dans le miroir de son métier), le contraste entre l'instrument et la présence humaine, mais aussi l'analogie entre le liquide nutritif et le sourire. Le livre va-t-il être une perfusion de sourire? Au dos de la couverture, Ségolène sourit encore. Ce n'est pas une réclame pour le métier, pourtant. Mais Ségolène est la bonne infirmière, celle qu'on rêve d'*avoir*. On peut la croire, la suivre dans l'enfer qu'elle va nous faire visiter... Si on déchiffre l'image, on peut aussi se mettre à déchiffrer le texte.

EXPLIQUER EN COMPARANT

Et pour cela, il est indispensable d'envisager les séries auxquelles il appartient, d'expliquer *en comparant*. Il faut le prendre parmi les autres livres de la collection (« Témoigner », chez Stock, puis la série « Documents » de J'ai lu), et surtout le rapprocher d'autres témoignages analogues. Ce qui permettra de dégager des traits communs au genre, mais aussi des différences. On lira donc *Hosto-*

blues (Éditions des Femmes, 1974) de Victoria Thérame : témoignage-pamphlet aussi violent, moderne, inventif que celui de Ségolène Lefébure est sage, traditionnel. Ou *Journal d'une infirmière* (France-Loisirs, 1973), de Georges Ras : mais là, le titre est trompeur. Il s'agit non d'un témoignage direct, mais d'une enquête qui utilise, dans des chapitres regroupés par problème, des témoignages recueillis, montés à l'intérieur du discours de l'enquêteur. Comparer ces trois livres entre eux (leurs destinataires, leurs techniques narratives, leur contenu, leur idéologie) permet de s'arracher à l'impression d'évidence. Il faut voir aussi *à quoi* ils s'opposent tous : à la littérature romanesque antérieure sur le milieu médical (*les Hommes en blanc*, etc.), et surtout à la littérature « professionnelle » officielle, qui insiste sur la formation et les devoirs des infirmières en fonction de l'intérêt exclusif du malade, et parle fort peu de leurs conditions de travail et de la réalité de ce qu'elles vivent [1]. Le discours « vrai » du témoignage se définit par opposition à un discours officiel qui « ment », au moins par omission. On pourra alors saisir la fonction du témoignage, voir dans quelle mesure il est destiné aux autres infirmières, au public (parmi lequel se recrutent justement les malades), ou à une catégorie particulière du public. Étudier ce champ de discours amène aussi à se poser les questions sous un jour historique : pourquoi, vers 1973-1974, cette floraison de témoignages? A quelles conditions de nouveaux témoignages pourraient-ils actuellement voir le jour en librairie [2]?

D'autre part, il faut étudier la forme du genre littéraire qu'est le « témoignage de dénonciation » (qu'il s'agisse de l'hôpital ou d'autre chose). Ici, on ne trouvera guère de secours dans la littérature critique. Sur les formes littéraires traditionnelles, et sur la para-littérature (dans la mesure où elle est du domaine de la fiction), les études pullulent; sur le « vécu », on aura du mal à en trouver. C'est là une situation stimulante : on pourra appliquer à un domaine nouveau les instruments théoriques de l'analyse du récit [3]. Deux exemples, pourtant, des démarches possibles : le groupe μ a analysé,

1. On trouvera l'essentiel de ce discours formateur dans la collection « Infirmières d'aujourd'hui » aux Éditions du Centurion. Cette collection à fonction didactique ne comporte pas de livres de témoignages sur la réalité du métier. Une infirmière peut être amenée à témoigner, mais seulement dans la mesure où elle prend le rôle du malade : ainsi Alice Lesterel, *Journal d'une infirmière hospitalisée*, 1975.

2. Le même repérage des différents discours existants pourra être fait sur la drogue, la prison, etc.

3. Voir les bibliographies commentées de Michel Mathieu sur l'analyse du récit dans le n° 30 de *Poétique*, avril 1977, p. 226-259.

non certes un genre appartenant à la littérature de témoignage, mais un genre à allégation référentielle : les « biographies » de *Paris-Match* [1]. La méthode consiste à partir d'un corpus (quarante textes publiés en 1968), pour mettre en évidence par l'analyse rhétorique ce qu'ils ont en commun, exactement comme on le fait pour les contes populaires. Les constructions répétitives et simplistes (« origines, vocation ou convocation, exploits, réussite, usage de la réussite ») en font « les contes de fée de notre époque ». Les auteurs concluent que « nécessairement réductrice, l'analyse rhétorique débouche, comme toute science, sur un désenchantement ».

Plus près de notre sujet, Bernadette Morand a consacré un livre nullement désenchanté au corpus des écrits des prisonniers politiques (de Silvio Pellico à Soljénitsyne) : il s'agit cette fois non de productions journalistiques en série, mais de témoignages écrits par les intéressés, et de textes autrement complexes [2]. La comparaison des récits débouche sur une sorte de montage thématique résumant l'itinéraire type du prisonnier politique de son arrestation à la libération (pour ceux qui survivent et peuvent témoigner). S'agit-il de faire une étude de psychologie et de morale sur la manière dont un prisonnier politique réagit à son expérience, dans la réalité, ou bien d'analyser comment ce type d'expérience s'élabore et *se transmet* dans un texte? Tout travail sur un corpus de témoignages écrits et publiés se heurte à cette difficulté : il y a deux manières d'*accommoder* en lisant. Ces deux points de vue sur le texte sont légitimes, mais il vaut mieux les séparer, et, méthodologiquement, on peut penser que l'étude du texte comme texte doit précéder son exploitation comme document. Bernadette Morand commence d'ailleurs par là : elle distingue la fiction du témoignage, puis le témoignage après coup, destiné à la publication, des lettres et écrits intimes écrits pendant la captivité. Elle amorce sur certains points des remarques sur la fonction des textes, l'ordre du récit, et, surtout, sur la construction du personnage du *témoin* (degré de particularité, degré d'idéalisation). Mais cette tâche préliminaire, exécutée assez rapidement, n'a guère d'influence sur la suite (thématique) de l'étude. Cela, sans doute, faute de sortir du corpus : n'y a-t-il pas des modèles littéraires (roman d'apprentissage), d'autres récits de prisonniers (ceux qui ont été éliminés par Bernadette Morand après qu'elle les a utilisés pour délimiter son corpus), d'autres témoignages de dénonciation, à la fois semblables

1. Groupe μ, « Les biographies de *Paris-Match* », *Communications*, nº 16, 1970, p. 110-124.
2. Bernadette Morand, *Les Écrits des prisonniers politiques*, PUF, 1976.

et différents (les récits d'*exploités*), qui permettraient de dresser un tableau des différentes possibilités de construction et d'orientation de ce type de récit? On pourrait aussi se demander ce qui se passe du côté du lecteur : l'intention militante ou humaniste du narrateur du livre, et les techniques employées définissent certes à l'intérieur du livre un destinataire. Mais plusieurs lectures différentes restent possibles : Soljénitsyne lu sur les plages se consomme comme de l'épopée ou du roman d'aventure, même si par ailleurs il engendre des prises de conscience politique.

TECHNIQUES NARRATIVES

Ségolène sourit dans son bocal, attendant la fin de ma parenthèse. Je me suis étendu sur le livre de B. Morand parce qu'il est l'une des rares études existant sur un genre « vécu » : aussi parce qu'il montre bien où est la difficulté. Je ne ferai sans doute pas mieux en déchiffrant *Moi, une infirmière*. Infirmière pendant six ans : 120 petites pages en gros caractères. Nicole Gérard, *Sept ans de pénitence* (en prison), 560 pages serrées. Il ne s'agit pas de calculer combien cela fait de signes par année. Simplement de s'arracher à l'illusion d'une copie du réel. Les deux livres ne jouent pas de la même manière sur la temporalité : vitesse délibérée de S. Lefébure, qui choisit le style du reportage frappant, du coup de poing, lenteur méthodique de N. Gérard qui donne à sentir au lecteur de quelle manière on sent le temps en prison. Du côté de S. Lefébure, choix dosé d'anecdotes typiques prises dans l'expérience personnelle dans la mesure où celle-ci recoupe le folklore (les récits traditionnels) du milieu. Le livre est construit comme une pièce de théâtre (contrastes, enchaînements), s'efforce d'éviter toute répétition, et de réduire le discours du narrateur au minimum. Et, malgré les indications de temps données dans ce discours, le lecteur n'a nul sentiment d'une durée, ni même d'une évolution du personnage témoin. Le « vécu » est produit par un collage rapide d'anecdotes et de scènes, choisies parmi les plus significatives des problèmes du métier, et des drames de la mort : dégoût physique, épreuves morales, scandale social, avec quelques moments de détente et de sourire ménagés au cours du récit, pour donner une touche humaine et faire ressortir l'horreur du reste. La force de l'effet produit sur le lecteur tient à cette technique du reportage choc : anecdote sur anecdote. On pourra analyser d'ailleurs comment s'articulent, tout au long du livre, deux types de construction différents : l'un, continu dans son principe, le récit de la carrière de Ségolène depuis son premier stage jusqu'au moment où elle abandonne le métier; ce *curriculum vitae*, qui donne l'occasion de poser la toile de fond des anecdotes qui vont suivre, est très sommaire, et haché en petits morceaux. L'autre type de construction consiste en l'accumulation d'anecdotes non reliées (importance des blancs, et des débuts « in medias res »).

On touche ici un des grands principes communs à la plupart des récits « vécus » : il faut que le narrateur s'efface et ne cache pas le personnage. En un mot, le « vécu » est le contraire du témoignage rétrospectif. Certes, le pacte autobiographique, nécessaire à la crédulité totale, implique que ce soit l'intéressé lui-même qui raconte; son souvenir, son point de vue, ses réflexions doivent apparaître pour authentifier en permanence le récit. Mais cette présence du narrateur introduit en même temps une *médiation* qui peut nuire à la puissance de l'illusion : le lecteur veut vivre « en direct » les scènes racontées. Le pigeon de La Fontaine disait à son frère : « Je dirai : j'étais là, telle chose m'advint/Vous y croirez être vous-même ». Pour que l'autre croie y être lui-même, il faut s'effacer pour lui faire place [1]. Ce qui pose des problèmes de focalisation et de distance [2].

Focalisation. L'information donnée doit être principalement celle qui correspond à l'expérience du héros sur le moment, en faisant abstraction de ce qui s'est passé avant ou de ce qui se passera après. Le moins possible d'anticipation, ou de commentaire du narrateur.

Distance. Il faut raconter le moins possible, *montrer* le plus possible. D'où l'emploi privilégié de certaines techniques : d'abord le dialogue (souvent contre toute vraisemblance : comment pourrait-on se souvenir de tant de paroles?) indispensable pour monter des *scènes*, faire vivant et direct; ensuite, des formes de monologue intérieur représentant plus ou moins directement les pensées, les sentiments et les perceptions du personnage qui vit la situation. Enfin, dans la mesure où il reste tout de même indispensable de raconter, on dissimulera l'acte narratif en employant en alternance avec les

1. Aussi y a-t-il une différence fondamentale entre le témoignage vécu et l'*enquête*. Dans l'enquête, les témoignages multiples et partiels sont intégrés dans un discours de présentation qui fait écran, et organise une réflexion sur les expériences racontées. L'attitude de lecture est donc très différente : écoute et réflexion plutôt qu'identification. On pourra le vérifier en lisant le livre de G. Ras, qui produit un effet morne et terne à côté des récits de S. Lefébure et de V. Thérame. Le vécu doit être unique (centré par une subjectivité), direct et total. Le seul cas où l'enquête rejoigne le vécu, c'est lorsque l'enquête elle-même est narrativisée et tourne au reportage.

2. Sur la distinction entre focalisation et distance, voir G. Genette, *Figures III*, Éd. du Seuil, 1972, p. 183 *sq*.

temps du récit le présent de narration, qui a un peu une fonction de trompe-l'œil (créant une illusion de continuité entre le spectateur et le spectacle). Le « vécu » tend à faire venir l'histoire sur le devant. A la limite, il se rapprocherait plus de la technique du journal intime (où le narrateur est proche de ce qu'il raconte) que de celle de l'autobiographie. Une figure narrative assez fréquente consiste d'ailleurs à donner à un récit rétrospectif l'apparence d'un journal tenu sur le moment même (exemple : *Sept ans de pénitence*, p. 473-504). Ce n'est qu'un « comme si », mais qui produit tout de même son effet. Il faut qu'on suive le héros pas à pas dans son apprentissage, que cet apprentissage soit bien ordonné en scènes « vivantes », et que les effets soient clairs. Cette présentation fictive en forme de journal d'une narration en fait rétrospective est même plus claire que ne serait un authentique journal, qui, lui, aurait chance de comporter bien des répétitions et des obscurités, et dont la ligne démonstrative pourrait ne pas être évidente. Par exemple le journal de *l'Herbe bleue* offre des trous d'information, des sauts, des obscurités dues au contexte et demande un effort d'interprétation au lecteur, alors que la technique du simili-journal permet de concilier présence et clarté.

Un livre comme *Hosto-blues* obéit, avec des moyens différents, aux mêmes exigences : la technique choisie élimine tout narrateur rétrospectif pour donner la parole au personnage dont le monologue intérieur à la seconde personne va courir pendant quatre cents pages, le temps d'une nuit de travail dans une clinique de Passy. Par le jeu des associations d'idées, toute son expérience passée va se trouver intégrée petit à petit à cette nuit de veille que nous suivons en direct.

Aucune des techniques que j'ai mentionnées n'est propre, bien entendu, à la littérature-document, on les trouve aussi, avec des dosages différents, dans des autobiographies, et, avec des dosages analogues, dans les biographies, et dans la fiction. Mais ce qui caractérise le témoignage vécu, c'est qu'il doit sembler facile à lire (puisqu'on doit oublier qu'on lit), et donc utiliser des techniques et des figures narratives déjà totalement assimilées par le public visé. Sur un même thème (récit d'un apprenti placé chez un artisan), *Graine d'ortie* paraîtra à une partie du public plus vrai que *Gaston Lucas, serrurier :* une narration limpide, dramatiquement organisée (et qui rappelle au lecteur ses lectures d'enfance, Dickens, Hugo, Malot) passe mieux que la narration rétrospective du serrurier enregistrée au magnétophone [1]. *Hosto-blues* s'adresse à un public non seulement

1. Adélaïde Blasquez, *Gaston Lucas serrurier, chronique de l'anti-héros*, Plon, coll. « Terre humaine », 1976. Voir ci-dessous p. 299-301.

politiquement engagé, mais aussi capable de lire quatre cents pages présentées sans interruptions ni chapitres, habitué au déchiffrement d'un monologue intérieur, aux violences verbales de Céline et de San Antonio, et aux constructions de Butor et de Claude Simon [1] : alors que pour lire *Moi, une infirmière*, il suffit d'avoir l'habitude de lire le journal. En effet, la plupart des techniques que j'ai évoquées (simili-journal, emploi extensif du présent de narration, construction de scènes avec dialogues, etc.) sont de celles qui sont universellement employées dans le récit de presse moderne. Le vrai peut quelquefois n'être pas vraisemblable; le vécu, pour paraître « vécu », doit se conformer au vraisemblable écrit auquel nous avons été habitués dès notre enfance. Dans le cadre d'une recherche sur ces modèles des techniques narratives du « vécu », il faudrait remonter aussi, bien sûr, à l'écriture des livres pour la jeunesse.

LE ROLE DU TÉMOIN

Le personnage du témoin est un élément capital de la réussite du livre. Que sait-on de Ségolène Lefébure quand elle nous conduit à sa suite dans le premier hôpital où elle fait son stage? Pratiquement rien : ni son origine sociale, ni les raisons qui l'ont conduite à cette profession. Inutile d'espérer en savoir plus en lisant le livre : nous ne la voyons que dans l'exercice de sa profession, elle s'évanouit dès qu'elle sort de l'hôpital. Même un problème aussi capital que celui de l'argent (combien gagne-t-elle?) n'est abordé qu'allusivement (p. 28, 110, 119). Elle aime aller au théâtre, et à la fin elle se marie, on ne sait même pas avec qui. Elle se plaint que, pour certains médecins, les infirmières n'existent pas en dehors de leur fonction (p. 111) : c'est le jeu qu'elle joue elle-même dans le récit et que programme le titre du livre *Moi, une infirmière*. Des effets très différents auraient pu être tirés si le personnage avait été plus particularisé et présenté

1. Cela a naturellement une répercussion sur le contrat de lecture. *Hosto-blues* est-il un livre référentiel, ou une fiction? L'emploi de techniques empruntées à Butor, Céline ou Claude Simon fait plutôt classer le livre dans le registre des fictions. On le prend pour un témoignage romancé, ou, pour me servir d'une expression lancée par Serge Doubrovsky à propos de son texte « autobiographique » *Fils* (Éditions Galilée, 1977), une *autofiction*. Il faudra sans doute du temps pour que ce type d'écriture et de composition s'intègre à notre « vraisemblable » : c'est une affaire d'évolution historique des conventions, car en elles-mêmes ces techniques ne sont ni plus loin, ni plus près de la « réalité » que celles de Ségolène Lefébure. Sur le problème du *vraisemblable*, voir *Communications*, n° 11, 1968.

dans d'autres relations avec le monde environnant [1]. Elle a choisi de s'effacer pour généraliser son expérience : nous pouvons d'autant mieux nous mettre à sa place. Joue dans le même sens, vers une implication du lecteur, le fait que, « pour des raisons bien compréhensibles, les noms des personnes et des lieux ne sont pas cités ». C'est si vrai qu'on ne peut pas dire où cela s'est passé. Mais du coup on voit bien que cela pourrait se passer n'importe où.

L'effacement des particularités du témoin est ici poussé à l'extrême. Dans la plupart des livres-documents, le personnage est plus étoffé. Nicole Gérard doit tout de même raconter les difficultés de sa vie conjugale pour faire comprendre le crime qui l'a conduite en prison; et sa situation sociale est bien précisée pour qu'on saisisse de quel point de vue elle va analyser la prison (grande bourgeoise pénétrant brusquement derrière le décor de la société). Mais ces informations sont soigneusement dosées : elles sont à l'arrière-plan, elles sont toujours présentées non pour elles-mêmes, mais en fonction du sujet du livre. Ce filtrage de l'information est d'ailleurs une constante de la littérature autobiographique : vraiment rares sont les autobiographes qui entreprennent une peinture exhaustive d'eux-mêmes : implicitement ou explicitement ils limitent presque toujours leur figure. Dans la littérature de témoignage (depuis le genre traditionnel des *mémoires* jusqu'aux documents vécus contemporains), cette limitation fait partie de la règle du jeu; un témoin qui s'étalerait, qui déborderait inconsidérément, ruinerait son entreprise.

Dans la mesure où la personnalité du témoin est mise en scène dans le récit lui-même (par la manière dont il affronte et rapporte les situations), elle doit correspondre au *rôle* du témoin. Ce rôle, qui est la forme fondamentale, est à peu près le même dans tous les récits de dénonciation, qu'il s'agisse des prisons, de l'hôpital, de l'usine. Le témoin, en général, *ignore* au début le milieu qu'il va découvrir : il est dans la même situation vierge, impréparée, que le lecteur. Et il va lui faire partager sa surprise. Exemplaire est le procédé de Ségolène Lefébure : nous entrons dans le livre au moment où elle entre elle-même dans sa première salle d'hôpital : « Dès que nous sommes

1. Le personnage-narrateur d'*Hosto-blues*, lui, accepte de parler argent, sexualité, pouvoir, de manière directe et crue, et de mettre en question non seulement ce qui se passe dans l'enceinte de la clinique, mais l'ensemble de la société qui s'y reflète. Ce qu'il gagne en richesse et en violence, il le perd en « spécialisation » (ce n'est pas seulement un « document » sur le métier d'infirmière). On pourra pousser la comparaison de ces deux livres, qui reflètent deux idéologies différentes.

entrées dans le service, nous fûmes saisies par l'odeur [1]... » Huron, intrus, candide, le témoin est celui qui a la force de ne pas s'habituer, de garder jusqu'au bout sa fraîcheur révoltée. De Candide à Bardamu, c'est une fonction littéraire classique, à laquelle le témoin réel doit fatalement s'adapter dès qu'il écrit son expérience. La fraîcheur du regard doit rester constante, si bien que le récit doit à la fois varier les expériences, et ménager des progressions pour éviter que le lecteur s'habitue.

De plus, les récits de dénonciation sont des livres *moraux* qui suscitent chez le lecteur des réactions d'indignation devant l'injustice, la méchanceté et la bêtise liées à une institution. Ce qui suppose que le témoin, auquel le lecteur s'identifie, soit perpétuellement dans une position d'innocence et de générosité qui autorise cette dénonciation : pas de défaillance, ou alors des défaillances temporaires et surmontées, destinées à montrer la puissance néfaste et corruptrice, dégradante, de l'institution (de même que, en sens inverse, il pourra y avoir quelques « bons », mais réduits à l'impuissance, dans le personnel de l'institution oppressive). Le témoin fait fonction de « héros positif », représentant des valeurs auxquelles le lecteur doit adhérer. Une des raisons du scandale de *Voyage au bout de la nuit*, c'est que Céline a construit, avec le personnage romanesque de Bardamu, un rôle de témoin qui, sur ce point, s'écarte de la norme. Bardamu ne pose pas au prix de vertu, il n'offre au lecteur désemparé aucun modèle ni aucune solution, il ne nourrit pas sa bonne conscience. Tandis que le récit de dénonciation classique, même quand il est nuancé, construit des clivages entre bons et méchants, et, en entraînant le lecteur à s'identifier aux victimes (qui de nous ne se sent pas *victime*, qui de nous ne se sent pas *abandonné?*), a tendance à lui faire oublier que peut-être, en fait, il est solidaire des bourreaux. Cayatte avait intitulé son film sur la peine de mort « Nous sommes tous des assassins » : la plupart des témoignages confortent l'autre sentiment, « nous sommes tous des victimes ». On trouvera peut-être cette analyse sommaire : mais la construction morale tranchée des livres-témoignages

1. Cette première phrase est d'ailleurs révélatrice de certains procédés du « vécu » : ici, le mélange dans la même phrase du système des temps du discours (nous sommes entrées) et de ceux de l'histoire (nous fûmes saisies). Le but n'est pas de faire contraste, comme chez Céline, mais au contraire d'additionner les bénéfices des deux systèmes (présence du discours, clarté et littérarité de l'histoire). Toute la suite de ce chapitre est racontée au passé simple (souvent aux formes les moins usitées : « nous entreprîmes de changer les draps souillés d'excréments et d'urine »), mais avec des intrusions de commentaires directs, des phrases segmentées, des discordances brusques de vocabulaire, etc.

impose de s'interroger sur l'effet réellement produit : mauvaise conscience, ou bonne conscience?

Le témoignage informe, il fait vibrer indignation, pitié, révolte, il doit faire réfléchir. Mais son but n'est pas de proposer une solution, ni même une explication. Il doit créer un état de sensibilité, et non théoriser ou endoctriner. Si, parmi les témoignages sur les hôpitaux et les prisons, ce sont ceux de Ségolène Lefébure et de Nicole Gérard qui ont eu la chance d'accéder à la grande diffusion des éditions de poche, c'est aussi parce qu'ils sont les moins marqués, les plus « humanistes », et qu'ils laissent relativement ouvertes les responsabilités et les solutions, en se contentant de décrire ce qui a été immédiatement vécu. Cet état de *suspens* théorique engendre la possibilité de lectures différentes. Les témoignages plus nettement engagés touchent un public plus limité et souvent déjà convaincu.

Le témoin, d'autre part, propose souvent au lecteur une forme de « geste » héroïque. Huron dénonciateur, mais aussi saint Georges terrassant le dragon, ou du moins le tenant en respect : le récit de témoignage est un récit de *résistance* (« S. Lefébure a ' tenu ' six ans »). Cet aspect, plus ou moins accentué, le rapproche des récits de survie et du genre de l' « exemple » : comment tenir bon en face de la mort ou de la déchéance physique[1]. Souvent les prières d'insérer insistent sur les vertus héroïques des témoins : « douloureux, mais *tonifiant* ». Une morale de l'héroïsme individuel est mise en avant, qui laisse dans l'ombre des arrière-plans les données politiques. « Ce livre sensible, généreux, passionné, est le témoignage d'une femme qui n'a cessé, un seul instant, de lutter pour préserver sa dignité » (N. Gérard). « Un document saisissant où l'espoir et la joie de vivre demeurent pourtant présents » (S. Lefébure). L'ambiguïté de ce type de livre est qu'on ne sait pas s'ils sont des brûlots contestataires ou des romans édifiants.

Ces différentes remarques sur le témoignage de dénonciation (rôles, identification, etc.) devraient aboutir, sur un plan plus général, à une réflexion sur les rapports entre les techniques et la fonction du genre. Et pour ce faire, le mieux serait de sortir du champ référentiel et d'examiner le *vécu-écrit* à la lumière de distinctions comme celles que faisait Brecht entre la forme « dramatique » du théâtre et sa forme « épique »[2]. Quels sont les livres qui, en communiquant le « vécu »,

1. Ainsi Martin Gray, *Au nom de tous les miens*, récit recueilli par Max Gallo, Laffont, coll. « Vécu », 1971; ou Françoise Prévost, *Ma vie en plus*, Stock, coll. « Elles-mêmes », 1975.

2. Voir Bertolt Brecht, *Écrits sur le théâtre*, L'Arche, 1963, p. 40-41. Brecht précise bien que le tableau où il oppose les traits de la forme dramatique et ceux

créent une forme d'hypnose qui émeut mais paralyse, quels sont ceux qui arrachent le lecteur à cette évidence, pour améliorer sa compréhension du monde?

3. TRANSCRIT

L'impression de « vécu » peut être obtenue aussi par des procédés apparemment opposés à ceux que je viens de décrire. Au lieu d'estomper la présence du narrateur, on va la mettre en avant; mais alors il ne faudra pas qu'il écrive : le « vécu », ce sera le *parlé*. On le captera à sa source, là où le réel et le langage ne font qu'un, dans la parole autobiographique « spontanée », le récit de vie oral. Je ne pense pas ici à la formule moderne du livre-entretien, qui fait produire à peu de frais leur portrait à des gens connus, mais à l'*entretien ethnologique*, tel que l'a pratiqué Oscar Lewis dans *les Enfants de Sanchez :*

> Le magnétophone, utilisé pour enregistrer les récits de ce livre, a rendu possible l'avènement d'un nouveau genre de réalisme social en littérature. Grâce au magnétophone, des individus non spécialisés, incultes, voire illettrés, peuvent parler d'eux-mêmes et raconter leurs expériences et leurs observations d'une façon non inhibée, spontanée et naturelle [1].

Lewis a fait produire leur autobiographie à quatre enfants et au père d'une famille pauvre de Mexico. On a donc cinq récits de vie parallèles. Ainsi se trouvent réalisés à la fois les objectifs du roman naturaliste (peindre le vécu des pauvres et des exclus) et ceux du roman psychologique fondé sur les jeux de points de vue. Expliquant sa méthode, Lewis soulève la plupart des problèmes que nous allons rencontrer :

> Au cours de nos entrevues, j'ai posé des centaines de questions à Manuel, à Roberto, Consuelo, Marta et Jesus Sanchez. Tout en prati-

---

de la forme épique « ne souligne pas des distinctions absolues mais simplement des déplacements d'accent ». Travailler à partir des théories de Brecht fera définitivement perdre à ces récits leur aspect « naturel », suggérera éventuellement des « transformations de textes » possibles, et reliera la lecture du livre-document à l'ensemble des pratiques de représentation de la vie sociale.

1. Oscar Lewis, *Les Enfants de Sanchez, autobiographie d'une famille mexicaine*, Gallimard, coll. « Témoins », 1963, p. 13.

quant la méthode directive dans les interviews, j'ai encouragé la libre association d'idées et j'ai su écouter (...). Nombre de mes questions les incitèrent à s'exprimer sur des sujets auxquels ils n'auraient peut-être jamais pensé ou dont ils n'auraient pas parlé de leur plein gré. Toutefois, les réponses leur étaient propres.
En préparant la publication des interviews, j'ai éliminé mes questions et choisi, arrangé et organisé les matériaux pour en faire des récits cohérents. Si l'on partage l'opinion de Henry James selon laquelle la vie est toute inclusion et confusion tandis que l'art est discrimination et sélection, eh bien, ces récits appartiennent à la fois à l'art et à la vie [1].

Et, donc, aussi à la science, ajoute-t-il, puisqu'ils permettent d'étudier le réel. *Les Enfants de Sanchez* sont un chef-d'œuvre, qui se lit comme un roman. Mais cette réussite exceptionnelle due au talent de Lewis a engendré, et autorisé, toute une postérité de littérature « vécue », enregistrée, de qualité fort inégale.

Appartiennent à ce type de livres *Grenadou, paysan français*, *Un ouvrier parle*, *Mémé Santerre*, *Louis Lengrand, mineur du Nord*, *Pierrot et Aline*, *Journal de Mohamed*, *Gaston Lucas, serrurier*, *Marthe, les mains pleines de terre*, pour ne citer que quelques titres [2]. Paysans, ouvriers, artisans, petites gens de chez nous. Avant d'analyser ces livres en tant que livres, il faut voir qu'ils ne sont que des sous-produits d'une évolution plus générale des médias : la radio et la télévision ont formé un nouveau public, habitué à entendre (et à voir) s'exprimer « directement » les hommes politiques, les gens célèbres, mais aussi les obscurs et les sans-grade (ce que le journal ne faisait jamais). La commercialisation du magnétophone, à partir de 1948, puis ses perfectionnements et l'abaissement de son prix, en ont fait l'outil de base du journalisme et du reportage (développement de l'interview, et des enquêtes et livres faits principalement d'un montage d'interviews), mais aussi un instrument essentiel en sciences humaines (ethnologie, mais aussi développement de l' « histoire orale », collectant les témoignages sur le début du XXe siècle). Nous sommes habitués à ce contact quasi direct (mais non réversible) que donnent l'écran et le poste, habitués aussi à lire des transcriptions d'oral.

L'impression de « vécu » est donc ici encore plus forte, et dissimule les médiations qui donnent au document son efficacité, et son sens. Ce qui caractérise ces documents, c'est leur origine indirecte et

1. Oscar Lewis, *op. cit.* p. 25.
2. Tous ces livres sont présentés dans le chapitre suivant, « L'autobiographie de ceux qui n'écrivent pas », ci-dessous p. 229-316.

double. Il y a toujours un intermédiaire (journaliste, romancière, etc.) appartenant à la classe qui produit et consomme les livres, qui a interrogé un individu qui appartient à un autre milieu, et en général, aussi, à la *génération* précédente. On est dans une situation ethnologique : une civilisation en questionne une autre. Le paysan (l'artisan, etc.) est en position non d'auteur, mais d'informateur indigène. Le message qu'il produit, en effet, ne sera pas diffusé dans le milieu d'origine, ou du moins, si cela arrive, ce sera un effet secondaire. Ce ne sont pas les serruriers qui lisent *Gaston Lucas*, et assurent la rentabilité du volume. D'autre part, ce message, il n'est pas le seul à le produire : c'est la curiosité et l'interrogation de l'autre qui le poussent à exprimer ce qu'il n'aurait sans cela jamais dit, et à quoi l'autre n'accorde d'ailleurs peut-être pas le même sens et la même importance que lui. L'enquêteur ne se comporte pas seulement comme écho du modèle, mais comme représentant du destinataire du livre. Il est dans une position de transaction. Certes, il soumet au modèle le texte qu'il a élaboré, pour avoir son accord, et rectifier les erreurs; et toujours, rituellement, le modèle « se reconnaît » parfaitement, et corrige quelques détails, donnant sa caution à l'entreprise. Mais cela ne veut pas dire que Gaston Lucas, le serrurier, soit vraiment « l'auteur » de *Gaston Lucas, serrurier*.

Ces productions ethnologiques, du moins celles qui réussissent actuellement en librairie, concernent presque toujours des humbles et des résignés, qu'ils soient amers ou joyeux dans leur résignation. Les vies de militants ou les témoignages engagés *(Un ouvrier parle)* n'arrivent jamais aux gros tirages, parce qu'ils forcent à prendre position sur des problèmes d'aujourd'hui, et que ce sont des gens qui de toute façon s'exprimeraient par d'autres moyens. Ce qui a du succès, c'est « la France des profondeurs » (titre d'une collection nouvelle chez Téma), la parole de ceux qui ne l'ont jamais prise, et que l'on va pouvoir déguster, sans risques, avec délices, comme un bon petit vin de terroir [1]. Douloureuses et humbles histoires, « une

1. Ce phénomène n'est pas propre à la littérature écrite. C'est un fait de civilisation comme le montre son exploitation par la publicité : la Mère Denis, recrutée d'abord pour faire de la publicité pour des machines à laver, a été ensuite utilisée pour produire son autobiographie orale de vieille paysanne et prendre la suite de Mémé Santerre. En 1978, tous les matins sur Europe I, la Caisse d'épargne finançait l'émission « Vive la vie » qui donnait la parole pendant cinq minutes (avec un commentaire à la fois attendri et goguenard des plus paternalistes) à de vieilles gens, des originaux, inventifs, créateurs et toujours optimistes qui étaient présentés comme des bêtes de cirque ou des curiosités locales, — tourisme nostalgique, retour aux origines proposés à ceux dont la vie est rythmée par le métro-boulot-dodo.

courageuse petite bonne femme dont l'existence, souvent faite de misères et de peines, fut cependant marquée par l'amour, l'amour qui dura soixante-quatre années, et le bonheur... » *(Mémé Santerre)*, « anti-héros » *(Gaston Lucas)*, amers mais passifs. La France urbaine d'aujourd'hui (surtout la France du secteur tertiaire) consomme nostalgiquement des images de vie provinciale, paysanne et ouvrière, exactement comme elle se rue sur les maisons de campagne, les fermettes normandes et les bergeries savoyardes. Monter en forme de livre le discours autobiographique d'une vieille paysanne, c'est un peu comme retaper une ferme en ruine. On sauve un monde en train de disparaître. Quand de plus l'auteur peut être son propre informateur, comme cela a été le cas pour P.-J. Hélias dans *le Cheval d'orgueil*, le succès est assuré.

Mais d'un discours oral à un livre publié, la distance est grande. Toutes sortes de choix doivent être effectués, et le travail effectué sur le document initial est très important. Contrairement à ce que peut s'imaginer le public (ou les élèves), il ne « suffit » pas d'enregistrer et de recopier. On pourrait, à partir de l'étude d'un livre produit dans ces conditions, faire réfléchir le groupe sur les différences du récit oral et du récit écrit, ce qui renverrait à la fois à des problèmes de techniques narratives, et de médias. On pourrait aussi faire enregistrer des témoignages, et travailler ensuite sur leur transcription et leur montage. A défaut de travaux pratiques, il reste sur le marché suffisamment de produits différents pour que, par comparaison, on puisse cerner les problèmes.

Dans le chapitre suivant, « L'autobiographie de ceux qui n'écrivent pas », on trouvera des analyses théoriques, une documentation et des exemples qui devraient permettre d'analyser les livres qui se trouvent sur le marché, et de monter des situations d'expérimentation. L'idéal serait d'étendre ce travail aux documents audio-visuels, à toute la tradition du cinéma ethnographique, et à la production contemporaine des « documents de création » réalisés par l'INA et par les chaînes de télévision. Par exemple, on imagine la richesse du travail pédagogique pluridisciplinaire qui pourrait être fait en classe en procédant à l'analyse des trois émissions réalisées par Hubert Knapp, « Ceux qui se souviennent [1] » : au premier degré, point de départ pour l'approche historique de la période 1880-1918, au second degré,

1. « Ceux qui se souviennent », trois émissions de Roland Dhordain et Michel Goué, réalisation d'Hubert Knapp, diffusées par TF 1 les 7, 14 et 15 novembre 1978. Chaque émission (d'une heure environ) est faite d'un montage « polyphonique » d'une quinzaine de témoignages.

étude des techniques et des fonctions du discours historique audiovisuel (analyse du montage), au troisième degré, étude du discours autobiographique des personnes interrogées (dans la mesure où le montage permet de l'appréhender).

Dans certains cas, on possède, en plus du film, un récit écrit de l'enquête, des « repérages », et du tournage, et l'on peut suivre tout le travail d'élaboration du « document » : ainsi pour le film tourné par Daniel Karlin et Tony Lainé sur les travailleurs algériens, *la Mal Vie* [1].

C'est là sans doute rêver : l'usage du magnétoscope et de la vidéo n'est pas encore très répandu dans les lycées. Pourtant peut-on vraiment se contenter d'étudier les mécanismes du « document vécu » imprimé, alors que quotidiennement la télévision donne au « vécu » une force de séduction et une diffusion sans commune mesure avec celles que leur donne le livre?

*

En prenant comme point de départ de ces réflexions le tampon de la collection « Vécu », j'ai voulu désigner un effet de lecture systématiquement exploité par l'édition actuelle, mais qui recouvre, on l'a vu, des livres appartenant à des « genres » littéraires différents, et composés selon des procédés très divers. Je n'ai fait qu'esquisser l'analyse de certains d'entre eux, à partir d'exemples récents, pour suggérer surtout qu'ils peuvent faire l'objet d'une réflexion théorique. Leur lecture en classe ne devrait pas être seulement prétexte à discussions d'actualité; elle permet de continuer un travail d'apprentissage de la lecture et de l'expression.

J'ai parlé du danger de la condescendance. La meilleure manière d'éviter ce piège, c'est de tenter de joindre la pratique à la théorie, l'*écriture* à la lecture. La plupart des élèves ont peu de chances de se sentir concernés par la manière d'écrire de Racine, alors que chacun a un vécu (au sens ordinaire) dont il peut se trouver un jour amené à tirer du « vécu » (au sens littéraire). Donner une forme (et donc un sens) à son expérience pour la communiquer aux autres membres de son groupe social, ou à d'autres groupes sociaux, c'est, après tout, l'une des fonctions possibles de l'expression littéraire. Ce qui entre

1. *La Mal Vie*, diffusé par A2 le 26 novembre 1978. Et Daniel Karlin et Tony Lainé, *La Mal Vie...*, préface de Tahar Ben Jelloun, Éd. sociales, 1978.

dans la classe avec le livre-document, ce ne sont pas seulement des problèmes actuels, mais un circuit de communication dans lequel l'élève peut se sentir à l'aise, récepteur aujourd'hui, émetteur demain peut-être. Il y a bien des enseignants qui racontent dans des livres-documents leur vécu professionnel : *Moi, un prof*, de Guy Marcy, par exemple. Pourquoi pas *Moi, un élève*[1]*?* Ce qui supposerait de savoir à qui s'adresserait le livre, quel effet il devrait produire, et d'agencer ensuite sa composition et ses procédés narratifs. Le professeur serait dans le rôle de l'éditeur qui donne des conseils à l'auteur dont il veut vendre le vécu; ou du rédacteur qu'il appointe pour cela. Il apprendrait aux élèves à être leur propre nègre, si je puis dire.

Cette suggestion, présentée ici sous une forme sans doute irréaliste, rejoint les propositions de Michel Mougenot, de Geneviève Idt, de Claude Désirat et Tristan Hordé, et la pratique de tous ceux qui essaient d'instaurer dans leur classe une « lecture/écriture[2] ». Il n'y a pas de meilleure manière de faire prendre conscience des règles auxquelles obéit la production des discours que de les faire « manipuler » : comparer les textes existants, leur faire subir des transformations, et créer de nouveaux textes en se fixant des règles. La « transparence » du texte et son innocence ne résistent pas à ce traitement. L'important serait d'appliquer cette méthode aux plus « transparents » des textes, les livres-documents. Or bien souvent, les exemples de transformations ou de manipulations qui sont donnés concernent des opérations « littéraires » et non-référentielles : jeux langagiers menant à la poésie, variations sur des schémas de contes, constructions théâtrales, etc. Les exercices portant sur des récits référentiels (ceux du journal) semblent toujours faits pour inspirer une attitude critique de lecture, et non pour donner un instrument d'expression, puisque tout récit est suspect. D'autre part, semblent évitées toutes les situations où les élèves auraient à travailler à partir de ce qui est leur propre référence. Il y a à cela toutes sortes de raisons : la « rédaction » a toujours été conçue comme un exercice enfantin, qu'on

1. Les lycéens sont d'ailleurs dans la même situation que les ouvriers et les paysans : objet d'enquête, ou source d'un langage vécu qui peut être offert en consommation à un public adulte. Voir la grande étude sociologique de Gérard Vincent. *Le Peuple lycéen*, Éd. du Seuil, 1974.

2. Michel Mougenot, « Lecture/Écriture », *Le Français aujourd'hui*, n° 30, mai 1975; Claude Désirat et Tristan Hordé, « Lire et écrire dans le second degré », *Bref*, nouvelle série, n° 3, septembre 1975; Geneviève Idt, « Petites recettes pour un atelier d'artisanat romanesque », *Littérature*, n° 19, octobre 1975. Ce dernier article, malgré son titre qui a l'air de limiter l'exercice à la fiction, est celui qui propose le plus d'exemples sur des genres référentiels.

abandonnait pour le discours critique dès qu'on passait dans le second cycle (il n'y a pas d'épreuve de narration au baccalauréat ni dans aucun concours de recrutement); et la manière dont on la pratiquait, en en faisant un thème d'imitation à partir de modèles canoniques, a pu la déconsidérer. Surtout, les jeux créatifs formels et fictifs ont la vertu de débloquer l'expression tout en la contrôlant, alors que l'idée de faire travailler les élèves sur leur vécu semble ne pouvoir aboutir, dans le cadre d'une classe, qu'à la paralysie, à l'artifice, ou à l'explosion. Avant de se poser des questions de technique littéraire, l'enseignant risquerait d'avoir à prendre en charge ce vécu lui-même, jouant à l'apprenti sorcier dans un rôle d'écoute et d'assistance pour lequel il n'a pas été formé.

Mais c'est peut-être confondre l'écriture du « vécu » avec un éventuel apprentissage de l'autobiographie. Il serait évidemment absurde de demander à des adolescents d'écrire leur autobiographie, et ce pour toutes sortes de raisons. Leur situation n'est pas celle d'un autobiographe, qui doit avoir sa vie et son expérience derrière lui; s'ils écrivent de la littérature intime, ce sera plutôt sous la forme du journal intime. Et l'intime est le plus souvent du brûlant et du *secret :* il n'est justement pas fait pour être publié, et surtout pas en classe. Le cadre scolaire, en France, est peu propice à la confidence. Les seules tentatives que je connaisse d'apprentissage de l'autobiographie écrite ont eu lieu dans des pays anglo-saxons, et toujours au niveau de l'université [1]. En France, l'idée commence à percer au niveau des « universités du troisième âge », où la réflexion sur leur vécu et les manières de le transmettre peut servir de point de départ aux études que reprennent des personnes à la retraite.

Mais on ne voit pas pourquoi, dans le second cycle, l'étude de livres-documents ne servirait pas de point de départ à une série d'activités, qui auraient pour but d'améliorer la lecture de ces livres, et d'apprendre aux élèves à produire des textes analogues, éventuellement dans des situations réelles. On ferait des manipulations de

1. Voir par exemple le manuel d'apprentissage de l'autobiographie à partir des grands modèles, à usage des étudiants de collège américains : *The Voice within, reading and writing autobiography*, par Roger J. Porter et H. R. Wolf (New York, Alfred A. Knopf, 1973); ou, en Angleterre, le compte rendu d'expériences faites au niveau de la formation des maîtres, *Autobiography in Education* de Peter Abbs (Londres, Heinemann Educational Books, 1974). En France, des expériences ont été faites au niveau de la première année d'un IUT par un enseignant « freinétiste » : on peut en lire le compte rendu dans *Le CREU*, n° 3, 2e trimestre 1977 (« Les biographies dans la formation », par Paul Le Bohec); il s'agit plutôt d'une dynamique de groupe, intéressante mais risquée, et qui ne prend pas en compte l'écriture. Dans tous les cas, il s'agit de formation des adultes.

textes, certes, mais aussi des exercices à partir de récits collectés au magnétophone, pour s'initier à la transcription, et surtout au traitement du texte obtenu en fonction d'un impératif d'édition ou d'un public visé; on composerait même, éventuellement, un récit écrit « vécu », individuellement ou en groupe. Dans un certain nombre de classes ont déjà eu lieu des rédactions collectives de roman. A partir d'une demande réelle du groupe peut naître, à un moment quelconque de l'année, l'idée de « faire passer » une expérience ou une situation, ou de sensibiliser un public déterminé à tel type de problème. Rien n'empêche en somme d'ouvrir en classe, si le besoin s'en fait sentir, et parallèlement à d'autres activités, un « atelier de vécu ».

L'autobiographie de ceux qui n'écrivent pas

Écrire et publier le récit de sa propre vie a été longtemps, et reste encore, dans une large mesure, un privilège réservé aux membres des classes dominantes. Le « silence » des autres paraît tout naturel : l'autobiographie ne fait pas partie de la culture des pauvres. Pourtant depuis une dizaine d'années une nouvelle technique, celle des récits de vie collectés au magnétophone et publiés sous forme de livres, donne à entendre au public la voix de paysans, d'artisans et d'ouvriers. On leur « donne la parole », — c'est-à-dire qu'on la leur prend, pour en faire de l'écriture. A l'origine de ce mouvement, sans doute, la méthode ethnographique, que les sociologues ont appliquée aux classes dominées de nos sociétés. La publication de la traduction française des *Enfants de Sanchez* (1963) d'Oscar Lewis a révélé les ressources de cette technique, et a éveillé de nombreuses vocations. Citons par exemple, du côté des écrivains ou des journalistes, *Grenadou, paysan français* (1966) d'Ephraïm Grenadou et Alain Prévost, *Pierrot et Aline* (1973) de Jean Ferniot, *Louis Lengrand, mineur du Nord* (1974) de Louis Lengrand et Maria Craipeau, et ce qui est peut-être le chef-d'œuvre du genre, *Gaston Lucas, serrurier* (1976) d'Adélaïde Blasquez. Et, du côté des scientifiques (sociologues et historiens pour la plupart), *la Vie d'une famille ouvrière* (1971) de Jacques Destray, *Journal de Mohamed* (1973) de Maurice Catani, et surtout une série d'enquêtes récemment engagées et encore inédites. Un nouveau genre littéraire, donc, et une nouvelle méthode d'investigation en sciences humaines.

Mon propos est ici de présenter cette nouvelle production « autobiographique », et de la mettre en perspective. En la situant dans le champ actuel de l'écriture et l'histoire du genre, je voudrais éclairer en retour cette écriture et cette histoire : en effet les déplacements qu'entraîne l'apparition d'un nouveau genre permettent de prendre un point de vue critique sur ce qui assurait le fonctionnement du système antérieur.

Chacun des trois essais qu'on va lire forme un tout. Ils ne s'enchaînent point comme les éléments d'une démonstration, mais proposent plutôt une série d' « accommodations » sur des aspects différents du phénomène. Le premier, « Qui est l'auteur? », opère un détour par une analyse des discussions sur l'autobiographie en collaboration (les « nègres ») pour poser la vraie question, « Qu'est-ce qu'un auteur? », et montrer la place de l'idée de personne et des rapports de pouvoir dans la production autobiographique actuelle. Le second, « Récit de vie et classes sociales », situe historiquement le récit de vie dans les rapports sociaux et s'interroge sur le retournement qui semble aujourd'hui redonner la parole à la mémoire populaire. Le dernier, « Mémoire, dialogue, écriture », décrit les différentes phases de la production de ce type de texte, depuis l'établissement de la relation d'enquête jusqu'au travail d'écriture et aux effets qu'il induit.

Quel nom donner au genre ici analysé? Le titre volontairement paradoxal de ce chapitre suggère qu' « autobiographie » est inadéquat : le récit est produit à deux, et celui qui en est le « sujet » n'écrit pas. Il faudrait préciser : autobiographie parlée, ou plus exactement : *autobiophonie transcrite*, — mais le néologisme n'est guère heureux. Quant au mot « biographie », il est également impropre : il n'indique pas que le modèle est la source (orale) unique du récit, et il introduit une confusion avec un genre littéraire bien connu. Le plus simple est d'utiliser l'expression « récit de vie », qui n'a jamais servi à désigner un autre genre, et qui a déjà la faveur d'une partie de ceux qui pratiquent cette méthode d'enquête. Elle a l'avantage de laisser dans l'indécision deux points cruciaux : le problème de l' « auteur » (unique ou multiple? celui qui a vécu ou un autre?) et celui du média (parole et/ou écriture?). Cette indécision peut être prise comme signe de l'ambiguïté de ces textes parlés-écrits à deux [1].

Mon point de vue sur ce genre sera essentiellement celui d'un *lecteur*. Je n'ai aucune expérience de la collecte de récits de vie, ni comme modèle (sur ce point, je suis dans la même situation que les enquêteurs, qui n'ont point subi l'enquête ethnobiographique dans les conditions où ils la pratiquent sur leurs modèles), ni comme enquêteur. Mais il m'était, bien sûr, nécessaire de connaître la réalité de l'enquête, et de remonter aux traces les plus lointaines qui en

1. Mais on peut aussi, comme je le fais moi-même dans le titre du deuxième essai, utiliser cette indécision pour désigner non un genre ambigu mais particulier, mais l'ensemble du champ « biographique », recouvrant à la fois hétérobiographie, autobiographie et genres mixtes, c'est-à-dire tous les textes référentiels racontant la vie de quelqu'un qui a existé. Le contexte permet de déterminer en quel sens l'expression est employée.

subsistent, c'est-à-dire à des enregistrements, à cet oral qui sert à la fois de source et de garant aux discours rapportés par écrit. J'ai donc mené enquête à mon tour sur les pratiques de l'enquête, suffisamment pour mesurer les difficultés, techniques ou autres, qu'il y a à accéder à cette parole première. J'en remercie d'autant plus vivement ceux qui ont répondu à mes questions et m'ont communiqué des documents.

Qui est l'auteur?

« Une vie n'a qu'un seul auteur », déclarait péremptoirement François Maspero, au cours d'une polémique qui l'opposait à Annie Mignard, rédactrice d'une « autobiographie » (*la Mémoire d'Hélène*, d'Hélène Elek) dont elle demandait à partager la signature [1]. Pour lui, bien sûr, l'auteur était celui qui avait *vécu* cette vie suffisamment douloureuse ou exemplaire pour qu'on la présente au public, et qui en avait assumé le récit devant le magnétophone; le reste est travail technique, plus ou moins bien fait, et qui ne donne aucun droit. Maspero assimilait donc le rôle du rédacteur à celui d'un *traducteur* [2]. Annie Mignard, en revanche, mettait en lumière l'initiative qu'elle avait eue en menant l'interrogatoire et en organisant les réponses en récit, travail qui la rapprochait du rôle, et de la responsabilité, du *biographe*. Au-delà de la querelle personnelle qui les opposait, l'éditeur et son « nègre » étendaient leur réflexion à tout le champ de la littérature « en collaboration », et finissaient par se trouver pratiquement d'accord pour condamner comme une imposture paternaliste la vogue actuelle de l'autobiographie « au magnétophone » de gens du peuple.

Le lecteur est troublé de cette rencontre finale : plus troublé encore en constatant qu'il a été successivement convaincu par l'argumentation des deux adversaires, chacun présentant, comme il est normal dans une joute polémique, les aspects du débat qui confortent sa

1. Annie Mignard, « L'un écrit, l'autre signe »; François Maspero, « Qui est le « nègre »? » *La Quinzaine littéraire*, 16-30 juin 1977.

2. Un texte *traduit* n'a-t-il pas deux auteurs? Mais bien évidemment, dans la mesure où il existe un texte original publié, le traducteur se trouve dans une situation hiérarchiquement dépendante. Alors qu'elle peut être un véritable art, la traduction a longtemps été, et reste, un métier mal payé et relativement ingrat (la mention du nom du traducteur sur la couverture du livre n'est pas la règle générale). La position du rédacteur se rapproche par bien des aspects de celle du traducteur, à une différence près, mais qui est énorme : dans son cas, *il n'existe pas de texte original*. Il ne fait pas passer un texte d'une langue à une autre : il tire un texte d'un « avant-texte ».

position. Mais au-delà de ces habiletés, il reste un problème compliqué, et l'idée que cette complication vient peut-être d'une double confusion :

— utilisation d'une notion qui justement fait problème, celle d'auteur, autour de laquelle les deux polémistes se déchirent sans expliciter ce qui la fonde;

— confusion dans un même raisonnement de types de production qui ne sont qu'apparemment semblables (les productions de « nègres », et l'autobiographie au magnétophone de gens du peuple).

Je laisserai provisoirement de côté ce second problème, pour essayer de débrouiller le premier sur le terrain où il est posé, celui des « collaborations autobiographiques ». Il ne s'agit pas seulement d'un « scandale », où il faudrait juger, ou prendre parti, en condamnant l'exploitation des uns par les autres, ou en exigeant un contrôle du mode de fabrication des produits offerts au consommateur [1].

Mon idée est que, si l'on crie au scandale, c'est parce que ces productions concurrencent les livres réellement écrits par les gens qui les signent. Et ils ne les concurrencent que parce qu'ils sont fondés sur les mêmes procédés et remplissent la même fonction. Ils donnent brusquement à voir, aux gens qui écrivent, leur propre pratique, comme dans une glace déformante : ou plutôt l'envers de leur propre pratique, son impensé.

Ce n'est pas l'inauthenticité de ces livres qu'on condamne, mais le fait qu'ils *vendent la mèche*. Ils jettent un soupçon, sans doute légitime, sur le reste de la littérature. Sur un certain nombre de points, l'autobiographie de ceux qui n'écrivent pas éclaire celle de ceux qui écrivent : l'ersatz révèle les secrets de fabrication et de fonctionnement du produit « naturel ».

ENTORSE AU CONTRAT

La collaboration clandestine n'est pas une nouveauté. Elle s'est pratiquée depuis longtemps, d'abord dans une perspective de *secrétariat* (hommes célèbres, politiques en général, employant des littérateurs pour élaborer ou améliorer leurs textes, quelquefois leurs

1. Voir par exemple « Celui qui raconte n'est pas toujours celui qui écrit », par Jean-Claude Lamy, *France-Soir*, 10 octobre 1975; « L'écrivain-fantôme », témoignage, par G. W. (Ghost Writer!), *Les Nouvelles littéraires*, 3-10 mars 1977, dans le dossier « Écrire au magnétophone » réalisé par Karine Berriot; « Les nègres en littérature », enquête de Jean-Marc Théolleyre, *Le Monde*, 8 juillet 1977 (avec la réponse de Charles Ronsac dans *Le Monde* du 29 juillet 1977).

mémoires), puis, au début du XIXe siècle, de *sous-traitance* (organisée cette fois par des éditeurs ou des auteurs à succès). Des mots sont apparus pour désigner ces nouveaux rôles : les collaborateurs étaient des « faiseurs » ou des « teinturiers », puis des « nègres [1] ». La collaboration n'était jamais avouée, et faisait seulement l'objet de rumeurs désapprobatrices ou narquoises. D'autre part il s'agissait d'échanges de services entre des personnes qui, à des degrés différents, étaient toutes capables d'écrire; et, dans les genres pratiqués (discours, roman, théâtre, etc.), le nom de l'auteur n'avait pas la même fonction que dans le genre autobiographique. Ce type de collaboration se pratique encore aujourd'hui, toujours inavouée, soulevant toujours périodiquement des rumeurs.

Plus proche de notre problème semble être le phénomène des mémoires apocryphes, tel qu'il s'est développé sous la Restauration. Après la chute de l'Empire, le public a eu une véritable fringale de mémoires sur l'Ancien Régime, que les éditeurs ont cherché à exploiter en fabriquant de faux mémoires signés par des gens de l'autre siècle ou par des anonymes. Entre les mémoires authentiques et le roman historique s'est développé un genre intermédiaire, dont la « poétique » a été analysée par les critiques du *Globe* [2]. On pourra en retenir ce jugement qui, au prix de quelque transposition, garde aujourd'hui sa pertinence :

> On se plaint beaucoup des mémoires apocryphes qui maintenant inondent la littérature. Ceux qui de bonne foi ont cru ces mémoires écrits par ceux que le titre leur donne comme auteurs se sont fâchés de la tromperie et ont crié au mensonge. Indignés d'avoir été dupes,

1. *Faiseur*, « celui qui travaille habituellement pour un autre. Ce théâtre a ses faiseurs. Ce libraire a ses faiseurs attitrés. Ce ministre est fort heureux d'avoir un si bon faiseur. On soupçonne souvent une femme d'auteur d'avoir un faiseur ». *Teinturier*, « celui qui revoit, corrige les écrits d'un autre. Voltaire a été longtemps le teinturier du roi de Prusse. Il n'est point de femme auteur à qui la jalousie des hommes ne suppose un teinturier » (*Dictionnaire national* de Bescherelle, 1861). Le mot « nègre » (qui implique non seulement l'idée d'un travail, mais celle de l'*exploitation* du travailleur) a progressivement remplacé à la fin du XIXe siècle les deux autres mots tombés en désuétude.

2. Voir les critiques du *Globe*, à propos des mémoires de Madame du Barry (15 avril et 11 juillet 1829), de ceux d'une « femme de qualité » sur la cour de Louis XVIII (15 juillet 1829), et de ceux du cardinal Dubois (14 octobre 1829). Voir aussi Jean Tulard, *Bibliographie critique des mémoires sur le Consulat et l'Empire*, Droz, 1971, p. VIII. En fait les teinturiers travaillaient soit dans l'autobiographie apocryphe, soit dans l'autobiographie en collaboration (d'après des notes écrites ou des confidences de modèles vivants, qui signaient le livre, comme Bourienne, ou Constant, le valet de chambre de Napoléon).

> ils ont vengé leur amour-propre sur les livres eux-mêmes, et n'ont trouvé rien que de misérable dans ces ouvrages qu'ils dévoraient avec ardeur lorsqu'ils les croyaient de véritables mémoires.
> Nous avouons que la plus grande partie de l'originalité des confessions disparaît lorsqu'on sait qu'elles ne sont pas l'ouvrage du pénitent. Mais que ces livres ne puissent pas instruire en même temps qu'amuser, c'est ce que nous ne pensons pas soutenable. Ils peuvent même avoir un mérite littéraire distingué [1].

La transposition à effectuer tient à ce que les mémoires apocryphes étaient entièrement des faux, écrits sans la collaboration ni l'aveu de leurs prétendus auteurs, morts depuis longtemps, ou fictifs. Il s'agissait donc de supercheries. Et la supercherie, même si elle donne passagèrement mauvaise conscience à ceux qui se sont laissé duper, est malgré tout une sorte d'hommage que le mensonge rend à la vérité. L'auteur de la supercherie imite dans sa totalité le processus autobiographique, et, tout en trichant en fait au niveau du contrat, il respecte l'effet d'unité propre au genre.

L'intérêt accordé aux textes autobiographiques tient à la croyance en un discours venant directement de l'intéressé, reflétant à la fois sa vision du monde et sa manière de s'exprimer. Même lorsque le lecteur perçoit l'existence d'une *écriture*, ce travail, venant de l' « auteur » lui-même, n'enlève rien à l'authenticité du message, y ajoute même du prix. Le dispositif du contrat autobiographique a pour effet de faciliter une confusion entre l'auteur, le narrateur et le « modèle » et de neutraliser la perception de l'écriture, de la rendre transparente. Cette fusion s'opère dans la signature autobiographique, au niveau du générique du livre.

A la différence de l'autobiographie apocryphe, l'autobiographie composée en collaboration telle qu'elle est pratiquée aujourd'hui de manière plus ou moins avouée, introduit une faille dans ce système. Elle rappelle que le « vrai » est lui-même un artefact et que l' « auteur » est un effet de contrat. La *division du travail* entre deux « personnes » (au moins) révèle la multiplicité des instances impliquées dans le travail d'écriture autobiographique comme dans toute écriture. Loin de mimer l'unité de l'autobiographie authentique, elle met en évidence son caractère indirect et calculé. On est toujours *plusieurs* quand on écrit, même tout seul, même sa propre vie. Et il ne s'agit pas là des débats intimes d'un moi divisé, mais de l'articulation des phases d'un travail d'écriture qui suppose des attitudes différentes, et relie celui qui écrit à la fois au champ des textes déjà écrits et à la demande

1. *Le Globe*, 14 octobre 1829.

qu'il choisit de satisfaire. En isolant relativement les rôles, l'autobiographie en collaboration remet en question la croyance en une unité qui sous-tend, dans le genre autobiographique, la notion d'auteur et celle de personne. On ne peut ainsi diviser le travail que parce que en fait il est toujours ainsi divisé, même si ceux qui écrivent le méconnaissent, du fait qu'ils assument eux-mêmes les différents rôles. Toute personne qui décide d'écrire sa vie se comporte comme si elle était son propre nègre.

L'ÉCRITURE

Dans la mesure où l'écriture est une pratique solitaire, elle est difficilement observable, et n'a guère besoin d'expliciter ses opérations. D'où l'atmosphère de mystère qui l'entoure, et le soin archéologique qu'on met à reconstituer les différentes phases de la production des textes, en rassemblant pieusement les traces qui en restent, ou en allant interroger les écrivains pour savoir comment ils travaillent [1]. L'écriture en collaboration, elle, suggère la possibilité d'une sorte d'analyse spectrale de la production du texte, des différentes instances et phases du travail. Dans le cas particulier de l'autobiographie, l'effort de mémoire et l'effort d'écriture se trouvent assurés par des personnes différentes, au sein d'un processus de dialogue qui a chance de laisser des traces orales et écrites. Sans doute est-ce là un vœu pieux : les nègres n'ont pas la superstition de leurs sources, les modèles n'accordent de valeur qu'au produit écrit achevé, et les éditeurs n'ont pas d'intérêt à ce qu'on puisse juger de la nature et de l'ampleur du travail effectué. Reste néanmoins la possibilité d'un tel dispositif d'observation : la pratique des enquêteurs scientifiques [2], qui cherchent à recueillir une mémoire d'avant l'écriture, va dans ce sens. Libre à nous de retourner ce dispositif d'observation, pour saisir ce qu'est l'écriture sans mémoire.

Certes, les deux personnes qui collaborent ne coïncident pas exactement avec un tel clivage des rôles : le modèle a toujours plus ou moins une idée de ce qu'il veut faire passer au lecteur, et le rédacteur contribue à l'effort de mémoire. Mais idéalement, on pourrait résumer ainsi la répartition du travail :

1. Cf. « Genèse du texte », *Littérature*, nº 28, décembre 1977; et Jean-Louis de Rambures, *Comment travaillent les écrivains*, Flammarion, 1978.
2. Voir ci-dessous « Mémoire, dialogue, écriture », p. 277-315.

— Le modèle a pour fonction de dire ce qu'il sait, de répondre aux questions, il est momentanément déchargé de responsabilité. Du seul fait que l'autre écoute, note, interroge, et doit assumer plus tard la composition du texte, le modèle se trouve réduit à l'état de *source*. Il peut se laisser aller à sa mémoire, en étant libre des contraintes liées à la communication écrite.

— Le rédacteur se trouve au contraire investi de toutes les fonctions de structuration, de régie, de communication avec l'extérieur. C'était peut-être *la Mémoire d'Hélène*, mais c'est l'écriture d'Annie. Condenser, résumer, éliminer les scories, choisir des axes de pertinence, établir un ordre, une progression. Mais aussi choisir un mode d'énonciation, un ton, un certain type de relation avec un lecteur, élaborer l'instance qui dit « je », ou qui a l'air de l'écrire. Le travail nécessaire pour aboutir au produit final est parfois défini dans une sorte de « cahier des charges ». Ainsi dans cette lettre, citée par Jean-Marc Théolleyre, où un éditeur précise à un nègre récalcitrant en quoi consiste « l'élaboration et la rédaction d'un livre de souvenirs » :

> Cela veut dire, et selon de nombreux précédents, l'interrogation de l'auteur, le plus souvent à l'aide d'un magnétophone, sur les différents éléments pouvant servir de base à la rédaction de l'ouvrage dont il s'agit, la mise en ordre de ces éléments, la mise en forme du récit de l'auteur (en y supprimant les tournures du langage parlé, mais en respectant au maximum le style de l'auteur, afin que le lecteur sente sa personnalité), accompagnée d'un certain travail de sélection pour que l'ouvrage soit aussi intéressant que possible et pour que le personnage de l'auteur ressorte sous une lumière sympathique; son interrogation, par la suite, sur des lacunes qui apparaissent, par exemple pour planter le décor et pour bien rendre l'atmosphère de ce qu'il a vécu [1].

Ce que ce texte définit avec une précision cynique, c'est une certaine forme de récit en réalité indépendante du modèle et de sa mémoire. Certes on demande de rester fidèle au ton du modèle dans ses performances orales, mais il s'agit surtout d'adapter ce qu'il a dit aux lois du genre et à la demande du public visé, en ayant recours à des procédés de narration et de description éventuellement assez éloignés des siens. Ce faisant, l'interviewer-rédacteur n'impose pas son point de vue ou son style personnel, il se livre plutôt à un double

1. « Les nègres en littérature », *Le Monde*, 8 juillet 1977. L'emploi répété de l'expression « l'auteur » dans un texte qui décrit le travail de composition et d'écriture dont cet « auteur » doit être totalement déchargé, peut paraître étrange, mais il est sûrement intentionnel : il s'agit de remettre le nègre à sa place.

exercice de pastiche, opérant un va-et-vient entre cette nébuleuse ou ce brouillon qu'est l'image de la vie flottant dans la mémoire et la parole du modèle, et les formes de récit qui ont cours sur le marché. Il assume donc à la fois la demande du public, et la réponse du modèle à cette demande, comme nous le ferions nous-mêmes si nous avions à écrire notre vie.

Si bien que cette écriture, qui réalise une négociation entre l'offre du modèle et la demande du public, n'est pas vraiment celle d'Annie, c'est-à-dire d'un « autre » repérable et personnel, mais une sorte d'écriture flottante, une forme autobiographique sans sujet qui la fonde, mais qui au contraire fonde dans son rôle de sujet celui qui l'endosse, ou à qui on l'endosse.

D'où la position en porte à faux de la personne qui joue ce rôle. Le nègre doit d'abord intervenir, et ne peut le faire qu'au sein d'une relation interpersonnelle de dialogue : mais il doit ensuite effacer son intervention et assumer *comme s'il était le modèle* la relation avec le lecteur. Sans doute prendra-t-il souvent avec une relative indifférence ce changement de rôle, prévu dès l'origine de ce qu'il n'envisage que comme un travail alimentaire. Mais s'il accorde de la valeur à son écriture, il vivra ce porte-à-faux sur le mode de la frustration et de l'humiliation, de la *dépossession;* ou bien sur le mode lyrique de l'enthousiasme, de la *possession.* Ce qui dépend à la fois des types de rapports institutionnels et personnels qui existent entre le modèle et le rédacteur, mais aussi des genres que l'on prend comme point de référence.

Annie Mignard aspire au statut de biographe et souligne que, quand bien même elle chercherait à être le plus fidèle à l'image que le modèle veut donner de lui, il reste que c'est elle qui construit cette image, et elle revendique le droit de manifester son opinion personnelle. Revendication compréhensible, mais contraire à la règle du jeu. Le rédacteur ne doit mettre du sien qu'autant que cela peut passer pour venir du modèle. La manifestation d'une pluralité de points de vue (celui du modèle sur sa vie, et celui d'un autre sur le modèle) définit immédiatement un *autre* type de textes (avec un *autre* contrat de lecture). Sous des formes diverses (qui sont toujours au fond des variétés de témoignage) il s'agit de textes intermédiaires entre l'autobiographie et la biographie. La vie d'un homme peut très bien apparaître à travers le récit d'un autre. Mieux : la parole ou l'écriture du modèle peuvent être recueillies et montées par un tiers. Ainsi pour prendre trois exemples fort différents entre eux, dans la *Vie de Samuel Johnson* par Boswell, dans les *Conversations de Gœthe avec Eckermann*, ou dans les *Cahiers de la Petite Dame* sur Gide. Les développements modernes les techniques d'interviews, tout en laissant place pour la réécriture et le montage, font intervenir de manière explicite dans le texte final un questionneur et un questionné, et ont ouvert la possibilité de nouvelles solutions intermédiaires : on se rapproche de la biographie si l'intervention est critique et créatrice, ou plutôt de l'autobiographie si elle cherche simplement à relayer le modèle en s'effaçant discrètement. Le public aime beaucoup ces situations avouées de transaction, auxquelles la radio et la télévision l'ont habitué : il peut ainsi consommer l'objet de son désir (la *vie* d'une personne célèbre) dans une présentation en quelque sorte stéréographique, à la fois auto- et hétérobiographique.

Le rédacteur d'une autobiographie en collaboration se trouve, pendant la première phase de son travail, dans cette position interpersonnelle d'écoute et de mise en question. Mais il doit ensuite renoncer au rôle personnel correspondant. La seule place qu'il puisse alors s'imaginer occuper, s'il veut donner dignité à son travail, est celle de romancier. Au lieu de jouer sur la distance, il doit miser sur l'identification. Imbibé de la parole du modèle, imprégné de son histoire, il va essayer de se prendre pour lui pour pouvoir écrire à sa place. Certains rédacteurs déclarent qu'il faut « y mettre de l'imagination et aussi ses propres tripes si l'on veut que le personnage vive réellement, si l'on veut ne pas trahir ses expressions, son cœur et parfois son âme », et sortent de l'épreuve exténués comme des Pythies. Bien sûr l'opération de possession est réciproque : le rédacteur se laisse investir par le modèle, mais en l'investissant lui-même dans des formes narratives et rhétoriques traditionnelles. Il se trouve, comme Flaubert en face de Madame Bovary, dans une sorte d'état de dépersonnalisation lyrique. Ainsi Max Gallo présentant au lecteur le travail qu'il a effectué sur la parole et sur le personnage de Martin Gray :

> J'ai dû élaguer : à chaque pas cette vie était une histoire. Je n'ai retenu que l'essentiel; j'ai recomposé, confronté, monté les décors, tenté de recréer l'atmosphère. J'ai employé mes mots. Et j'ai aussi utilisé tout ce que la vie avait laissé en moi de traces. Car peu à peu je me suis enfoncé dans la vie de Martin, peu à peu j'ai collé à cette peau qui n'était pas la mienne. L'expression est usée, peu importe : j'ai été cet autre, le gamin du ghetto et l'évadé de Treblinka et de Zambrow, l'immigrant découvrant les États-Unis, l'homme frappé au cœur [1].

1. Martin Gray, *Au nom de tous les miens*, R. Laffont, coll. « Vécu », 1971, préface de Max Gallo.

Ce travail d'écriture est une création littéraire comme une autre. Le relatif discrédit qui entoure le genre tient, autant qu'à l'évidence des spéculations commerciales, à la monotonie des techniques journalistiques employées et à la médiocrité de la plupart des textes produits. Mais à partir du moment où le rédacteur a du talent et où une entente se trouve réalisée entre lui et son modèle, des livres de grande qualité pourraient naître : dès lors, les lecteurs se poseraient moins de questions sur l'authenticité, et ne bouderaient pas leur plaisir. Ils y reconnaîtraient simplement un genre nouveau, réalisant une articulation inédite entre le roman et l'autobiographie, une variété du « roman vrai » que veut être la biographie [1].

Il arrive d'ailleurs parfois que cette division des rôles se trouve brusquement annulée par une permutation en cours de travail, et qu'ainsi la situation autobiographique se trouve rétablie. Il suffit que le modèle, après avoir joué dans la première phase du travail le rôle de source, en répondant aux questions de l'enquêteur devant le magnétophone, se substitue à lui dans la seconde phase du travail pour élaborer lui-même un récit à partir de la transcription de ses entretiens, devenant ainsi... le nègre de son nègre, c'est-à-dire un autobiographe à part entière [2].

1. On pourrait être tenté de définir ce genre comme une « hétérobiographie à la première personne », qui serait un cas exactement inverse de celui de « l'autobiographie à la troisième personne ». Un qui fait semblant d'être deux, deux qui font semblant de n'être qu'un. Mais la symétrie ainsi établie est trompeuse : le faire semblant n'a pas la même fonction dans les deux cas, et surtout ne se situe pas au même niveau.

Dans l'autobiographie à la troisième personne, le narrateur fait semblant de parler de lui comme s'il était un autre, ou comme s'il parlait d'un autre : le lecteur doit rester conscient de ce jeu pour que le texte garde son sens. Dans l'autobiographie en collaboration, le rédacteur parle du modèle comme s'il était lui, en construisant son rôle de narrateur autodiégétique : le lecteur doit oublier ce jeu pour que le texte garde son sens. Dans *Au nom de tous les miens*, je ne peux pas référer le « je » du narrateur à Max Gallo, même si je sais que c'est lui qui l'a écrit. Il ne s'agit plus d'une figure d'énonciation interne au texte (et déchiffrable à partir du contrat), mais d'une disposition de contrat, à mi-chemin entre le contrat de fiction qui gouverne un roman à la première personne et le contrat référentiel qui introduit un discours rapporté. Le narrateur du récit, tout en étant reconstitué par un autre, n'en est pas moins réel puisque c'est lui qui signe le livre. Max Gallo se trouve coincé entre deux apparitions de Martin Gray, en amont comme auteur signataire en tête du générique, en aval, comme narrateur supposé du récit écrit.

2. Tel était le principe adopté par Claude Glayman pour sa collection « Les grands journalistes » (Stock), inaugurée par Françoise Giroud avec *Si je mens...* (1971). Mais même si les réponses étaient retravaillées, le livre gardait la forme de l'entretien, ce qui est aussi le cas pour *La nostalgie n'est plus ce qu'elle était*, et explique la méprise d'Anne Gaillard (voir p. 241, n. 2).

C'est ce qu'a fait Christiane Rochefort, qui a construit elle-même un autoportrait très original à la place des réponses qu'elle avait faites à son « enquêteur », et qui a placé narquoisement à la fin de son livre, comme un résidu, la liste des questions qui lui avaient été posées [1].

C'est ce qu'a fait, beaucoup plus classiquement, Simone Signoret en rédigeant ses réponses dans *La nostalgie n'est plus ce qu'elle était* (1977). Et c'est pour ne l'avoir pas cru qu'Anne Gaillard a été traînée devant les tribunaux [2]. Cet exemple montre à merveille deux choses : un dépliement puis un repliement des instances en jeu dans le travail autobiographique; et l'incertitude qui entoure le problème de la définition de l'auteur, avec les méfiances et les susceptibilités que cette incertitude engendre.

LA SIGNATURE

La collaboration brouille de manière troublante la question de la responsabilité, et porte même atteinte à la notion d'identité. Le modèle et le rédacteur ont tous deux tendance à croire qu'ils sont le principal, sinon l'unique, « auteur » du texte. Plus l'élaboration du texte est poussée (et le texte, « réussi »), plus le sentiment de responsabilité exclusive de chacune des parties se développe. Le modèle finit par se comporter comme s'il avait écrit (cas très fréquent), le rédacteur

1. Christiane Rochefort, *Ma vie revue et corrigée par l'auteur*, à partir d'entretiens avec Maurice Chavardès, Stock, 1978. En même temps qu'un autoportrait, ce livre donne une parodie du livre-entretien, et un pamphlet contre le genre lui-même (p. 9-31).

2. Le 10 mai 1977, Anne Gaillard et Jean-Edern Hallier accusèrent Simone Signoret de n'avoir pas écrit elle-même son livre, — malgré la préface pourtant bien explicite de Maurice Pons. Poursuivis, tous deux furent condamnés à amende, et à dommages et intérêts. Cette affaire, comme celle d'Annie Mignard, révèle deux choses : d'abord, que toutes les affaires judiciaires ou les polémiques de presse par lesquelles le scandale arrive portent sur des cas « mal choisis ». Anne Gaillard avait évidemment tort, et le cas d'Annie Mignard semble assez douteux. C'est que, dès que les causes sont « bien choisies », il n'y a pas de scandale : l'éditeur ou l'auteur visés évitent qu'il n'éclate. D'autre part, rares sont ceux qui ont vu dans ce genre d'allégation (« elle n'a pas écrit le livre qu'elle signe ») une erreur et non une calomnie : sur le plan des présupposés (l'idéologie de l'auteur) tout le monde est d'accord. Au moment de l'affaire Gaillard, très peu de journalistes sont remontés jusqu'à ce présupposé, pour déclarer que cela n'avait guère d'importance (voir ci-dessous p. 246, n. 1).

Simone Signoret a ensuite raconté dans un second livre (*Le lendemain elle était souriante...*, Éd. du Seuil, 1979) comment elle avait écrit le premier.

finit par croire qu'il a vécu (cas moins fréquent), ou du moins par envisager le modèle comme sa créature. Les jeux d'illusion engendrés par ce mode de travail ne sont donc pas réservés aux lecteurs, qui en seraient les dupes : le modèle et le rédacteur peuvent, eux-mêmes, être pris de vertige, ou de berlue. Et il est vrai que la « vie » en question leur appartient à tous deux, — mais peut-être aussi, pour la même raison, n'appartient-elle ni à l'un, ni à l'autre : la forme littéraire et sociale du récit de vie, qui préexistait à leur entreprise, ne serait-elle pas leur « auteur » à tous deux?

Nous ne sommes jamais vraiment cause de notre vie, mais nous pouvons avoir l'illusion d'en devenir l'auteur en l'écrivant, à condition d'oublier que nous ne sommes pas plus cause de l'écriture que de notre vie. La forme autobiographique donne à chacun l'occasion de se croire un sujet plein et responsable. Mais il suffit de se trouver deux à l'intérieur du même « je » pour que le doute se lève, et que les perspectives s'inversent. Nous ne sommes peut-être, en tant que sujets pleins, que les personnages d'un roman sans auteur. La forme autobiographique n'est sans doute pas l'instrument d'expression d'un sujet qui lui préexiste, ni même un « rôle », mais plutôt ce qui détermine l'existence même de « sujets [1] ».

A dire vrai, la collaboration n'engendre des doutes si métaphysiques que pour le lecteur qui veut bien y réfléchir : ces réflexions, suggérées par un cas particulier, lui font rapidement mettre en question toute l'écriture autobiographique, même « authentique ». Pour les parties en cause ou bien ce partage d'identité débouche sur la sympathie, ou bien il déclenche des conflits, qui, s'ils sont graves, sont portés non sur le plan métaphysique, mais sur le terrain juridique.

C'est que, derrière ces problèmes d'identité, se cachent des problèmes de rapports de forces (en même temps que des problèmes d'argent), et des contraintes qui viennent des règles propres aux différents circuits de communication.

L'auteur d'un texte est le plus souvent celui qui l'a écrit : mais le fait d'écrire ne suffit pas pour être déclaré auteur. On n'est pas auteur dans l'absolu. C'est chose relative et conventionnelle : on ne devient auteur que lorsqu'on prend, ou qu'on se voit attribuer, la responsabilité de l'émission d'un message (émission qui *implique* sa production) dans tel circuit de communication [2]. La détermination

1. Voir à ce propos le livre suggestif de François Flahaut, *La Parole intermédiaire*, Éd. du Seuil, 1978.

2. « La qualité d'auteur appartient, sauf preuve contraire, à celui ou à ceux sous le nom de qui l'œuvre est divulguée » (Loi du 11 mars 1957, article 8). C'est donc la signature qui fait foi. Au cours du procès qu'elle a intenté à Anne Gaillard,

de l'auteur dépend autant des lois de ce circuit que de la matérialité des faits. La question se complique du fait que la notion d'auteur renvoie aussi bien à l'idée d'*initiative* qu'à celle de *production*, et que la production peut elle-même être partagée (à égalité ou de manière hiérarchisée) entre plusieurs personnes [1]. Enfin le statut d'auteur a différents aspects, qui sont susceptibles d'être dissociés, et éventuellement aussi d'être partagés : la responsabilité juridique, le droit moral et intellectuel, la propriété littéraire (avec les droits financiers qui lui sont liés), et la signature, qui, en même temps qu'elle renvoie au problème juridique, fait partie d'un dispositif *textuel* (couverture, titre, préface, etc.) par lequel le contrat de lecture est établi. Tout n'est donc pas aussi simple que pourrait le faire croire la formule employée par Annie Mignard, indignée de voir que « l'un écrit, l'autre signe ».

Ce système lui-même n'a rien d'absolu. La mention de l'auteur a pu recouvrir, au long des siècles, des pratiques fort différentes, et cela sans doute est lié à l'évolution des médias. Au temps où les textes étaient recopiés à la main et où la lecture se faisait à haute voix, la notion d'auteur n'avait pas le même sens qu'aujourd'hui [2]. Et des médias nouveaux, comme le cinéma (et la télévision) ont amené à l'infléchir ou à la faire éclater. François Maspero est très choqué à l'idée qu'un titre comme *Histoire de ma vie* puisse venir sous la signature de deux personnes, « Hélène Elek et Annie Mignard ». Il ironise : « Bref, ce ' ma vie ' avait désormais deux propriétaires. » Bien évidem-

---

Simone Signoret n'a pas eu à prouver qu'elle avait écrit le livre. C'était à Anne Gaillard d'apporter la preuve contraire, ce qu'elle aurait été bien en peine de faire, même si Simone Signoret n'avait pas écrit une seule ligne.

1. Les cas que j'examine ici entrent dans la catégorie des œuvres de collaboration : « Est dite œuvre de collaboration l'œuvre à laquelle ont concouru plusieurs personnes physiques. L'œuvre de collaboration est la propriété commune des coauteurs » (articles 9 et 10 de la loi du 11 mars 1957). Mais la loi ne détermine pas ce qui est collaboration donnant accès au statut de coauteur, et ce qui ne l'est pas, et jusqu'à présent la jurisprudence n'est pas venue préciser la loi. La loi, en revanche, a tranché le problème dans le cas des œuvres cinématographiques en donnant la liste des différentes personnes qui devaient être présumées coauteurs d'un film (article 14).

2. Voir sur ce point E. P. Goldschmidt, *Medieval Texts and Their First Appearance in Print* (1943), New York, Biblo and Tannen, 1969. Sur l'évolution ultérieure, Lucien Febvre et Henri-Jean Martin, *L'Apparition du livre* (1958), Albin Michel, 1971, p. 233-242 et 367-368.

Il est intéressant de suivre historiquement non seulement l'évolution des pratiques et des législations, mais aussi celle de la théorie du droit. On trouvera dans Pierre Recht, *Le Droit d'auteur, une nouvelle forme de propriété. Histoire et théorie*, Duculot, 1969, une évocation (et une critique) des théories personnalistes et individualistes sur lesquelles on a essayé de fonder le droit d'auteur au XIXe siècle.

ment, c'est « histoire » qui a deux responsables, et le dispositif du titre paraît burlesque. Mais cela montre simplement qu'il y a lieu de renouveler les formules de générique pour le livre imprimé. Au cinéma il arrive souvent que l'auteur du scénario et le réalisateur du film ne soient pas la même personne, et figurent tous deux au générique. Par exemple : *la Mémoire d'Hélène*, d'après un scénario d'Hélène Elek. Réalisateur : Annie Mignard. Certes, ici, tout se complique du fait que l'auteur du scénario est en même temps le sujet du récit, et que cette identité est l'un des éléments de la motivation d'achat. D'autre part la répartition du travail ne correspond pas tout à fait à celle qu'implique au cinéma la distinction scénariste/réalisateur.

On ne saurait donc continuer sans artifice le parallèle avec le cinéma, du moins sur ce plan. Mais à l'origine d'un film, il y a un producteur, à celle d'un livre, un éditeur, qui ont une fonction stratégique dans le marché des biens culturels [1]. Dans le secteur de l'autobiographie composée en collaboration, l'éditeur (ou son directeur de collection) ne sont pas de simples rouages de transmission, ils ont souvent l'initiative et prennent une responsabilité appréciable dans l'existence et la forme même du livre. Ce sont eux qui font l'étude du marché, déterminent les zones de notoriété à exploiter, mettent en relation et associent, par un contrat et un cahier des charges, le propriétaire du gisement de mémoire à exploiter (gisement dont la valeur tient soit à la valeur intrinsèque du filon, soit à la position du terrain par rapport aux grands axes de circulation de la gloire) et le professionnel de l'écriture. Le modèle et le nègre ne sont susceptibles d'accéder au statut d'auteur (et ne peuvent ensuite se le disputer) que par son entremise. En fait dans certains secteurs fonctionnent de véritables *ateliers*, où l'on peut dire qu'à la limite les modèles sont interchangeables et les nègres aussi, et où le véritable auteur est l'entrepreneur qui suit la demande du public et agence de quoi la satisfaire. A moins qu'au bout du compte, le véritable auteur ne soit le public lui-même, dont le désir et la crédulité complaisante (qui demande seulement qu'on mette des formes pour le tromper) donnent à tous ces livres le poids (l'*autorité*) qui sans cela leur manquerait peut-être.

Il est bon d'élargir ainsi la notion de responsabilité et celle de production : mais c'est aller, bien sûr, exactement à contre-courant de la mythologie de l'auteur qui est nécessaire au fonctionnement du système. Le système de l'auteur n'est pas seulement une condition

1. Voir Pierre Bourdieu, « La production de la croyance, contribution à une économie des biens symboliques », *Actes de la recherche en sciences sociales*, nº 13, février 1977, p. 3-44.

formelle, il est d'une certaine manière le message fondamental que véhicule le genre autobiographique. Ce que le public consomme, c'est la forme personnelle d'un discours assumé par une personne réelle, responsable de son écriture comme elle l'est de sa vie. On consomme du « sujet » plein, qu'on veut croire vrai. Cette exigence profonde va naturellement entrer en conflit avec les tentatives d' « honnêteté » qui, prenant au pied de la lettre le désir de vérité, briseraient l'illusion de plénitude et de responsabilité du modèle. Le public se trouve dans une situation ambiguë, une situation de mauvaise foi, à la fois toujours prêt à suspecter l'authenticité d'un texte et à crier au scandale (mais par là même il se campe à ses propres yeux en amateur exigeant d'authenticité, et reconnaît cette qualité à l'ensemble des autres textes qu'il consomme aveuglément), et en même temps toujours disposé à se prêter aux jeux d'illusion et à ne pas voir à travers les voiles transparents qui couvrent la fabrication du texte, l'essentiel étant d'avoir son plaisir.

La médiation du « nègre » sera donc ou dissimulée, ou, si elle est avouée, estompée ou métamorphosée [1]. Le nègre a mauvaise presse : victime d'un système qui l'exploite, il est en même temps le bouc émissaire, comme la prostituée. Il est vrai que le négrier est lui aussi mal vu. Cette atmosphère de défiance s'est développée depuis le début du XIXe siècle, c'est-à-dire depuis que le rôle de l'auteur s'est fortement personnalisé (depuis qu'on s'est habitué à consommer de la personne). Le livre de Quérard, *les Supercheries littéraires dévoilées*, réédité et augmenté tout au long du XIXe siècle, montre bien le développement de la pratique de la collaboration ou de l'imposture, et de la susceptibilité des critiques. Aujourd'hui on voit moins dans le nègre un « écrivain public », un avocat ou un acteur de la cause des autres, qu'une sorte de fripier ou de maquilleur, un spécialiste du « prêt-à-porter » ou du « sur-mesure » autobiographique.

Si le public savait ce qu'a réellement produit « l'auteur » (c'est-à-dire le modèle), ne serait-il pas tenté de se révolter? Accepterait-il de se délecter de colorant? En fait la réponse n'est pas évidente.

1. Même quand la collaboration n'est pas dissimulée, elle est minimisée. Surtout, en ces matières, le public en est réduit à croire (ou à ne pas croire) ce qu'on veut bien lui dire. Car il n'a évidemment aucun moyen d'évaluer le travail du rédacteur : il ignore, et il ignorera toujours, en quoi a consisté la contribution initiale du modèle. Il est peu probable qu'un éditeur donne jamais accès à ce type d'information : si on a eu recours à un rédacteur, c'est justement parce que ce que le modèle était susceptible de produire n'était pas présentable. Quant aux nègres, ils sont, *de facto*, tenus à une sorte de secret professionnel. Aussi la suspicion peut-elle continuer à entourer une collaboration même avouée.

D'abord parce que toute écriture est du colorant. Et puis il semble que ce soit plus l'acte de dissimulation de la collaboration, que la collaboration elle-même, qui engendre rumeurs, scandales, enquêtes. Enfin, il est fort possible que le public ne soit pas homogène : c'est surtout le public « intellectuel », les gens qui écrivent ou se sentent capables d'écrire, qui sont chatouilleux sur ce point. Le grand public auquel s'adressent beaucoup de ces productions admet plus facilement qu'on se fasse donner un coup de main pour écrire quand on n'est pas « du métier [1] ».

Aussi la collaboration est-elle aujourd'hui souvent mentionnée dans le générique, il est vrai sous des formes pudiques, avec des litotes qui ne trompent que qui y consent. Le rédacteur n'accède pas en général à la signature du livre, il est mentionné au second plan, dans un rôle de secrétaire intime : « récit recueilli par... ». La formule suggère la dictée, ou la confidence recueillie avec une pieuse fidélité. Si l'on avoue carrément le travail d'écriture et de composition, il faut que le rédacteur prenne en même temps, dans une préface, statut de biographe ou de romancier. Et il est souhaitable alors qu'il ait quelque chose qui le recommande au public. Max Gallo était lui-même un écrivain de quelque notoriété : sa préface apporte au livre de Martin Gray une caution littéraire. Elle permet de repousser le fantôme du nègre (« Aussi ce livre n'a-t-il pas été écrit avec l'indifférence appliquée du professionnel ») et de donner au lecteur l'exemple à suivre, celui de l'identification (« J'ai été cet autre »).

Mais qu'elle soit cachée, à demi avouée, ou étalée, la collaboration de toute façon amène rarement le rédacteur à accéder à la place stratégique réservée à l' « auteur » : la signature. Peu importe les faits : c'est la logique du contrat de lecture qui est en cause. On s'en convaincra en comparant le genre que je viens de décrire avec le genre, *apparemment* voisin, de l'autobiographie au magnétophone de gens du peuple.

Les enquêtes sur les « nègres », en effet, ne portent que sur les

1. « Au fond, seul le résultat compte finalement : les consommateurs se moquent des procédés de fabrication : ils désirent surtout être satisfaits du produit qui leur est proposé (...) Avant tout l'ouvrage doit être intéressant. Peu importe si quelqu'un a tenu la main de la personne qui a signé. » Georges Vittel résume ici et justifie la réaction du grand public (*Le Hérisson*, 29.12.1977). Et si cette personne signe alors qu'elle n'a pas écrit, c'est parce que c'est elle qui a fourni le capital initial : « Tout cela n'a rien de scandaleux. Ces livres n'existeraient pas sans leurs auteurs et il y aurait quelque hypocrisie à se dire trompé sur la marchandise, alors que le livre s'achète sur le thème qu'il développe, la personnalité qu'il fait découvrir ou l'histoire qu'il raconte. » (Fr. Gilles, *Le Journal quotidien Rhône-Alpes*, 25.12. 1977.)

entreprises de librairie où l'on cherche à exploiter l'intérêt pour des vies hors du commun (héroïques, exemplaires, étranges, etc.) ou la curiosité qu'inspire toute personne connue[1]. Dans les deux cas, à partir du moment où l'on a choisi de faire raconter sa vie par le modèle dans un livre (au lieu de le célébrer dans une biographie), il faut que le modèle assume l'écriture : le statut d'auteur fait partie de cette *valeur* que le lecteur admire. La personne glorieuse, ou exemplaire, doit être un sujet plein et complet. Si Dieu est, par définition, parfait, il doit posséder à leur plus haut degré tous les attributs possibles, y compris l'existence. De même dès qu'il manifeste sa vie dans un livre, le héros doit posséder l'écriture, ou du moins ce qui symboliquement la représente, la *signature*. Que cette écriture s'incarne par l'intermédiaire du porte-plume d'un autre est de peu d'importance, dès lors que le lecteur a la foi. « Lisez, car ceci est ma vie. » L'important est la présence réelle du corps du Christ dans l'hostie. Bien sûr, il y a toujours aussi un boulanger qui trempe dans l'affaire.

Ces comparaisons, qui ne se veulent pas irrespectueuses, tendent seulement à souligner que se manifeste dans ce secteur de l'édition un phénomène qui imbibe tout notre champ culturel : le *pouvoir charismatique*, la croyance en l'existence de héros avec laquelle la foule désire être en contact pour atteindre une valeur. « Connaissez mieux les gens connus! », recommandait l'éphémère périodique *Saga*, qui a tenté en 1978 d'exploiter ce filon. C'est dans le cadre d'une ethnologie de ces pratiques magiques, auxquelles les médias modernes ont donné une puissance énorme, que l'on peut rendre compte *en dernier ressort* des problèmes d'édition ici débattus. La signature autobiographique est devenue l'un des attributs du héros[2]. Il est en quel-

1. On trouve un excellent balisage de ce champ de la notoriété en parcourant le catalogue des 2 000 et quelques Radioscopies réalisées par Jacques Chancel depuis 1969. Trente et une rubriques couvrent pratiquement tous les domaines dans lesquels on peut aujourd'hui s'accomplir et devenir socialement intéressant. « Radioscopie » est bien sûr une instance de *consécration:* elle suppose une notoriété déjà constituée, qu'elle contribue à accroître. Trois rubriques seulement contiennent quelques interviews fondées sur la curiosité ethnologique, l'intérêt pour ceux que Chancel appelle de manière révélatrice des « anonymes » (« Témoignages et documents », « Artisans », « Agriculture »). Encore la plupart de ces témoins « anonymes » ne le sont-ils plus au moment où ils arrivent à Radioscopie, ils y viennent en tant qu'*auteur* du livre qui vient justement de les tirer de l'anonymat (ainsi Martin Gray, Louis Lengrand, Nicole Gérard, Emilie Carles, et bien d'autres).

2. Aussi des fac-similés de signature autographe sont-ils parfois utilisés sur les jaquettes ou les couvertures des livres.

La signature du livre par le modèle n'implique par forcément que le rédacteur ait fait comme si l'auteur avait écrit. Dans beaucoup de ces livres, la rédaction laisse

que sorte « auteur *honoris causa* », selon un système dont l'Académie française a parfois donné l'exemple...

Dans l'autobiographie au magnétophone de gens du peuple, les techniques de travail, la répartition des rôles sont apparemment les mêmes : mais les rapports de force et les impératifs du contrat de lecture sont exactement inverses. Ce qu'on cherche à capter dans l'écriture, c'est la voix, le discours autobiographique *de ceux qui n'écrivent pas :* vieux ouvriers à la retraite, paysans, artisans, travailleurs immigrés, etc. Leur récit prend valeur, aux yeux du lecteur, du fait qu'ils appartiennent (qu'ils *sont perçus* comme appartenant) à une autre culture que la sienne, culture qui se définit par l'exclusion de l'écriture. La librairie exploite une curiosité de type *ethnologique*, qui entraîne un renversement dans la mise en scène. L'aveu de collaboration était un pis-aller dans le cas des nègres, il devient ici une pièce essentielle du système : il s'agit de garantir que le modèle n'a *rien* écrit! — quitte à garantir aussi que ce qu'on a écrit est une image fidèle de ce qu'il a dit (mais c'est là une autre histoire). Le rédacteur, qui a souvent pris l'initiative de susciter un récit qui sans cela serait resté enfoui dans le silence, se présente comme un médiateur entre deux mondes, presque comme un explorateur. Il doit afficher sa présence, et prend le statut d'auteur à part entière, avec le prestige social et les avantages financiers que cela comporte [1]. Le nom du modèle apparaît principalement dans le titre, et si le rédacteur ne tire pas toute la signature à lui, mais la partage, c'est scrupule ou générosité de sa part (alors que dans l'autre système, c'est générosité de la part du modèle de partager la signature avec son « nègre »). Les rapports de force sont inversés : pour une vedette, un héros, ou un explorateur, qui dispose d'une vie à écrire, il y a des dizaines de nègres sur le marché du travail; pour un « ethnobiographe » amateur qui veut capter une vie, il y a des centaines de milliers de modèles possibles, le modèle choisi doit s'estimer bien heureux d'accéder à une notoriété à laquelle rien ne le destinait. Toute la valeur de son récit est une valeur ajoutée par l'écriture, ou plutôt par le nouveau circuit de communication dans lequel le médiateur l'introduit : le malheureux s'en ren-

---

apparaître l'origine orale du récit, et essaie de cumuler les attraits du récit écrit et de la voix captée par un interviewer. La mention « récit recueilli par » a pour fonction de rendre vraisemblable ce mélange de techniques.

1. La part des droits d'auteur que le contrat accorde au modèle est variable. Dans le meilleur des cas le rédacteur et le modèle partagent à égalité (par exemple Maurice Catani et Mohamed, pour le *Journal de Mohamed*, Stock, 1973). Mais les dispositions peuvent être moins favorables au modèle. Il a même pu arriver que sa part se réduise à rien.

drait compte s'il s'avisait ensuite d'écrire lui-même. Son crédit s'effondrerait. Il est en fait la créature de son ethnobiographe.

Le système de signature d'un livre change donc selon que le modèle est un héros ou un anti-héros, selon qu'il appartient ou n'appartient pas, sur un plan symbolique, au monde de l'écriture. Dans *Au nom de tous les miens*, Martin Gray est l'auteur qui signe, alors que c'est Max Gallo qui a écrit le livre (ce qui rend le titre étrange, Max Gallo écrivant au nom de Martin Gray, qui parle au nom de tous les siens). Dans *Gaston Lucas, serrurier, chronique de l'anti-héros* (Plon, 1976), Adélaïde Blasquez écrit et signe le livre, Gaston Lucas n'est plus l'auteur mais le sujet du livre : l'anti-héros est en même temps un anti-auteur, dont on a capté la « chronique ». Or, dans les deux cas, le rédacteur a fourni le même type de travail, même si c'est dans une perspective différente (de geste héroïque ou d'écoute populiste).

J'ai choisi là un cas où l'opposition est tranchée, criante. On pourra trouver, bien sûr, quelques contre-exemples, et surtout, beaucoup de situations intermédiaires [1]. Et le système que je décris n'a rien d'éternel, c'est simplement le système qui a cours en France à l'heure actuelle. Mais cette opposition manifeste l'essentiel : une *vie* (c'est-à-dire un récit de vie écrit et publié) est toujours le produit d'une transaction entre différentes instances, et la détermination de l' « auteur », dans le cas d'une collaboration avouée, dépend avant tout du type d'effet que le livre doit produire. Ce n'est pas une question métaphysique à trancher dans l'absolu : c'est un problème idéologique, lié aux contrats de lecture, aux positions possibles d'identification avec des « personnes », et aux rapports de classe. Martin Gray est propriétaire de sa vie. Celle de Gaston Lucas n'acquiert l'unité et la dignité d'une propriété que dans l'écoute d'Adélaïde Blasquez.

La polémique entamée par Annie Mignard est très éclairante parce qu'elle s'est située en porte à faux, et qu'elle a entraîné François Maspero à raisonner comme elle à la fois dans les deux systèmes. Elle met en lumière aussi les rapports de violence et d'exploitation dont l'écriture est l'enjeu, et le pouvoir qu'elle représente : « nègres » dépossédés de leur travail et de leur autorité, « modèles » exclus de

1. Il est intéressant par exemple d'examiner la présentation du livre d'Émilie Carles, *Une soupe aux herbes sauvages* (1978). Émilie Carles, fille de paysans, devenue institutrice mais restée paysanne, aurait pu être traitée comme Mémé Santerre ou Gaston Lucas, ethnologiquement. Mais en même temps que témoin de la France paysanne, elle est une militante pacifiste et écologiste. Institutrice, elle appartient au monde de l'écriture. Elle signera donc « son » livre, directement, comme un héros, quoique ce ne soit pas elle qui l'ait écrit (« propos recueillis par Robert Destanque »).

l'écriture et récupérés par ceux qui la possèdent. Dans l'écriture comme ailleurs, l' « autorité » est toujours du côté de celui qui a le pouvoir.

Annie Mignard préconise donc de rendre le pouvoir au peuple en lui rendant l'écriture. Selon elle, les éditeurs devraient se tourner directement vers les « gens du peuple » et leur proposer des « contrats d'écriture ». « Le peuple, pour sa part, est parfaitement capable d'écrire sans attendre qu'on vienne le cuisiner au magnétophone. » Sans doute. Mais écrire *pour qui?* Pour les gens qui lisent. La généreuse proposition d'Annie Mignard reste enfermée malgré tout dans le cercle vicieux qu'impose le marché des biens culturels. Elle semble ignorer le relatif échec de la « littérature prolétarienne », et ses raisons. C'est ce cercle vicieux que je vais explorer maintenant, en resituant dans l'histoire récente les jeux de l'écriture populaire et de l'écriture populiste, cette dernière ayant toujours finalement l'avantage, comme le montre le succès actuel de l'autobiographie de ceux qui n'écrivent pas.

Récit de vie et classes sociales

On se penche aujourd'hui sur la « mémoire populaire », on en recueille pieusement les traces, on reconstruit son histoire. Mais dès qu'on remonte au-delà des soixante dernières années, il faut pratiquement renoncer à trouver des manifestations écrites de cette mémoire, du moins sous la forme du récit de vie autobiographique. Le prix qu'on attache aux Mémoires de Perdiguier, de Nadaud, de Benoit, de Dumay, tient à la rareté de tels témoignages [1]. Encore s'agit-il de militants compagnons ou ouvriers : dans les campagnes on trouverait encore moins d'autobiographies. Celle de Pierre Rivière ne nous est parvenue qu'à la faveur d'un crime, par lequel ce jeune paysan entendait, en vengeant son père, conquérir la gloire et « s'élever au-dessus de son état », et sa publication en 1836 passa inaperçue des contemporains [2]. Le succès du récit d'Émile Guillaumin, *la Vie d'un simple* (1904), tient au fait que le public, après soixante ans de romans rustiques, crut entendre pour la première fois la voix d'un vrai paysan [3].

1. Agricol Perdiguier, *Mémoires d'un compagnon* (1853); Martin Nadaud, *Mémoires de Léonard, ancien garçon maçon* (1895), réédité récemment sous le titre *Léonard, maçon de la Creuse*, Maspero, 1976; Joseph Benoit, *Confessions d'un prolétaire*, achevées vers 1871, publiées aux Éd. sociales en 1968; Jean-Baptiste Dumay, *Mémoires d'un militant ouvrier du Creusot* (1841-1905), publiés par Maspero et les Presses universitaires de Grenoble en 1976. Dans l'Introduction de ce dernier livre (p. 12-15), Pierre Ponsot dresse un bilan des autobiographies de militants ouvriers au XIXe siècle.

2. *Moi, Pierre Rivière, ayant égorgé ma mère, ma sœur et mon frère*, un cas de parricide au XIXe siècle présenté par Michel Foucault, Gallimard/Julliard, 1973. Le mémoire autobiographique de Pierre Rivière avait été publié partiellement dans un dossier relatant l'affaire, dans les *Annales d'hygiène publique et de médecine légale* en 1836. Lors des deux publications, c'est le crime qui est le centre d'intérêt (ou, pour Foucault, le discours sur le crime), et non le témoignage « ethnographique », sans intérêt en 1836, laissé de côté avec quelque regret par Foucault en 1973.

3. Sur l'accueil de *La Vie d'un simple*, qui portait comme sous-titre *Les Mémoires d'un métayer*, et fut souvent pris pour un authentique document ethnologique,

Pourquoi ce « silence »? Parce qu'ils ne savaient ni lire ni écrire, et transmettaient leur mémoire oralement? Il serait naïf de le penser. L'instruction s'est largement répandue tout au long du XIXe siècle. Mais ceux qui savaient lire et écrire se servaient de leur instruction à d'autres fins, sous d'autres formes : pourquoi, ou pour qui, auraient-ils écrit leur récit de vie? Derrière le problème de l'alphabétisation et de l'acculturation s'en cache un autre : celui du circuit de communication de l'imprimé, et de la fonction des textes et discours qui s'échangent par son canal. Ce circuit est aux mains des classes dominantes et sert à promouvoir leurs valeurs et leur idéologie. Les récits autobiographiques, bien évidemment, ne sont pas écrits seulement pour « transmettre la mémoire » (ce qui se fait par la parole et par l'exemple dans toutes les classes). Ils sont le lieu où s'élabore, se reproduit et se transforme une identité collective, les *formes de vie* propres aux classes dominantes. Cette identité s'impose à tous ceux qui appartiennent ou qui s'assimilent à ces classes, et rejette les autres dans une sorte d'insignifiance.

Sans doute est-il utile, pour s'en convaincre, de s'attarder quelque peu sur le XIXe siècle. Le temps des mémoralistes et l'Ancien Régime sont trop loin de nous; et notre propre époque a chance de nous être quelque peu opaque. Pour sentir l'anachronisme que comporte le fait de chercher des autobiographies paysannes ou ouvrières au XIXe siècle, il suffit d'ouvrir un livre volumineux, austère, mais fascinant, le *Catalogue de l'Histoire de France*, établi au XIXe siècle même par ce qui est aujourd'hui la Bibliothèque nationale. La section des biographies individuelles regroupe par ordre alphabétique tous les textes référentiels écrits (et imprimés) portant sur des individus [1]. A la feuilleter, on a l'impression d'entendre en quelque sorte le *bruit de fond* de cette société. Il y a, bien sûr, toutes les biographies, les témoignages, les mémoires et souvenirs, les correspondances publiées concernant les gens célèbres, ceux qui ont touché au gouvernement, pris part à des guerres, ou *réussi* dans un domaine quelconque de la vie sociale, des arts ou des lettres. Derrière les textes concernant ces personnes de dimension « nationale », on trouve une masse beaucoup plus grande de textes imprimés (et imprimés sans doute

voir R. Mathé, *Émile Guillaumin, l'homme de la terre et l'homme de lettres*, Nizet, 1966, p. 217-222.

1. *Catalogue de l'histoire de France*, Bibliothèque impériale, 1865, t. IX, chap. 15, Biographie française. Tous les imprimés concernant un individu réel (qu'il s'agisse de biographie ou d'autobiographie) sont groupés à la Bibliothèque nationale sous la même cote, Ln 27.

à un nombre très réduit d'exemplaires) concernant des personnes de dimension plus locale, mais qui indiquent les rites de base de la sociabilité des classes dominantes [1]. Ce sont des éloges académiques, des notices biographiques de savants, des oraisons funèbres, des biographies pieuses commandées ou rédigées par des survivants, quelquefois des discours judiciaires, mais aussi parfois des textes autobiographiques. Moins prestigieux, mais plus nombreux et significatifs, ces textes commémoratifs concernent les types sociaux les plus variés : médecins, religieux, ingénieurs ou savants, artistes ou hommes de lettres, industriels, commerçants, propriétaires, notabilités locales... On reste toujours à l'intérieur de la sphère de ceux qui ont réussi, dont la vie a acquis une valeur sociale [2]. Ils sont devenus propriétaires de leur vie, peuvent l'arranger en carrière ou en destinée, et en faire le lieu de transmission de valeurs sociales. Bien sûr tous les individus de ces catégories n'accèdent pas à la vie imprimée, mais il n'y a qu'eux qui aient chance d'y accéder, et tous s'y reconnaissent.

En revanche les individus des autres groupes (paysans, artisans, ouvriers des villes, employés, etc.) n'ont pratiquement aucune chance que leur vie soit racontée par écrit (par eux-mêmes ou par quelqu'un d'autre) et soit imprimée. Le discours sur leur vie reste contenu dans la mémoire de leur groupe (le village, le compagnonnage) et dépasse rarement ce cercle. Enfermée dans un même milieu, leur vie n'a pas le type d'individualité propre à susciter l'intérêt, et qui est souvent lié à la mobilité et à la réussite sociales. En tant que forme individuelle, elle n'est porteuse, aux yeux des gens qui sont susceptibles de fabriquer et de consommer de l'imprimé, d'aucune valeur. Aussi n'est-ce pas

1. En me fondant sur le dépouillement de ce corpus, j'ai établi un répertoire et une première analyse des autobiographies écrites par des commerçants, des industriels et des financiers au XIXe siècle (« Autobiographie et histoire sociale au XIXe siècle », communication présentée à la décade de Cerisy sur « L'autobiographie et l'individualisme en Occident », juillet 1979).

2. Toute société peut se définir par les modèles biographiques qu'elle diffuse. Le *Catalogue de l'histoire de France*, à la section III (Biographies spéciales) du chapitre 15 (Biographie française) donne ainsi la liste des catégories de vies qui ont inspiré les biographes du XIXe siècle : saints français et célébrités religieuses; clergé; hommes d'État et administrateurs; parlementaires; magistrature et barreau; armée; savants et hommes de lettres; artistes; médecins; industriels, artisans et financiers; membres des différents ordres; prix de vertu; membres d'associations diverses; condamnés; dames de France (des saintes aux femmes galantes); jeunes Français et Françaises (vies édifiantes). On pourrait mettre en parallèle la liste des catégories utilisées dans le catalogue des *Radioscopies* de Jacques Chancel, pour voir à la fois la continuité, et l'émergence de nouveaux rôles légitimés.

dans le chapitre des vies individuelles qu'il faut chercher trace du « vécu » des paysans et des ouvriers. Ou alors seulement dans les récits de gens qui sont sortis de ces milieux, et dont l'expérience laborieuse ou campagnarde est reléguée dans un récit d'enfance ou de jeunesse : mais alors ils n'écrivent plus en tant que paysan ou qu'ouvrier.

Le vécu des classes dominées, en fait, n'est pas entre leurs mains. Comme le suggère Pierre Bourdieu, « les classes dominées ne parlent pas, elles sont parlées [1] ». Leur vécu est *étudié* d'en haut, d'un point de vue économique et politique, dans des enquêtes qui, à cette époque-là, ne passent pas par le récit de vie. Il est *imaginé* dans le discours journalistique et romanesque des classes dominantes, dont il nourrit à la fois les rêves (surtout les paysans) et les cauchemars (surtout les ouvriers [2].) A partir du moment où les milieux paysans et ouvriers accéderont à la pratique de l'écriture (et en particulier au récit de vie), ils le feront à partir d'images d'eux-mêmes déjà constituées, qu'ils trouveront sur leur chemin. D'autre part, le fait de prendre en main son propre récit de vie (et éventuellement d'essayer de le publier) sera plus ou moins volontairement un acte d'ascension sociale et d'assimilation à la culture dominante, même s'il se situe dans le cadre d'une lutte militante destinée à susciter une conscience de classe. On entre là dans un jeu complexe de contradictions, lié aux rapports de pouvoir, et aux lois des circuits de communication de l'imprimé.

La parole ouvrière du XIXe siècle n'a pas pris la forme du récit de vie individuelle. Les premiers militants n'en avaient nul besoin quand ils s'adressaient à leurs pairs ou quand ils répondaient au discours bourgeois [3]. Il ne s'agissait pas de créer une *mémoire*, mais d'abord une conscience de classe, fondée sur l'analyse du présent. Les récits de Nadaud le montrent bien, leur travail était un travail d'alphabé-

1. Pierre Bourdieu, « La paysannerie, une classe objet », *Actes de la recherche en sciences sociales*, nº 17/18, novembre 1977, p. 4. La suite du développement s'applique particulièrement bien à l'autobiographie.

2. Pour l'image du paysan dans la littérature, voir Paul Vernois, *Le Roman rustique de George Sand à Ramuz, ses tendances et son évolution*, Nizet, 1962; pour celle de l'ouvrier, Louis Chevalier, *Classes laborieuses et Classes dangereuses*, Plon, 1958.

3. Cf. *La Parole ouvrière 1830/1851*, textes rassemblés et présentés par Alain Faure et Jacques Rancière, « 10 × 18 », 1976.

Dans *L'Atelier* (31 mars 1843), un article intitulé « Si les ouvriers doivent se permettre d'écrire? » met en garde les ouvriers contre la tentation de promotion individuelle dans le circuit dominant, et prône au contraire la production anonyme et collective de textes publiés non pas sous forme de livres, mais dans les journaux et les revues des ouvriers. Le témoignage prendra donc plutôt la forme de l'*enquête* que celle du récit personnel.

tisation, d'instruction, d'association, leur discours un discours idéologique de lutte. Le texte remémoratif écrit, centré sur une vie individuelle, ne correspond pas à un besoin, et cela d'autant moins que le récit de vie peut prendre un aspect démobilisateur du seul fait qu'il est rétrospectif et vous plonge dans un monde révolu. Certes le témoignage individuel écrit pourrait servir, à usage interne, à faire communiquer entre elles les différentes fractions, isolées et cloisonnées, des classes dominées : mais cette communication s'effectuait autrement, par le compagnonnage puis les premières associations ouvrières. Il aurait pu servir à usage externe, vers le grand public « lisant » : mais on ne trouve rien en France qui ressemble à ce qu'ont pu être aux États-Unis les récits d'esclaves fugitifs suscités (et parfois écrits) par des Blancs nordistes abolitionnistes à destination du public blanc [1].

Il n'existe donc pas d'autobiographie « populaire » au XIXe siècle, parce qu'il n'existait pour elle ni public, ni circuit de diffusion. Les textes qu'on exhume aujourd'hui ou bien sont restés inédits jusqu'au XXe siècle, ou bien n'ont connu qu'une diffusion insignifiante. Les exceptions sont rares. Parmi elles, on rencontre des textes d'autodidactes, comme les saisissants *Mémoires* de Norbert Truquin, qui n'ont été vraiment lus que depuis leur réédition en 1977 [2]. Le relatif succès des récits de Perdiguier et de Nadaud tient à l'aspect historique de leur peinture du compagnonnage ou de la vie ouvrière sous la monarchie de Juillet, à leur grande modération idéologique, — et à la gloire locale de Nadaud, militant, mais aussi « self-made man » de la Creuse.

Le seul genre littéraire qui apparaisse et se développe dans la

1. Sur le genre des récits d'esclaves fugitifs, voir Stephen Butterfield, *Black Autobiography in America*, University of Massachussetts Press, 1974, p. 9-89, et la mise au point de Benjamin Quarles, « Relation de la vie de Frederik Douglass », *Dialogue*, 1977, n° 2, p. 42-52.

2. Norbert Truquin, *Mémoires et Aventures d'un prolétaire à travers la révolution*, Maspero, 1977 (première édition en 1888). Engagé, « socialiste » mais n'ayant appartenu à aucun groupe, Truquin a conçu ses mémoires comme une « œuvre de propagande » : « Il est urgent que tous ceux qui travaillent et qui souffrent des vices de l'organisation sociale ne comptent que sur eux-mêmes pour se tirer d'affaire et se créer un présent et un avenir meilleurs par la solidarité. Il importe donc que chacun d'entre eux apporte sa pierre à l'édifice commun, en publiant ses notes, ses cahiers, ses mémoires, en un mot tous les documents qui peuvent contribuer à détruire les iniquités du vieux monde et à hâter la révolution sociale » (p. 273). Son témoignage, précis, saisissant, argumenté, est le modèle de ce qu'on pourrait attendre d'une autobiographie populaire au XIXe siècle. Elle est pourtant restée longtemps sans écho. Dans les années 1945, Michel Ragon essaya en vain de la faire republier.

seconde moitié du XIXe siècle, c'est l'autobiographie des militants, qui ont vécu 1848 ou 1871, et qui écrivent à la fois à destination des autres militants, mais aussi du grand public. Seuls la pratique de l'action, l'engagement politique et syndical, permettent de donner à une vie ouvrière une identité, c'est-à-dire une structure et une valeur, qui la fasse accéder au mode de diffusion de la biographie imprimée. Le récit de vie devient alors le lieu de l'élaboration de la conscience de classe, et sert à l'inculcation de modèles et de valeurs plus ou moins révolutionnaires[1]. D'autre part, aux yeux de la classe dominante, ces récits acquièrent une valeur par la participation de leurs auteurs à des luttes qui font partie de l'Histoire : ils entrent dans la catégorie des mémoires et témoignages politiques. Mais l'effet de l'autobiographie militante est entravé par l'exiguïté des canaux de diffusion vers ce qui serait son public virtuel, gens des classes dominées qui ne lisent pas, ou qui lisent, mais lisent la littérature dominante.

L'historien qui explore ce domaine doit être fort prudent. Moi-même, envisageant la culture des classes dominées sous l'angle étroit du récit de vie, j'ai choisi un critère qui n'a peut-être rien de pertinent. Mais sans doute voit-on plus facilement les partis pris des autres : ceux de Michel Ragon, dans son *Histoire de la littérature prolétarienne en France*[2], m'ont frappé. Disciple d'Henri Poulaille, Michel Ragon s'emploie, depuis plus de trente ans, à constituer une histoire de la littérature prolétarienne, en écrivant des manifestes, des anthologies, et cette *Histoire*. Il s'agit de doter d'un passé (d'une tradition et d'une sorte de légitimité) un mouvement d'expression contemporain : on va donc réunir en une histoire (qui est en fait plutôt un catalogue) des séries de faits appartenant à des ensembles différents, à condition qu'ils renvoient (mais par les biais les plus divers) à la fois à l'idée de littérature et à l'idée de peuple. Ce qu'étudie Ragon est en quelque sorte l'intersection de deux ensembles : d'une part toutes les formes de la culture du peuple, d'autre part toutes les formes de représentation du peuple dans la littérature écrite. N'étudier que la partie commune aux deux ensembles, c'est se vouer à collectionner des faits peu nombreux et hétéroclites, une frange vacillante et sans structure propre.

1. Les mémoires de Nadaud, de Benoit, de Dumay présentent le même profil : le récit de jeunesse a un aspect franchement « ethnographique », centré sur la vie de groupe et la peinture des conditions de travail (maçons creusois, canuts lyonnais, métallurgistes du Creusot); la suite du récit appartient plutôt au genre des mémoires politiques à fonction apologétique, centrés sur l'action personnelle du militant.

2. Michel Ragon, *Histoire de la littérature prolétarienne en France. Littérature ouvrière, littérature paysanne, littérature d'expression populaire*, Albin Michel, 1974.

D'autre part cette histoire est entièrement fondée sur des critères de valeur : Ragon déclare vouloir dégager de la littérature écrite par les gens du peuple « ce qui pouvait montrer le visage authentique du peuple, son évolution, ses aspirations, ses plaintes et ses joies [1] ». Cela le conduit à éliminer les écrivains issus du peuple qui n'en donnent pas une image correcte, mais aussi à amalgamer à la littérature prolétarienne des écrivains déjà éloignés de leurs origines populaires mais qui parlent du peuple comme il faut. Les discussions sur le *pedigree* des écrivains prolétariens montrent bien ces ambiguïtés [2]. L'*Histoire* de Ragon n'en est pas moins fort précieuse, comme source d'information, et intéressante comme *fait historique :* car les contradictions dans lesquelles lui-même se débat comme historien sont celles précisément auxquelles les écrivains prolétariens se heurtent.

La principale contradiction est celle du circuit de communication : « les écrivains prolétariens ne touchent guère la classe ouvrière [3] ». Ou s'ils la touchent, c'est par la médiation de la classe dominante. Un paysan comme Émile Guillaumin n'écrit pas directement son expérience paysanne pour d'autres paysans : il écrit à partir de la littérature romantique assimilée à l'école communale, et pour le circuit d'édition parisien, qui est seul capable de le légitimer et de le diffuser. A l'intérieur de ces limites (qui sont aussi des conditions de possibilité), il transforme l'image du paysan, suffisamment pour que le public parisien ait l'impression d'une parole paysanne authentique, et pour toucher un peu partout en France d'autres gens comme lui. Et s'il y réussit, c'est qu'il rencontre une *demande* des classes dominantes (celle même que le roman rural satisfaisait depuis un demi-siècle). Le risque est grand, dans ce système, soit de ne pas trouver d'écho, soit de ne le trouver qu'au prix d'une récupération (escomptée ou subie).

C'est le problème dans lequel se débat la littérature prolétarienne depuis le début du siècle. Si l'on excepte les témoignages de militants, la plupart des écrivains « populaires » du XIXe siècle et du début du XXe siècle avaient pratiqué surtout la poésie ou la fiction (d'inspiration autobiographique). C'est seulement après 1918 qu'ont commencé à apparaître de manière relativement abondante des témoignages et des autobiographies écrits par des autodidactes. Dans la dernière partie de son livre, Michel Ragon donne un très complet recensement

1. Michel Ragon, *op. cit.*, p. 19.
2. *Ibid.*, p. 205-206.
3. *Ibid.*, p. 11.

de ceux de ces textes qui ont été publiés [1]. Cette pratique éparse et diffuse, des écrivains militants ont essayé, entre les deux guerres, de l'organiser, de lui assurer un nouveau type de diffusion, en créant des revues *(Nouvel Age)*, des lieux de rencontre (le Musée du soir), ou même une maison d'édition, pour contourner le circuit traditionnel. Michel Ragon dresse de cet effort, pourtant fécond, un bilan désabusé :

> Le circuit des maisons d'édition n'est pas fait pour toucher un public populaire. L'éditeur ne trouve pas le lecteur, et le lecteur ne trouve pas le livre. Où se procurer la plupart des ouvrages dont je parle dans cette *Histoire de la littérature prolétarienne*, sinon dans quelques bibliothèques spécialisées. Beaucoup de ces livres ont été publiés chez des éditeurs disparus (Valois, Rieder) et mis au pilon; d'autres ont été imprimés à compte d'auteur [2].

Sans doute peut-on illustrer ce problème de la communication à l'intérieur de la classe ouvrière en rapprochant deux témoignages de mineurs, tous deux, chacun à sa manière il est vrai, écrivains. Louis Lengrand, né en 1921, silicosé à quatre-vingts pour cent, bénéficiant d'une retraite anticipée, témoigne sur ses pratiques de lecture, en répondant à Maria Craipeau :

> Ce n'est pas que je lise tellement. Je lis les journaux syndicaux, tout ce qui concerne les mineurs. Mais si Pompidou a attrapé une petite grippe, ça ne m'intéresse pas. Je n'aime pas vraiment lire, mais si un livre me plaît, je le lirai jusqu'au bout. Pendant toutes ces années de mine, je n'ai jamais rien lu, je n'avais même pas le temps de lire le journal. Au sana, j'ai lu — que voulez-vous que je fasse? J'ai lu *le Comte de Monte-Cristo*, je me rappelle par cœur les dix volumes que j'ai lus. Des fois, à une heure du matin, l'infirmière venait, elle me disait « Il faut dormir », je répondais « Oui, oui, je vais seulement finir le livre ». Ça me plaisait. J'ai lu aussi *la Porteuse de pain* que j'ai vue au cinéma et à la télévision (...)
> Ça fait quinze ans que nous avons la télé. Moi, j'aime les films de guerre et les westerns. Les films de Jean Gabin aussi. Les films d'amour, ça m'ennuie. Je monte me coucher. Ma femme les regarde. Elle regarde parfois aussi les pièces de théâtre. Ma femme, elle ne lit pas de livres. Elle lit les feuilletons dans *Nord-Matin* [3].

1. En particulier dans les deux derniers chapitres sur les écrivains ouvriers et les écrivains paysans.
2. *Op. cit.*, p. 11.
3. Louis Lengrand et Maria Craipeau, *Louis Lengrand, mineur du Nord*, Éd. du Seuil, 1974, p. 183-184. Voir, pour l'ensemble de ce problème, l'ouvrage de René

Louis Lengrand ne lit que depuis sa maladie et sa retraite, qui l'ont en même temps poussé à témoigner. A la génération précédente, l'écrivain prolétarien Constant Malva (1903-1969), mineur lui aussi, écrivait tout en travaillant, et il évaluait de manière nuancée l'impact de son écriture :

> On fait ce qu'on peut. Et je pense que nous avons tout de même notre utilité, nous, écrivains prolétariens. Les ouvriers ne peuvent toujours digérer les textes souvent lourds et compliqués des grands théoriciens de la révolution. Nous avons, nous, cet avantage de les charmer en les éduquant (...) C'est aussi travailler pour la révolution en montrant détails par détails la situation misérable de certains ouvriers et ouvrières à d'autres ouvriers et ouvrières. Je sais qu'ils ne s'emballent pas après la lecture de nos ouvrages comme après l'audition d'un orateur enflammé, mais ils prennent quand même conscience de ce qu'ils sont. Puis, écrire cela nous permet de communier, de nous reconnaître. Nous disons : là-bas, à Paris, ou ailleurs, j'ai des frères, de vrais frères. Et cela nous console de la veulerie, de l'apathie de nos autres frères [1].

En même temps qu'il témoigne de la vie aliénante des mineurs, Malva se heurte lui-même à cette aliénation, qui fait de lui un être à part dans la mine, et un écrivain sans public [2]. Louis Lengrand a-t-il jamais lu Constant Malva? Le témoignage écrit d'un ouvrier ou d'un paysan n'a guère chance de trouver écho (et valeur) que dans le circuit dominant, soit dans les milieux intellectuels engagés, soit dans le grand public.

On pourrait penser que la plus ou moins grande habileté à manier la langue écrite et les techniques de récit constituerait un handicap supplémentaire. L'existence de l'édition à compte d'auteur permet d'apprécier cette difficulté, en nous donnant à lire des récits qui par leur maladresse sont à la limite du publiable, même s'ils sont intéressants pour l'historien [3]. Et en sens inverse, le fait de trop bien

---

Kaès, *Les Ouvriers français et la Culture*, enquête 1958-1961, Dalloz, 1962 (en particulier p. 144-176, sur la lecture, et p. 203-212 sur l'attitude à l'égard de l'histoire).

1. Constant Malva, *Ma nuit au jour le jour*, Maspero, 1978, p. 194 (lettre à René Bonnet, 28 mai 1937).

2. *Ma nuit au jour le jour* est le journal de l'auteur pendant un an (de mai 1937 à mai 1938). Des extraits en furent publiés en 1947 par *Les Temps modernes*. Le livre entier ne fut publié en Belgique qu'en 1952.

3. Ainsi le récit d'une enfance paysanne publié à compte d'auteur par Marie-Juliette Barrié, *Quand les bananes donnent la fièvre*, La Pensée universelle, 1973.

assimiler les techniques du récit « vécu » et de l'écriture romanesque courante peut tellement intégrer le narrateur ouvrier à la culture dominante qu'il en perde sa spécificité de classe [1]. Mais de tels jugements, on le voit bien, sont contradictoires et ne font que refléter les préjugés, et les attentes « populistes », du public lettré. Beaucoup de gens des classes dominantes écrivent aussi très mal, ou trop bien. Il suffit de lire un certain nombre de livres « prolétariens » pour y discerner la même proportion de « réussite » que dans la littérature « non-prolétarienne ». Citons, aux deux extrêmes du genre, les admirables *Cahiers autobiographiques* de Dominique Lagru [2], ouvrier autodidacte devenu peintre « naïf » puis autobiographe dans sa vieillesse, et *Travaux* de Georges Navel [3], un chef-d'œuvre longuement mûri. Si de telles voix ont été étouffées, ce n'est pas faute de talent, mais faute de public.

Sans doute faudrait-il distinguer deux aspects de cette littérature de témoignage : les livres d'autodidactes racontant des vies ordinaires, qui sont vraiment des témoins, dont le récit peut n'être pas fortement construit sur le plan idéologique (et qui par là même sont susceptibles d'être lus comme documents par les historiens, ou comme littérature populiste par le grand public); et les témoignages de militants engagés, qui écrivent pour proposer une analyse autant qu'un témoignage, et pour justifier leur action. Ces derniers textes ont eu plus de chance d'être publiés que les autres, parce qu'ils avaient un public virtuel, limité mais réel, dans l'appareil des organisations politiques et syndicales. Et ils sont aujourd'hui volontiers regroupés en corpus (collections, anthologies) parce qu'ils servent à tracer concrètement l'histoire du mouvement ouvrier [4].

1. C'est un des problèmes que l'on se pose en lisant le beau livre de Louis Oury, *Les Prolos*, Denoël, 1973.

2. Édités en 1974 par l'Écomusée du Creusot.

3. *Travaux* (1948) se différencie d'autres récits de vie ouvrière par l'écriture, inspirée par Verlaine, et surtout par l'aspect picaresque du récit. Loin d'être ancré dans un métier ou une région, et domestiqué par une famille à entretenir, Navel a mené une vie errante qui lui a permis de pratiquer la plupart des métiers manuels (de l'usine aux travaux agricoles saisonniers). Son livre est en même temps l'histoire d'une recherche du sens de la vie, guidée par l'amour de la nature, de la liberté et de la solidarité. Recherche souvent blessée, déçue, dont certains passages font penser à *Voyage au bout de la nuit*, mais d'un anarchisme plus engagé et plus chaleureux. *Travaux* a connu un certain succès en 1948, et a été réédité en 1969 chez Stock, puis en 1979 dans la collection « Folio ».

4. La collection « Actes et mémoires du peuple », chez Maspero, réédite ou édite différents témoignages de militants, faisant ainsi écho, sur le plan autobiographique, au travail biographique entrepris depuis 1948 par Jean Maitron pour son *Dictionnaire biographique du mouvement ouvrier français*. En Allemagne, de même, de

ÉCRIRE OU ÊTRE ÉCRIT?

Le relatif échec des témoignages d'autodidactes écrits depuis 1900 contraste avec le succès que connaissent actuellement les témoignages transcrits (ou réécrits) de paysans et d'artisans. C'est que depuis une dizaine d'années en France la parole populaire s'est trouvée récupérée par le circuit officiel. Aujourd'hui, pour remplir la fonction d'enquête, ou pour construire un fantasme, on peut obtenir la collaboration du modèle, et tenir un discours *sur* lui en lui donnant la parole, et en ayant l'air de citer un discours *de* lui. L'analyse ou l'évocation de la vie des classes dominées s'effectue par la captation d'une parole autobiographique que l'on suscite, et derrière laquelle on s'abrite. La stratégie du discours rapporté neutralise en apparence l'opposition entre celui qui a la parole et celui qui ne l'a pas.

Ce retournement de situation est dû en partie, mais en partie seulement, au développement des moyens d'enregistrement. Avant 1948, sociologues et historiens américains se servaient de la sténographie pour noter des récits de vie. Reste que l'invention technique a donné une formidable expansion à ce type de collecte. Les deux étapes principales furent la commercialisation des premiers magnétophones à bande en 1948 (mais ces équipements lourds et coûteux étaient envisagés comme une sorte de matériel professionnel plutôt que comme un instrument de travail ordinaire), et plus tard, après 1963, l'apparition de magnétophones à cassettes, de taille et de prix réduits, et de maniement très simple, qui ont fait de l'enregistrement une procédure banale à la portée de n'importe qui. Parallèlement l'écoute de la radio et de la télévision habituait le public à ce type de contact apparemment direct, et créait une nouvelle forme de vraisemblable.

La collecte des récits de vie s'est développée simultanément dans deux domaines, celui des sciences humaines, et celui de l'édition et du journalisme. En sciences humaines, c'est chose assez récente, en France du moins. La Société française d'ethnologie a organisé en mai 1978 une réunion de concertation et de coordination entre les spécialistes de différentes disciplines qui, depuis quatre ou cinq ans, s'étaient

---

copieuses anthologies-répertoires publiées en 1974-1975 ont inventorié le corpus des autobiographies d'ouvriers, pour redonner aux ouvriers actuels une « mémoire de classe ». Voir une présentation de ces anthologies par Jérôme Radwan, « Perspectives nouvelles sur un genre méconnu : l'autobiographie ouvrière », *Allemagnes d'aujourd'hui*, mars-avril 1976, p. 73-84.

mis à pratiquer la collecte systématique de documents oraux (histoire, sociologie, psychologie sociale, géographie, science politique, linguistique [1]). Non que cette méthode fût nouvelle : recueillir des documents oraux (y compris les récits de vie) est depuis longtemps une des techniques de base de l'ethnographie : on s'en convaincra en lisant les récits de la collection « Terre humaine [2] ». Et cette méthode avait été appliquée non seulement aux sociétés sans écriture, mais aussi aux classes dominées de nos propres sociétés. L'idée était venue tout d'abord aux sociologues américains, au début du siècle, dans des grandes villes comme Chicago où l'installation d'émigrants encore mal assimilés, coupés de leur culture d'origine, mais non intégrés à la vie américaine, créait de graves problèmes d'ordre et de sécurité. Pour comprendre et maîtriser la délinquance et la criminalité, il pouvait être utile de saisir *de l'intérieur* la logique de comportements si regrettables. D'où le projet de susciter, d'abord par écrit, des documents personnels, que l'on recouperait entre eux, mais aussi avec les sources d'information extérieures. Le premier grand travail effectué selon cette méthode fut celui de Thomas et Znaniecki, *Polish Peasant* (1918-1920), qui donna naissance à de nombreuses autres enquêtes de ce genre entre 1920 et 1940 à Chicago. C'est dans la lignée de l'école de Chicago qu'il faut situer les travaux d'Oscar Lewis, dont la traduction en français (1963, *les Enfants de Sanchez*) éveilla le goût du public pour des documents humains aussi passionnants que des fictions, et l'intérêt des sociologues français pour une méthode d'enquête qui n'avait guère été employée jusque-là [3].

Après l'ethnologie et la sociologie, l'histoire s'est avisée d'avoir recours au récit de vie. A l'origine, la motivation était différente : il s'agissait de se servir des moyens modernes d'enregistrement pour capter la mémoire des acteurs de l'histoire avant qu'ils ne disparaissent. On constituait donc un nouveau type d'*archives*, pour une analyse immédiate certes, mais surtout pour les historiens de l'avenir. L'idée est née aux États-Unis, où elle a été mise à exécution à partir de 1948. L'histoire orale américaine a pris un développement gigantesque,

1. Les Actes de cette rencontre ont été publiés dans *Ethnologie française*, VIII, n° 4, 1978. A la suite de cette rencontre s'est constituée en février 1979 une Association française d'archives sonores, qui réunit les conservateurs de phonothèques et les chercheurs qui constituent pour leurs travaux des fonds d'enregistrements.

2. Sur l'histoire et le projet de la collection « Terre Humaine » (Plon), voir la longue interview de Jean Malaurie dans le *Magazine littéraire*, septembre 1975.

3. Sur l'histoire et la problématique du « récit de vie » en sociologie, voir le rapport ronéoté de Daniel Bertaux, *Histoires de vie — ou récits de pratique?*, méthodologie de l'approche biographique en sociologie, mars 1976, 232 p.

qu'on a peine à imaginer en France. D'innombrables institutions (universités, centres de recherche, collectivités locales, clubs) ont des programmes de collecte et engrangent des bandes magnétiques, transcrites, indexées et cataloguées, mises à la disposition d'éventuels utilisateurs [1]. Contrairement à ce qui se passe aujourd'hui en France, l'histoire orale américaine n'est pas socialement orientée vers la parole des classes dominées mais s'intéresse à tous les acteurs de l'histoire et spécialement aux dirigeants. D'autre part l'idée d'*archive* est dominante : il y a dissociation complète entre ceux qui recueillent les récits de vie, et ceux qui, éventuellement, les utiliseront.

En France, les historiens se sont avisés beaucoup plus tard de l'urgence qu'il y avait à fixer la mémoire en enregistrant la parole. L'histoire orale qui est en train de naître [2] s'intéresse de préférence aux classes dominées et aux formes de vie et de culture qui sont en train de disparaître. Elle lie systématiquement collecte et recherche : c'est la même équipe qui suscite les récits de vie en fonction de l'étude qu'elle veut mener, et les exploite. Cette pratique assurément a chance d'être plus féconde que le simple archivage. Elle a aussi pour conséquence que ces documents resteront un certain temps inédits.

Mais le public n'a pas attendu. Journalistes et écrivains ont su tirer parti de ce nouveau type de reportage, où le reporter s'efface pour donner la parole à ceux que l'on n'entend jamais. Dans le sillage des *Enfants de Sanchez* parurent des documents ethnologiques, sur des travailleurs immigrés en France, *Un noir a quitté le fleuve* (Éditeurs français réunis, 1968), d'Annie Lauran, et surtout *Grenadou, paysan français* (Éditions du Seuil, 1966), d'Alain Prévost, qui réalise le scénario ethnographique mimé soixante ans plus tôt par Émile Guillaumin avec *la Vie d'un simple* [3]. Des tentatives ont suivi, pour la plupart l'œuvre de sociologues isolés, pionniers en ce domaine :

1. Voir Louis M. Starr, « Oral history », in *Encyclopedia of Library and Information Science*, New York, M. Dekker, 1977, vol. XX, p. 440-463. Sur les développements plus récents de l'histoire orale en Grande-Bretagne, voir Raphaël Samuel, « L'histoire orale en Grande-Bretagne », *Bulletin du centre de recherches sur la civilisation industrielle*, Écomusée du Creusot, nº 0, novembre 1977, p. 15-23.

2. Sur la naissance de l'histoire orale en France, voir la mise au point de Philippe Joutard, « Historiens, à vos micros! Le document oral, une nouvelle source pour l'histoire », *L'Histoire*, nº 12, mai 1979, p. 106-112.

3. Ephraïm Grenadou et Alain Prévost, *Grenadou, paysan français*, Éd. du Seuil, 1966 (nouvelle édition dans la coll. « Points » en 1978). Le succès de Grenadou a été très grand. Grenadou est passé à la télévision, les journalistes ont déferlé sur son village; des entretiens radiophoniques Prévost-Grenadou ont été diffusés en 1967, pendant que le livre lui-même était publié en feuilleton dans *Rustica*

Juliette Minces (*Un ouvrier parle*, Éditions du Seuil, 1969), Jacques Caroux-Destray (*la Vie d'une famille ouvrière*, Éditions du Seuil, 1971, et *Un couple ouvrier traditionnel*, Éditions Anthropos, 1974), et Maurice Catani (*Journal de Mohamed*, Stock, 1973). A partir de 1974 paraît en librairie une vague de récits recueillis par des journalistes ou par des écrivains: *Louis Lengrand, mineur du Nord* (Éd. du Seuil, 1974), de Louis Lengrand et Maria Craipeau, *Mémé Santerre, une vie* (Éd. du Jour, 1975), de Serge Grafteaux, *Gaston Lucas, serrurier* (Plon, 1976), d'Adélaïde Blasquez, *Marthe, les mains pleines de terre* (Belfond, 1977), de Jean-Claude Loiseau, *la Mémoire du village* (Stock, 1977), de Léonce Chaleil, *l'Escarbille, histoire d'Eugène Saulnier, ouvrier verrier* (Presses de la Renaissance, 1978), de Michel Chabot, pour n'en citer que quelques-uns. Le marché est envahi par des témoignages, de qualité très inégale. Les éditeurs s'empressent d'exploiter cette nouvelle demande du public en créant des collections, comme « La mémoire du peuple » (Jean-Pierre Delarge) « La vie des hommes » (Stock) ou « La France des profondeurs » (Presses de la Renaissance).

UNE PAROLE D'AVANT L'ÉCRITURE

Le désir commun, présent aussi bien dans les enquêtes scientifiques que dans les publications de librairie, est de voir, et de faire voir, ce qui échappe à la vue, de saisir l'insaisissable, de constituer comme objet de connaissance une sorte d'*autre* absolu. Ce trésor caché se définit négativement : il est ce qui est *en deçà de l'écriture*. Les ethnographes qui explorent des civilisations sans écriture n'ont pas ce problème : tout leur travail est de neutraliser leur intervention pour observer ce qui se passerait ou se dirait s'ils n'étaient pas là. Nos enquêteurs ont aussi ce travail à faire, bien sûr. Mais, vivant dans une société d'écriture, qui est *leur* société, ils doivent d'abord reconstituer un domaine ethnologique, en considérant systématiquement comme un écran, une altération ou une déformation tout témoignage qui a été assumé par l'intéressé dans un texte écrit. C'est en deçà de cette croûte d'écriture que résideraient la parole vraie, la mémoire

(c'est-à-dire répercuté vers le milieu d'origine). Mais ce succès est resté isolé, et n'a guère suscité d'imitation dans l'immédiat.

Un bon panorama de cette première génération de récits de vie publiés en librairie est donné par l'enquête du *Monde*, « La littérature au magnétophone », 12 avril 1969.

authentique, ces nappes ou ces gisements que l'enquêteur veut atteindre.

Certes je définis là une attitude extrême où peu de chercheurs se reconnaîtront. Bien évidemment ils tiennent compte des documents écrits qui existent déjà. Et ce qu'ils fuient dans l'écriture (l'idéologie, le stéréotype, le rôle), ils le retrouveront fatalement aussi dans la parole, et jusque dans la mémoire; et ils seront bien forcés de prendre en compte ces formes, qui ne sont pas seulement déformation. Mais l'important pour eux est de saisir la manière « naturelle » que chacun a d'envisager sa propre vie, avant que ce récit de vie ne soit repris en compte par l'intéressé dans un combat ou une forme quelconque d'échange social, et ne sorte du circuit de communication qui lui est propre. Cette recherche du « récit de vie à l'état naissant » engendre fatalement le même type de paradoxe que, dans la littérature psychologique, la recherche d'une mythique « sincérité ». A la limite, ce que l'on cherche à capter n'existe qu'à l'état virtuel, et n'aurait jamais pris la forme d'une parole sans l'intervention de l'enquêteur. C'est là la différence avec l'enquête ethnographique, qui recueille essentiellement des récits qui ont déjà cours à l'intérieur de la communauté étudiée.

La méthode d'enquête (interrogatoire oral mené auprès de personnes que l'on a choisies, qui ont accepté de parler, mais n'ont pas eu l'initiative du processus) définit donc un nouveau champ d'étude, où différents objets pourront être construits, selon le projet scientifique de l'enquêteur. Elle définit aussi, dans le cas des écrivains ou journalistes, un nouveau type d'objet de consommation (paradoxalement écrit), la parole captée ou surprise de celui qui n'écrit pas. Dans les deux cas, c'est une sorte d'*envers* du texte autobiographique qui est produit : viendrait au jour la mémoire vraiment vécue, la parole spontanée, tout ce que l'écriture utilise mais transforme, et finalement cache. D'où, dans les réflexions méthodologiques de certains chercheurs, un oubli systématique des récits écrits déjà existants (considérés par définition comme hors du champ étudié), ou une sorte de méfiance à l'égard de l'écriture du modèle. J'en donnerai plusieurs exemples.

Sélim Abou, dans l'importante préface d'*Immigrés dans l'autre Amérique* [1], essaie de situer l'originalité de ce nouveau genre qu'est le récit de vie collecté au magnétophone : il commence par construire un parallèle entre le roman réaliste et ce qu'il appelle le « document

1. Sélim Abou, *Immigrés dans l'autre Amérique*, autobiographies de quatre Argentins d'origine libanaise, Plon, coll. « Terre humaine », 1972, Avant-propos.

autobiographique ». A aucun moment dans la suite de la très riche analyse qu'il fait de sa pratique, il ne pense à établir un autre parallèle, qui pourtant s'impose tout autant, avec le texte autobiographique qu'éventuellement ses modèles auraient été susceptibles de produire eux-mêmes. Daniel Bertaux, dans *Histoires de vies, ou récits de pratiques?* [1], ne fait aucune comparaison entre ces récits de vie que sociologues et historiens suscitent, et les récits autobiographiques publiés par les intéressés eux-mêmes depuis le début du siècle. Tout se passe comme si ces récits écrits, assumés et publiés étaient des matériaux impurs, hétéroclites, produits dans des conditions incontrôlables, et donc inutilisables pour l'analyse sociologique : et cela d'autant plus qu'en les écrivant, les auteurs avaient en quelque sorte déjà utilisé et interprété leur mémoire. Si bien qu'il faudrait pour les réutiliser défaire le travail de l'écriture, en analysant cette écriture elle-même, la destination du livre, les modèles utilisés, les structures et les techniques — c'est-à-dire faire un travail qui éclairerait le texte comme texte, mais ne donnerait pas des lumières plus précises sur le vécu sous-jacent dans la perspective où le chercheur veut l'analyser. D'où la nécessité de court-circuiter l'écriture, et d'accéder à un donné dont le chercheur va devenir l'auteur.

Car il en est vraiment l'auteur dans tous les sens du terme, et parfois il n'est d'ailleurs que cela. Il en a eu l'initiative, le récit collecté réalise son projet à lui, et non celui du modèle, il en est le maître d'œuvre, et il en est finalement le signataire et le garant par rapport au nouveau circuit de communication (scientifique ou littéraire) dans lequel il l'introduit. Et, comme le remarque Daniel Bertaux, il semble souvent qu'il ait épuisé toutes ses forces à construire (parfois avec des moyens très littéraires) ce nouveau donné, et qu'une fois l'objet d'étude construit, il soit aussi démuni pour l'analyser, qu'il l'aurait été devant les récits déjà publiés. Il a choisi une situation vierge de toute écriture pour observer une mémoire et une parole spontanée, et son travail a été finalement d'assumer à lui tout seul ce qu'implique l'écriture, en tentant de la faire le plus transparente possible. C'est là du moins l'une des impasses de ce type de méthode : impasse du point de vue scientifique, s'entend, car du point de vue littéraire, cela a donné naissance à d'admirables documents, comme *les Enfants de Sanchez*, qui permettent au public lisant de connaître « la culture des pauvres ».

1. *Op. cit.* (cf. p. 262, n. 3). Daniel Bertaux ne mentionne pas l'étude de Michel Ragon, qui n'entre pas dans son champ — de même qu'en sens inverse Michel Ragon ne mentionne pas les travaux des sociologues qui collectent des récits « prolétariens ».

La méfiance à l'égard de l'écriture se manifeste aussi vigoureusement chez ceux qui n'amorcent pas ce paradoxal retour à l'écriture. Collectant des récits de vie en milieu ouvrier, l'enquêteur historien ou ethnologue aura tendance à se méfier des récits des militants, syndicaux ou politiques, dont le récit sera le mieux dominé et le plus cohérent, parce que la lutte a donné à leur vie une structure et un sens, et aussi bien sûr parce qu'ils ont acquis un langage « théorique » pour décrire leur pratique. L'enquêteur aura peur de se laisser enfermer dans ce type de langage, qu'il connaît déjà, qu'il perçoit comme stéréotypé, et qu'il soupçonne de n'être pas représentatif du « vécu » et des attitudes de la masse qu'il veut étudier. Il cherchera donc à étendre son enquête à la majorité silencieuse, et à faire parler ce silence, en laissant, dans les premiers temps de l'entretien s'exprimer les stéréotypes, puis en amenant par une relation plus confiante, la parole vraie à s'exprimer : et cette parole, il aura tendance à la trouver d'autant plus vraie qu'elle ne parvient pas à s'exprimer, voyant dans les moments de silence ou de discours surabondant et confus les moments où s'opère la synthèse d'une mémoire « éclatée ». Il pourra même désirer remonter *en deçà de la parole*, vers les gestes, le cadre de vie, les objets familiers, là où la mémoire se fait manière d'être, coutume silencieuse, enracinée, informulée, inconsciente : et il essaiera de la capter cette fois au magnétoscope [1]. Sur ce plan, les projets des « Archives orales de la France » ou de l'Écomusée du Creusot tendent à compléter le travail du Musée des Arts et Traditions populaires. Si l'on passe par la parole du modèle, c'est donc moins pour la lui *donner*, que pour la lui *prendre*. Là est l'ambiguïté de toute tentative ethnologique : l'acte qui fixe et préserve la mémoire d'une société « orale » en même temps l'aliène, la récupère, et la réifie. On interroge le modèle pour qu'il livre sa mémoire telle quelle, et non pour qu'il en fasse lui-même quelque chose. Et si, comme cela arrive parfois, l'enquête éveille chez lui une vocation autobiographique, et qu'il achète un cahier pour écrire lui-même sa vie, l'enquêteur aura le sentiment d'être à son tour court-circuité, et considérera d'un œil agacé ou attendri cet effort pour reprendre en main sa vie [2].

1. L'Écomusée du Creusot, en collaboration avec l'Institut national de l'audiovisuel, réalise des histoires de vie audiovisuelles (cf. *Bulletin du Centre de recherches sur la civilisation industrielle*, nº 1, juin 1978, p. 40-41).

2. Bien évidemment ces récits écrits tiennent compte de la curiosité de l'enquêteur, de ses questions : il en reste le destinataire, et pourra l'utiliser.

Je parle ici d'enquête *orale*, faite auprès de gens qui n'ont pas la pratique de l'écriture. Un autre cas, tout différent, peut se présenter : celui d'une enquête écrite, par questionnaire, qui éveille chez les sujets questionnés, une fois la plume à la main, l'envie de répondre par un récit d'ensemble de leur vie. Jacques Ozouf

En effet, cette recherche d'un « vécu » d'avant l'écriture (pellicule impressionnée mais non développée, que le chercheur va « révéler » et « fixer » par son enquête), ne s'exerce pas indifféremment n'importe où dans le champ social. L'enquêteur est toujours homme d'écriture, appartenant (quelles que soient ses opinions politiques) aux classes dominantes, et lié à une institution (édition, journal, université, musée) : il enquête pour le compte du grand public lisant, ou de la « communauté scientifique ». Et il va enquêter là où il n'y a pas d'écriture, là où les sujets sont incapables de formuler leur vie, ou bien là où persiste une parole perçue comme ancienne. Pour *défaire* l'écriture, il faut aller à contre-sens du travail de hiérarchisation sociale, et à contre-sens de l'histoire. Retrouver dans notre propre société les lieux d'une pré-histoire, ou d'une parole refoulée et écrasée. Dans les classes dominantes, le terrain du « vécu » a été labouré en tous sens par l'écriture (le roman, le témoignage, la psychanalyse...), si bien qu'il n'existe guère de désir inassouvi susceptible de donner de la valeur à ce qu'on obtiendrait par une enquête au magnétophone, dont le résultat brut paraîtrait un brouillon informe et dont le résultat élaboré se perdrait dans la masse des enquêtes journalistiques, des ouvrages littéraires et scientifiques déjà publiés. Aussi le désir d'étudier la mémoire à l'état naturel, ou de capter le discours autobiographique spontané, se trouve-t-il toujours lié et subordonné à d'autres désirs, à d'autres *coupures*. La *nostalgie* pousse à recueillir tous les vestiges d'une civilisation en train de disparaître : c'est la motivation principale des « Archives orales de la France », qui, désirant fixer

---

a ainsi, en lançant une vaste enquête auprès de 20 000 instituteurs de la Belle Époque, éveillé la vocation autobiographique de 300 d'entre eux. Ils lui ont envoyé des textes, relativement courts mais souvent passionnants, et des documents, dont il a tiré un tableau historique très vivant, *Nous, les maîtres d'école, autobiographies d'instituteurs de la Belle Époque* (Julliard, coll. « Archives », 1967). Mais il s'est adressé, par écrit, à des spécialistes de l'écriture, tout à fait compétents en histoire et en rédaction. En publiant son livre, il contribuait à consolider et perpétuer la mémoire de ce groupe social, puisque les enquêtés étaient en même temps des lecteurs.

La pratique, à l'origine involontaire, d'Ozouf rappelle celle des « concours d'autobiographie » qui s'est développée en Pologne depuis 1921 à l'instigation de sociologues et de diverses institutions culturelles (voir Janina Markiewicz-Lagneau, « L'autobiographie en Pologne, ou de l'usage social d'une technique sociologique », *Revue française de sociologie*, oct.-déc. 1976). Cet appel à l'écriture et à la *lecture* de textes autobiographiques (les récits étaient en partie publiés) fait que l'enquête ne se contente pas de dériver la mémoire des groupes étudiés, mais la stimule. Elle a valeur d'intervention, et peut permettre de développer une conscience de classe. Il ne semble pas qu'en France, au temps de la littérature prolétarienne, ni depuis, une telle technique ait jamais été employée.

l'image de « la France que nous venons de quitter », se sont exclusivement consacrées à recueillir des autobiographies d'ouvriers, d'artisans, de paysans (à juste titre puisque c'est là où la connaissance directe des attitudes vécues est la plus faible, et que c'est la partie la plus importante de la population). Et la *curiosité* pousse à explorer une civilisation inconnue au sein même de notre société, la culture ouvrière qui est son refoulé, et qui souvent ne se « connaît » pas elle-même.

Tout vécu se trouve donc collecté dans une perspective ethnologique, et se trouve constitué comme objet dans le regard, l'écoute ou le discours d'un sujet qui le prend en charge en fonction de sa propre identité, de son propre intérêt. Le discours « personnel » des enquêtés, auquel l'enquête propose en apparence l'occasion de devenir le sujet organisateur de leur propre vie, devient en fait champ d'étude ou produit de consommation (de délectation) pour un autre, celui qui a le pouvoir d'écrire et de lire. En même temps qu'elle est une forme de sauvetage ou d'aide, l'intervention est un acte de viol ou de voyeurisme, une forme d'abus de pouvoir. Ces mots paraîtront sans doute trop forts : et de fait, presque tous les enquêteurs et écrivains s'emploient, autant par authentique scrupule que par nécessité pratique, à atténuer au maximum ce que pourrait avoir d'odieux ou de condescendant la relation d'enquête, à estomper le rapport de domination qui fonde leur démarche. Et de leur côté les modèles choisis se sentent valorisés par cette écoute, qui parfois les surprend (« ma vie n'est pas intéressante »), mais le plus souvent rencontre chez eux un désir de parole inassouvi. Mais bien évidemment la démarche d'enquête n'est pas réversible, l'échange est à sens unique, sans réciprocité. La mémoire pure ou la parole authentique collectée se trouve ainsi avoir deux « sujets » qui la supportent : celui qui, fugitivement, le temps de l'enquête, se souvient et parle, et celui qui écoute, construit le souvenir et l'intègre à l'univers de l'écriture. Cette dualité et cette hiérarchisation se trouvent magnifiquement exprimées dans le titre que *les Nouvelles littéraires* ont donné récemment à un dossier sur ce problème : « Notre mémoire populaire [1] ». Le « notre » tend à effacer dans une sorte d'union nationale (qui recouvre en fait seulement le public lisant) le rapport de classe qu'évoque malgré tout le mot « populaire ». Mais qui, au bout du compte, se souvient? Le peuple, ou « nous »? Par définition, la mémoire populaire existait avant l'enquête...

1. *Les Nouvelles littéraires*, 26 janvier-1er février 1978, dossier réalisé et présenté par Jean-Pierre Rioux.

De plus, cette mémoire est-elle vraiment celle du modèle? Oui, dans son contenu et dans sa forme, sans doute : mais non dans la forme de sa forme, si je puis dire. A partir du moment où elle est fixée dans une écriture, cette mémoire naturelle apparaît passive. L'acte d'écriture assumé par un autre met en évidence l'absence d'initiative et de projet, le fait que cette mémorisation n'est pas un acte créateur, qu'elle ne sert à rien à celui qui se souvient, même si elle soulève nostalgie ou velléités. La prise de conscience, les processus d'analyse et de connaissance, sont le fait de l'enquêteur (qui peut, lui, *comparer* plusieurs récits, se reporter à d'autres données, repérer les aliénations et les mécanismes de défense à l'aliénation, etc.), et non de l'enquêté, que l'enquête laisse inchangé. L'écoute ethnologique n'a pas la fonction d'intervention qu'a l'écoute psychanalytique [1]. De plus la collecte de récits de vie porte par définition sur un passé plus ou moins lointain, elle s'adresse toujours à des personnes retirées de la vie active, elle cerne une mémoire coupée de l'action et du présent. Elle sert moins à réactiver les mécanismes de transmission d'une tradition à l'intérieur d'un même milieu, qu'à la dériver et l'annexer au profit d'une écoute d'un autre milieu. Elle fait partie d'un vaste transfert collectif de mémoire.

Le destinataire du livre ou du texte qui est tiré de l'entretien n'est pas le groupe social auquel appartient le modèle. C'est évident pour le *Journal de Mohamed* ou pour *Ahmed*, tous deux analphabètes, et incapables d'imaginer l'effet que produirait leur parole transcrite [2]. Les parents de Jacques Destray n'ont, semble-t-il, jamais lu le livre de leur fils [3]. Madame Grenadou a d'abord été hostile au projet de faire

1. Certains chercheurs allèguent pourtant la fonction individuelle de « psychothérapie » et la fonction sociale d'intervention que peut avoir l'enquête : mais cet effet n'est pas le but de l'enquête, et il n'est parfois ni prévisible, ni contrôlable par celui qui le déclenche. Voir Jacques Gutwirth, « L'enquête en ethnologie urbaine », *Hérodote*, nº 9, 1er trimestre 1978, p. 38-55.

2. Les deux livres ont été mal accueillis par la critique africaine (cf. *Révolution africaine*, 7.12.73 et *L'Algérien en Europe*, janvier et mars 1974) qui trouvent que ces deux émigrés ne sont pas représentatifs et que la publication de leur discours sert à dénigrer leur pays. Ces monologues sont trop différents de l'image que les porte-parole de la communauté algérienne veulent donner d'elle. Contre ces critiques, et celles de la grande presse française (Tahar Ben Jelloun, dans *Le Monde*, 6.12.1973, et Claude Jannoud dans *Le Figaro*, 5.1.1974), Maurice Catani a essayé d'alléguer son statut d'ethnologue (in *Vivre en France*, avril 1974). Rejetés par les Algériens qui lisent, et par la gauche, ces deux récits (qu'au demeurant leur système de présentation rend difficiles à lire) n'ont pas non plus trouvé de succès du côté du grand public.

3. Au début d'*Un couple ouvrier traditionnel*, Jacques Caroux-Destray s'explique sur ce point. Il sait bien que ce ne sont pas ses « modèles » qui le liront. Il veut

un livre (« Qui ça peut intéresser toutes ces choses? »), et une fois le livre fait, a refusé de le feuilleter (« Not'vie, je la connais par cœur[1] »). Ce sont là des cas extrêmes. Mémé Santerre et Gaston Lucas ont reçu des lettres de lecteurs issus du même milieu qu'eux, mais dont la destinée sociale avait sans doute été différente : et la télévision y est pour autant que le livre. Nul doute que le livre de Louis Lengrand a été lu dans le Nord, celui d'Émilie Carles dans le Briançonnais : mais c'est un effet secondaire d'*écho*, et jamais ces livres n'auraient pu être publiés seulement pour le public local[2].

LA COUPURE ETHNOLOGIQUE

Depuis quelque temps, des mouvements (analogues à ce qu'était la littérature prolétarienne dans les années 1930) tentent de supprimer cette coupure ethnologique, et de faire prendre en main par les intéressés eux-mêmes leur mémoire : autogérer ses souvenirs et ses traditions. Ces tentatives s'appuient souvent en même temps sur la renaissance et la conservation des traditions locales ou provinciales. En 1977, l'Écomusée du Creusot a organisé un colloque sur la « mémoire collective ouvrière » dont le but explicite était de rompre ce clivage et de mettre en présence « les parties intéressées », c'est-à-dire l'historien et l'ouvrier. Pouvait-on instituer un dialogue, faire sortir l'historien du ghetto de l'écriture et de l'écoute ethnographique, mettre les ouvriers à même de prendre en charge la construction de leur mémoire? Le colloque fut, paraît-il, houleux. Il s'agissait d'essayer de briser la logique qui fait que, dès que la mémoire ouvrière *s'écrit*, elle cesse d'être ouvrière et circule seulement dans des cercles restreints de militants ou d'intellectuels (sans pour autant toucher le grand public). C'est dans cette contradiction qu'a été prise la « littérature prolétarienne » de l'entre-deux-guerres, et c'est ce qui explique, de l'aveu même de Michel Ragon, son échec. Plus récemment l'étude de l'histoire du mouvement ouvrier, lancée par Jean Maitron, et soutenue par

---

plutôt témoigner en leur nom, en se faisant l'écho de leur parole. Et il a dû surtout être lu par des lecteurs qui étaient dans la même position sociale que lui, récemment sortis de la classe ouvrière. Le livre n'a guère eu d'écho dans la presse du parti communiste, sans doute parce qu'il ne donnait pas une image assez optimiste de la classe ouvrière, et qu'il peignait sans fard son aliénation.

1. Interview au *Figaro*, 27.6.1966.
2. Ce que les gens du pays lisent alors, c'est *l'écoute* que manifeste l'existence du livre autant que la parole dont ils connaissent en gros la teneur.

la revue *le Mouvement social*, s'est heurtée à la même difficulté : « une histoire ouvrière sans les ouvriers [1] »!

Sans doute la classe ouvrière est-elle plutôt partagée entre les formes d'évasion, d'aliénation, ou de promotion que fait miroiter la culture dominante à travers les *mass media*, et les formes d'action et de discours liées à l'engagement, que susceptible de consommer sous forme d'écriture sa propre mémoire telle que la lui reflètent les enquêteurs ethnologues.

Cette coupure apparaît donc dans les conflits, lorsqu'un groupe prétend récupérer sa mémoire; ou bien alors lorsqu'elle est *intériorisée* par un individu, qui se trouve appartenir à la fois aux deux mondes.

Il peut s'agir d'une intériorisation heureuse, quand l'écriture est mise au service d'une civilisation en train de s'effacer. C'est le cas de Pierre-Jakez Hélias qui, dans *le Cheval d'orgueil* (1975), a reconstitué d'après ses souvenirs, mais aussi d'après ceux de sa mère et d'autres personnes, le monde breton de son enfance. Écrite d'abord en breton, cette auto-ethnologie était destinée à circuler à l'intérieur du milieu étudié et à l'aider à maintenir son identité. L'énorme succès qu'a eu sa version française publiée dans la collection ethnologique « Terre humaine » lui a fait jouer en même temps un autre rôle, donnant une mémoire et une tradition substitutives au grand public des villes, heureux de retrouver ainsi des racines.

L'intériorisation peut aussi être tragique, et manifester l'éclatement d'une identité. L'un des plus saisissants recueils de récits de vie ouvrière est celui qu'a composé un fils d'ouvrier devenu étudiant en sociologie, et qui a pris comme modèle sa propre famille : *Vie d'une famille ouvrière*, de Jacques Destray. Il joue les différents rôles. Sa préface, qui s'adresse au public intellectuel, universitaire, manifeste qu'il appartient au monde de l'écriture et de la théorie; elle le montre en même temps dégagé de l'aliénation de sa famille et de sa classe, qu'il va essayer d'analyser, mais aussi relativement coupé d'elle et soucieux de ne pas rejoindre, en devenant un intellectuel, le camp de ceux qui l'oppriment. Dans le corps du livre se font entendre en chant amébée la voix des parents, recueillie par l'écoute du fils-enquêteur, mais aussi la voix du fils lui-même recueillie suivant la même méthode (mais par qui?). L'écoute de la mémoire populaire se trouve donc intégrée dans un acte authentiquement autobiographique; c'est le même sujet qui se trouve clivé entre la parole et l'écriture, et cherche à effectuer un travail libérateur [2].

1. *Le Mouvement social*, nº 97, octobre-décembre 1976, p. 163.

2. Il est sans doute assez paradoxal de lire comme une autobiographie de l'auteur ce livre qui se veut avant tout document sur l'univers de ses parents.

De tels cas sont relativement rares, dans ce type de littérature ethnologique : ils opèrent une forme de retour à la situation autobiographique traditionnelle, où c'est le sujet qui est son propre informateur, qui a l'initiative, et écrit avec le projet de *construire* son identité.

Ces deux exemples peuvent servir aussi à séparer des types de tentatives que j'ai jusqu'ici un peu abusivement confondues, celles des scientifiques pour lesquels la collecte des récits de vie est un moyen, et celles des écrivains ou journalistes pour lesquels elle est une fin. La confusion vient de ce que les deux tentatives peuvent aboutir à des publications qui se ressemblent. Des livres d'ethnologues ou de sociologues en arrivent à jouer pour le grand public lisant le rôle de « documents vrais » passionnants comme des romans psychologiques et populistes, l'exemple le plus éclatant étant *les Enfants de Sanchez :* c'est Zola revu et corrigé par Faulkner. En sens inverse une enquête « sauvage » faite par un écrivain peut reprendre une seconde carrière après avoir reçu une sorte d'investiture « scientifique », comme c'est le cas pour *Grenadou, paysan français*, réédité avec la préface d'un historien. Au niveau de l'édition, il y a donc une sorte de chevauchement et de réversibilité des projets.

Mais l'écoute scientifique et l'écoute du public lisant (qui détermine les gros tirages et oriente la stratégie des éditeurs) sont différentes. Du côté du public, la mémoire est très sélective, et l'écoute de la « France des profondeurs » privilégie immanquablement ce qui correspond à un désir. Cette mémoire a donc des trous, des indifférences, des amnésies; et en sens inverse, des obsessions. Passéiste, folklorique, utopique, elle a pour fonction de redonner des racines et de prêcher une vieille sagesse d'endurance, d'optimisme ou de résignation aux classes moyennes des villes [1]. Le monde des paysans et des artisans

---

Mais la maladresse avec laquelle il cherche à s'effacer contraint le lecteur à sentir l'extraordinaire tension de ce moi divisé, écartelé entre deux univers et deux langages. Dans la préface, un langage dramatique et allusif impose au lecteur une lecture autobiographique. La postface qui essaie de théoriser l'aliénation des parents montre un jeune étudiant qui ne maîtrise pas encore l'instrument théorique qu'il vient d'acquérir. Le monologue de « Gilles » représente un cas sans doute assez rare d'auto-interview solitaire au magnétophone, dont la recomposition est coupée de fragments de journaux intimes. Quatre discours aux stratégies et aux destinataires différents, quatre facettes d'un moi brisé, autour d'un silence, l'absence du discours impossible qui s'adresserait directement aux parents.

1. « Mémé Santerre, c'est l'histoire bouleversante de la faim, de la pauvreté, du froid, une histoire d'oppression, de guerre et de mort. Et pourtant le bonheur rayonne dans cette existence : Mémé Santerre, c'est avant tout l'histoire d'un amour qui a tout transfiguré, d'un amour que même la mort n'a pu vaincre, et qui justifie un optimisme et une sérénité inaltérables » (présentation du livre sur la couverture).

sera donc privilégié (parce qu'il correspond aux origines proches ou lointaines de beaucoup, et au désir de retour au « pays » ou à la nature que manifeste aussi la multiplication des résidences secondaires [1]). On se replonge dans le passé non pour mieux comprendre le présent, mais pour l'oublier. Le succès ira donc à *Mémé Santerre, Grenadou, Gaston Lucas :* leur mémoire sera entendue. Ou bien on aimera voir, dans *Pierrot et Aline*, la lente promotion sociale d'une famille de petites gens, dont on suit l'histoire instructive à travers trois générations. En revanche le désir mythologique investi dans l'ouvrier ou dans le travailleur immigré est beaucoup plus faible : il est même plutôt remplacé par une crainte qui engendre une certaine surdité ou quelque amnésie. Le titre-fleuve d'un livre publié en 1973 le dit bien : *Ahmed, une vie d'algérien, est-ce que ça fait un livre que les gens vont lire?* Des gens, peut-être, militants, travailleurs sociaux. Mais *les* gens, le grand public, c'est moins sûr. On préférera lire *Léonard, maçon de la Creuse* qui représente pourtant aussi la vie des travailleurs immigrés de l'époque, mais justement c'était *autrefois*, dans un autre monde, où l'on ne se sent plus de responsabilité, monde qui a le charme de l'histoire, du folklore, des sources. Et, dans les témoignages d'aujourd'hui, l'oreille du grand public s'ouvre plus volontiers au récit des gens de base, aux vies ordinaires, qu'à celles de militants engagés et sûrs de leur fait. Celui à qui l'on demande de se souvenir devant le magnétophone ne se rend pas compte que l'écoute de sa mémoire obéit à une autre stratégie que sa mémoire à lui.

Cette coupure ethnologique peut-elle être abolie? C'est ce que souhaitent un certain nombre de chercheurs et de militants. Le seul dépassement possible de la contradiction actuelle semble consister à faire intérioriser par les groupes étudiés le regard que les envoyés des classes dominantes portent sur eux, pour leur permettre de se réapproprier et d'utiliser à leurs propres fins les moyens de connaissance et les instruments d'analyse. Renversement de situation en partie imaginaire : car si le modèle devient son propre observateur, il perpétue le système d'observation (et les valeurs qu'il présuppose) et continue à se définir comme modèle. Le renversement réel consisterait à transformer l'ancien enquêteur en modèle et à l'observer d'un autre point de vue : ce serait là une révolution. Peut-être ce second

1. C'est parfois la résidence secondaire qui met en rapport l'écrivain ou le journaliste et son modèle. Alain Prévost avait acheté le vieux presbytère de Saint-Loup, Grenadou était un de ses voisins. La Mère Denis, dont la biographie a ensuite été rédigée par Serge Grafteaux, a été « découverte » par un de ses « voisins » de Carteret, qui travaillait à Paris dans la publicité.

renversement est-il au bout du premier, mais ne dépend-il pas uniquement des pratiques ethnographiques...

Sur un plan théorique, prospectif, c'est le but que fixe Benoît Verhaegen à ce qu'il appelle l' « histoire immédiate », le chercheur s'efforçant de partager son savoir avec son modèle et de soumettre à sa critique le résultat de ses travaux, pour que la division s'abolisse au profit de la pratique politique du modèle :

> L'enseignement — quelle qu'en soit la forme — doit permettre à la masse d'atteindre un niveau d'expression qui lui donne la maîtrise des instruments essentiels de la connaissance scientifique; en second lieu, la publication des recherches doit restituer en priorité au sujet historique, et non à la communauté savante, les résultats (critiquables et provisoires) de la première démarche de connaissance. Au lieu d'un système de publication élitiste orienté vers le haut (autorités savantes) ou latéralement (les collègues et l'intelligentsia), il faut une diffusion la plus large possible et accessible, sans barrages financiers ou intellectuels, à l'ensemble des acteurs historiques qui sont concernés par la recherche afin qu'ils la critiquent et la poursuivent en fonction de leur action et de leurs projets historiques [1].

Utopie ou alibi? Le projet reste ambigu, dans la mesure où le chercheur garde l'initiative et reste détenteur du savoir : mais c'est là tout le problème du rapport de l'intellectuel avec les masses.

Sur un plan plus pratique et plus modeste, cela peut vouloir dire la prise en main par les collectivités locales ou par les organisations ouvrières de leur propre « histoire immédiate ». Exemplaire est à cet égard la stratégie mise au point par l'Écomusée du Creusot, en collaboration avec l'I.N.A., pour neutraliser la relation ethnologique. Le choix essentiel a été d'abandonner *l'écriture* et de réaliser des histoires de vies audiovisuelles, en recourant non pas au cinéma, mais aux techniques vidéo. Certes, ces techniques coûteuses, relativement lourdes, ne sont pas encore des moyens d'expression populaires maniables individuellement [2]. Mais les avantages sont énormes. L'information enregistrée par ce moyen est incomparablement plus

1. Benoît Verhaegen, *Introduction à l'histoire immédiate*, Éd. Duculot, 1974, p. 192-193.

2. Mais on peut penser que l'évolution du magnétoscope sera parallèle à ce qu'a été celle du magnétophone dans les vingt dernières années, et qu'il deviendra d'un usage plus courant.

Dans le domaine du super-8, l'INA a encouragé les activités d'ateliers à vocation « ethnographique » en France et en Afrique (voir *Le Monde*, 27 avril 1978, « Des ateliers super-8 en France et au Mozambique » et « Quand les exclus parlent d'eux-mêmes »).

riche que celle des récits de vie collectés au magnétophone et retranscrits. Sur un plan ethnographique et historique, c'est bien évidemment la solution de l'avenir (d'autant plus que rien n'empêche de tirer aussi de ces documents des transcriptions plus maniables si on le désire). Mais surtout, le fait de ne pas passer par l'écriture et l'imprimé permet d'établir immédiatement une communication et une collaboration avec le modèle, et de faire de l'enregistrement un moyen de dialogue intérieur à son milieu. Le langage universellement compris aujourd'hui en France, c'est l'image télévisuelle. Avec le magnétoscope, le récit de vie peut être réinjecté n'importe où sur un téléviseur, et servir de point de départ à des séances d'animation et de discussion locales. On produit un « effet de miroir », qui stimule le discours, la mémoire et éventuellement la prise de conscience critique des spectateurs. L'équipe du Creusot a ainsi réalisé six récits de vies d'ouvriers, celle d'un ancien député communiste du Creusot, et celle d'une dame d'œuvres qui s'est occupée de soulager la misère, amorçant ainsi une vision « polyphonique » de la vie de la région [1]. Il est trop tôt pour savoir quel sera sur le plan local le résultat concret de cette tentative. Mais les documents déjà réalisés sont d'une très grande richesse. Le dispositif mis en place ne saurait être envisagé comme l'alibi que se donneraient des ethnologues pour calmer leur mauvaise conscience, mais plutôt comme la recherche d'un compromis, d'un moindre mal, d'une situation ethnographique tempérée. L'avenir dira si ce travail d'émancipation et de distanciation aura contribué à changer le jeu des rapports sociaux dont il est lui-même le produit.

1. Voir p. 267, n. 1. De chaque récit de vie (qui couvre des heures de bande magnétique et a été réalisé au cours de relations de longue durée avec les modèles, et avec leur participation), il a été tiré, à la fois pour l'animation locale et pour la télévision, un moyen métrage de 50 minutes. Mais ce n'est là qu'une première utilisation de ce très riche matériau.

Mémoire, dialogue, écriture : histoire d'un récit de vie

Dans une sorte de large vue cavalière, je vais suivre les étapes de la production d'un récit de vie écrit, depuis le début de l'enquête jusqu'au moment où un lecteur a le récit entre les mains. A quoi bon un tel parcours? Du côté « littéraire », c'est manière de tempérer l'effet « réaliste » produit par ces livres. Plus le texte est « réussi », moins le lecteur s'interroge : il est saisi par l'évidence. Il n'a ni l'envie, ni les moyens de connaître la raison des effets qu'il subit. Les analyses qui suivent pourront éclairer sa lecture, et, sur un plan plus théorique, contribuer à l'étude du texte réaliste. Du côté « scientifique » », elles recoupent une préoccupation de méthode largement répandue : le récit de vie tend à devenir lui-même un objet de recherche à part entière, en même temps qu'un instrument d'observation sur un domaine qui serait situé au-delà. Quelle valeur, en effet, aurait une information obtenue par une technique qui ne serait pas connue et maîtrisée par celui qui l'emploie?

Littéraires ou scientifiques, les enquêtes fondées sur le récit de vie ont beaucoup de points communs. Je choisirai mes exemples des deux côtés, en tenant compte du projet de chacun. L'enquêteur littéraire est guidé, dans le choix du modèle, dans ses procédures de travail, par la nécessité d'aboutir à un texte lisible et vendable, donc par l'attente et les exigences du lecteur qu'il vise. Il travaille seul, sur un modèle unique, sans trop se poser de problèmes de méthode. L'enquêteur scientifique, lui, ne vise pas la publication, mais la constitution d'archives ou l'élaboration d'un moyen d'observation nouveau pour étudier l'objet construit par telle ou telle discipline. Il travaille souvent en équipe, sur des modèles multiples, et méthodiquement. Mais, de fait, les oppositions sont beaucoup moins nettes. Il arrive aux scientifiques de publier en direction du grand public. L'empirisme et l'apprentissage sur le tas sont parfois le lot des chercheurs dans de telles enquêtes [1]. Et en sens inverse, il faut bien recon-

1. Il existe, bien sûr, toute une tradition de l'enquête par interview en sciences sociales (voir *Les Méthodes de recherche dans les sciences sociales*, publié sous la

naître qu'en France du moins, ce sont des écrivains qui ont jusqu'à présent produit les récits de vie les plus fouillés et les plus élaborés.

LA RELATION D'ENQUÊTE

« Ma vie? Ce n'est pas intéressant... » C'est-à-dire : « Pas intéressant *pour vous.* » On rencontre de telles formules préliminaires de défense sans doute aussi souvent que des formules qui manifestent une demande d'écoute. La collecte de récits de vie soulève les mêmes problèmes que n'importe quel type d'enquête par interview, mais elle les soulève de manière intense et dramatique. Il y a une grande différence entre une enquête au cours de laquelle on interroge pendant un temps limité, et une seule fois, un assez grand nombre de personnes, chacune d'entre elles étant considérée, et se considérant, comme un informateur sur un sujet donné, et une enquête au cours de laquelle on écoute un nombre très réduit de personnes (parfois une seule), pendant un temps qui peut être de plusieurs mois, ou de plus d'un an, chaque modèle étant finalement traité comme centre de l'enquête, et comme informateur sur lui-même.

Une vie peut se raconter en une heure, en dix, en cinquante. On obtiendra ainsi des degrés de *grossissement* différents. Certes, la quantité d'information n'augmente pas proportionnellement à la durée de l'enquête : mais la qualité, elle, peut changer. L'allongement de l'enquête suppose, et engendre, une personnalisation de la relation; de la qualité de cette relation dépend en grande partie l'intérêt du récit collecté. Car un récit de vie n'est pas simplement une somme de renseignements (que l'on pourrait obtenir par d'autres moyens) : c'est avant tout une structure (la reconstruction d'une expérience vécue dans un discours) et un acte de communication.

C'est toujours l'enquêteur qui choisit le modèle et qui a l'initiative de l'enquête. Il peut se faire que la relation interpersonnelle ait existé

---

direction de Léon Festinger et Daniel Katz, PUF, 1963, chap. VII et VIII). Mais la collecte du récit de vie pose des problèmes particuliers. Aux États-Unis, le développement de l'histoire orale pratiquée sur grande échelle a entraîné la création de cours d'initiation à la collecte, et la publication de petits guides pratiques (par exemple celui de Willa K. Baum, *Oral History for the Local Historical Society*, qui a connu plusieurs éditions depuis 1969).

En France, il faut se reporter au *Guide d'étude directe des comportements culturels* (1953), de M. Maget, CNRS, 1962 (« Biographie », p. 81-89, « Relations directes entre enquêteur et informateur », p. 171-176, etc.), déjà ancien sur le plan des techniques, et qui n'envisage pas le récit de vie pour lui-même.

avant l'enquête, et que l'enquête soit née de cette relation ou se soit greffée sur elle, ou qu'en sens inverse, ce soit l'enquête qui ait engendré la relation comme son moyen. Sans que l'on puisse généraliser, le premier cas est le plus favorable, non seulement parce que le modèle sera disposé à parler « naturellement », mais parce que l'enquêteur aura déjà une large compréhension de l'histoire du modèle, du milieu où il vit, et pourra donc mieux saisir l'implicite de son discours. Jacques Destray, qui a interrogé ses propres parents *(la Vie d'une famille ouvrière)*, puis de vieux amis *(Un couple ouvrier traditionnel)*, s'est trouvé dès le départ dans la situation que les autres enquêteurs essaient de reconstruire en cours de travail. Assez souvent, les chercheurs choisissent comme terrain d'enquête un village ou une région dont ils sont originaires, ou qu'ils connaissent de longue date. Quand ces attaches familiales ou régionales n'existent pas, il faut qu'une amitié ou une rencontre fulgurante donne sa légitimité à la relation d'enquête : rencontres de hasard que celle de Serge Grafteaux avec une vieille paysanne reléguée dans un asile de vieillards, celle de Maria Craipeau avec un mineur en convalescence dans le midi, ou celle d'Adélaïde Blasquez avec un voisin serrurier qu'elle arrache à un suicide. Mais à chaque fois, l'étincelle jaillit, l'amitié, puis la parole que l'enquêteur recueille [1]. Si aucune de ces circonstances favorables ne se présente, ce qui est malgré tout le cas dans beaucoup d'enquêtes scientifiques où l'on s'adresse à des inconnus, l'enquêteur procède par essais et erreurs, il abandonne les entretiens qui « ne donnent rien », exploite des modèles avec qui cela a « accroché », et qui semblent représentatifs.

Au départ l'enquêteur et le modèle ont des projets différents : l'enquêteur doit créer une interférence entre leurs deux projets, trouver le lieu où ils ne sont plus contradictoires. Lui-même arrive avec un plan bien défini (recueillir des récits de vie pour étudier tel ou tel phénomène), quelquefois même avec une grille précise du champ que son enquête doit couvrir; et il appartient de manière plus ou moins visible à une classe sociale, il est le représentant d'une institution qui commande son enquête, et qui en est le destinataire. Sa demande va se heurter soit à des résistances directes (refus ou laconisme) ou indirectes (les réponses seront faites en fonction de l'image que le modèle se fait de la demande de l'enquêteur : ce qu'il veut qu'on lui réponde, mais aussi ce qu'il *convient* de répondre à une demande venant de cette instance sociale). A ces résistances liées à la

1. Mais il y a aussi, dans ces cas-là, une *mise en scène* de la relation avec le modèle, destinée à séduire et à motiver l'écoute du lecteur.

relation d'enquête s'en ajoutent d'autres, propres à la manière dont le modèle envisage sa vie, et qui ne se révéleront que plus tard. Si l'enquêteur veut obtenir plus que des informations sur un sujet, il doit, non pas faire disparaître son intervention (il ne le peut pas), mais la métamorphoser : il doit savoir écouter de manière à venir se mettre progressivement à la place du *narrataire virtuel* impliqué par le discours du modèle, c'est-à-dire amener le modèle à manifester son narrataire, si je puis dire, en opérant un transfert sur l'enquêteur [1]. Pour parler plus simplement, il faut le mettre en confiance pour qu'il établisse son propre « pacte autobiographique », et pour qu'il accepte de parler à l'intérieur d'un système d'écoute, qu'en dernier ressort il ne contrôle pas, comme s'il le contrôlait.

Sur ce plan, l'enquête est une entreprise de séduction. Selon l'équilibre des profits qu'en tirent l'enquêteur et le modèle, on pourra y voir une relation d'aide, ou une forme de viol. De toute façon, dès le départ la relation n'est pas égale. En poussant quelqu'un à raconter longuement sa vie, en allant méthodiquement à la recherche de son désir de parole, en lui offrant l'écoute qui lui manque, on déclenche un processus capital pour lui, on remue brusquement tout un passé qui ne demandait pas forcément à resurgir. L'émotion ou le trouble sont parfois profonds. Le plaisir certes y a sa part : joie de parler, joie surtout d'être écouté par quelqu'un qui ainsi reconnaît la valeur de votre vie. Délivrance de pouvoir dire ce qu'on mourait de ne pas dire, comme c'était le cas pour Gaston Lucas, dont la tentative de suicide était en fait une demande d'écoute, et pour qui l'enquête a pu jouer, mais passagèrement, le rôle d'une psychothérapie. Trouble aussi pour certains modèles, que les lents remuements de la mémoire finissent par empêcher de dormir. Émotion d'un Grenadou pleurant en écoutant lire sa propre vie, et disant à son enquêteur : « Tu ne peux

1. Les situations respectives, sur le plan de l'âge, du sexe et de la position sociale, jouent un rôle capital dans le transfert du modèle, et dans le contre-transfert de l'enquêteur. Par exemple, un vieil ouvrier interrogé par un jeune étudiant pourra retrouver en lui et en son écoute une compensation à l'indifférence de ses propres enfants qui ont amorcé une promotion sociale et s'éloignent de leurs origines.

L'enquête se passe en général en tête à tête. Il arrive parfois que, à côté du modèle, son conjoint assiste à l'enquête, en jouant une sorte de rôle de contrôle (comme destinataire du récit), ou en participant à l'occasion au dialogue. Il arrive aussi qu'on réalise systématiquement des récits de vie de couple : le questionnement de l'enquêteur s'articule alors sur une sorte de chant amébée des deux modèles, qui se parlent autant entre eux qu'à l'enquêteur, ou relaient l'un vers l'autre sa parole, commentent ou rectifient le récit de l'autre, etc. Cette situation est la plus riche et la plus intéressante, en ce qu'elle est la plus proche de l'observation d'une parole indépendante de l'enquête.

pas savoir, toi, ce que ça fait d'entendre sa vie en quelques heures [1]. »

Celui qui, de sa propre initiative, déclenche ce processus pour mener une enquête, prend une certaine responsabilité. Lui-même n'investit pas au même degré dans l'entreprise. Si attentif, si ouvert, si chaleureux qu'il soit, il reste qu'il ne risque rien et que, fatalement, il mène double jeu. Il ne s'agit pas de l'accuser d'hypocrisie, mais structurellement son rôle est celui d'un agent double. Il a deux fonctions, l'une, principale, qui est de ramener le type d'information qu'ils attendent aux institutions ou au public au nom de qui il enquête; l'autre, qui est le moyen de la première, consiste à jouer le rôle du narrataire en entrant dans le jeu du modèle. Dans certains cas, cela peut aller jusqu'au *mime* d'une réciprocité : « Du reste, pour assurer entre nous une égalité totale, dit Adélaïde Blasquez, je lui faisais moi-même des confidences tout aussi poussées [2]. » Égalité bien limitée, puisque les confidences de l'enquêteur, une fois leur rôle d'appeau joué, disparaissent sans être transcrites. Ce double jeu, on en fait l'expérience lorsqu'on écoute à côté d'un enquêteur l'enregistrement d'une de ses séances avec le modèle : le décalage du discours qu'il vous tient et de celui qu'il adressait au modèle est sensible, surtout s'il lui arrive de commenter à haute voix l'enregistrement pendant qu'il passe et que ses deux discours se superposent...

Mais la duplicité est nécessaire à la médiation. Le talent de l'enquêteur consiste à savoir maintenir un équilibre entre ses deux rôles, de l'instance externe (enquêteur) et de l'instance interne (narrataire). Ce qui peut apparaître, vu de l'extérieur, comme une comédie de la complaisance, correspond en fait à un difficile travail d'écoute, d'attention et de déchiffrement. Sans ce travail, il n'y aurait ni émission du récit de vie, ni retransmission possible. L'enquêteur réussit lorsqu'il a l'impression de ne plus avoir à intervenir, lorsqu'il peut croire que le modèle lui a imposé son propre pacte autobiographique et a pris en main la construction de son récit (en fait l'enquêteur a réussi à imposer au modèle de lui « imposer » son propre pacte). Un récit de vie, en général, s'élabore selon la technique de l'entretien semi-directif, l'enquêteur, tout en possédant un cadre de questionnement, est attentif à la logique propre du discours qu'il suscite, il utilise ses interventions pour l'amener à s'expliciter et à se développer autant que pour le ramener à un ordre préétabli. En même temps qu'elle sert à *catalyser* la production du récit de vie, l'écoute double a pour fonction de préparer sa retransmission. Actuellement récepteur de récit,

1. Interview d'Alain Prévost, *Le Monde*, 12 avril 1969.
2. *Gaston Lucas, serrurier*, p. 262.

l'enquêteur en deviendra ensuite l'émetteur dès qu'il aura à transcrire et à monter le texte. Son écoute ménage déjà la place du futur destinataire du récit rapporté en préparant l'explicitation de l'implicite qui lui serait incompréhensible, et en amorçant le travail d'analyse et de commentaire qui guidera le montage.

Aussi l'enregistrement des entretiens est-il surtout utilisable par l'enquêteur lui-même. La bande magnétique ne recueille que la parole du modèle : le reste (attitude, regards, gestes, etc.) n'y est attaché par association que pour celui qui a mené l'entretien. Quant au travail d'écoute et à l'ensemble de la relation avec le modèle, ce ne sont pas là des choses enregistrables. Les documents sonores doivent être conservés pour pouvoir être réanalysés par d'autres, mais celui qui les a recueillis est le mieux placé pour en dégager un récit de vie.

Pour la même raison, il est difficile de mesurer un récit de vie au nombre d'heures d'enregistrement. L'important est peut-être plutôt la qualité et la *durée* de la relation : un certain temps est nécessaire pour sa maturation, aussi bien du côté du modèle que du côté de l'enquêteur. Le temps pour se souvenir, le temps pour comprendre. On revient plusieurs fois de suite sur les mêmes sujets ou les mêmes événements. Ou bien le travail se fait par élaborations successives, impliquant une forme de collaboration avec le modèle, amené à repartir en commentant ou en précisant un récit antérieur, en enclenchant une sorte d' « effet de miroir ». Six mois de conversations quotidiennes pour *Gaston Lucas*, soixante heures d'enregistrements pour *Grenadou*. Des entretiens étalés sur un an pour Jacques Destray avec ses parents [1]. Mais quatre heures seulement pour Mémé Santerre. Quelques heures par modèle dans les enquêtes qui portent sur des séries d'individus : sans que ce soit fatal, il y a dans ce cas proportion inverse entre le nombre de modèles et la durée des entretiens [2]. On ne saurait établir une « moyenne » : le temps n'est qu'une des données qui conditionnent la qualité du résultat. Tout dépend de la mémoire et des performances du modèle, de la sensibilité et de l'intelligence de l'enquêteur. Tout dépend surtout du but poursuivi : un entretien n'est pas mené de la même manière quand l'enquêteur sait qu'il aura à devenir à son tour le rédacteur du récit personnel de cette vie, ou

1. « Pendant un an, j'ai interviewé mes parents au magnétophone. Ils n'ont pas le certificat d'études et le travail de maturation a été assez long. Peu à peu j'ai assisté à une véritable 're-création' de leur vie » (interview de Jacques Destray par M.-F. Leclere, *Elle*, 3 avril 1971).

2. Mais dans ce cas la maturation de l'enquêteur se produit en passant d'un modèle à l'autre, et la multiplication du nombre des modèles peut dans une certaine mesure compenser l'insuffisance d'approfondissement de la relation avec chacun.

quand le récit doit simplement être archivé et « traité » comme un des éléments d'une série pour l'étude d'un problème.

L'ORDRE D'UNE VIE

Les récits de vie n'existent la plupart du temps qu'à l'état *virtuel* au moment où l'enquêteur intervient. Certes on rencontre des conteurs-nés, ou des bavards, qui ont déjà rodé maintes fois devant des publics plus ou moins complaisants la « geste » de leur existence. « Ma vie? C'est un vrai roman », « Ma vie, je l'ai racontée cent fois, cela fera une fois de plus ». L'enquêteur recueille alors une « littérature orale » déjà constituée. Chaque petite collectivité a ses mémorialistes, et quelquefois ses mythomanes, qui sont des informateurs privilégiés, en même temps que légèrement suspects. Et chacun de nous possède, à usage intime, une version « officielle » de sa propre histoire, mais le plus souvent sous une forme rudimentaire. Ce récit « spontané », à lui tout seul, ne se développerait guère au-delà d'une heure ou deux, et la curiosité de l'enquêteur ne coïncide pas forcément avec le champ qu'il couvre. Même lorsque l'enquête déclenche un discours préconstruit, c'est dans le dialogue que le récit de vie s'élabore.

Tout récit autobiographique est le produit d'une négociation entre une offre et une demande. Quand on écrit sa vie, on joue soi-même les deux rôles, ici répartis entre deux individus. Ce dialogue (intériorisé) est difficile à connaître : Stendhal est pratiquement le seul écrivain à avoir livré (dans *la Vie de Henry Brulard)* un procès-verbal au jour le jour d'un travail autobiographique en train de se faire. Réalisant une sorte de phénoménologie de l'enquête, il nous a donné tels quels les zigzags, les dérives et les répétitions, les réactions immédiates, l'anecdotique et l'important en vrac — avec cette méthode, qui est celle de beaucoup d'entretiens, où l'on commence par « couvrir » rapidement la toile pour revenir ensuite à chaque élément, et pour faire raconter au modèle plusieurs fois la même chose dans une progression en spirale. Cette esthétique du brouillon, que l'on trouve aussi parfois dans les récits d'analyse, est passionnante parce qu'elle permet de suivre la réalité du travail de la mémoire et d'assister au conflit ou à la confrontation d'où sort le récit.

Rare dans l'autobiographie, cette méthode d'exposition (qui suit l'ordre d'invention) est également rare dans les éditions de récits de vie. On comprend bien pourquoi : l'enquêteur a toujours plus ou moins en vue la construction d'un ordre (ordre d'une analyse, ordre d'un récit agréable à lire). Revenir à l'ordre d'invention est pour lui une opération *au second degré*, qui ne peut se faire qu'une fois réalisée une construction quelconque, à partir de laquelle rétrospectivement l'ordre d'invention pourra être évalué. Peut-être ce retour critique sur les procédures se développera-t-il plus tard, quand un nombre suffisant de récits auront été publiés. Pour l'instant on ne voit guère que Maurice Catani *(Journal de Mohamed)* qui ait d'emblée choisi comme ordre d'exposition l'ordre d'invention. Ce pari, juste sur le plan scientifique, est risqué sur le plan littéraire : l'ordre d'invention apparaîtra souvent à un tiers comme un désordre. Dans un texte écrit, un tel « désordre » n'est supportable que s'il est stylisé [1].

Désordre par rapport à quoi? On a fatalement tendance à traiter les éléments d'information que suscite le dialogue comme les pièces d'un puzzle qu'il s'agirait de *re*constituer, comme s'il existait un modèle virtuel idéal (un ordre) dont ces éléments seraient les indices dispersés et mélangés. L'hypothèse est nécessaire au travail. Mais cet ordre virtuel n'est pas forcément le même pour les deux parties. Ce que livre le discours de la mémoire va être apprécié par le chercheur non seulement par rapport à la logique interne de cette mémoire, mais aussi par rapport à son projet à lui. Au point de départ de ces enquêtes, il y a toujours un décalage, plus ou moins grand, et surtout plus ou moins maîtrisé par l'enquêteur, entre son champ de curiosité, et le champ de discours du modèle. D'abord parce qu'une partie de ce qu'il veut savoir correspond pour son modèle à de l'*implicite :* ce sont quantité de choses que le modèle sait, dont éventuellement il est capable de se souvenir, mais qu'il n'éprouve aucun besoin de dire, parce que cela va de soi et que ce n'est chargé d'aucune signification individuelle pour lui : cela fait partie de la culture de son milieu, et ne prend d'intérêt que vu de l'extérieur. La curiosité de l'enquêteur l'arrache à l'évidence du quotidien : sans en voir les implications, il va livrer comme informateur des éléments sur les aspects les plus divers de son enfance, son éducation, sa vie professionnelle, familiale, religieuse, politique, ses loisirs, ses relations sociales etc. [2]. Son discours va être

1. Dans *Camoin ou le voyage d'hiver* (Éd. de Minuit, 1978), Robert Davezies a ainsi reconstitué avec talent son dialogue avec un vieux paysan racontant « sa » guerre de 1914, et évoquant sa jeunesse.

2. Tout dépend de l'objectif, large ou étroit, de l'enquête. Un objectif large comme celui des Archives orales de la France (qui cherche à couvrir l'enfance, la formation, la vie professionnelle, la vie de famille, la vie domestique, les loisirs, la vie religieuse, la vie politique et syndicale, les relations sociales, et à provoquer un bilan de vie) a toute chance de déborder, mais aussi d'inclure, le champ de parole autobiographique du modèle. En revanche une enquête visant un objectif plus spécialisé peut fort bien se situer carrément en marge de ce champ.

L'existence d'une grille préalable, et éventuellement d'hypothèses à vérifier,

donc perçu (et guidé) par l'enquêteur en fonction d'une grille d'interrogations qu'il ne connaît pas, et qu'il a toute chance de perturber s'il joue réellement le jeu du récit de vie, c'est-à-dire s'il raconte son histoire telle qu'elle lui apparaît à lui et telle qu'il la raconterait aux gens de son propre milieu. Chaque récit de vie a sa forme, son éclairage, ses obsessions, qui risquent d'apparaître à l'enquêteur comme des limites. D'autre part, la motivation des enquêtes, surtout quand elles s'adressent à des personnes âgées, est de reconstituer les mentalités ou le vécu d'autrefois, un monde en train de disparaître, etc. Or bien évidemment, un récit de vie ne livre pas directement le vécu d'autrefois, mais ce qui en reste dans une mémoire d'aujourd'hui [1]. Ici encore, le projet initial de l'enquêteur et le projet « autobiographique » virtuel du modèle sont décalés.

Ces décalages font que la plupart du temps l'enquêteur va éprouver la mémoire du modèle à la fois comme un terrain d'investigation, mais aussi comme un obstacle à la connaissance. Il se heurte à une résistance : cette mémoire a une forme, des manies, une stratégie, elle n'est pas inerte, même si elle est encore inexprimée ou virtuelle. Il pourra avoir une réaction d'abord *négative* (il évaluera, par recoupements, le degré de « fiabilité » du témoignage, il identifiera les facteurs qui compromettent cette fiabilité, — oubli, méconnaissance, répétition de stéréotypes, etc. — afin de rectifier et de trier l'information obtenue), puis éventuellement *positive :* il ne considérera plus le travail de la mémoire comme une déformation, mais comme une forme, qui deviendra elle-même objet de connaissance (mémoire individuelle, mémoire collective). Les renseignements connus par d'autres sources deviendront alors de simples points de repère pour apprécier la mémoire comme chose elle-même vécue, et non témoignage sur un vécu antérieur. Le discours de la mémoire, avec ses obsessions, ses résistances et ses trous, apparaîtra comme une formation idéologique digne d'analyse. Certes, il s'agit là d'une approche sociologique ou ethnologique plus qu'historique : mais c'est sans doute ainsi que le projet de l'enquêteur sera le moins décentré par rapport à celui du modèle, et que l'analyse

---

est nécessaire pour guider l'entretien et permettre son analyse, mais elle est aussi un handicap. Le modèle, sentant la présence de cette grille, peut avoir tendance à s'y conformer : on risque de ne trouver d'autre ordre que celui qu'on a apporté.

1. Cela peut paraître évident, mais ne l'est pas forcément : Daniel Bertaux (*op. cit.*, p. 160-189) analyse longuement les difficultés auxquelles se sont heurtés des chercheurs canadiens qui avaient recueilli 150 récits de vie pour analyser comment les Québecois avaient vécu les mutations sociales des trente dernières années, et qui se sont aperçus finalement que « le rappel du passé se fait constamment à travers des schémas d'interprétation contemporains... ».

se révélera le plus féconde. La collecte de renseignements historiques n'est qu'un sous-produit du récit de vie : c'est en prenant le récit de vie dans sa lettre, comme un *discours*, qu'on pourra en faire une étude pluridisciplinaire (sociologique, psychologique, linguistique et « littéraire » [1]).

Ce discours de la mémoire est un labyrinthe. Le premier souci de l'enquêteur est de s'y orienter. Comme le fait tout autobiographe, il va se référer à des *axes de coordonnées* pour situer les uns par rapport aux autres les éléments livrés par le modèle, évaluer les manques et commencer à constituer une indexation qui lui servira au moment du montage du récit. Le premier axe est l'axe *chronologique*. Il semble naturel de faire raconter une vie « dans l'ordre » : en gros, c'est la démarche suivie par la plupart des enquêteurs. Mais ce n'est pas la démarche « naturelle » de la mémoire. La perspective qu'un individu a de sa propre vie n'est pas unitaire : elle ressemble moins à la perspective de la peinture européenne classique qu'à la construction compartimentée de la peinture médiévale [2]. Chaque secteur de vie a sa propre construction, non isomorphe, et non raccordée, à la construction des secteurs voisins. L'enquêteur, lui, pour construire un récit lisible, mais aussi pour comprendre la loi des différentes constructions, est obligé de se référer à un calendrier unique, d'intégrer dans une même suite d'avant et d'après les éléments de récits disjoints. C'est par rapport à cette chronologie théorique que le dialogue paraîtra suivre l'histoire de manière « désordonnée », avec des anticipations et des retours en arrière, et surtout des incohérences. Le second axe auquel s'accroche l'enquêteur est peut-être plus près de l'ordre du discours de la mémoire : c'est l'axe *thématique*. Il semble

1. Le récit de vie développé est par définition à la fois un objet et un instrument d'étude pluridisciplinaire. Aucune discipline ne saurait avoir la prétention d'épuiser l'information et la signification qu'il porte. Mais chaque discipline a tendance, en le collectant et en le « traitant », à privilégier ce qu'elle croit pouvoir analyser. La division du travail scientifique fait que sociologues et historiens n'ont pas forcément reçu une formation en psychologie, en linguistique, ou en sémiotique (et vice versa). Ce qui plaide soit pour la constitution d'équipes de recherches pluridisciplinaires, soit pour un système d'échange qui permette la réanalyse des documents.

2. Aussi la construction d'un récit linéaire, qui englobe toute une vie dans une « vue cavalière » suivie, peut-elle n'avoir guère de ressemblance avec les perspectives temporelles que manifeste la narration orale dans le dialogue. Aucun rapport, par exemple, entre ce que disait Mémé Santerre (dont la mémoire, de plus, était embrouillée), et le jardin à la française que trace Serge Grafteaux. Si Grenadou a été si ému d'entendre lire sa vie en trois heures (cf. p. 281, n. 1), c'est qu'il ne l'avait jamais vue dans cette perspective unifiée. C'est comme si on lui avait montré, vu d'avion, son village.

plus facile de faire évoquer à la suite les différentes expériences de travail, de vie familiale, de guerre, etc.; la mise en ordre « chronologique » s'effectue assez aisément à l'intérieur de telles séries, et la définition d'un axe par l'enquêteur a chance de coïncider en grande partie avec la pratique d'association du modèle.

Mais ces deux axes, qui servent à guider l'émission et la réception du discours, ne suffisent pas pour en appréhender le sens. Ils définissent l'espace dans lequel va s'inscrire une figure, non les lois de construction de cette figure. Il arrive que des récits de vie ne « prennent » pas, restent à l'état de collection de renseignements, classables chronologiquement et thématiquement (donc éventuellement exploitables dans le cadre d'une enquête portant sur des séries de modèles), mais dépourvus à première vue d'une forme ou d'une signification d'ensemble. Haillons de langage entassés dans des fichiers, vies en pièces détachées. Peut-être est-ce être victime de ce que Daniel Bertaux appelle l' « idéologie biographique » que de vouloir à tout prix chercher une unité dans une vie [1]. Mais il s'agit moins ici d'une vie, que de sa forme dans la mémoire, de l'unité que chacun essaie rétrospectivement de donner à sa vie. L'idéologie biographique est plus ou moins à l'œuvre chez tout être qui se pense comme sujet. Parfois plutôt moins que plus, et l'on se trouve alors devant quelque chose qui n'arrive pas à vraiment se constituer en récit.

L'enquêteur, tout en construisant l'information selon les deux axes, chronologique et thématique, doit donc suivre la logique du discours du modèle, non seulement l'organisation de son récit et les commentaires dont il l'accompagne, mais aussi tout ce qui est de l'ordre de l'implicite, et qui se manifeste par sa manière d'associer ou de dériver. Ce qui suppose qu'il le laisse parler, qu'il intervienne non pour poursuivre son propre questionnement mais pour éclairer le cheminement de l'autre, et que parfois il n'ait pas peur du silence. Ce type d'écoute demande un longue familiarité avec le modèle : et souvent le chercheur peut repérer ces silences et ces associations, sans être en mesure d'explorer, de faire explorer par le modèle, les réseaux sous-jacents (sinon en le relançant à un autre moment sur un sujet voisin). Une partie de ces liaisons, qui ne pourront être utilisées pour la reconstruction du récit, guideront le travail d'analyse [2].

1. Daniel Bertaux (*op. cit.*, p. 194-196) récuse le postulat biographique, selon lequel toute vie présenterait une unité interne parce qu'elle a été vécue par le même être : il n'y a pas d'unité en soi de chaque vie, c'est seulement l'unicité des rapports sociaux où elle chemine qui peut lui donner une unité réelle.

2. Voir sur ce sujet Sélim Abou (*op. cit.*, p. 14-15) qui situe l'écoute ethnologique par rapport à l'écoute analytique d'un récit de vie. Sans doute faudrait-il

Mais la plupart des récits manifestent clairement une organisation sur le plan du temps, du rapport au groupe, et se réfèrent à un ordre de valeurs. L'histoire est structurée par des origines, des seuils, des événements clefs (qui sont souvent les grandes ruptures historiques et sociales qui ont marqué la vie de chacun, mais aussi parfois des événements individuels qui donnent à la vie sa propre structure dramatique), et le narrateur, rapportant le passé au présent, évalue la continuité et le changement. Dans le récit s'exprime l'attitude du modèle par rapport à son groupe et à l'ensemble de la hiérarchie sociale telle qu'il la perçoit (fusion dans le groupe, attitude individualiste, déclassement ou ascension sociale, etc.). Tous ces éléments dessinent des *formes de vie* repérables dans le discours du modèle et qui, à la différence des reconstructions chronologiques, ne doivent pas grand-chose à l'intervention de l'enquêteur.

Ces propriétés du récit de vie ont surtout été utilisées jusqu'à présent comme indices d'attitudes et de mentalités dans le cadre d'analyses sociologiques et historiques. Elles n'ont guère été envisagées en elles-mêmes comme des formes de langage qu'une étude de poétique permettrait d'analyser, et éventuellement de classer en types. Car il existe des *rôles* dans le langage pour parler de sa vie : certains chercheurs ont essayé de voir s'ils ne se répétaient pas de manière régulière, par exemple sous la forme d'une opposition entre récit « épique » et récit « romanesque [1] ». Les dizaines de récits de vie qui sont actuellement en train d'être collectés devraient permettre d'éprouver ce genre d'hypothèse. Ils pourraient aussi fournir un nouveau champ de recherche et d'application à la poétique du récit, qui s'est développée comme la linguistique moderne, à partir de textes écrits et a eu tendance à négliger la narration orale. Comment se construit un récit oral suscité par un dialogue? Comment s'y articulent discours et récit, et, dans le récit, résumé et scène, descriptions et dialogues rapportés? Comment s'y définissent les actants? A mi-chemin entre la sociolinguistique et la poétique du récit, il y a là un immense champ de recherche sur le récit à l'état « sauvage »,

---

tenir compte aussi, pour poser ce problème, de l'âge du modèle. Sélim Abou et Oscar Lewis dans *Les Enfants de Sanchez*, interrogent des êtres jeunes, qui sont en train de vivre les conflits dont ils parlent : leur discours est beaucoup plus riche à analyser sur ce plan que celui d'un vieux paysan ou d'un ouvrier qui se rappelle des conflits d'autrefois.

1. Martine Burgos, « Sujet fictif ou sujet historique », communication à la journée de l'Association des sociologues de langue française, 21 mars 1978.

et sur l'expression de l'identité personnelle dans les différentes classes sociales [1].

TRAITEMENT

Il est difficile de préciser le moment où les entretiens proprement dits se terminent, et où l'enquêteur reste « seul » en face des matériaux collectés : souvent les processus de traitement sont impliqués par la méthode d'enquête et amorcés parallèlement à elle, et un va-et-vient fait participer le modèle à certaines phases de l'élaboration. On peut transcrire au fur et à mesure entre les séances d'entretiens, soumettre au modèle une version montée du récit pour lancer une nouvelle phase de l'enquête, etc. Pour la clarté de l'exposé, je supposerai néanmoins ce moment tout théorique où l'enquêteur considère l'enquête terminée (soit que, dans un parcours chronologique, on en soit revenu au présent, soit que le modèle, par mutisme ou par ressassement, en soit arrivé au point où il ne fournit plus aucune information nouvelle, soit que l'enquêteur se sente saturé et que la vertu de la relation s'épuise).

Le travail de rédaction va être long et délicat. L'enquêteur a devant lui ses cassettes, des notes prises au cours des entretiens, éventuellement une première transcription cursive, un ensemble de matériaux touffus, répétitifs, et qu'il est le seul à pouvoir exploiter parce qu'il garde dans la mémoire le souvenir des entretiens et de l'implicite qui soutenait le dialogue. Et il doit maintenant rester fidèle à l'organisation et la tonalité de ce récit oral, tout en répondant aux exigences de *lisibilité* et aux attentes du public auquel, lui, il s'adresse. Ces exigences peuvent être fort diverses : la communauté scientifique attendra qu'on lui fournisse un document analysable et comparable à d'autres, et, à l'intérieur de cette communauté, l'attente d'un sociolinguiste sera fort différente de celle d'un historien. S'il s'agit d'un livre destiné au public, il faudra doser l'informa-

1. Une étude de la narration orale autobiographique devrait permettre d'éprouver des hypothèses comme celle de Noëlle Bisseret, opposant le « je » première personne, ordonnant le monde, qui est le privilège des dominants, et le « je » non-personne, ordonné, qui est le lot des dominés (« Langages et identité de classe : les classes sociales « se » parlent », *L'Année sociologique*, vol. XXV, 1974, p. 237-264). La réflexion sur ce problème risque d'être gênée par l'orientation populiste de l'histoire orale française : la collecte des récits de vie oraux devrait être faite dans les mêmes conditions dans tous les milieux pour qu'on puisse comparer des choses comparables. On risque, sinon, de confondre le populaire et le parlé.

tion, le pittoresque, savoir si on choisit le genre de l'*exemple*, du témoignage engagé, ou du document populiste — selon la collection où le livre paraît, et selon l'état du marché. Le résultat obtenu ne saurait, bien sûr, être jugé qu'en fonction du but visé.

Pour plus de clarté, j'évoquerai cette élaboration en distinguant plusieurs étapes qui, dans la pratique, s'impliquent étroitement : la transcription proprement dite, le montage, et l'encadrement.

TRANSCRIPTIONS

Céline avait averti les naïfs : il ne suffit pas d'avoir un magnétophone pour pouvoir ensuite fixer par écrit l'émotion du « vécu » telle que la produit l'écoute d'une parole [1]. Transcrire n'est pas une simple opération de copie, plus ou moins délicate ou fastidieuse. C'est une re-création complète. On cherche à inventer une forme qui fasse passer, en même temps que l'émission du récit, son écoute. Et cette forme impose au lecteur une certaine attitude, idéologiquement marquée, à l'égard du modèle.

Mais on a du mal à s'en rendre compte.

En effet, à ceux qui la réalisent, la transcription tend à paraître « naturelle » : leur contact prolongé avec la parole du modèle, et surtout le geste même de la « copie », engendrent la forme la plus pernicieuse de l'illusion réaliste. La transcription cache tous les choix que l'on fait à son occasion, en particulier ceux qu'impliquent le montage et la construction du système de l'énonciation écrite, et qui fixent les relations triangulaires du modèle, de l'enquêteur et du lecteur.

Quant au lecteur, comment pourrait-il exercer son esprit critique, puisqu'il n'a aucun accès à la connaissance de l'original [2], et que

1. *Entretiens avec le professeur Y*, Gallimard, 1955. Pour une présentation à la fois théorique et pratique des problèmes de la transcription, je renvoie à mon étude du film *Sartre par lui-même*, « Ça s'est fait comme ça », *Poétique*, nº 35, septembre 1978.

2. Du côté des scientifiques, la conservation et l'archivage sont la règle, mais dans la mesure où il s'agit de matériaux liés à une recherche originale, ils ne circulent guère. Du côté des journalistes et écrivains, il arrive que les traces soient détruites au fur et à mesure par économie (on réenregistre sur la même cassette dès la transcription achevée, s'interdisant ainsi toute vérification) ou simplement parce que le magnétophone à cassette est devenu pour beaucoup un simple bloc-notes auquel on ne donne plus valeur d'archive. Il arrive aussi bien sûr qu'elles soient conservées, ou que la parole du modèle soit communiquée au public par un autre média, la radio ou la télévision, dans des émissions qui exploitent et

tout est fait pour lui donner l'illusion de la fidélité? La seule possibilité qui lui reste est de comparer entre elles plusieurs transcriptions qui paraissent différentes, en supposant que cette différence ne tient pas à la parole des modèles, mais aux stratégies des transcripteurs.

Je vais suivre cette méthode pour montrer la gamme des choix possibles. Je distinguerai, pour simplifier, trois systèmes d' « accommodation » : au plus près de la parole, à distance moyenne, ou avec élaboration littéraire.

Au plus près de la parole.

Proximité toute relative : non seulement parce que le magnétophone ne recueille que l'aspect sonore du langage, mais parce que le choix de la fidélité « littérale » produit une déformation grotesque de la parole. Il est remarquable que ce type de transcription ne soit jamais employé que pour des personnes illettrées (des Français ou des immigrés). Il ne s'agit donc pas d'un choix scientifique de « fidélité », mais plutôt d'une conduite condescendante destinée à produire un effet « ethnologique », en construisant à l'intérieur d'un système écrit l'image (éventuellement valorisée, d'ailleurs) d'une sorte d'état « sauvage » de la langue.

J'en donnerai pour premier exemple une étude fascinante où cet effet d'ethnologisation est à la fois savamment dénoncé sur un certain plan et naïvement reproduit sur un autre. Yvette Delsaut a publié une interview d'ouvrière d'usine âgée de soixante et un ans et semi-illettrée, pour mettre en lumière, dit-elle, « non pas ce qu'est la logique spécifique du langage populaire (ce qui supposerait une longue analyse) mais l'effet de la transcription qui anéantit cette logique, au point de rendre le discours obscur, voire en apparence incohérent ». Pour ce faire, elle commente le texte par des annotations marginales manuscrites (comme les corrections d'un devoir) dans lesquelles elle explicite le référent des pronoms « obscurs » et justifie les anacoluthes, amorçant ainsi une forme d'édition savante de la transcription caricaturale qu'elle a elle-même produite. Mais elle raisonne comme s'il n'existait qu'*une* transcription possible : or celle qu'elle a choisie comporte des choix contestables, et qui ne sont pas par elle contestés, en particulier dans le domaine de l'orthogra-

amplifient le succès d'un livre (ainsi les entretiens faits par Alain Prévost avec son modèle, « Ephraïm Grenadou, un paysan beauceron », diffusés en 1967; la « Radioscopie » de Louis Lengrand par Jacques Chancel, le 9 septembre 1974, etc.).

phe et de la ponctuation. Même si les pronoms étaient « clairs » et la logique discursive conforme aux habitudes de l'écrit, le texte suivant serait ethnologisé et lu avec amusement condescendant :

> J'étais tellement bête moi, à c't'âge-là, quand je m'suis mariée, j'avais 23 ans, on était bête, c'est vrai, on était arriéré, c'est pas comme maintenant, je m'suis dessalée à Paris, c'est l'moment d'le dire. Alors bon, j'ui dit : mais quel âge qu'vous avez?, on s'est fréquenté un mois, c'est pas beaucoup. J'étais femme de chambre à La Courneuve, oui, lui y travaillait chez Valcop lui, ajusteur-monteur, alors j'l'ai connu là, y était pensionnaire, c't-à-dire y z'étaient en déplacement, alors y z'étaient v'nus machiner les grues là-bas, les grues pour machiner la terre, tout ça, alors y z'étaient deux, j'm'en rappelle, j'faisais les chamb', j'avais 22 chamb' à faire, plus j'lavais les verres et tout, fallait s'remuer hein, éplucher les légumes et donner encore un coup d'main à la cuisinière [1].

Que dirait Yvette Delsaut si on employait ce système pour noter sa conversation? C'est là une convention littéraire, qui n'a rien à voir avec l'exactitude. D'une manière générale, un tel souci de littéralité ne se justifie que dans le cadre d'une étude de sociolinguistique, et il demande alors un type de notation et d'analyse différent. De plus, littérairement ce procédé rate son effet : il n'est supportable que sur très courte distance, il devient ensuite illisible.

Seuls des enquêteurs interrogeant des travailleurs immigrés ont pu être tentés d'avoir recours à cette illusoire littéralité. Ainsi a fait l'auteur (anonyme) de *Ahmed, une vie d'Algérien, est-ce que ça fait un livre que les gens vont lire* (1973). Son dessein était, nous dit-il, de « sauvegarder la qualité spécifiquement orale de ce témoignage, de renseigner aussi sur le français que parvient à parler un Algérien auquel la France n'a rien voulu apprendre, de préserver surtout l'extraordinaire vigueur poétique de la vision et de l'expression ». Un bref fragment en donnera idée :

1. Yvette Delsaut, « L'économie du langage populaire », *Actes de la recherche en sciences sociales*, n° 4, juillet 1975. Ceci est en fait une transcription de la transcription d'Yvette Delsaut; j'ai éliminé non seulement les annotations marginales manuscrites qui s'efforcent de restituer l'*implicite*, mais aussi les jeux typographiques (changement de corps, grossissant, sans qu'on sache d'ailleurs pourquoi, certains fragments). Le texte produit a ainsi toute sa dimension de caricature du populisme. Mais, comme la plupart des parodies, celle-ci produit fatalement, en même temps qu'elle le distancie, le plaisir primaire du genre (saveur exotique), et cela d'autant plus que cette transcription n'est qu'en partie volontairement parodique. Le système d'orthographe et de ponctuation laisse penser qu'Yvette Delsaut confond classiquement l'populaire et l'parlé.

> Mais le Dieu, il save que les arabes ils ont que des rêves mortels, mauvais. Qu'ils veulent toujours la bagarre, qu'ils veulent détruire le monde. Alors il a donné une espèce de vent, vous comprenez, qui leur a tapé dans les yeux, qu'il leur a rentré par les oreilles, qu'il leur a fait tourner le cerveau : qu'il leur fait penser à rien que les femmes. Rien que les femmes. Rien que changer : cinq femmes par an, six femmes, dix femmes par an. Comme ça, ce vent leur a fait oublier de penser d'être intelligents, d'être savants. Mais s'ils avaient été savants, ils détruirent le monde entier, mon collègue. Là je ne crois pas que le monde existerait plus. Et, en plus, parce qu'ils sont nerveux, ils peuvent pas calculer sur place le puissant de telle bombe, combien leur force, qu'est-ce que leur air, leur fumée il devient : ils pensent pas à ça [1] (...).

Juliette Minces, qui a elle aussi interrogé des travailleurs immigrés, voit dans ce type de mot à mot une trahison : « Ce n'est pas parce que quelqu'un s'exprime mal en français qu'il s'exprime mal dans sa langue. Faire parler un immigré en « petit-nègre », ce n'est pas lui être fidèle, c'est simplement une autre forme de racisme [2]. » Raisonnement qu'on pourrait transposer des rapports de langue aux rapports de médias. Le respect de l'autre impose un minimum d'adaptation.

Distance moyenne.

La solution la plus répandue consiste à « faire la toilette » du discours pour l'adapter aux lois de la communication écrite. Elle correspond d'ailleurs à la réaction automatique de la plupart des transcripteurs : du seul fait qu'ils écrivent, ils ont tendance à éliminer les hésitations, les reprises, les mots appuis : ils élaguent les répétitions et les tours « oraux » (négations à un seul terme, phrases segmentées, etc.), sans les supprimer tous, c'est-à-dire qu'ils effectuent un début de stylisation; ils remettent quelque peu en ordre la logique du discours (la transcription est sur ce plan indissolublement liée au montage). Et bien sûr, ils veillent à employer l'orthographe et la ponctuation standard pour ne pas faire obstacle à la lecture en introduisant un pittoresque « folklorique ». C'est là un travail négatif de *toilette :* on supprime ou on atténue les éléments qui perturbent trop la communication dans le « code » d'arrivée (l'écrit), mais on

1. *Op. cit.*, p. 86-87.
2. Interview de Juliette Minces dans *Le Bulletin du Livre*, nº 232, 15 décembre 1973. Juliette Minces est l'auteur de *Un ouvrier parle* (Éd. du Seuil, 1969) et de *Les Travailleurs étrangers en France* (Seuil, 1973) qui contient de nombreux récits autobiographiques de travailleurs immigrés.

cherche malgré tout à rester fidèle à la lettre de ce qui s'est dit, et on s'abstient de mettre en œuvre des procédures positives de transposition. A la différence de la transcription « au plus près », qui donne une impression baroque de désordre et de foisonnement, cette méthode produit un effet de litote et d'allusion : la parole y est comme *séchée*. On est obligé en lisant de supposer ce qui visiblement manque, le relief et le tempo d'une voix : mais par là même le lecteur quitte la position condescendante de spectateur d'un bafouillage, il est requis de participer.

C'est la méthode employée par la plupart des équipes scientifiques, et dans un certain nombre de documents littéraires. Par exemple dans *la Vie d'une famille ouvrière*, Jacques Destray transcrit ainsi le récit de sa mère :

> Papa est né à C., pas très loin d'ici. Ses parents étaient des malheureux. Il devait être content d'avoir connu Maman! Ma grand-mère était louée dans des maisons bourgeoises, elle faisait des lessives, c'était très dur. Papa a été obligé de travailler à onze ans pour aider sa mère. Il l'adorait. Alors, pour qu'elle ne se crève pas à faire des lessives, il n'y a eu que Papa — des quatre ou cinq fils — qui allait travailler dans les fermes et qui donnait sa pauvre paye à sa mère. Car le père avait laissé tomber les enfants. Il buvait énormément. Quand il rentrait, la volée aux gosses, la volée! Papa ne parle jamais de son père, c'est terrifiant pour lui. Et pourquoi il s'est mis à boire, lui aussi? Enfin, on ne peut pas comprendre pourquoi. Parce qu'il a vu quand même que son père buvait, il a vu qu'il tapait sa mère, qu'il tapait les enfants. Donc, il devrait s'arrêter, il devrait retirer une leçon de ça, il devrait se dire : « Mon père a bu, il a rendu ma mère malheureuse, moi je ne le ferai pas. » Moi, je ne peux pas comprendre cela [1].

Bien sûr, ce travail de transcription demande du tact, un sens aigu du dosage : on choisit la correction complète sur certains plans (orthographe, ponctuation), presque complète sur d'autres (syntaxe), mais on essaie de garder en les stylisant la logique du discours (et l'articulation du récit et du discours) et le rythme de la parole. C'est un travail d'adaptation théâtrale, très séduisant à la lecture dans le cas des transcriptions de Jacques Destray ou de Maria Craipeau, par exemple, mais parfois plus terne et aplati, lorsque le transcripteur cherche à privilégier le contenu informatif (clarifié et ordonné) aux dépens de l'évocation de la voix. Il arrive d'ailleurs que la lecture

1. Jacques Destray, *La Vie d'une famille ouvrière*, Éd. du Seuil, 1971, p. 47.

d'une *série* de récits de vie montre clairement cet aplatissement : des voix et des discours sans doute relativement différents finissent par être coulés dans le même moule uniforme.

Cette solution moyenne a l'énorme avantage de permettre la circulation des récits de vie sous une forme maniable, économique, et point trop infidèle, aussi bien à l'intérieur de la communauté scientifique qu'en direction du grand public. Elle a naturellement ses limites : sur le plan scientifique, elle ne saurait servir de base à aucune étude d'ordre linguistique, sociolinguistique, ou même de poétique du récit : dans ces perspectives il faudra revenir à l'enregistrement original et établir des transcriptions tout à fait différentes. Littérairement, elle est beaucoup plus lisible et moins condescendante que la transcription « au plus près », mais, sur longue distance, elle est quelque peu lassante.

Élaboration littéraire.

A partir du moment où on a choisi comme système d'arrivée le livre, la vraie fidélité consiste peut-être à effectuer un travail d'élaboration proprement littéraire. On pourra ainsi trouver un équivalent à toute l'information que la plupart des transcriptions laissent perdre, et utiliser la connaissance de l'implicite que la relation d'enquête a permis d'acquérir. D'autre part, en élaborant un texte qui ait une cohérence et une consistance comme texte écrit, on assurera une réelle communication entre le modèle et le public.

C'était déjà le problème que les auteurs de romans ruraux se posaient au XIXe siècle. Ainsi George Sand, s'interrogeant sur la manière de faire communiquer la parole paysanne et le public lettré :

> Raconte-la (l'histoire de François le Champi) comme si tu avais à ta droite un Parisien parlant la langue moderne, et à ta gauche un paysan devant lequel tu ne voudrais pas dire une phrase, un mot où il ne pourrait pas pénétrer. Ainsi tu dois parler clairement pour le Parisien, naïvement pour le paysan [1].

Ou Émile Guillaumin parlant à son (fictif) Tiennon :

> Je vais tâcher d'écrire de façon qu'ils (les messieurs de Paris) comprennent sans effort; mais en respectant votre pensée de telle sorte que le récit soit bien de vous quand même [2].

1. George Sand, « Avant-propos » de *François le Champi.*
2. Émile Guillaumin, « Avant-propos » de *La Vie d'un simple.*

Il faudra donc, pour obtenir le même résultat, que nos ethnographes modernes se fassent à leur tour un peu romanciers, tout en restant liés, eux, par les contraintes d'exactitude (leurs modèles sont réels). Oscar Lewis ou Sélim Abou ont mis ainsi au service d'un projet scientifique, par leur manière de construire et de transcrire (c'est-à-dire de rédiger), le talent d'un écrivain. Leurs textes ne sont pas pour autant des fictions : ou alors il faudrait aussi envisager comme des fictions les transcriptions littérales ou « moyennes » que je viens de présenter. Simplement ils choisissent un code d'arrivée différent.

Le problème est de créer un mode de narration qui garde la saveur et le type de présence qu'a le discours oral rapporté mais qui offre en même temps la lisibilité et le plaisir d'un récit écrit (logique d'enchaînement, explication de l'implicite par des analyses ou des descriptions, exploitation des scènes, etc.), C'est un peu comme pour la fabrication des tissus, où l'on recherche les dosages optimum entre la douceur et la chaleur de la laine, et la résistance du nylon. Sélim Abou a fort bien posé le problème à propos du passé simple :

> Le passé simple n'a pas droit de cité dans le français parlé, mais un texte narratif d'une centaine de pages, qui n'utiliserait que le passé composé, serait insoutenable à la lecture. Chaque langue a ses défenses contre qui prétend la domestiquer. Et c'est peut-être la suprême ironie du français que d'obliger le traducteur, soucieux de faire passer l'oralité dans l'écriture, à relire cent fois son texte pour savoir quel dosage des deux formes grammaticales est capable de résorber l'artificialité du passé simple dans le naturel du passé composé [1].

On pourrait étendre cette remarque à l'ensemble des rapports entre discours et histoire, narration rapportée et narration « écrite » directe, etc.

Voici deux exemples d'élaboration littéraire, que j'ai choisis à la fois parce qu'ils étaient totalement opposés, et parce que dans les deux cas j'étais en mesure d'évaluer l'élaboration en comparant deux « états » de la parole du modèle.

Dans *Mémé Santerre*, Serge Grafteaux a choisi la transposition maximum. Alors que Madame Santerre avait répondu de manière souvent hésitante et assez passive à un questionnement obstiné, il lui attribue un récit littéraire développé, qui fait un large usage du passé simple, des descriptions, des petites scènes pittoresques, auxquels il incorpore, mais en quantité restreinte, des tournures familières

1. Sélim Abou, *op. cit.*, p. 18-19.

et des fragments de discours rapporté. A première lecture ce mélange pourrait paraître peu vraisemblable, mais il ne manque pas de charme, comme le montre le succès du livre. Ce n'est d'ailleurs pas vraiment un mélange, dans la mesure où Serge Grafteaux n'a effectué aucune transcription des entretiens : il a composé son récit directement à partir de ses notes et de ses souvenirs, ravivés parfois par l'écoute de la bande. S'il s'écarte de la littéralité de ce qu'a dit le modèle, s'il lui prête la plume d'un romancier populiste et intimiste, c'est pour mieux traduire l'impression qu'il a ressentie en l'écoutant, l'univers qu'évoquaient *pour lui* l'aspect, la voix, les gestes de la narratrice, tout ce qu'il devinait et reconstruisait à partir d'un mot, d'un regard, d'un silence. On se souviendra, en lisant ci-dessous la transcription que j'ai faite d'un passage de ses entretiens avec Mémé Santerre, que cette transcription n'est pas, elle non plus, la « réalité » : il y manque l'ensemble de la relation qui donne sens au dialogue, la présence du corps et des gestes qui accompagnaient et mimaient le récit (« un rouleau, un rouleau, ça s'enroulait », « un petit bout comme ça qui restait »), le son de la voix.

Dans sa jeunesse, Mémé Santerre travaillait au tissage du lin dans la cave de la maison, avec ses parents et ses sœurs. Elle fabriquait des mouchoirs.

> — Vous ne vous rappelez plus combien ça faisait de mouchoirs?
> — Non.
> — Ça en faisait beaucoup?
> — Ben oui.
> — Parce qu'ils étaient attachés ensemble?
> — Ah oui, ah oui! Ils étaient attachés, c'était un rouleau, un rouleau, ça s'enroulait.
> — Vous ne vous rappelez plus?...
> — Non. Je sais qu'on avait quatre grandes coupes comme ça, et puis moi j'étais tellement économe, eh bien s'il y avait un petit bout, un petit bout comme ça qui restait, qu'on ne pouvait pas aller jusqu'au bout, eh bien je mettais des ficelles, et puis je tâchais d'avoir un mouchoir — pour moi.
> — C'est ça.
> — Papa il m'attrapait, il disait : « Ah! j'sais pas pourquoi qu'tu fais ça. » Et quand on a évacué, j'en avais un bon petit tas, qu'on n'a pas trouvé, hein — tout était perdu... oui [1].

1. Fragment transcrit avec l'autorisation de Serge Grafteaux : qu'il en soit ici remercié. J'ai choisi, dans la mesure du possible, la solution « moyenne » (cf. ci-dessus). Je n'ai utilisé des notations de prononciation que pour la phrase du père, citée par Mémé Santerre, afin de mettre en relief le discours rapporté.

L'information est exploitée dans le passage suivant du livre :

> J'allais avoir quatorze ans le mois suivant et, cette année-là, je commençai à « voler » maman.
> Oh, ce n'était pas bien méchant et je le faisais, comme mes sœurs, avec son consentement. En bout de rouleaux de tissu, au lieu de lui redonner nos chutes, nous les gardions et on se fabriquait des mouchoirs pour notre trousseau.
> A défaut d'autre linge d'ailleurs, toutes les filles du coron avaient ainsi des quantités de mouchoirs en se mariant.
> Sachant que je me suis mise aussi à ce chapardage, mon père affecte de se fâcher.
> — Ah! la crapule! Elle ne nous laissera pas de quoi faire un torchon! Son trousseau! Je vous demande un peu, qu'est-ce qui m'a fichu une morveuse pareille! On lui appuierait sur le nez, il en sortirait encore du lait. Et ça pense à se marier!
> Mais il rit dans sa barbe et souvent, dans mon panier à fil, je trouve une belle « tiote » serviette en lin. Papa a « volé » maman, lui aussi...
> Ainsi, semblables aux autres, passèrent, monotones, les années d'adolescence [1].

Le rédacteur a saisi l'amorce d'une scène, le détail qui peint une atmosphère, et il l'a amplifié et transposé dans la langue littéraire du roman rural. Le style de *Mémé Santerre*, dans la mesure même où il est très conventionnel, s'accorde avec le personnage : ce n'est pas comme cela qu'elle parle, mais c'est peut-être comme cela qu'elle aurait voulu écrire, si elle avait su écrire [2]. Des lecteurs issus du même milieu que Mémé Santerre, j'ai pu le vérifier, trouvent cette adaptation fort légitime : à partir du moment où l'on recueille un récit de vie pour en faire un livre, il faut que ce soit écrit *comme dans un livre*. En revanche les procédés d'Adélaïde Blasquez (cf. ci-dessous) ont chance de leur paraître bizarres et infidèles.

Mais les critiques professionnels eux-mêmes sont convaincus. Plus la transposition est poussée, plus ils sont frappés par le *naturel :* « On croirait lire du Péguy. C'est l'accent du peuple au sens le plus noble

1. Serge Grafteaux, *Mémé Santerre, une vie*, Marabout, coll. « Grand document », 1976, p. 39.

2. Émile Guillaumin a fait là-dessus des remarques fort justes, dans « L'autodidacte et l'expérience », texte qui sert d'introduction à la réédition de *La Vie d'un simple* en 1932. Il avait été tenté de corriger le texte de 1904, qu'il trouvait rétrospectivement naïf et primaire (plein de poncifs et de banalités, qu'il croyait alors originaux et expressifs) : il en a été dissuadé par des amis qui lui ont dit : « Vous écriviez alors selon vos moyens du moment qui cadraient bien avec le sujet. »

et le plus général de ce mot » (Jean-Pierre Dubois-Dumée, *la Vie catholique*); « Un lecteur verra que la force simple du cœur peut surpasser l'art abstrait des hommes de lettres » (Jean Fourastié, *le Figaro*); « Une confession naïve et pathétique dont le titre a des relents des récits de notre enfance » (Robert Serrou, *Paris-Match*) [1].

Dans *Gaston Lucas, serrurier*, Adélaïde Blasquez a choisi un parti tout différent, et fort original. Au lieu de transposer le contenu des entretiens dans une langue romanesque relativement étrangère au modèle, elle a mis en valeur son discours par l'emploi alterné de deux systèmes de transcription différents. Les chapitres vont par couple. Le premier chapitre est toujours *narratif :* A. Blasquez recompose un récit classique, ponctué, grammaticalement correct, organisé de manière suivie et cohérente; elle n'élimine pas le commentaire et la familiarité, mais les intègre dans un texte facile à suivre. Nous sommes en 1939, Gaston Lucas, l' « anti-héros », raconte le début de la drôle de guerre :

> Ma femme et ma mère n'en menaient pas large. Mon père essayait bien de prendre le dessus, mais il n'en faisait que plus de peine à voir : « Ah! me répétait-il, j'ai peur que ça dure longtemps. » Je leur ai débité les âneries qu'on lisait dans les journaux depuis un mois, que je serais vite de retour, que nous allions régler cela en moins de deux, que les Allemands n'étaient que des pauvres malheureux qui manquaient de tout dans leur pays, que ces gens-là n'avaient même pas d'armement... Aujourd'hui, je le dis carrément : si j'avais su ce qui m'attendait, j'aurais déserté [2].

Chaque chapitre narratif est suivi d'un chapitre de commentaire sur un sujet voisin. Cette fois Adélaïde Blasquez reconstruit le décousu et les sautes de la conversation, conserve un certain nombre de tours propres à l'oral, et surtout choisit un système de disposition typographique qui a pour fonction de *rendre impossible la lecture silencieuse*. Le texte n'est plus ponctué, ni même coupé en phrases; il est présenté de manière compacte par unités de discours beaucoup plus vastes, comme d'immenses versets séparés de blancs, qu'on est obligé de reprononcer mentalement pour qu'ils prennent un sens. Cette disposition, empruntée à la poésie et au roman modernes, n'est pas plus que l'autre une représentation « exacte » de ce qu'a dit Gaston Lucas : elle ne reproduit pas vraiment le rythme de la parole prononcée,

1. Cette revue de presse (abrégée) est extraite d'un prospectus du livre.
2. Adélaïde Blasquez, *Gaston Lucas, serrurier, chronique de l'anti-héros*, Plon, coll. « Terre humaine », 1976, p. 136.

mais spécule habilement sur les mécanismes de lecture[1]. Nous sommes forcés de revenir à l'oralité, de redonner à la parole ainsi notée le type de présence de la chose dite, en le reprenant en charge nous-même pour la *mimer*. Du coup, nous n'avons plus l'attitude condescendante qu'a le lecteur d'une transcription littérale bafouillante et ponctuée. Nous devenons *acteur* dans le rôle de Gaston Lucas, et en même temps nous *entendons l'écoute*, intelligente et chaleureuse, d'Adélaïde Blasquez : nous sommes intégrés à leur relation.

Dans le passage reproduit ci-contre, Gaston Lucas explique le sens de la Seconde Guerre mondiale. On a laissé Hitler envahir la Pologne exprès. En fait, tout était dirigé contre les Russes[2].

Ces chapitres, où Gaston Lucas joue le rôle de chœur qui commente l'action, demandent plus d'effort que la lecture silencieuse : aussi sont-ils très brefs (cinq pages en moyenne). Mais ils coupent le fil, qui pourrait être monotone, du récit reconstruit. L'alternance permet de suivre la continuité d'une histoire sans rompre le contact avec le narrateur, grâce à la mise en scène stylisée de la performance orale.

Trois systèmes possibles, donc : transcription littérale, moyenne, ou littéraire. Je résumerai les effets produits en filant une métaphore. Supposons que la parole soit une fleur. Dans la transcription littérale, la fleur est *écrasée :* la sève et les pigments ont giclé tout autour, c'est triste comme un accident de la route. Dans la transcription moyenne, la parole est comme une fleur *séchée* entre les pages d'un livre : elle a perdu son relief et une partie de sa couleur, mais conserve nettement sa forme et son identité. Dans l'élaboration littéraire, c'est une fleur *peinte*, qui retrouve, en trompe-l'œil, son relief et sa couleur, mais non certes son odeur. A chacun de décider laquelle de ces « fleurs » ressemble le plus à une fleur sur pied.

MONTAGE

Le montage est fondamentalement lié à la décision de transformer un dialogue en un monologue. Il arrive à certains enquêteurs, dès leur

1. Marshall MacLuhan remarque fort justement que les techniques de certains romanciers modernes, comme Gertrude Stein, rejoignent la pratique, quasi universelle jusqu'à la fin du Moyen Age, de la lecture à haute voix : « La prose de Gertrude Stein, nettoyée de toute ponctuation et d'autres repères visuels, est une tactique soigneusement calculée pour faire du lecteur silencieux et passif un participant oralement actif » (*La Galaxie Gutenberg*, Gallimard, coll. « Idées », 1977, p. 163-164). Cela est également vrai du procédé d'Adélaïde Blasquez.
2. Adélaïde Blasquez, *op. cit.*, p. 146-147 *(fac. similé)*.

je me rappelle qu'en 38 on sentait malgré tout la guerre venir même si on voulait pas trop y croire un jour je rencontre un gars du Parti que j'avais pas vu depuis des années on cause de choses et d'autres je lui demande ce qu'il fait Mon vieux qu'il me répond je suis dans l'aéronautique je fais 56 heures par semaine mais je m'en plains pas parce que les heures supplémentaires elles nous sont payées doubles   je lui dis Qu'est-ce que t'as fait de tes quarante heures alors t'as fait la grève pour quoi   en plus d'après ce qu'il m'avait expliqué il fabriquait des mines magnétiques   je lui dis Tu fabriques des mines magnétiques pendant que le Parti communiste est contre la guerre alors t'es contre tes propres idées   ils étaient tous comme ça mes copains communistes il y avait pas plus acharné pour aller se battre une fois que la guerre a été déclarée mais là où ils en menaient pas large c'est quand ils ont appris le pacte de non agression entre les Allemands et les Russes ils disaient plus rien du coup

Je prétends pas que j'étais plus malin qu'eux c'est des choses qui vous dépassent simplement moi plus tard au stalag j'ai connu des gars qui venaient de Valenciennes de Roubaix   ils me racontaient qu'ils travaillaient dans les hauts fourneaux puis qu'avant de partir ils coulaient que de l'acier pour l'Union soviétique à preuve que c'était tout marqué avec la faucille et le marteau pour bien faire voir où ça allait   d'ailleurs c'était un secret pour personne que pendant un moment on a envoyé plein de marchandises en Russie de l'orge des machines-outils tout ce qu'ils avaient besoin pour rattraper leur retard   alors là c'est encore mon opinion personnelle mais je crois qu'on fournissait du matériel aux Russes pour leur permettre de tenir le coup le jour où c'était prévu que les Allemands leur tomberaient dessus parce que si un pays est trop faible il est écrasé tout de suite la guerre dure pas et on casse pas assez on massacre pas assez

première transcription, de ne pas noter leurs propres questions ou interventions. Dans les enquêtes scientifiques (par exemple aux Archives orales de la France), la première transcription, dite « version continue », restitue le dialogue, mais c'est là un document intermédiaire, qui doit servir de base à l'élaboration d'une version « montée ». Le questionnement est considéré comme un échafaudage (sur le plan de la construction) et comme un écran (sur le plan de la communication). Mais la plupart du temps, il ne suffit pas de gommer les questions pour que les réponses fassent un texte : quand on enlève l'échafaudage et l'écran, tout risque de s'écrouler et de s'obscurcir. Un travail est donc nécessaire pour transférer *dans le texte du monologue même* les fonctions de structuration et de communication qu'assumait l'enquêteur dans le dialogue.

Pour la structuration, le montage comporte deux étapes [1]. La première, analytique, consiste à découper et à indexer les unités d'information que contient le texte des réponses (c'est donc plutôt un *démontage*). Il arrive, en particulier dans les enquêtes historiques, que le travail de « montage » s'arrête à cette première étape : on obtient ainsi des unités d'informations qu'on va classer en se servant de la grille qui a servi au questionnement, ce qui permettra de les comparer aux unités analogues obtenues dans les autres entretiens de la série. Le récit de vie n'est plus alors qu'un simple détour pour obtenir de l'information destinée à remplir un schéma préexistant : il disparaît en tant que récit. Mais lorsque l'enquêteur est décidé à écrire et publier un texte, le démontage et l'indexation servent de base à un tri (élimination des éléments perçus comme non pertinents, des redondances, choix entre plusieurs versions du même récit) et à un véritable *remontage* des éléments triés. Son travail est celui même d'un autobiographe qui a accumulé notes et ébauches (ou constitué des fichiers comme Michel Leiris) et se met à l'œuvre pour construire son récit. Mais l'enquêteur ici ne saurait inventer : son rôle est d'expliciter et de styliser le récit « virtuel » que le dialogue a permis de discerner.

Sauf si l'on a affaire à un modèle très doué, deux ou trois heures d'enregistrement permettent de collecter une information exploitable dans le cadre d'une enquête, mais ne donnent pas le matériau nécessaire à la rédaction d'un *texte* biographique. Le transcripteur honnête « se contraint à n'utiliser pour son texte que les phrases du conteur, ce qui présuppose un matériel énorme », remarquait Alain Prévost [2]. La

1. Voir Sélim Abou, *op. cit.*, p. 16-17.

2. *Le Monde*, 12 avril 1969. Pour prendre deux cas extrêmes, tel récit de vie « scientifique » recueilli en deux séances d'une heure aboutit à un texte d'une cin-

durée de la relation, l'ampleur des entretiens ont ici une importance capitale. Pour pouvoir styliser et rendre expressif par écrit le discours du modèle, il faut pouvoir choisir.

L'ordre du récit écrit est doublement prédéterminé par l'ordre de l'enquête elle-même (dont la ligne principale est presque toujours chronologique) et par l'attente du lecteur. L'histoire suivra son cours, depuis les souvenirs d'enfance (qui sont en général l'occasion d'une peinture « ethnographique » du milieu), à travers l'entrée dans la vie active et le mariage, les épreuves individuelles ou collectives, les étapes de l'activité professionnelle jusqu'au moment présent et à un « bilan » de vie qui clôt le livre. Même quand elle comprend, comme la plupart des autobiographies, quelques « anachronies » (retours en arrière et anticipations) et quelques dérives thématiques, la narration « montée » est fondamentalement unificatrice, elle donne au déroulement de la vie une clarté qu'elle n'avait pas forcément au début pour l'intéressé lui-même, mais dans laquelle il se reconnaît. Cette clarté d'exposition permet de mieux percevoir ce qui fait l'unité réelle du récit, c'est-à-dire son commentaire, et la « musique » de la voix, qui porte l'essentiel de la signification du texte (une attitude en face du monde).

La progression du récit, divisé le plus souvent en chapitres, est assurée de manière différente selon le système de transcription : si l'on a choisi une élaboration littéraire classique, il faudra faire assumer par le « narrateur écrit » les transitions, les annonces, tous les aspects de la « régie » du texte. Si une transcription « moyenne » s'efforce de donner l'image d'une voix, on pourra laisser plus de jeu dans le texte : il n'est pas « naturel » qu'un monologue se développe de manière complètement linéaire et régulière : la ligne brisée, l'alternance du récit et du commentaire font partie du rythme de la parole. D'autre part, les discontinuités, les transitions interrogatives [1], les formules adressées à un interlocuteur rappellent régulièrement la présence de l'enquêteur et rattachent le monologue apparent au dialogue qui le soutenait.

---

quantaine de pages dactylographiées (questions et réponses) : élagué et monté, il fournirait un texte d'une trentaine de pages, qui se lirait comme une *nouvelle*. Adélaïde Blasquez, elle, a accumulé cinq cents pages dactylographiées de réponses de Gaston Lucas (en ne gardant que l'essentiel des dialogues journaliers tenus pendant six mois), dont elle a tiré un récit de deux cent cinquante pages, qui se lit comme un *roman*.

1. « Si j'avais ma vie à refaire? Je serais entré à dix-huit ans aux Pompes funèbres. Voilà un beau métier : croque-mort. Je n'ai jamais été aussi heureux que quand j'étais croque-mort » (*Louis Lengrand, mineur du Nord*, Éd. du Seuil, 1974, p. 136).

En effet, l'enquêteur, en gommant les questions, n'efface pas sa présence, il la déplace et, d'une certaine manière, il la dédouble. A l'intérieur du texte, sa place est désormais marquée *en creux*. Ce creux, le lecteur doit le remplir en occupant la position d'écoute qui est ainsi ménagée : il entend des réponses faites à des questions absentes qu'il supplée, et adressées à un interlocuteur invisible auquel il se substitue. Si bien qu'il perçoit le discours du modèle non comme directement à lui adressé, mais comme un *discours rapporté*. Cet effet de lecture est induit par l'enquêteur à partir de la nouvelle place qu'il occupe dans le texte : l'encadrement.

ENCADREMENT

Toutes les publications de récit de vie fonctionnent selon le schéma classique du récit *encadré*, comme dans les nouvelles de Maupassant. En changeant de place dans le discours devenu texte, l'enquêteur change la direction, le lieu et le mode de sa médiation. Pendant l'enquête il représentait le public en s'adressant au modèle. Maintenant il se retourne pour faire face au public, et s'adresse à lui en se faisant l'interprète du modèle, ou plutôt du couple qu'ils ont tous deux formé. Il était avec son modèle dans une situation de dialogue alterné, dans un même plan de communication même si la situation n'était pas égale. Le voici dans une situation englobante, hiérarchiquement supérieure, et définitivement non réciproque : certes, le plus souvent, on soumet au modèle le récit qu'on a tiré de ses réponses, pour qu'il en vérifie l'exactitude et en approuve la forme : « C'est très bien, je ne trouve rien à dire, tout ce que je t'ai dit a été bien reproduit comme je le désirais », certifie Gaston Lucas [1]. Mais Adélaïde Blasquez lui a-t-elle aussi soumis le texte de l'avant-propos, dans lequel elle met en scène son suicide et la naissance de leur relation? Le modèle n'a en fait aucun contrôle sur le cadre qui commandera la lecture d'un récit même tout à fait « fidèle ». L'écart se creuse d'autant plus que l'enquêteur, dans la préface, revient à une pratique dont son modèle est par définition exclu : l'écriture. Le style dépouillé et tragique d'Adélaïde Blasquez, ou le métalangage scientifique de Maurice Catani, contrastent fatalement avec les transcriptions qu'ils donnent des propos du serrurier ou du travailleur immigré.

L'encadrement peut avoir une plus ou moins grande extension. Dans certains livres, comme *Marthe les mains pleines de terre* (1977)

1. *Gaston Lucas, serrurier*, p. 267 (lettre autographe).

de Jean-Claude Loiseau, le récit n'est pas reconstruit, mais on nous propose une enquête narrativisée, selon la technique journalistique du reportage. L'enquêteur raconte le développement de ses relations avec le modèle, le met en scène dans la vie quotidienne, fait son portrait, intègre les informations ou documents qu'il a par ailleurs collectés, et cite (en caractère gras pour les distinguer de son récit) les discours autobiographiques de Marthe. Si arrangée qu'elle soit, cette présentation a l'avantage de bien séparer les rôles, de montrer clairement ce que fait l'enquêteur, de distinguer portrait et autoportrait au lieu de les fondre dans un discours invraisemblable attribué au modèle (comme c'est le cas dans *Mémé Santerre*). Même mérite dans certaines publications scientifiques, comme le *Journal de Mohamed*, où le dialogue donne lieu à une édition savante du texte et à un début d'analyse. Mais le plus souvent, l'encadrement des textes publiés se réduit aux dimensions d'une longue ou brève préface. Sans doute parce que, sur un plan scientifique, il n'est guère possible d'analyser un récit de vie isolé : le métalangage se développera dans un autre cadre, si jamais il se développe. Bien des ethnographes amateurs ont dû ressentir la vérité de la remarque de Jacques Destray : « Les documents ainsi fournis regardent souvent les interprétations qui prétendent les contenir d'un œil ironique. A-t-on jamais vu un échafaudage partir à la conquête d'une vie [1]? »

Ces préfaces (parfois jumelées à une postface, comme dans *Gaston Lucas*) appartiennent à un genre éminemment codé [2], dont il est tentant de dégager le « modèle » en comparant plusieurs spécimens. L'opération, à vrai dire, est inutile : cette préface-type existe déjà, et le piquant, c'est qu'elle a préexisté au genre de l'entretien ethnographique. Dans l'avant-propos de *la Vie d'un simple* (1904), Émile Guillaumin présente en détail le déroulement des entretiens avec le Père Tiennon, narrateur du livre. Il a rencontré sans doute bien des « Tiennon » dont il s'est inspiré : mais le livre n'a pas été produit selon la procédure « ethnographique » qui lui sert d'alibi. Comme il arrive souvent, la fiction précède la réalité, et lui donne ses modèles. Tout y est : la relative discrétion sur l'enquêteur lui-même, la mise en scène de sa relation avec le modèle, le récit spontané qu'on a l'idée de recueillir, la description des procédures, les scrupules de méthode, et surtout, omniprésente, la programmation de la lecture. Alain Prévost, Maria Craipeau, Serge Grafteaux n'ont fait que

1. *La Vie d'une famille ouvrière*, p. 10.
2. Sur les règles de la préface, voir Geneviève Idt, « Fonction rituelle du métalangage dans les préfaces ' hétérographes ' » (*Littérature*, nº 27, octobre 1977, en particulier, p. 66-67).

varier sur cette préface-modèle : ils ne pouvaient faire autrement.

La préface a d'abord une fonction de pacte « référentiel » (le modèle existe, je lui ai parlé), « autobiographique » (à travers mon écoute et ma retranscription, c'est bien à vous, public, qu'il acceptait de parler), et « ethnographique » (il n'appartient pas au monde de l'écriture). Elle installe une mise en scène plus ou moins spectaculaire de la relation qui fonde l'enquête (longue connaissance antérieure, ou rencontre dramatique, ou coup de foudre...) : car sans l'image de cette relation, la lecture de ce qui suit ne pourrait plus aussi bien fonctionner comme une écoute. Une partie de l'émotion que j'ai ressentie tout au long de la lecture de *Gaston Lucas, serrurier* tient au choc créé par l'avant-propos : Gaston Lucas parle d'outre-tombe, et il est écouté par quelqu'un qui l'*aime*. Même effet en lisant la préface de *la Vie d'une famille ouvrière*.

La préface, d'autre part, dresse rapidement un portrait du modèle et surtout qualifie sa parole : quoi de plus naturel? En fait cette présentation sert à produire l'impression « réaliste » (le modèle dans le texte va « ressembler » à son portrait dans le faux « hors-texte » qu'est la préface, ce dédoublement d'un même discours étant un procédé classique pour suggérer la ressemblance du discours au « réel »). Elle a aussi pour fonction d'induire des effets de lecture, d'expliciter par avance les sens qu'on a voulu produire en les « naturalisant » dans le portrait du modèle. Le texte est « lu d'avance » : programmation et auto-publicité. Exemplaire est la démarche de Serge Grafteaux dans le texte intitulé « En guise de préface » qui ouvre *Mémé Santerre*. Oubliant la réalité du dialogue qu'il a conduit avec elle, il attribue à Mémé Santerre la responsabilité complète du récit qu'on va lire, réduisant son rôle à celui de l'écoute :

> Marie-Catherine, qui sait tout juste lire et compter, a pourtant un langage d'une grande pureté, à peine émaillé de quelques robustes expressions de patois ch'timi, le seul qu'elle ait parlé en famille. Elle m'a narré ce que fut son existence de tous les jours avec une minutie de détails qui prouve une extraordinaire mémoire.
> Des heures durant, d'une voix nette et douce, elle a égrené ses souvenirs et, attentivement, je l'ai écoutée sans un instant être lassé tant est prodigieuse sa verve et passionnant ce qu'elle raconte...
> Ainsi, méthodiquement, à l'aide de ce récit, j'ai pu reconstituer la vie de celle qu'à l'hôpital de Meaux, tout le monde nomme affectueusement Mémé Santerre (...).
> Dans les pages qui suivent, Marie-Catherine va se substituer à moi. Je la laisse en face de vous, telle qu'elle est [1] (...).

1. *Mémé Santerre, une vie*, p. 5-6.

Mais *qui* se substitue à l'autre? La Préface est entièrement construite sur un glissement de rôles : l'auteur attribue au modèle le produit de son travail (il décrit non pas en amont la voix réelle de Mémé Santerre, mais le texte qu'on va lire), et il nomme (et vante) l'effet qu'il a voulu produire. Et il se représente en face de son modèle dans l'attitude qui doit être celle du lecteur en face du livre : il donne le bon exemple [1].

Beaucoup plus rarement l'auteur s'explique sur les méthodes de production du livre. S'il le fait, comme Adélaïde Blasquez, il rejette ses explications dans une postface, pour ne pas affaiblir le choc initial. Ou bien il s'explique longuement, comme Sélim Abou, dans une préface méthodologique qui est un modèle du genre, mais dont la longueur même fait un texte autonome qui ne commande plus immédiatement la lecture des récits.

INDIVIDU ET SÉRIE

La perception d'un récit de vie dépend aussi de sa position éventuelle par rapport à d'*autres* récits de vie analogues. Les différents facteurs (techniques narratives, encadrement, et position) engendrent des attitudes de lecture différentes, qu'on est tenté de qualifier de *littéraire* ou de *scientifique*.

Un récit de vie isolé, s'il est suffisamment développé, si la voix et la perspective du modèle sont rendues de manière évocatrice, s'il permet d'imaginer concrètement les situations et les mentalités, s'il met en valeur l'intérêt dramatique que chacun porte à sa propre vie,

1. La narration de *Mémé Santerre* est elle-même entièrement construite sur un glissement des rôles, l'instance narratrice assurant à la fois le « je » du témoin racontant sa vie, et la position de l'enquêteur. Le système est particulièrement évident à la fin du livre (p. 184-185) où une émouvante « figure de narration » fond le discours rapportant et le discours rapporté : « On ne peut pas lutter contre l'inévitable. Notre vie est ainsi faite qu'il faut l'accepter comme elle est, comme on nous l'impose. C'est ce que j'essaie de faire comprendre au journaliste qui vient m'interroger de temps en temps pour que je lui raconte mon existence. » Puis Mémé Santerre se dépeint elle-même bien au chaud dans sa chambre, en train de regarder s'éloigner par la fenêtre « le journaliste qui vient de me quitter et qui repart avec son magnétophone sous le bras. Je lui ai dit : « Toute ma vie, j'ai fait ce que je devais, ce que je pouvais... J'ai souffert beaucoup, travaillé énormément. Mais voyez-vous, il y a aussi et surtout que j'ai aimé (...) ». »

Ce procédé est imité de la fin de *Jacquou le Croquant* (« ... Un de ces visiteurs, qui est venu deux ou trois fois à l'exprès, m'a dit qu'il la mettrait par écrit (mon histoire), telle que je la lui ai contée. ») Son emploi, acceptable dans une fiction, peut paraître incongru dans un document. Sans doute beaucoup de lecteurs, comme Serge Grafteaux lui-même, n'établissent-ils pas une distinction très nette entre les deux genres.

finit par provoquer un effet imaginaire et affectif d'*identification* chez le lecteur. Cet effet est celui-là même que produisent le roman et l'autobiographie écrite, et il n'est nullement incompatible avec l'attitude « exotique » ou « touristique » que l'on a devant un document ethnographique.

La recherche du « vécu » est donc ici comme dans l'autobiographie classique méthodologiquement ambivalente : l'attention systématique accordée à tout ce qui concerne un unique individu, à l'ensemble de son expérience, a naturellement une indéniable valeur anthropologique : comme le suggérait Michel Leiris : « Rien n'est vrai que le concret. C'est en poussant le particulier jusqu'au bout qu'on atteint le général, et par le maximum de subjectivité qu'on touche à l'objectivité [1]. » Mais cette recherche de l'authenticité subjective et d'une totalisation individuelle, si elle est menée avec talent sur un cas unique, aboutit à paralyser ou à décourager l'étude scientifique. Plus un récit de vie développé est littérairement réussi, plus il acquiert le type de résistance et de complexité qu'a la vie elle-même. L'enquête et l'élaboration font venir au jour le réel dans ses multiples dimensions : l'enquêteur (qui est en général l'homme d'*une* discipline, si c'est un scientifique) n'est guère en mesure d'en venir à bout, même lorsqu'il s'imagine que sa discipline est la clef de voûte de la science.

Sur le plan de la lecture littéraire, d'autre part, le récit de vie isolé « réussi » apporte un réel plaisir fondé sur une double méconnaissance. Plus nous entrons intimement dans la perspective de l'autre, plus elle nous devient, comme à lui-même, à la fois évidente et impensable : et cela d'autant plus que ce récit n'est accompagné d'aucune information historique développée provenant de sources différentes [2].

1. Michel Leiris, *L'Afrique fantôme*, Gallimard, 1934, p. 214.

2. La plupart des récits de vie individuelle publiés sous la forme de livres le sont sans aucune mise en place historique, sans information complémentaire, et même sans vérification de l'information donnée par le modèle. On est donc réduit à adhérer à ce qui est dit, sans esprit critique. On pourra comparer à ce propos les deux éditions de *Grenadou*. Dans l'édition originale (1966), le titre programme une lecture « exemplaire » : « *Grenadou, paysan français* », et la préface le confirme : « Entre tous Éphraïm. Il est un paysan exceptionnel parce qu'il aime les arbres. Il est un homme exceptionnel parce qu'il aime les hommes. Il est un être exceptionnel parce qu'il est heureux. Son histoire est pourtant exemplaire (...). » En fait il est beauceron, et il appartient à la catégorie des paysans qui ont réussi grâce à la mécanisation. L'exemple moral (c'est un modèle de réussite, d'adaptation des vertus « paysannes » au monde moderne, que l'on nous propose) tend à se faire passer comme représentativité sociologique. Il faut attendre la seconde édition (1978) pour que la préface ajoutée par un historien, Claude Mesliand, remette le livre en perspective : « Lui et ses semblables ne sont pas toute la paysannerie française. Elle compte bien des échecs, ou des destins médiocres sans qu'on puisse établir de responsabilités personnelles dans la réussite ou dans l'échec.

A quoi se combine l'impensé propre à notre imaginaire : l'identification suppose une relative méconnaissance de ses propres mécanismes, des contrastes et des compensations par lesquels nous structurons notre identité. L'évocation du « vécu » produit un effet d'émotion et de présence qui enrichit notre expérience imaginaire, mais pas forcément notre compréhension réelle du monde, de l'autre et de nous.

Le récit de vie isolé et développé est donc un objet ambigu, flottant entre science et littérature. La réussite de l'ethnographe est en même temps une sorte de piège. Un lecteur de la collection « Terre humaine » pourra s'étonner de voir que le plus souvent le travail de l'ethnographe consiste à établir (à créer) le récit, mais que ce travail ne le met pas en mesure de l'analyser, c'est-à-dire de devenir ethnologue.

Un premier enrichissement de la compréhension peut venir de la collecte des récits de plusieurs membres d'un même groupe (en général la famille). On passe, si je puis dire, du solo de virtuose à une performance de musique de chambre. Oscar Lewis, dans *les Enfants de Sanchez*, Jacques Destray, dans *la Vie d'une famille ouvrière*, Jean Ferniot, dans *Pierrot et Aline*, ont tenté cette reconstitution stéréoscopique de la vie d'une cellule familiale. La technique des récits de vie *croisés* permet de s'arracher à l'illusion d'autonomie que chaque sujet essaie, tant bien que mal, d'entretenir, et que le récit de vie tend à accentuer et à communiquer au lecteur. Un effet de distanciation se produit : chaque vie est relativisée et mise en perspective par les autres. Ainsi se trouve construit dans la réalité un dispositif d'observation conforme au programme du roman du « point de vue ». L'enquête ethnographique permet d'étudier *in vivo* le type de structure que le roman polyphonique (comme *le Bruit et la Fureur*) exploitait sur le plan de la fiction. Le lecteur n'a plus son expérience limitée à une seule « mémoire » avec laquelle il est tenté de coïncider : il se trouve placé dans une position d'omniscience par rapport au petit groupe étudié, son « expérience » imaginaire déborde celle de chacun des individus, et lui fait plus facilement prendre conscience du fait que la vie du groupe elle-même n'est pas autonome, qu'elle est produite par quelque chose qu'elle ne contrôle pas. Reste que, malgré tout, ces vies croisées reforment une sorte d'individu collectif, et que le lecteur peut se complaire à en faire une lecture romanesque où l'identification

---

Aussi bien, quelle que soit la sympathie qui se dégage de Grenadou, devons-nous éviter la tentation de personnaliser sa destinée » (p. 20). Mais tout récit de vie isolé se *personnalise* et se *moralise*. La publication isolée d'une destinée médiocre ou ratée d'un autre paysan beauceron prendrait elle aussi une valeur exemplaire et mythologique. Seule la publication de groupes de récits de vie permet d'échapper à cet effet.

reprendra son pouvoir, accompagnée du plaisir supplémentaire de suivre une partie de cartes en tournant autour de la table pour voir le jeu que chacun a en main. Les différents récits ne se répètent pas, ils se complètent et s'opposent, ils s'articulent entre eux de manière dramatique, donnant jusqu'au bout au lecteur l'impression d'enrichir sa compréhension d'une structure à plusieurs dimensions, comme à la lecture d'un roman par lettres.

Tout autre est l'effet de la construction d'une *série*, d'un ensemble de récits de vie non plus croisés mais *parallèles*. Lire successivement plusieurs récits émis par des membres d'une même catégorie, d'une même génération (récoltés et transcrits par le même enquêteur) produit immanquablement un effet dissuasif, et cela d'autant plus qu'il existe le plus souvent un rapport inverse entre le nombre de récits et le degré de grossissement de chacun d'entre eux. Le lecteur qui cherche un plaisir « romanesque » de dépaysement et d'identification a chance de s'ennuyer. Un effet de monotonie s'installe, dû à l'identité du questionnement et à l'écrasement uniforme que la transcription donne à toutes les paroles, mais aussi au parallélisme des vies elles-mêmes. Quand on achève de lire *la Vie d'une famille ouvrière* suivi d'*Un couple ouvrier traditionnel*, on hésitera à lire un troisième ou quatrième livre produit selon la même méthode : car il faudrait alors *changer de mode de lecture*. La série, base nécessaire de tout travail scientifique, est relativement inconciliable avec la consommation littéraire du récit de vie. Bien sûr, quand je lis *Grenadou* ou *Mémé Santerre*, on me garantit qu'on va me faire entendre « une vie ordinaire », « une vie comme toutes les autres », mais cette *similitude* ne m'est pas donnée à voir sous son aspect réel de *répétition*, mais sous la forme idéalisée de l'*individu typique :* ils sont toujours plus « comme les autres » que les autres, et ils le sont de manière unique, de par la forme même de présentation d'un récit isolé en perspective subjective. L'évidence concrète de la répétition, que seule la juxtaposition de plusieurs récits analogues peut donner, arrache le lecteur à cette illusion d'individualité; elle lui fait enfin envisager l'individualité elle-même comme un fait de série.

La série paralyse donc les formes primaires d'identification, et elle compromet l'idéologie biographique. Des vies en série sont aussi tristes que des rangées de tombes. Un gros meuble à classeurs rempli de dossiers contenant des récits de vie (version continue/version montée) rappelle immanquablement tous les autres lieux où la vie de chacun se trouve classée et archivée et n'apparaît plus que comme une variation insignifiante d'un modèle commun. Cette intégration virtuelle à la totalité est pour chacun de nous à la limite impensable, incompatible avec son statut de sujet. La série de textes ethnobiographiques donne à voir, en quelque sorte, l'*envers* du texte autobiographique individuel : non seulement le modèle n'est plus vraiment l'auteur du récit que l'enquêteur lui a fait produire, mais sa vie elle-même apparaît comme le produit d'un mécanisme qui la dépasse et qu'il ne saurait comprendre.

La série est difficilement publiable telle quelle : elle est un moyen d'invention, une technique privilégiée de la recherche en sciences humaines, mais elle n'est pas un moyen d'exposition. Si elle est publiée, ce sera soit sous la forme du résultat de l'analyse scientifique dont elle a été l'objet, soit sous la forme littéraire de l'*enquête* ou du *reportage*. Il s'agit alors d'effectuer un montage et un encadrement en partant non des éléments d'une vie unique, mais, au second degré, de plusieurs vies, soit intégralement suivies, soit distribuées et orchestrées selon l'ordre d'une analyse. Cela implique un changement de genre littéraire et un changement d'attitude du lecteur. De toute façon, ces enquêtes lui épargneront le côté fastidieux de la répétition : même multiples et « voisins », les récits de vie auront déjà été choisis pour leur aspect typique, et seront organisés selon le système de la variation significative. Le lecteur ne sera plus dans l'attitude d'identification individuelle, mais recherchera la vision globale et omnisciente d'une collectivité : à la limite, on peut rêver d'une reconstruction « unanimiste » d'une époque ou d'une société à partir d'un montage polyphonique de récits de vie. C'est un peu ce qu'a tenté Studs Terkel dans *Chicago, carrefour de la solitude* (1968) [1].

Dans la pratique, comme la collecte de récits de vie a été jusqu'à présent effectuée plutôt sur les sociétés archaïques ou sur les classes dominées des sociétés modernes, on aura affaire surtout à deux grands types de livres. L'enquête *extensive*, portant sur une catégorie professionnelle ou un groupe social urbain, aura tendance à prendre une forme épique traditionnelle, celle de la descente aux enfers, l'enquêteur guidant le lecteur dans les différents « cercles » et lui faisant entendre tour à tour les récits des damnés. C'est par exemple le cas de Juliette Minces *(les Travailleurs étrangers en France)*. L'enquête *intensive*, portant en général sur une petite communauté relativement fermée et stable, comme le village, retrouvera, sur une plus grande échelle, la structure polyphonique des « romans familiaux » que j'ai évoqués ci-dessus, où les récits ne s'ajoutent pas, mais se combinent, l'un des objets du récit étant cette articulation des récits et des points

1. Voir Louis M. Starr, « Studs Terkel et l'histoire orale », *Dialogue*, 1977, nº 2, p. 66-76.

de vue, qui permet de comprendre l'histoire et la structure de la communauté. Ainsi procède Jan Myrdal dans *Un village de la Chine populaire* (1964), en laissant le village composer lui-même son portrait dans des récits que l'ethnographe se garde bien de commenter autrement que par le montage qu'il réalise. C'est ce que fait tel chercheur des Archives orales de la France essayant de renouveler le genre traditionnel de la monographie villageoise en recueillant les Mémoires d'un village breton [1].

LE NOM PROPRE

La lecture dépend enfin du nom propre, et de l'usage qui en est fait dans le texte et dans le titre du livre publié.

On pourrait penser *a priori* que le nom n'a guère ici d'importance. La règle du genre veut que les gens interviewés soient des inconnus, ce que certains appellent dédaigneusement des « anonymes ». L'intérêt même de l'interview tient à leur totale virginité non seulement « auctoriale » (ils n'ont rien écrit ni publié) mais aussi « notoriale » (ils n'ont jamais rien fait qui les distingue, leur notoriété ne s'étend pas au-delà de leur famille et de quelques relations). Qu'importe donc le nom de M. N'importe qui?

Mais, bien sûr, cela importe, et d'abord à eux-mêmes. Ils peuvent être effrayés par l'extension de leur notoriété au-delà du cercle intime, ou au contraire la rechercher comme une forme de témoignage ou d'accomplissement. Leur attitude dépendra de leurs rapports avec leur milieu, mais aussi de la forme (élaborée ou brute) qui est donnée à leur témoignage et du circuit auquel il est destiné (publication individuelle en librairie ou archivage scientifique). Et elle pourra varier entre le début des entretiens, où la promesse de l'anonymat peut permettre de s'exprimer librement, de dire toute la vérité, et la fin, où l'anonymat peut ne plus apparaître en sens inverse que comme la lâche dérobade de quelqu'un qui n'aurait pas dit la vérité. Grenadou,

1. On pourrait imaginer bien d'autres formes de montage, avec des encadrements plus ou moins développés. Sur un plan moins ambitieux, et plus quotidien, ces techniques ont été depuis longtemps, et restent, celles du journalisme : elles sont une des bases du mode d'information auquel le journal, la radio et la télévision nous ont habitués. Autant que d'une extension de la méthode ethnographique aux sociétés développées, il s'agit là d'une mutation liée aux médias modernes, mutation qui, avec un temps de retard, s'est imposée aux scientifiques, et, par un choc en retour, a introduit dans le livre imprimé un type de lecture et d'écoute propre au périodique et à l'audio-visuel.

à qui Alain Prévost avait proposé de rester anonyme, lui a répondu : « Pourquoi? On n'a pas à se cacher, puisque tout ce qu'on raconte est vrai! » Bien sûr, dans certains cas, comme celui de « Mohamed », c'est cette vérité même qui fera désirer au modèle de garder l'anonymat, par crainte de représailles [1]. Mais la plupart du temps, des impératifs de discrétion vis-à-vis de tierces personnes feront modifier des noms ou des détails, sans que le modèle renonce à afficher son identité, qui pourra alors être confirmée et illustrée par la photographie [2].

En effet, le nom propre est un élément essentiel du système du livre lui-même. Il exerce simultanément (et par cela même soude ensemble de manière indissoluble) une fonction référentielle et une fonction romanesque.

Du côté référentiel, il produit une sorte d'*effet de réel*, à cause de son évidente contingence. Un nom comme cela, « cela ne s'invente pas! », qu'il soit banal (Louis Lengrand, Gaston Lucas), ou bizarre (Ephraïm Grenadou). Et cela permet d'opérer une vérification, ce qui renforce la confiance du lecteur. En 1966 les journalistes ont déferlé sur Saint-Loup (Eure-et-Loir) pour s'assurer que Grenadou existait vraiment, et ressemblait à son livre. Maintenant les médias mettent cette vérification à la portée de tous : Louis Lengrand est passé à « Radioscopie », Gaston Lucas est venu à « Apostrophes ».

Le nom, d'autre part, dans la mesure où il figure dans le *titre* du livre, programme un certain type de lecture : il suscite la curiosité biographique et l'investissement imaginaire dans l'existence d'un autre. On connaît le slogan sous-jacent à toute littérature « vécue » : vrai comme la vie, beau comme un roman. C'est ce que disait inlassablement Serge Grafteaux à la Mère Denis : « Dans toute vie, si modeste soit-elle, soyez sûre, Jeanne, qu'il y a un roman [3]. » Le nom propre utilisé comme titre annonce ce roman-là. Il met en avant l'intérêt pour

1. *Journal de Mohamed*, Stock, 1973, p. 132-134.

2. *Grenadou*, *Louis Lengrand*, *Mémé Santerre* utilisent la photographie pour la couverture du livre, mais contrairement à ce qu'on aurait pu attendre, le récit lui-même n'est pas doublé d'une iconographie (soit pour des raisons de coût, soit parce que les modèles ne possédaient pas d'archives photographiques personnelles — ce qui semble peu vraisemblable). *Gaston Lucas* et *Marthe les mains pleines de terre* comportent en revanche une iconographie succincte. Il est vrai qu'il y a un décalage entre une iconographie, doublement figée par l'objectif et le temps, et la présence d'une voix, que le récit imprimé tend à suggérer. L'image s'accorde mieux avec le récit quand elle est image de la narration elle-même, comme dans les récits de vie audio-visuels.

3. Serge Grafteaux, *La Mère Denis, l'histoire vraie de la lavandière la plus célèbre de France*, Jean-Pierre Delarge, 1976, p. 190.

la forme individuelle et concrète d'une vie. *Madame Bovary* ou *Mémé Santerre*, de toute façon c'est « une destinée » que nous allons suivre. Une seconde partie du titre précise la valeur qu'a cette vie, ce qu'elle a de typique, et qui l'arrache à sa banalité : sa banalité même *(« Mémé Santerre, une vie », « Journal de Mohamed, un Algérien en France parmi huit cent mille autres »)*, un métier et une région *(Louis Lengrand, mineur du Nord)*, un métier et une attitude *(Gaston Lucas, serrurier, chronique de l'anti-héros)*. Les indications génériques que contiennent les titres sont en général inexactes, mais impliquent l'expression personnelle du modèle (journal, chronique).

On pourrait opposer brutalement ce système, où le nom propre *soutient* la publication en livre d'un unique récit de vie, au système de certaines enquêtes scientifiques, fondées sur le respect de l'anonymat. Garantir l'anonymat aux modèles est une opération ambiguë dès lors que l'enquête aboutit à une publication des récits. Certes, cela montre que l'on a du respect pour les modèles : mais la discrétion qu'on leur promet peut faciliter l'enquête. Cela montre aussi qu'on les considère comme propriétaires, sinon de leur parole, du moins de leur nom : mais la disjonction du nom et de la parole les prive en fait des deux à la fois. On les dépouille d'autant plus facilement de leur parole qu'on fait le beau geste de ne pas prendre leur nom.

C'est que le « scientifique » n'a besoin de ce nom, ni pour la référence (par principe on lui fait confiance), ni pour l'effet qu'il veut produire (il ne veut pas produire d'effet). L'anonymat, joint à la multiplicité des récits et à un système de « transcription moyenne », impose au lecteur la distanciation. L'individu dont on cite le récit n'est qu'un cas parmi d'autres, on nous propose de l'écouter et non de l'imaginer ou de nous mettre à sa place. Le nom, qui aurait pu lui donner une épaisseur individuelle et concrète, est remplacé par un système d'appellation qui décourage l'identification et nous fait garder la tête froide. Une fiche d'identité (« agriculteur, 67 ans, tel canton »), une initiale (« F »), c'est un peu l'équivalent de la barre sur les yeux qui empêche de reconnaître et d'individualiser les personnages sur une photographie. Un nom, comme un regard, ce serait le début d'une relation interpersonnelle possible. Il arrive, de plus, que la discrétion impose ces identités tronquées ou l'utilisation de pseudonymes [1].

L'opposition que je viens de construire entre l'utilisation du nom en littérature et l'anonymat « scientifique » est là pour indiquer une

1. C'est le cas lorsque le sujet traité est délicat (par exemple dans les recueils de récits de vie sexuelle) ou lorsque l'enquêteur a travaillé dans son propre milieu amical ou familial.

tendance générale. Il y a bien sûr des exceptions et surtout des systèmes ambigus. En particulier lorsque la discrétion empêche de donner le nom des personnes, mais que la forme de transcription et de publication exige la construction de leur image et de leur identité autour d'un nom, on peut avoir recours non à un pseudonyme ou à une initiale patronymique, mais à un prénom (réel ou fictif), ce qui crée une impression de proximité et d'intimité dans la relation d'enquête, et justifie la perspective subjective du modèle. Ainsi dans les polyphonies familiales de Jacques Destray où le récit de « Jean » et celui de « Jocelyne » s'entrelacent, suivis de celui de « Gilles ». Ou dans les livres qu'annonçait Maurice Catani à la suite du *Journal de Mohamed : Tante Suzanne, modiste dans la Mayenne et horlogère à Paris (Suzanne et René M..., artisans), Alberto, le chauffeur espagnol, Manuel Necas, l'émigré, Cousine Denise, la paysanne (Denise J...).*

On aurait tort de ne voir là que des simples questions pratiques (discrétion, lois d'un genre, etc.). Le nom propre comme enjeu est au centre des différents problèmes que l'étude des récits de vie amène à envisager, en particulier ceux des rapports sociaux et de l'idéologie biographique.

UN AUTRE « JE »?

Ainsi monté, encadré, baptisé, le récit de vie est prêt à sortir en librairie. Sans doute s'agit-il d'une mode : cela ne se faisait pas il y a quinze ans, et ne se fera peut-être plus demain. En l'analysant à chaud, ne lui donne-t-on pas trop d'importance? — Mais d'une mode il reste toujours quelque chose : la technique de fabrication, l'attitude de lecture s'intègrent sans bruit dans nos pratiques, deviennent routine. Et puis cette mode est un signe, qu'on est tenté de rapprocher d'autres signes, dans les domaines les plus variés : le développement de l'interview, la prolifération du document vécu et l'étonnante inflation, ces dernières années, dans la littérature de type classique, des textes autobiographiques ou d'inspiration autobiographique. Dans « Les lettres », une des plus saisissantes nouvelles du *Livre du rire et de l'oubli* (Gallimard, 1979), Milan Kundera a stigmatisé cette graphomanie aiguë qui pousse aujourd'hui n'importe qui à vouloir publier son témoignage et diffuser son vécu. Mais une telle offre ne peut se développer que parce que la demande existe, une écoute insatiable (un « vécu » chasse l'autre) qui se satisfait aussi bien, et presque mieux, de l'ersatz que du produit « naturel ». Demande dressée et entretenue par le mode de *personnalisation* que les médias (surtout la radio et la télévision) imposent à tous les messages qu'ils diffusent, qu'il s'agisse de politique, de publicité, de littérature ou de sport : dès qu'on tourne le bouton, on baigne dans l'intime, le direct, l'homme à homme...

Ici, et sur le point de conclure, le critique s'arrête, effrayé. Il est tenté par l'amalgame, la prophétie, et le moralisme. Voici par exemple ce qu'il pourrait dire :

« Depuis deux siècles, l'autobiographie s'est progressivement approprié et assimilé des procédés venant d'autres genres littéraires : c'est par ce processus que le genre s'est fortifié, au point d'être en passe aujourd'hui de s'établir comme genre dominant [1]. Ne pourrait-on conclure de l'analyse de la situation actuelle que ce phénomène se double d'un autre, qui paradoxalement l'*inverse :* victime de son triomphe, l'expression autobiographique est devenue à son tour le *moyen* obligé de la plupart des autres fins. Le moi n'est plus qu'un excipient destiné à faire avaler tout le reste [2]... Une nouvelle, immense, et vide, rhétorique de la première personne... D'ailleurs, plus les médias coupent la communication directe, plus ils la restituent sous la forme de leurre et d'image. C'était vrai de l'écriture imprimée, ce l'est encore plus de la radio et de la télévision, où les chances de réversibilité de la communication sont bien plus faibles, et plus forte l'illusion de réalité. De sorte qu'au terme de cette feinte personnalisation, « je » a chance de ne plus être personne... »

Mais pour ainsi parler, il faudrait croire que ce « je » était auparavant quelqu'un d'*un* et de bien solide. Et peut-on extrapoler en amalgamant des phénomènes si variés, si complexes, dont l'analyse littéraire ne saisit sans doute qu'un aspect? Aussi ai-je plutôt cherché, par des études précises sur des corpus assez divers, à déconstruire l'illusion d'unité du sujet qu'encourage le genre autobiographique, et à décentrer l'étude du genre, qui a tendance à s'enfermer dans le cercle magique de la littérature. L'expression autobiographique est un fait de civilisation — immense, et encore relativement peu exploré. Et bien sûr, il n'y a dans les faits d'expression « à la première personne », ni unité, ni éternité : « je » passe son temps à être autre, et d'abord autre que ce qu'il était avant... Peut-être est-ce en ce sens, modeste, qu'il faut prendre finalement la formule affichée dans le titre de ce livre : point de départ d'une recherche, qui reste *à suivre.*

1. Comme le constate justement Georges May (« Le creuset de l'autobiographie », *L'Autobiographie*, PUF, 1979, p. 197 *sq.*).

2. Cf. Juliette Raabe, « Le marché du vécu », communication présentée à la décade de Cerisy sur « L'autobiographie et l'individualisme en Occident » (juillet 1979).

Bibliographie et index

Bibliographie

Cette bibliographie complète et prolonge celle du *Pacte autobiographique* (1975). Elle est fondée sur les mêmes principes : elle ne mentionne qu'exceptionnellement des études sur un auteur ou un texte particulier. En revanche le champ couvert déborde l'autobiographie au sens étroit, et englobe :

— les études portant sur les genres voisins (mémoires, journal intime, roman personnel, biographie, interview, histoire orale, etc.);

— les études portant sur le domaine français et sur les différents domaines étrangers;

— les études de méthode utiles à l'exploration du champ autobiographique.

L'*index* ci-dessous facilitera la consultation.

INDEX DE LA BIBLIOGRAPHIE

DOMAINES NATIONAUX

ÉPOQUES

MÉTHODES

(1) Abbs (Peter), *Autobiography in Education, an Introduction to the Subjective Discipline of Autobiography and its Central Place in the Education of Teachers*, London, Heinemann Education Books, 1974, 182 p.
(2) Aigrain (René), *L'Hagiographie, ses sources, ses méthodes, son histoire*, Bloud et Gay, 1953, 416 p.
(3) Ariès (Philippe), *Essais sur l'histoire de la mort en Occident du Moyen Age à nos jours*, Seuil, 1975, 226 p.
(4) Ariès (Philippe), *L'Homme devant la mort*, Seuil, 1977, 642 p.
(5) *L'Autobiographie dans le monde hispanique* (Actes du colloque international organisé par Guy Mercadier à La Baume-lès-Aix en mai 1979), Publications de l'Université de Provence, série « Études hispaniques » n° 1, 1980.

(6) *L'Autobiographie et l'Individualisme en Occident* (Décade de Cerisy, 10-20 juillet 1979, sous la direction de Maurice Catani et de Claudette Delhez-Sarlet), à paraître.

(7) « Autobiography and the Problem of the Subject », *MLN*, French Issue, XCIII, nº 1, mai 1978, p. 573-749.

(8) Beaujour (Michel), « Autobiographie et autoportrait », *Poétique*, nº 32, novembre 1977, p. 442-458.

(9) Bellemin-Noël (Jean), *Psychanalyse et Littérature*, PUF, collection « Que sais-je? », 1978, 128 p.

(10) Bertaux (Daniel), *Histoires de vies — ou récits de pratiques?, Méthodologie de l'approche biographique en sociologie*, rapport Convention CORDES, tome II, mars 1976, 224 p. (ronéoté, consultable à la Bibliothèque de la Maison des Sciences de l'Homme, Bd Raspail, Paris, et à celle du Centre d'Études Sociologiques, rue Cardinet, Paris).

(11) Beugnot (Bernard), « Débats autour du genre épistolaire. Réalité et écriture », *Revue d'histoire littéraire de la France*, 1974, nº 2, p. 195-202.

(12) Billson (M.), « The Memoir : New Perspectives on a Forgotten Genre », *Genre*, X, nº 2, 1977, p. 259-282.

(13) « La biographie », dossier établi par Jean-Vincent Richard, *Les Nouvelles littéraires*, 10-17 mai 1979, p. 17-22.

(14) Birkner (Gerd), *Heilsgewissheit und Literatur. Metaphor, Allegorie und Autobiographie in Puritanismus*, Munchen, W. Fink, 1972, 183 p.

(15) Bonnain (Rolande) et Fanch'Elegoët, « Mémoires de France. Aperçu provisoire des recherches en cours », et « Les archives orales : pour quoi faire? », *Ethnologie française*, VIII, nº 4, 1978, p. 331-355.

(16) Bonnet (Jean-Claude), « Naissance du Panthéon », *Poétique*, nº 33, février 1978, p. 46-65.

(17) Bourcier (Élisabeth), *Les Journaux privés en Angleterre de 1600 à 1660*, Publications de la Sorbonne, 1977, 496 p.

(18) Bourdieu (Pierre), « La production de la croyance. Contribution à une économie des biens symboliques », *Actes de la recherche en sciences sociales*, nº 13, février 1977, p. 3-43.

(19) Bowman (Frank Paul), « Suffering, Madness and Literary Creation in the Seventeenth Century Spiritual Autobiography », *French Forum*, I, nº 1, janvier 1976, p. 24-48.

(20) Bruss (Elizabeth), *Autobiographical Acts. The Changing Situation of a Literary Genre*, Baltimore and London, John Hopkins University Press, 1976, 184 p.

(21) Burgos (Martine), « Sujet historique ou sujet fictif : le problème de l'histoire de vie », *Information sur les sciences sociales*, XVIII, nº 1, 1979, p. 27-44.

(22) Butterfield (Stephen), *Black Autobiography in America*, Amherst, University of Massachusetts Press, 1974, VIII-303 p.

(23) Bya (Joseph), « Persistance de la biographie », *Le Discours social*, nº 1, 1970, p. 23-32.
(24) Case (Ann Patricia), *How to write your Autobiography : preserving your Family Heritage*, Santa Barbara, California, Woodbridge Press, 1977, 112 p.
(25) Certeau (Michel de), *L'Écriture de l'histoire*, Gallimard, 1975, 361 p.
(26) « Ceux dont le métier est de faire parler les autres », enquête sur l'interview, *Les Nouvelles littéraires*, 20-27 septembre 1979, p. 31-34.
(27) Chevalier (Yves), « Biographie et sociologie », *Revue française de science politique*, XXIX, nº 1, février 1979, p. 53-82.
(28) Cockshut (Antony), *Truth to Life. The Art of Biography in the Nineteenth Century*, London, Collins, 1974, 220 p.
(29) Conquet (André), *Comment rédiger ses souvenirs de famille*, Le Centurion, collection « mieux vivre après 50 ans », 1978, 120 p.
(30) « La conversation », *Communications*, nº 30, 1979, 271 p.
(31) Cooley (Thomas), *Educated Lives. The Rise of Modern Autobiography in America*, Ohio State University Press, 1977, 190 p.
(32) Cru (Jean Norton), *Du Témoignage*, J.-J. Pauvert, 1966, 192 p. (1re édition en 1930).
(33) Debray (Régis), *Le Pouvoir intellectuel en France*, Éditions Ramsay, 1979, 280 p.
(34) Delfau (Gérard) et Roche (Anne), *Histoire/littérature, Histoire et interprétation du fait littéraire*, Seuil, collection « Pierres vives », 1977, 317 p.
(35) De Ribbe (Charles), *Le Livre de famille*, Tours, Mame, 1879, 283 p. (sur les livres de raison).
(36) Derrida (Jacques), « Signature, Événement, Contexte », in *Marges de la philosophie*, Éditions de Minuit, 1972, p. 365-393.
(37) Didier (Béatrice), *Le Journal intime*, PUF, 1976, 208 p.
(38) Dobbs (Brian), *Dear Diary. Some Studies in Self-Interest*, London, Elm Tree Books, 1974, 229 p.
(39) Dufrancatel (Christiane), « Autobiographies de ' femmes du peuple ' », *Le Mouvement social*, nº 105, octobre-décembre 1978, p. 147-155.
(40) Dugast (Francine), *L'Image de l'enfance dans la prose littéraire française de 1918 à 1930*, thèse de doctorat d'État, Université de Paris IV (juin 1977), 880 p. (ronéoté).
(41) Dumayet (Pierre), « L'interview télévisuelle », *Communications*, nº 7, 1966, p. 52-58.
(42) « Du secret », *Nouvelle revue de psychanalyse*, nº 14, Automne 1976.
(43) « Écrire au magnétophone », dossier établi par Karine Berriot, *Les Nouvelles littéraires*, 3-10 mars 1977, p. 17-21.
(44) « Écrire la psychanalyse », *Nouvelle revue de psychanalyse*, nº 16, Automne 1977.
(45) Febvre (Lucien) et Martin (Henri-Jean), *L'Apparition du livre*, Albin Michel, collection « L'évolution de l'humanité », 1971, 538 p.

(46) Flahaut (François), *La Parole intermédiaire*, Seuil, 1978, 236 p.
(47) Fleishman (A.), « The Fictions of Autobiographical Fictions », *Genre*, IX, n° 1, 1976, p. 73-86.
(48) Fothergill (Robert A.), *Privates chronicles. A Study of English Diaries*, London, New York, Oxford University Press, 1974, 246 p.
(49) Foucault (Michel), « Qu'est-ce qu'un auteur? », *Bulletin de la Société française de philosophie*, 1969, n° 3, p. 73-104.
(50) Foucault (Michel), *Histoire de la sexualité. I. La Volonté de savoir*, Gallimard, 1976, 213 p.
(51) Genette (Gérard), *Introduction à l'architexte*, Seuil, collection « Poétique », 1979, 90 p.
(52) Geng (Jean-Marie), *L'Illustre Inconnu. Une tératologie de la notoriété, ou portrait du perceur par lui-même*, 10 × 18, 1978, 315 p.
(53) Girard (Alain), « Évolution sociale et naissance de l'intime »,in *Intime, intimité, intimisme*, Colloque de l'Université de Lille (juin 1973), Éditions Universitaires, 1976, p. 47-55.
(54) Glowinski (Michael), « On the First-Person Novel », *New Literary History*, IX, n° 1, Automne 1977, p. 103-114.
(55) *La Grammaire du français parlé*, sous la direction d'André Rigault, Hachette, 1974, 176 p.
(56) Groupe μ, « Les biographies de *Paris-Match* », *Communications*, n° 16, 1970, p. 110-124.
(57) Guénot (Jean), *Écrire. Guide pratique de l'écrivain*, chez Jean Guénot, auteur-éditeur, 85 rue des Tennerolles, 92210 Saint-Cloud, 1977, 517 p.
(58) Guglielminetti (Marziano), *Memoria e Scrittura. L'Autobiografia da Dante a Cellini*, Piccola Biblioteca Einaudi, 1977, 386 p.
(59) Hervouet (Yves), « L'autobiographie dans la Chine traditionnelle », in *Études d'histoire et de littérature chinoises offertes au Professeur Jaroslav Prusek*, Bibliothèque de l'Institut des Hautes Études Chinoises, vol. XXIV, 1976, p. 107-141.
(60) Hipp (Marie-Thérèse), *Mythes et réalités : enquête sur le roman et les mémoires (1660-1700)*, Klincksieck, 1976, 590 p.
(61) Horowitz (Irving Louis), « Autobiography as the Presentation of Self for Social Immortality », *New Literary History*, IX, n° 1, Automne 1977, p. 173-177.
(62) Idt (Geneviève), « Fonction rituelle du métalangage dans les préfaces hétérographes », *Littérature*, n° 27, octobre 1977, p. 65-74.
(63) Jauss (Hans Robert), *Pour une esthétique de la réception*, traduit de l'allemand par Claude Maillard, préface de Jean Starobinski, Gallimard, « Bibliothèque des Idées », 1978, 308 p.
(64) *Le Journal intime et ses formes littéraires*, Actes du colloque de septembre 1975, Genève-Paris, Droz, 1978, VIII-330 p.
(65) Joutard (Philippe), « Historiens, à vos micros! Le document oral, une nouvelle source pour l'histoire », *L'Histoire*, n° 12, mai 1979, p. 106-112.

(66) Kempton (Adrian P. L.), « The Theme of Childhood in the French Eighteenth Century Memory Novel », in *Studies on Voltaire and the Eighteenth Century*, CXXXII, 1975, p. 205-225.
(67) Korshin (Paul J.), « The Development of Intellectual Biography in the Eighteenth Century », *Journal of English and German Philology* LXXIII, 1974, p. 513-523.
(68) Le Bohec (Paul), « Les biographies dans la formation », *Le CREU*, revue du Centre de recherches et d'échanges universitaires (ICEM), nº 3, 2e trimestre 1977, p. 20-26.
(69) Leclerc (Gérard), *L'Observation de l'homme. Une histoire des enquêtes sociales*, Seuil, 1979, 367 p.
(70) « Lectures des *Confessions* de Rousseau », *Œuvres et Critiques*, III, nº 1, Été 1978, p. 3-129.
(71) Lejeune (Philippe), « Le Peigne cassé », *Poétique*, nº 25, 1976, p. 1-30.
(72) Lejeune (Philippe), « Ça s'est fait comme ça », *Poétique*, nº 35, septembre 1978, p. 269-304 (sur le film *Sartre par lui-même*).
(73) Lejeune (Philippe), « Vallès et la voix narrative », *Littérature*, nº 23, octobre 1976, p. 3-20 (repris ci-dessus p. 10-31).
(74) Lejeune (Philippe), « Autobiography in the Third Person », *New Literary History*, IX, 1, Automne 1977, p. 27-50 (repris ci-dessus p. 32-59).
(75) Lejeune (Philippe), « La Voix de son Maître : les entretiens radiophoniques », *Littérature*, nº 33, février 1979, p. 6-36 (publication partielle du chapitre « La Voix de son Maître », ci-dessus, p. 110-150).
(76) Lejeune (Philippe), « L'autobiographie parlée », *Obliques*, nº 18-19 (« Sartre »), 1979, p. 97-116 (repris ci-dessus p. 161-200).
(77) Lejeune (Philippe), « Vécu/Écrit », *BREF*, nº 13, février 1978, p. 5-31 (repris en grande partie ci-dessus, « Le document vécu », p. 203-228).
(78) Mandel (Barrett J.), « Autobiography-Reflexion Trained on Mystery », *Prairie Schooner*, XLVI, 1972, p. 323-338.
(79) Mandel (Barrett J.), « 'Basting the Image with a Certain Liquor' : Death in Autobiography », *Soundings*, LVII, 1974, p. 175-188.
(80) Mansell (Darrel) « Unsettling the Colonel's Hash : « Fact » in Autobiography », *Modern Language Quaterly*, XXXVII, nº 2, juin 1976, p. 115-132.
(81) Markiewicz-Lagneau (Janina), « L'autobiographie en Pologne, ou de l'usage social d'une technique sociologique », *Revue française de sociologie*, XVII, nº 4, octobre-décembre 1976, p. 115-132 (sur les concours d'autobiographie).
(82) Mathieu (Michel), « Analyse du récit » (Bibliographie), *Poétique*, nº 30, avril 1977, p. 226-259.
(83) Matthews (William), *American Diaries in Manuscript, 1580-1954. A Descriptive Bibliography*, Athens, University of Georgia Press, 1974, 176 p.

(84) May (Georges) *L'Autobiographie*, PUF, 1979, 236 p.
(85) Mazlish (Bruce), « Autobiography and Psycho-Analysis », *Encounter*, XXXV, 1970, p. 28-37.
(86) McLuhan (Marshall), *La Galaxie Gutenberg. La genèse de l'homme typographique*, Gallimard, collection « Idées », 1977, 2 vol.
(87) McLuhan (Marshall), *Pour comprendre les media*, Seuil, collection « Points », 1977.
(88) « Mémoires », *Nouvelle revue de psychanalyse*, n° 15, Printemps 1977, 314 p.
(89) « Mémoires de France », *Ethnologie française*, VIII, n° 4, 1978, p. 329-368.
(90) Mitterand (Henri), « Le discours préfaciel », in *La Lecture sociocritique du texte romanesque*, Toronto, S. Stevens, Hakkert and Co, 1975, p. 3-13.
(91) Morand (Bernadette), *Les Écrits des prisonniers politiques*, PUF, 1976, 167 p.
(92) Morin (Edgar), « L'interview dans les sciences sociales et à la radio-télévision », *Communications*, n° 7, 1966, p. 59-73.
(93) Morris (Jim R.), « Newsmen's Interview Techniques and Attitudes Toward Interviewing », *Journalism Quaterly*, L, n° 3, 1973, p. 539-542 et p. 548.
(94) « Narcisses », *Nouvelle revue de psychanalyse*, n° 13, Printemps 1976, 313 p.
(95) « Notre mémoire populaire », dossier établi par Jean-Pierre Rioux, *Les Nouvelles littéraires*, 26 janvier-1er février 1978, p. 15-22.
(96) « L'oral », *Pratiques*, n° 17, octobre 1977.
(97) Peneff (Jean), « Autobiographies de militants ouvriers », *Revue française de science politique*, XXIX, n° 1, février 1979, p. 53-82.
(98) Porter (Laurence M.), « Autobiography versus Confessionnal Novel : Gide's *L'Immoraliste* and *Si le grain ne meurt* », *Symposium*, XXX, n° 2, 1976, p. 144-159.
(99) Prince (Gerald), « The Diary Novel. Notes for the Definition of a Sub-Genre », *Neophilologus*, LIX, n° 4, octobre 1975, p. 477-481.
(100) Radwan (J.), « Perspectives nouvelles sur un genre méconnu : l'autobiographie ouvrière », *Allemagnes d'aujourd'hui*, n° 52, 1976, p. 73-84.
(101) Ragon (Michel), *Histoire de la littérature prolétarienne en France*, Albin Michel, 1974, 315 p.
(102) Ragon (Michel), « La mémoire des petites gens », *Le Magazine littéraire*, n° 150, juillet 1979, p. 17-19.
(103) Renza (Louis A.), « The Veto of Imagination : a Theory of Autobiography », *New Literary History*, IX, n° 1, Automne 1977, p. 1-26.
(104) Rewa (M.), « Style in Biography : A Bibliographical Study », *Style*, IX, n° 2, 1975, p. 181-209.
(105) Rioux (Jean-Pierre), « Des brassées de vies », *Le Monde Dimanche*, 7 octobre 1979, p. XVIII.

(106) Samuel (Raphael), « L'histoire orale en Grande-Bretagne », *Bulletin du Centre de Recherches sur la civilisation industrielle*, Écomusée du Creusot, n° 0, novembre 1977, p. 15-23.

(107) Sennett (Richard), *Les Tyrannies de l'intimité*, Seuil, 1979, 286 p.

(108) Sgard (Jean), « Problèmes théoriques de la biographie », in *Histoire et historiens au XVIII*e *siècle*, Colloque d'Aix-en-Provence (1975), à paraître.

(109) Simonin-Grumbach (Jenny), « Pour une typologie des discours », in *Langue, Discours, Société. Pour Émile Benveniste*, sous la direction de Julia Kristeva, Jean-Claude Milner, Nicolas Ruwet, Seuil 1975, p. 85-121.

(110) Spacks (Patricia Meyer), *Imagining a Self. Autobiography and Novel in Eighteenth Century England*, Cambridge, Harvard University Press, 1976, 342 p.

(111) Starr (Louis M.), « Oral History », in *Encyclopedia of Library and Information Science*, Kent, Lancour and Daily, 1977, volume XX, p. 440-463.

(112) *Stendhal et les problèmes de l'autobiographie*, Colloque de 1974, Presses Universitaires de Grenoble, 1976, 168 p.

(113) Sturrock (John), « The new model autobiographer », *New Literary History*, IX, n° 1, Automne 1977, p. 51-63.

(114) Szávai (János), « La place et le rôle de l'autobiographie dans la littérature », *Acta Litteraria Academiae Scientiarum Hungaricae*, XVIII, 1976, p. 398-414.

(115) Taylor (Dennis), « Some Strategies of Religious Autobiography », *Renascence*, XXVII, 1974, p. 40-44.

(116) Théolleyre (Jean-Marc), « Les nègres en littérature », *Le Monde*, 8 juillet 1977.

(117) Todorov (Tzvetan), « L'origine des genres », *Les Genres du discours*, Seuil, collection « Poétique », 1978, p. 44-60.

(118) Verhaegen (Benoît), *Introduction à l'histoire immédiate. Essai de méthodologie qualitative*, Éditions Duculot, 1974, 200 p.

(119) Watts (Derek A.), « Self-Portrayal in Seventeenth Century French Memoirs », *Australian Journal of French Studies*, XII, n° 3, 1975, p. 263-285.

(120) Watts (Derek A.), « Testimonies of Persecution : Four Huguenot Refugees and their Memoirs », in *Studies in Eighteenth Century French Literature* presented to Robert Niklaus, University of Exeter, 1975, p. 319-333.

(121) Webb (Eugene J.) et Salancik (Jerry R.), « The Interview, or the Only Wheel in Town », *Journalism Monographs*, n° 2, novembre 1966, 49 p. (Bibliographie).

(122) Weintraub (Karl J.), « Autobiography and Historical Consciousness », *Critical Inquiry*, I, 1975, p. 821-848.

(123) Weintraub (Karl J.), *The Value of the Individual. Self and Circumstance in Autobiography*, Chicago, London, The University of Chicago Press, 1978, 439 p.
(124) Wuthenow (Ralph Rainer), *Das erinnerte Ich. Europaïsche Autobiographie und Selbstdarstellung im 18. Jahrhundert*, Munchen, Beck, 1974, 248 p.
(125) Zeldin (Théodore), « Biographie et psychologie sous le second Empire », *Revue d'histoire moderne et contemporaine*, XXI, janvier-mars 1974, p. 58-74.
(126) Zilliacus (Clas), « Radical Naturalism : First-Person Documentary Literature », *Comparative Literature*, XXXI, nº 2, Printemps 1979, p. 97-112.

Index

Table

COMPOSITION : FIRMIN-DIDOT AU MESNIL
IMPRESSION : REPRINT/AUBIN À LIGUGÉ (3-89)
D.L. 1er TR. 1980. Nº 5464-3 (L 30896)

DANS LA MÊME COLLECTION

ARISTOTE
La Poétique

MICHEL BEAUJOUR
Miroirs d'encre

LEO BERSANI
Baudelaire et Freud

CLAUDE BREMOND
Logique du récit

MICHEL CHARLES
Rhétorique de la lecture
L'Arbre et la Source

HÉLÈNE CIXOUS
Prénoms de personne

DORRIT COHN
La Transparence intérieure

LUCIEN DÄLLENBACH
Le Récit spéculaire

RAYMONDE DEBRAY GENETTE
Métamorphoses du récit

NORTHROP FRYE
Le Grand Code

GÉRARD GENETTE
Figures III
Mimologiques
Introduction à l'architexte
Palimpsestes
Nouveau Discours du récit
Seuils

KÄTE HAMBURGER
Logique des genres littéraires

ROMAN JAKOBSON
Questions de poétique
Russie folie poésie

ANDRÉ JOLLES
Formes simples

ABDELFATTAH KILITO
L'Auteur et ses doubles

PH. LACOUE-LABARTHE ET J.-L. NANCY
L'Absolu littéraire

PHILIPPE LEJEUNE
Le Pacte autobiographique
Je est un autre
Moi aussi

VLADIMIR PROPP
Morphologie du conte
coll. Points

JEAN RICARDOU
Nouveaux Problèmes du roman

JEAN-PIERRE RICHARD
Proust et le Monde sensible
Microlectures
Pages Paysages

MICHAEL RIFFATERRE
La Production du texte
Sémiotique de la poésie

NICOLAS RUWET
Langage, Musique, Poésie

JEAN-MARIE SCHAEFFER
L'Image précaire

TZVETAN TODOROV
Introduction à la littérature fantastique
coll. Points
Poétique de la prose
coll. Points
Théories du symbole
coll. Points
Symbolisme et Interprétation
Les Genres du discours
Mikhaïl Bakhtine le principe dialogique
Critique de la critique

HARALD WEINRICH
Le Temps

RENÉ WELLEK ET AUSTIN WARREN
La Théorie littéraire

PAUL ZUMTHOR
Essai de poétique médiévale
Langue, Texte, Énigme
Le Masque et la Lumière
Introduction à la poésie orale
La Lettre et la Voix